# As potencialidades de pesquisa na Casa dos Contos de Ouro Preto

## Origens do Centro de Estudos do Ciclo do Ouro

III

ANEXOS

Patrocínio:

ArcelorMittal

LEI DE INCENTIVO À CULTURA
MINISTÉRIO DA CULTURA

BRASIL
UM PAÍS DE TODOS
GOVERNO FEDERAL

Eugênio Ferraz

# As potencialidades de pesquisa na Casa dos Contos de Ouro Preto

## Origens do Centro de Estudos do Ciclo do Ouro

III

ANEXOS

ANEXO A - Inventário analítico dos códices da coleção "Casa dos Contos"

ANEXO B - Inventário analítico do Arquivo Eclesiástico da Paróquia de Nossa Senhora da Conceição de Antonio Dias

ANEXO C - Inventário analítico do Arquivo Eclesiástico da Matriz de Santo Antonio de Casa Branca

ANEXO D - Documentos do Século XIX, pertencentes ao Museu do Tropeiro de Itabira

Belo Horizonte · 2008

EDITORA C/ Arte

www.comarte.com

Editora C/ARTE

**Editor**
Fernando Pedro da Silva



**Projeto gráfico e capa**
Marcelo Belico

**Imagem de capa**
Quadro de autoria de José Efigênio Pinto Coelho, Casa dos Contos, fundos.

**Imagens de quarta capa**
Quadro vertical e quadro horizontal, acima à direita, de autoria de Eugênio Ferraz, retratando, respectivamente, fundos e lateral da Casa dos Contos; à direita, abaixo, quadro de autoria de Ivanise Junqueira Ferraz, retratando vista da Casa dos Contos com neblina.



**Editora C/ARTE**
Av. Guarapari, 464
Cep 31560-300 - Belo Horizonte - MG
Pabx: (31) 3491-2001
com.arte@comartevirtual.com.br
www.comarte.com

---

F38p Ferraz, Eugênio 1953-

As potencialidades de pesquisa na Casa dos Contos de Ouro Preto: origens do Centro de Estudos do Ciclo do Ouro. / Eugênio Ferraz. Coordenação Editorial: Fernando Pedro da Silva. - Belo Horizonte : C / Arte, 2008.

324 p. : il. : 15,5x22,5cm.

ISBN : 978-85-7654-058-8

Anexos: Inventário analítico dos códices da coleção "Casa dos Contos"; Inventário analítico do Arquivo Eclesiástico da Paróquia de Nossa Senhora da Conceição de Antonio Dias; Inventário analítico do Arquivo Eclesiástico da Matriz de Santo Antonio de Casa Branca; Documentos do Século XIX, pertencentes ao Museu do Tropeiro de Itabira.

1. Casa dos Contos (Ouro Preto, MG) - Bibliografia. 2. Casa dos Contos (Ouro Preto, MG) - Catálogos. 3. Finanças públicas - Ouro Preto (MG) - Bibliografia. 4 Centro de Estudos do Ciclo do Ouro. 5. Ciclo do Ouro. 6. Paróquia de Nossa Senhora da Conceição de Antonio Dias. 7. Matriz de Santo Antonio de Casa Branca. 8. Museu do Tropeiro de Itabira. I. Silva, Fernando Pedro da 1965 - . II. Título.

CDD: 016.3368151

---

# Sumário

# Potencialidades de pesquisa

Aliar a produção do aço às práticas de responsabilidade social faz parte da rotina da ArcelorMittal Brasil. Para isso o grupo conta com o apoio da Fundação ArcelorMittal Brasil, que potencializa e gerencia ações das empresas do grupo na área. Com base nesta filosofia, a ArcelorMittal Brasil patrocina projetos de preservação e difusão da história e das identidades culturais, além de promover o fomento à pesquisa e à formação artístico cultural.

O apoio a mais um volume do livro As potencialidades de pesquisa na Casa dos Contos de Ouro Preto repercute o modelo de promoção da valorização das manifestações culturais e estimula a difusão e o acesso a fontes e referências da nossa história, propiciando o maior acesso aos acervos microfílmicos da Casa dos Contos de Ouro Preto.

A participação das empresas em projetos de interesse público colabora para a união de competências e esforços em prol de objetivos comuns. Por meio de ações que fortalecem a parceria entre governos, empresas e comunidades, a ArcelorMittal Brasil acredita contribuir para o crescimento e o desenvolvimento cultural da nossa sociedade.

*José Armando de Figueiredo Campos*
Presidente ArcelorMittal Brasil

# Apresentação

Mais uma vez, a Arcelor Mittal comparece no apoio a uma edição de interesse histórico. Trata-se agora do terceiro volume que completa a editoração dos catálogos dos acervos microfílmicos da CCOp.

Novamente o inicial se repete com a monografia que elaboramos em 1976, com a assistência do saudoso Prof. Dr. Tarquínio J. B. de Oliveira. Ao primeiro volume, chamado "As origens do Centro de Estudos do Ciclo do Ouro", seguiu-se o segundo, denominado "Potencialidades de pesquisa na Casa dos Contos de Ouro Preto/MG", e agora este terceiro volume, "As potencialidades de pesquisa na Casa dos Contos de Ouro Preto". Suas diferenças residem no anexos e nas apresentações. Aquele inicial recebeu apresentação da Arcelor Mittal, da mesma forma que este terceiro.

O segundo volume, patrocinado pela Casa da Moeda do Brasil, foi brindado com apresentações de Ângelo Osvaldo de Araújo Santos, Antônio Eduardo Martins, Celso Cota Neto, Eduardo Morato Fonseca, Gustavo Botelho Júnior, Lucas Bretas, Orlando Adão Carvalho, Ricardo Machado Rabelo e Sydney Antônio de Souza, vinculadas aos catálogos então publicados, além da apresentação do presidente da Casa da Moeda do Brasil.

Em próxima empreitada, todos os catálogos serão agrupadosem um único volume, no ano do Bicentenário no Ministério da Fazenda.

Tratam-se, todos, dos acervos: "Catálogo dos códices da coleção 'Casa dos Contos', microfilmados e arquivados no Centro de Estudos do Ciclo do Ouro/Casa dos Contos/Ouro Preto/MG"; "Catálogo dos documentos pertencentes ao Arquivo Municipal de Ouro Preto"; "Catálogo dos documentos pertencentes ao Fórum de Ouro Preto"; "Catálogo de documentos históricos da Vila Real de Sabará, Santa Luzia, Vila do Carmo e Vila Rica"; "Catálogo dos documentos pertencentes ao arquivo da Igreja de Nossa Senhora do Pilar de Ouro Preto"; "Catálogo dos documentos recebidos da Delegacia do Ministério da Fazenda"; "Catálogo dos documentos pertencentes ao arquivo da Matriz do Pilar de Ouro Preto", publicados no primeiro volume desta obra, "Pesquisa de opinião da Casa de Contos/ CECO, com análise estatística"; "Catálogo personalizado para o CECO do acervo 'O tempo e a música no Barroco Católico'"; "Catálogo do arquivo criminal do Fórum de Ouro Preto", publicados no segundo volume, e, finalmente, "Inventário analítico dos códices da coleção 'Casa dos Contos'"; "Inventário analítico do Arquivo Eclesiástico da Paróquia de Nossa Senhora da Conceição de Antonio Dias"; "Inventário analítico do Arquivo Eclesiástico da Matriz de Santo Antonio de Casa Branca"; e ""Documentos do Século XIX, pertencentes ao Museu do Tropeiro de Itabira".

Anexos a eles, análises e resultados, com opiniões das pesquisas junto aos visitantes do Monumento, o que bem indica estar o Ministério da Fazenda no caminho certo do trato cultural e da memória, neste singular momento do seu Bicentenário.

Belo Horizonte, março de 2008.

Eugênio Ferraz

# Prefácio

A monografia que se segue é fruto de um trabalho elaborado em 1976 e que contou com a inestimável assistência e orientação do saudoso professor Tarquínio J. B. de Oliveira.

Separamos deste volume a excelente pesquisa bibliográfica de autoria do prof. Hélio Gravatá, anteriormente anexada, pois, à época, tivemos a intenção de divulgar o material reunido pelo seu autor até 1974 e que já fora publicado, em separado, na Revista Barroco nº 6. Deixamos para um próximo volume desta coleção que pretende incluir outros catálogos de documentos microfilmados no CECO, a sua inclusão junto de possível continuação bibliográfica da Casa dos Contos.

Nossa monografia, que se destinava a um trabalho interno para a Escola de Administração Fazendária com o objetivo de induzir a pesquisa histórica no CECO (Centro de Estudos do Ciclo do Ouro) teve, por parte do CENTRESAF-MG (Centro Regional de Treinamento da Escola de Administração Fazendária em Minas Gerais) montagem elaborada em forma de publicações desde 1977, acrescentando-se o catálogo dos códices do APM (Arquivo Público Mineiro) microfilmados para o CECO em 1973 quando da instalação da instituição.

Pouco depois de deixarmos a direção da Casa dos Contos, em 1981 foi editorada, da mesma forma, a monografia acrescentada de diversos catálogos de documentações até então microfilmadas nas próprias instalações do CECO em Ouro Preto.

Agora, após a total e efetiva revitalização do Monumento e em um momento em que o Ministério da Fazenda, e em particular a ESAF, através de convênios, procuram redinamizar o CENTRO DE ESTUDOS DO CICLO DO OURO, vem a lume esta publicação, em edição esmerada que se destina, modestamente, a apresentar e divulgar a instituição e seus acervos coincidentemente com o novo momento vivido pela Casa dos Contos, a partir do convênio firmado em 2004 entre a Escola de Administração Fazendária (ESAF), Subsecretaria de Planejamento, Orçamento e

Administração do Ministério da Fazenda (SPOA), Casa da Moeda do Brasil (CMB) e Universidade Federal de Ouro Preto (UFOP), com a interveniência do CENTRESAF-MG (Centro Regional de Treinamento da Escola de Administração Fazendária em Minas Gerais), e da Gerência Regional do Ministério da Fazenda em Minas Gerais, GRA-MF/MG, cabendo a esta última, da qual somos o titular, a direção e a gerência dos trabalhos do CECO e da Casa dos Contos.

A necessária atualização das informações contidas no trabalho inicial, de 1976, entendemos por manter em notas de rodapés da década de 1990, e, para o presente volume, as mesmas notas seguidas de letras, esclarecendo que procuramos não nos alongar demasiadamente a fim de não descaracterizar a intenção principal de divulgar os acervos disponíveis.

Informações mais completas sobre a Casa dos Contos, o CECO e a restauração da edificação poderão ser obtidas em *A Restauração da Casa dos Contos - Estrutura Madeireira* e também na publicação *A Casa dos Contos de Ouro Preto, Ensaio Histórico e Memória da Restauração no Ano de Seu Bicentenário*, de nossa autoria, ilustrados e editorados pelo Ministério da Fazenda em 1985, tendo sido a última reeditada de forma ampliada e atualizada em 2004.

No 2º semestre de 2004, a GRA-MF/MG aprovou, sob nossa coordenação, junto à FAPEMIG, e em parceria com o Arquivo Público Mineiro (APM), projeto para digitalização de microfilmes da Coleção Casa dos Contos, beneficiando também o Arquivo Público Mineiro, inclusive com equipamentos para consulta dos acervos microfílmicos digitalizados.

A parceria com a UFOP (Universidade Federal de Ouro Preto) no convênio já referido vem recebendo, por parte da ESAF, apoio no sentido da viabilização de vários projetos de pesquisa, de editorações e de eventos apresentados pelo Departamento de História, pelo Centro de Estudos do Século XVIII, pelo ICHS (Instituto de Ciências Históricas e Sociais), além de outras áreas da Universidade.

Da mesma forma, está sendo ultimada adesão da Casa dos Contos, através da GRA-MF/MG, ao convênio entre o Arquivo Nacional, Biblioteca Nacional e Arquivo Público Mineiro (para o trato do denominado

"Arquivo Casa dos Contos"), bem como foram preparados instrumentos para trabalhos conjuntos com o IHG-MG (Instituto Histórico e Geográfico de Minas Gerais), visando a produção de pesquisas e editorações, e com a ACH-MG (Associação de Cidades Históricas de Minas Gerais), para acesso a documentações em poder dos municípios, englobando acervos judiciais e eclesiásticos daquelas localidades, além de projetos voltados para a divulgação e, também, disponibilização em microfilmes de tais documentações.

A segunda vertente da Casa dos Contos, sua arquitetura, vem sendo plenamente mantida mediante condução pela GRA-MF/MG. Igualmente, o terceiro eixo, o museológico, destinado à visitação pública, foi extremamente incrementado a partir do final de 2004, com exposições permanentes da CMB (Casa da Moeda do Brasil), do BACEN (Banco Central do Brasil) e documentais do acervo microfílmico, documental e bibliográfico da Casa dos Contos. Outros eventos e exposições vêm sendo regularmente efetuados na Casa com grande aceitação do público, que, junto com as reorganizações internas e gerenciamento efetivo, têm sido objeto de elogios por mais de 98% dos visitantes, conforme sintetizado na publicação *Casa dos Contos, Centro de Estudos do Ciclo do Ouro, Exposições e Eventos 2004/2005*.

É este livro (e conjunto de catálogos de documentos) o terceiro volume de uma série, disponibilizando o rico acervo documental histórico das Minas Gerais, já microfimados e também em fase de microfilmagem e digitalização no CECO/Casa dos Contos de Ouro Preto, MG.

A reedição, quase trinta anos depois, mantém os padrões implantados para os arquivos do CECO, sendo um facilitador para pesquisa de vários arquivos microfílmicos somente ali existentes e agora disponibilizados.

*Eugênio Ferraz*

# As potencialidades de pesquisa na Casa dos Contos de Ouro Preto

(abril de 1976)

*As notas de rodapé, numeradas, são da edição da década de 1990, as seguidas de letras são atualizações para esta edição.*

## 1 Introdução

A Escola de Administração Fazendária, reenceta e amplia os propósitos do Centro de Estudos do Ciclo do Ouro, sediado na Casa dos Contos de Ouro Preto, como órgão de pesquisa da história tributária do país.

O Direito Tributário vem de ganhar inteira autonomia disciplinar nas principais Faculdades de Direito do País, inclusive com especializações como as referentes à sua hermenêutica e, sobretudo, ao direito comparado.

Por outro lado, no exterior, surge com relevo ímpar a antropologia legal, dimensionando cientificamente o fenômeno jurídico como expressão de uma cultura. Se o Direito comparado estabelece as medidas contemporâneas, em diferentes sistemas do fato social tributário, se a antropologia o investiga como expressão cultural, o método histórico é indeclinável na pesquisa de sua evolução social.

No caso específico do Brasil, duas épocas se aproximam através do hiato característico da II Monarquia e da I República, ambas marcadas pelo abstencionismo estatal, pelo *laissez faire* econômico-social. As duas épocas a que nos referimos são as de extrema centralização do poder político: a) o período colonial que se prolonga até o final da I Monarquia; b) o período da rápida evolução mundial que se iniciou com a grande crise de 1929-1930.

Sem a ESAF, o Ministério da Fazenda estaria caminhando para uma franca desatualização do poder público em face da formação de uma teoria tributária e, sobretudo, sem a formação de um corpo tributante à altura da evolução sócio-econômica do país, capaz de acompanhar na prática a modernização jurídica que, consciente ou inconscientemente, se busca com ansiedade progressiva.

Não é de estranhar, portanto, estatuir-se um órgão essencialmente de pesquisa no contexto da Escola de Administração Fazendária. E de pesquisa histórico-social dos fenômenos impositivos.

Nenhuma pesquisa seria mais útil à antropologia legal, pois aprofunda as raízes do sistema tributário brasileiro. Bem sabemos que o direito não tolera o vácuo e que, em qualquer fase da evolução de um povo está bem presente o seu passado cultural. Igualmente, nenhuma pesquisa pode interessar mais à hermenêutica e ao direito comparado de sistemas coetâneos, pois é preciso aprofundar o conhecimento das diferenças evolutivas para aproximar as semelhanças numa civilização tipicamente universalizante.

Não é de estranhar, portanto, estatuir-se um órgão essencialmente de pesquisa no contexto da Escola de Administração Fazendária. E de pesquisa histórico-social dos fenômenos impositivos.

## 2 O Regimento dos Contos

O Regimento dos Contos é o estatuto fazendário que regulou toda a filosofia do controle do patrimônio régio (ou público, como depois veio a chamar-se), desde as suas fontes de formação até a normativa de sua distribuição para atendimento da manutenção e desenvolvimento de valores nos domínios lusitanos. Vigorou de 1650 a 1761, quando sofreu reforma altamente centralizadora sob a orientação do Conde de Oieras, depois Marquês de Pombal. Data desta reforma a alteração no nome, de Contos para Erário Régio (ou Público).

A reforma, entretanto, só atingiu plagas brasileiras ao redor de 1772/3, quando se instituiu em Minas a Junta da Real Fazenda, colegiado que tomou as funções fazendárias do antigo e personalíssimo Provedor da comarca.

Por força da inércia, o nome Contos permaneceu no uso popular, quando o nome Erário Régio já fora usado pelo Conde de Valadares, Governador e General das Minas, antes.

Respeitadas as diferenças semânticas entre ambos os estatutos e conceitos jurídico-tributários atuais, as soluções coloniais para os problemas da centralização, hipertrofia e ineficiência orgânicas, através da delegação de atribuições mediante contratos de arrecadação tributária por meio das redes bancárias, retornam hoje com aspectos de autêntica modernidade.

## 3 Os Contos nas Minas Gerais

Hélio Gravatá, brilhante historiógrafo que se tem dedicado, sobretudo, à bibliografia, dividiu em duas partes os conceitos da Casa dos Contos, subdividindo a primeira – concernente ao edifício e sua iconografia. A segunda parte do levantamento bibliográfico diz respeito ao arquivo da Casa dos Contos.

Os historiadores realmente têm-se concentrado nas evidências físicas do edifício e do arquivo fazendário que nele se abrigou e convergiu a partir de 1793. Caberia distinguir, se houvesse bibliografia, o órgão público que lhe deu o nome, centro nevrálgico e dinâmico de todo o controle econômico-financeiro da Capitania (OLIVEIRA, Tarquínio J. B. *Uma experiência de Arquivologia*: a Casa dos Contos. São Paulo: C.B.A., 1975).

O órgão público, até 1773, se enfeixava na autoridade pessoal do Provedor da Real Fazenda, ministro formado em Coimbra e habilitado no Desembargo do Paço de Lisboa, nomeado pelo Soberano por três anos "mais o tempo até ser-lhe nomeado sucessor", subordinado diretamente ao Erário Régio da Corte, isto é, aos Contos do Reino. De 1773 por diante, formou-se em Minas o colegiado da Junta da Real Fazenda, cabendo a presidência ao Governador e Capitão General. Seus membros efetivos e natos eram: O Ouvidor Geral, na qualidade de Juiz da Coroa; O Intendente do Ouro, como Procurador da mesma; o Tesoureiro-Mor, de provimento praticamente vitalício; e o Escrivão da Real Fazenda, igualmente. Toda a receita e toda a despesa da Capitania transitavam pela Junta, cabendo a esta leiloar trienalmente os contratos de arrecadação relativos a cada tributo e a cada triênio gerador. O único tributo de arrecadação direta, indelegável, era o dos quintos do ouro – pois se procedia nas Casas de Fundição de cada Comarca sob a supervisão de um Intendente, ministro formado em Coimbra e igualmente habilitado no Desembargo do Paço, porém subordinado ao Real Erário. Tendo os diamantes passado ao monopólio estatal, o território diamantífero tornou-se autônomo da Capitania, sendo administrado por uma Junta Diamantina, por sua vez diretamente subordinada à Diretoria dos Diamantes do Erário Régio na Corte.

A comercialização dos diamantes em domínio internacional era contratada com firma holandesa de lapidários, sendo, pois, multissecular o controle internacional dos mercados de diamantes exercido ainda hoje por Amsterdã.

Em termos atuais, devemos entender por Contos da Capitania de Minas a Junta da Real Fazenda, cuja importância somente pode ser aquilatada em se considerando que o ouro das Gerais era o principal sustentáculo do Império português e representou no Século XVIII o fornecedor de mais de 50% de meio circulante necessário ao comércio mundial. (OLIVEIRA, Tarquínio J. B. *Op. cit.*).

## 4 A Casa de João Rodrigues de Macedo

Os dados biográficos sobre João Rodrigues de Macedo são ainda escassos, o que reflete sérias lacunas da história econômico-financeira do Brasil. Sabia-se que desde o estabelecimento da Junta da Real Fazenda em Minas (1772/3) sua presença é de alto relevo. Naquele ano teria assumido a arrecadação do tributo mais importante dos cofres reais, o das entradas, espécie de IPI incidente sobre toda a pauta de mercadorias do comércio entre o Reino e suas Capitanias e entre as Capitanias. As fazendas (mercadorias) se classificavam em secas e molhadas, termos que subsistem até hoje no comércio de varejo, conquanto já se tenha perdido a memória de seus significados específicos. Secas eram todas as mercadorias não comestíveis (tecidos, ferramentas, objetos de uso doméstico, etc.), molhados eram as fazendas comestíveis, ainda que sólidas.

A arrecadação tributária era arrematada perante a Junta da Real Fazenda por triênio gerador, sendo o arrematante apenas beneficiado por uma taxa de administração pré-calculada de escassos 5%, e pelo recolhimento em parcelas, aos cofres públicos, por prazos determinados, prevalecendo a importância da arrematação – contra a qual não se admitia nem mesmo escusa de força maior ou calamidade pública.

Sendo vedado acumular no mesmo arrematante os dois principais tributos (entradas e dízimos), Macedo, entretanto assume as duas rendas (1776-81), entradas, (1777-83), os dízimos. Segundo verifica OLIVEIRA, Macedo não só acumulou os dois contratos na Capitania de Minas, como igualmente arrematou as entradas de mais 4 Capitanias simultaneamente. É fácil imaginar as credenciais políticas e financeiras para um empreendimento de tal natureza, considerando que o recolhimento tributário atual se faz através de toda a rede bancária, compreendendo algumas dezenas de pessoas jurídicas.

Não é, pois, de admirar que edificasse em Vila Rica a mais suntuosa residência do período barroco, reservando o pavimento térreo para a administração de cada contrato, nas lojas de frente, e dispondo ainda no mesmo pavimento de quartos amplos, destinados a hospedar visitantes de alta hierarquia.

Os mestres Calheiros e Arouca são apontados confusamente como autores do risco e da construção do majestoso sobrado. Pelos livros de vereanças do Senado da Câmara de Vila Rica, sabe-se que toda a área lhe foi aforada no início de 1782 para a construção e que, em fins de 1784, entraram a funcionar no edifício os contratos. De 1784 a 1787, aforadas as áreas de morro acima, Macedo empreendeu construções tão amplas para seu comércio e senzalas, que elas foram mais tarde convertidas em quartel de um Regimento de Infantaria.

Os contratadores gozavam de imunidades públicas e estavam dispensados do exercício de mandatos outros que os de seus próprios negócios.

Quando da posse do Visconde de Barbacena (1788) já era apontado pelo Secretário da Marinha e Ultramar, Martinho de Melo e Castro, como o maior devedor dos cofres públicos.

Barbacena fez transferir para o Reino os soldos de três anos (40.000 cruzados), e quem lhe abriu o crédito e transferiu a vultosa importância por seus correspondentes na Corte foi Macedo, segundo nos revelam os Autos de Devassa da Inconfidência Mineira.

Sente-se nos referidos Autos que a Inconfidência circula em suas próprias lojas de administração dos contratos, não obstante sua personalidade de centro financeiro permaneça oculta. Depois da repressão violenta, seus procuradores arrematam em seu nome, por exemplo, os bens confiscados a Tiradentes – que só podiam interessá-lo como pretexto de uma assistência grata à filha do grande herói militar. É também Macedo quem administra e faz prosperar a meação da viúva de Alvarenga Peixoto, Bárbara Heliodora, assim como assume todos os encargos da educação de seus quatro filhos órfãos, além de contemplar a filha com repetidos presentes na qualidade de padrinho de batismo.

A casa de Macedo, em seu pavimento térreo, serviu de prisão nobre para os Réus da Inconfidência com privilégios sociais entre 24 de junho e 18 de novembro de 1789, além de aboletar uma companhia de cavalaria do Esquadrão do Vice-Rei. Em uma das celas, morreu, tragicamente, o poeta Cláudio Manoel da Costa.

Sob o patrocínio do Barbacena, a Junta da Real Fazenda locou-lhe o edifício, convertendo os alugueres devidos em amortizações de sua enorme dívida, no período de 1793 a 1797.

Em 1797, tendo sucedido ao Visconde de Barbacena, como novo Governador Capitão General, Bernardo José de Lorena, cumpriram-se afinal as instruções da Corte. O prédio foi seqüestrado. Não tendo havido em toda a Capitania quem pudesse pagar seu enorme valor, foi afinal adjudicado à Real Fazenda em 1803-4.

A Casa de Fundição veio tomar lugar anexo à Junta da Real Fazenda e da Intendência do Ouro ao redor de 1820-21, tendo sido acrescido o prédio para tal fim. Em torno de 1840, o Fisco da Província de Minas Gerais obtinha autorização do Tesouro Nacional para grandes obras no edifício, destinadas a criar instalações para a Secretaria da Fazenda provincial ao lado da Delegacia do Tesouro do Império.

Com a transferência da Capital de Minas para Belo Horizonte, acompanhada das repartições fiscais da Federação e do Estado, o edifício foi ocupado pela Repartição dos Correios e Telégrafos. Ainda nele funcionou a Prefeitura Municipal de Ouro Preto até que o Ministério da Fazenda promoveu sua adaptação para nele instalar o Centro de Estudos do Ciclo do Ouro.

## 5 O Arquivo da Casa dos Contos

O arquivo fazendário de dois séculos, pertencente à Junta da Real Fazenda e depois à Delegacia do Tesouro do Império, é avaliado hoje, década de 1970, (Prof. Luís Lisanti) em cerca de 1.200.000 folhas documentais. É possível que outras 300.000 folhas documentais tenham-se perdido, quando da dispersão do arquivo.

O que resta do mesmo acha-se em três instituições: O Arquivo Nacional (80% dos códices e 63% dos autos administrativo-fiscais), a Biblioteca Nacional (12% dos autos e 2 ou 3 códices), e o Arquivo Público Mineiro (20% dos códices e 25% dos autos administrativo-fiscais), dados de 1973.

A simples referência quantitativa não lhe exprime o real valor.

O arquivo da Casa dos Contos espelha toda a essência do ciclo do ouro no Brasil em termos econômico-financeiros. Não cremos necessário dizer mais de sua importância para a história do País, cuja consciência de nacionalidade e ideais de emancipação forjaram em Vila Rica a concepção republicana da liberdade.

O simples fato de abranger todo um ciclo econômico desenvolvido em cem anos aproximadamente, lhe acresce o valor como fonte de uma autêntica filosofia econômica, ponto de referência para a aferição fatual e científica das teorias desenvolvidas desde o século XIX e que hoje cindem o mundo em facções de doutrinação adversa.

Algumas centenas de centros de estudos vinculados a universidades norte-americanas e européias se aperceberam de sua relevância, enviando cada ano bolsistas para elaboração de teses e de livros dos mais significativos para a economia e as finanças do século XVIII.

## 6 Natureza do Arquivo

O arquivo da Casa dos Contos abrange o administrativo financeiro e todo o contencioso da Fazenda Pública do período colonial em Minas, além de farta documentação concernente à Monarquia. Igualmente compreende inúmeros papéis da própria escrituração dos contratos de arrecadação fiscal, tanto de João Rodrigues de Macedo como de outros rendeiros menos abonados.

Dentre os papéis de Junta da Real Fazenda cumpre destacar ainda os mapas da arrecadação dos quintos, sabendo-se que até hoje os cálculos da produção aurífera têm-se limitado a estimativas e aproximações.

## 7 A Implantação do Centro de Estudos do Ciclo do Ouro

Os trabalhos de restauração e adaptação da Casa dos Contos, em fins de 1973, foram assumidos pelo Ministério da Fazenda com preito digno à comemoração do Sesquicentenário da Independência do Brasil. O plano global competiu à Secretaria de Economia e Finanças (então Subsecretaria da Secretaria Geral) sob a direção do engenheiro José Carlos Barbosa de Oliveira, assessorada pela representação do Ministério da Fazenda em Minas Gerais. Simultaneamente executava-se a restauração e adaptação da Casa de Gonzaga para onde se transferiram os serviços da Prefeitura Municipal de Ouro Preto.

Foi a Casa dos Contos inaugurada como sede do CENTRO DE ESTUDOS DO CICLO DO OURO em 06 de fevereiro de 1974 e, em sua nova finalidade, passou à responsabilidade da Escola de Administração Fazendária, cabendo-lhe configurar a estrutura definitiva da instituição como órgão de pesquisas histórico-financeiras.[1]

---

[1] No ano de 1983, empreendeu o Ministério da Fazenda a nova restauração do prédio, desta vez estrutural e completa, dado o estado precário em que se encontravam sua estrutura madeireira,instalações elétricas, hidráulicas, sanitárias, etc. O paciente trabalho de restauração, executado por empresa especializada durante 14 meses e com assessoria dos órgãos competentes SPHAN/FNpM (Secretaria do Patrimônio Histórico e Artístico Nacional/Fundação Nacional pró-Memória) e IEPHA-MG (Instituto Estadual do Patrimônio Histórico e Artístico de Minas Gerais), além do CETEC-MG (Centro Tecnológico de Minas Gerais), permitiu a reabertura da edificação em maio de 1984 coincidentemente com os 200 anos do monumento.

Trabalhos recentes, de novembro de 1975, empreendidos pela administração da Casa revelaram no subsolo da Senzala o piso primitivo, mosaico rústico de seixos rolados comumente denominado pé-de-moleque. No entulho, descobrimos exemplares numerosos dos velhos cadinhos refratários utilizados na fundição do ouro, que ora se encontram em exposição no prédio.

## 8 O Projeto Arquivológico

Em 1972, foram convidados a colaborar na elaboração do projeto arquivológico os historiadores Prof. Américo Jacobina Lacombe, Prof. Herculano Gomes Mathias, Prof. Luís Lisanti (que secretariou a Comissão) e Dr. Tarquínio J. B. de Oliveira. Prestaram o concurso de suas instituições: O Dr. João Gomes Teixeira, então Diretor do Arquivo Público Mineiro, o Dr. Raul Lima, Diretor do Arquivo Nacional, e Prof. Janice M. Monte-Mor, da Biblioteca Nacional.

Avaliado o acervo da antiga Casa dos Contos, distribuído pelas três instituições acima referidas, decidiu-se a sua reprodução por microfilmagem, forma pela qual seria de novo reunida e completada no Centro de Estudos do Ciclo do Ouro.

Como compensação e para completamento dos acervos APM, AN e BN, as coleções microfílmicas seriam reproduzidas em 5 vias, ficando uma no CECO, outra no Museu do Ministério da Fazenda, e as três restantes nas outras instituições.

As etapas da microfilmagem seriam três:

---

Os trabalhos de restauração, além de caracterizarem-se por soluções pioneiras, permitiram a descoberta de várias características físicas do imóvel originariamente e em suas fases construtivas como óculos, nichos, portais, arcos, arranque e degraus originais de escadaria, sofisticado sistema sanitário e pinturas artísticas em forros, etc, que possibilitaram o retorno da edificação às suas origens mais autênticas. Maiores detalhes sobre os trabalhos da restauração e sobre o prédio em geral poderão ser encontrados nas publicações *A Restauração da Casa dos Contos – Estrutura Madeireira* e *A Casa dos Contos de Ouro Preto: Ensaio Histórico e Memória da Restauração no Ano de Seu Bicentenário*, ambos de autoria de Eugênio Ferraz, além do livro: *As origens do Centro de Estudo do Ciclo do Ouro*, do mesmo autor, 2006.

a) Acervo do Arquivo Público Mineiro;

b) Acervo da Biblioteca Nacional;

c) Acervo do Arquivo Nacional.

Acha-se concluída a primeira etapa: 926 códices e 14.472 autos administrativos fiscais, num total aproximado de 230.000 fotogramas documentais.[2]

A etapa posteriormente realizada compreende mais de 4.141 códices (AN) e 64.000 autos, num total pouco inferior a 1.000.000 de fotogramas.[3]

Graças aos equipamentos de que foi dotado o CECO, o projeto arquivológico pode estabelecer atualmente objetivos mais amplos.[4] Espera-se que a microfilmagem seja estendida à documentação paralela:

a) 1º e 2º Cartórios de Taubaté (acervo no AN).

b) 1º e 2º Cartórios de Ouro Preto (acervo pertencente ao SPHAN e concentrado em Ouro Preto).

---

[2] O acervo correspondente aos Autos referidos não chegou a ser reproduzido nas 5 vias originalmente previstas. Os microfilmes originais, que não se encontram sob responsabilidade da Casa dos Contos, deverão ser copiados para complementação das coleções nos arquivos destinatários.

[3] Projeto elaborado pela Escola de administração Fazendária, Fundação Roberto Marinho e Arquivo Nacional. Os microfilmes correspondentes foram encaminhados ao CECO por volta de junho de 1981, aguardando-se, atualmente, a oportunidade para sua completa catalogação, trabalho que somente será possível a médio prazo se conveniado com Faculdade de História como, por exemplo, a da UFOP sediada em Mariana.

[4] Nas próprias instalações do CECO em Ouro Preto, como documentação complementar, foram microfilmados e catalogados, entre 1977 e 1980, os seguintes acervos:

a) Arquivo Municipal de Ouro Preto; b) Fórum de Ouro Preto; c) Arquivo da Igreja de N. S. do Pilar; d)Arquivo Histórico do Ministério da Fazenda em Minas Gerais; e) Arquivo Criminal de Ouro Preto.

[4a] Quase a totalidade dos arquivos citados integram o livro "As origens do Centro de Estudos do Ciclo do Ouro", de autoria de Eugênio Ferraz.

Também foram catalogados cerca de 140 rolos de microfilmes de documentos históricos de Santa Luzia, Vila Real de Sabará, Vila do Carmo e Vila Rica doados pela Caixa Econômica Federal ao CECO em 1977. Os catálogos das coleções fazem parte publicação acima citada.

c) 1º e 2º Cartórios de Sabará (Idem, concentrado no Museu do Ouro em Sabará).

d) Documentos da Secretaria de Governo da Capitania de Minas (APM).

e) Códices dos Senados das Câmaras de Ouro Preto, Sabará, Serro, Caeté, São João Del Rei e Tiradentes (parcialmente no APM, nas Câmaras).

Na continuidade do CECO, seria forçoso cosiderar ainda a microfilmagem do que resta da Câmara de Pitangui, assim como os arquivos de Diamantina e Minas Novas, além dos arquivos eclesiásticos de Mariana e Ouro Preto.

A conclusão das etapas iniciais, originalmente programadas, já situa o CECO como o mais rico patrimônio de documentação histórico-colonial do país.

A microfilmagem já não é mais motivo de debates. Constitui ela o fator máximo de garantia e segurança para os patrimônios existentes – memória e identidade do país. Não só se justifica o manuseio de documentos históricos originais, salvo em casos muito particulares, como a pesquisa se torna muito mais eficaz e menos sacrificada para os historiadores.

Por outro lado, ante o risco de perda e sinistro de um acervo, sempre substituirá a possibilidade de sua restituição através das coleções microfílmicas.

A execução dinâmica do programa situará o CECO como autêntica central documentária da historiografia brasileira, permitindo aquilo que parecia um sonho a Pedro Taques, Ramiz Galvão, Capistrano de Abreu, Vernhagen, Southry e tantos outros que se dedicaram no passado à reconstrução de nossa identidade cultural.

## 9 A Pesquisa

Não bastava, entretanto, o armazenamento documental. Sem a indexação e catalogação documental a pesquisa é praticamente impossível em termos científicos. Estaríamos no estágio da "caça" ao instrumento – que tem sido o maior sacrifício e a causa predominante do atraso de historiografia, sobretudo especializada, ainda presente no Brasil. A heurística, função precípua do pesquisador sócio-econômico, do investigador cultural, é relegada compulsoriamente a último plano, consumido na descoberta de acaso de dados essenciais, quase sempre de reduzido valor interpretativo por falta do contexto fenomenológico.

Pelos métodos tradicionais, trabalho árduo de relacionamento, a expectativa era de exigir dezenas de colaboradores altamente qualificados para uma produção em duas entradas apenas, de 2 e 5 mil documentos por ano.

Graças ao programa traçado pelo Eng. José C. B. de Oliveira e à colaboração da equipe de especialistas de computação dirigida pelo Dr. Dion de Melo Teles no SERPRO, foi possível enfrentar o problema fundamental da classificação e indexação dos acervos históricos.

Utilizando três equipes de alunos universitários da Faculdade de Filosofia, UFMG, cada uma sob orientação de uma arquivologista do APM, estas devidamente treinadas, foram elaborados os sumários documentais (planilhas para computador) de 14.238 autos, representativos de praticamente 96 mil páginas-documentos.

Para a classificação dos códices, manteve-se o sistema tradicional de catalogação, vez que seu número era inferior a mil volumes.

Os dados processados foram:

a) Número ordinal do auto;

b) Identificação do acervo a que pertence o documento;

c) Número ordinal de planilha;

d) Número ordinal do item (peça) dentro do auto;

e) Número do rolo microfílmico;

f) Número do fotograma inicial;

g) Tipo documental, segundo o código de autoria do Prof. Luís Lisanti;

h) Datas referidas no documento;

i) Topônimos (local de origem, de tramitação e destino do documento;

j) Nomes referidos (signatário, destinatário, ou simplesmente mencionado).

k) Breve ementa do assunto;

l) Tipo e data dos anexos.

O projeto, executado no lapso de um semestre, e menos de duas horas de computador, demonstra a viabilidade de uma completa e eficiente modernização dos processos arquivológicos.

O pesquisador atinge assim quase a meta ideal de acesso à documentação correta de que necessita, reduzindo-se o manuseio indiscriminado de milhares de papéis à análise de apenas 50 fotogramas por informação útil.

Tal acesso, facilitado pelas entradas cruzadas (índices cronológico, onomástico, toponímico, de assunto e de tipo documental), enriquece sobremodo o trabalho de pesquisa.[5]

No que diz respeito aos 926 códices (137.000 fotogramas), o catálogo organizado obedece uma ordem cronológica aproximada, com índice onomástico e das matérias. Teoricamente, a informação útil pode ser alcançada pelo manuseio de poucas páginas, conquanto boa parte dos códices – quando dizem respeito a contas específicas ou a provisões e patentes o manuseio se reduza significativamente pelo índice onomástico do próprio códice.

## 10 Pesquisa Sócio-Histórica

Vimos os aspectos do acervo documental em si e de sua indexação-catalogação como fatores básicos para a avaliação de pesquisa sóciocientífica.

---

[5] O acesso à informação histórica ainda mais se amplia pela possibilidade de interligação de arquivos históricos por sistema *online* e facilidade de obtenção de referências em banco de dados como no projeto que se esboça na sucursal do SERPRO em Belo Horizonte, pretendendo-se tornar a Casa dos Contos como o modelo piloto da proposta.

[5a] Trabalho a ser retomado nesta revitalização da CCOP.

Efetivamente, a eficiente recuperação informática é que condiciona o trabalho realmente científico da pesquisa: a heurística.

A metodologia das tabulações, com séries estatísticas e cronológicas seguras, precede a descritiva e a dedução final de suas interpretações.

As implicações sincrônicas, verificando os antecedentes e as resultantes de um processo evolutivo, coroam de qualidade o trabalho no campo das ciências humanas.

Há efetivamente uma longa jornada a ser percorrida no país, pois a sistematização e editoração do documentário historiológico ainda é demasiado escassa.

Nossos historiógrafos-pesquisadores (convém distinguí-los dos apenas divulgadores) se concentraram, em geral, nos assuntos e eventos dramáticos, de natureza política e militar. É o que se tem convencionado chamar de historiografia geral.

Em verdade, as manifestações sociológicas repousam no jogo múltiplo dos fatores culturais, econômicos e administrativos cujo levantamento e hermenêutica precedem e determinam o quadro geral.

A historiografia especializada apenas principia no Brasil. Há meros ensaios no campo da evolução científica e tecnológica; no domínio econômico, as interpretações filosóficas só agora vão cedendo passo à documentação factual, sendo lícito dizer que as maiores contribuições neste sentido têm provindo de pesquisadores estrangeiros; no setor administrativo e tributário, as investigações se concentram na história recente, com bibliografia parcimoniosa e pouco expressiva em relação às épocas anteriores.

O Ministério da Fazenda merece ecômios particulares pela publicação em 5 volumes da obra Negócios Coloniais, em 1972, preparada sob seus auspícios pelo Prof. Luís Lisanti, e que abrange rica série de cartas comerciais da primeira metade do Século XVIII evento que o situou ao nível dos mais importantes centros de pesquisa da França e Alemanha.

## 11 Projetos de Pesquisa

A Escola de Administração Fazendária tem exercido considerável esforço na dinamização e desenvolvimento dos projetos de pesquisa da instituição.

Tomou assim um novo impulso o CENTRO DE ESTUDOS DO CICLO DO OURO (CECO), sediado na Casa dos Contos de Ouro Preto. Seu equipamento material está sendo completado para perfeito funcionamento enquanto que os recursos humanos encontram-se na pauta de próxima solução. Vem sendo o CECO dotado de pessoal de manutenção e administrativo. Designou-se um Consultor Científico para a orientação de sua nova fase e, por agregação de valores, se considera a colaboração em monografias critico-analíticas da notável equipe de ensaístas graduados e pós-graduados em nível superior.

Cabe destacar, entretanto, os dois Projetos de Pesquisa que concentram no momento as atenções do CECO: 004/76 e 005/76.

**11.1 Projeto de Pesquisa 004/76.** Estabelece ele as bases documentais para a elaboração da História Tributária do Brasil.

No corrente exercício devem ser editadas seis obras em 14 volumes:

a) Regimentos dos Contos e do Erário Régio;

b) Regimento dos Dízimos, Décimas, Entradas e do Subsídio Literário;

c) Regimentos Protecionistas do Século XVIII;

d) Erário Régio da Capitania de Minas Gerais, manuscrito de 1768 concernente a toda a estrutura tributária da 1ª metade do Século XVIII.

e) Correspondência Ativa de João Rodrigues de Macedo, em 5 volumes.

f) Correspondência Ativa de João de Sousa Lisboa, igualmente em 5 volumes.

As duas últimas obras, em seus 10 volumes dão prosseguimento à série *Negócios Coloniais* já inaugurada pelo Ministério da Fazenda.

As edições de 2.000 exemplares por volume obedecerão quanto possível o sistema fac-similar. Cada volume será enriquecido por monografia crítico-analítica confiada a historiador especializado e por indexações cronológicas, sistemática e onomástica, estas realizadas por auxiliares de pesquisa sob orientação direta do Consultor Científico.

**11.2 Projeto 005/76.** Concerne a três objetivos:

a) Estruturação operacional do CECO;

b) Realização das etapas 2ª e 3ª relativas à ampliação do acervo microfilmado e computadorizado do CECO;

c) Produção e divulgação de informações.

A estruturação operacional compreende sobretudo o relacionamento externo, através de convênios, com dez instituições de importância capital no desenvolvimento do programa. Conquanto em fase elaborativa e de entendimento iniciados com as diversas instituições, a colaboração recíproca já se faz efetiva com a Fundação João Pinheiro/Coordenação de ciência e Tecnologia do Estado de Minas Gerais, e com o Arquivo Público Mineiro.[6]

---

[6] Dos projetos elaborados, executou-se o seguinte: *Erário Régio de Sua Majestade Fidelíssima*, em edição fac-similada e com trabalho crítico-analítico do professor Tarquínio J. B. de Oliveira, editorada pela ESAF em convênio com a Fundação João Pinheiro em 1977.

Foram ainda preparados 2 volumes da Correspondência Ativa de João Rodrigues de Macedo e vários outros trabalhos de interesse histórico-econômico-social, também pelo professor Tarquínio.

O restante dos projetos não foi realizado à época, surgindo, agora, a oportunidade de sua efetiva execução já que uma parte das dificuldades operacionais pode ser transposta em razão de convênio firmado entre a ESAF e UFOP em dezembro de 1983.

[6a] O convênio referido durou poucos meses. Outro convênio, de outubro de 2001, por não ter surtido os devidos efeitos, foi substituído pelo atual, de 2004, entre ESAF/SPOA/CMB e UFOP, respectivamente Escola de Administração Fazendária, Subsecretaria de Planejamento, Orçamento e Administração, Casa da Moeda do Brasil e Universidade Federal de Ouro Preto, resgatando-se, finalmente, os objetivos iniciais do CECO/Casa dos Contos.

No domínio operacional interno, já atendidos os problemas de segurança e das instalações básicas, acha-se em curso o completamento instrumental. Os aspectos de pesquisa e heurística serão atendidos pela agregação progressiva do pessoal necessário, em fase de seleção.

Com a cooperação do IEPHA-MG e da Escola de Arquitetura, UFMG, a Casa dos Contos exibe experimentalmente uma mostra de réplicas plásticas, centrada na obra do Aleijadinho, e de fotoplásticas relativas aos principais pontos de interesse histórico e artístico da antiga Comarca de Vila Rica, onde teve decidida colaboração da Prefeitura Municipal de Ouro Preto, com a qual a ESAF já firmou convênio cultural.

A referida mostra, inaugurada a 24 de fevereiro de 1976, precede a formação de coleções próprias no modelo do Museu de Monumentos Franceses de Paris, de modo a oferecer aos visitantes e turistas uma tríplice imagem documental da Capitania de Minas, centro do ciclo do ouro e uma das expressões mais ricas da arte barroca:

a) Salão de réplicas plásticas dos mais importantes detalhes artísticos do barroco mineiro;
b) Salão de reprogravuras da cartografia colonial de toda a região aurífera;
c) Salão de reprografias dos locais e edifícios de maior interesse histórico e artístico da região aurífera.

Durante os festejos da Inconfidência Mineira, a Casa dos Contos colabora com a Fundação João Pinheiro exibindo aos visitantes uma coleção de 82 pranchas de autoria de Renina Katz para uma edição monumental do Cancioneiro da Inconfidência de Cecília Meireles, propriedade do Prof. José Mindlin, ex-Secretário de Cultura do Estado de São Paulo.

O projeto de Pesquisa 005/76 prevê, no decorrer do ano, a realização sistemática de conferências e ainda o estabelecimento permanente de um setor de tecnologia de conservação documental.

## 12 Consultoria Documental

Tão logo entrem em operação os recursos técnicos de reprodução xerox e microfílmica, previstos o primeiro para 60 dias e o segundo para o final do ano, dadas as dificuldades dos fornecedores em dependência de importação, tornar-se-á operacional a consultoria e fornecimento documentário aos pesquisadores do país e do exterior, mediante exclusivamente o custo do material desejado.

Oportunamente deve ser divulgado o sistema, podendo a correspondência ser dirigida diretamente ao CECO, Casa dos Contos.

Para consulta pessoal dos pesquisadores qualificados, as instalações atuais acham-se em funcionamento.

As normas regulamentares apenas podem ser fixadas após os equipamentos e operadores entrarem em pleno rendimento operacional.

## 13 Atividades Culturais

De acordo com a programação estabelecida, além de uma série de 10 conferências a serem realizadas no decurso dos próximos meses, há a considerar o Centenário da Escola de Minas, UFOP, que se comemora a 12 de outubro do ano corrente.

Seria de desejar, para o pleno êxito do ciclo de conferências, fosse o CECO provido de recursos audiovisuais (projetores e gravadores e respectivos quadros), assim como um ressarcimento de despesas aos conferencistas em função dos ônus de preparo do material e da viagem.

É necessário, sobretudo, dar-se andamento à formação das coleções próprias com vistas a uma exposição permanente da história e arte da região aurífera colonial. A receita proveniente da visitação pública ficará inteiramente justificada, além de ressarcir a prazo médio (três a cinco anos) os investimentos que forem autorizados neste sentido.

Os espaços disponíveis na Casa dos Contos tornam factíveis:

a) Organizar e manter um salão de conferências permanente;

b) Organizar e manter no subsolo, antiga senzala doméstica, uma mostra museológica da escravidão no Brasil, com coleções próprias a serem adquiridas e coleções antropológicas a serem exibidas por acordo com museus do país;

c) Obter do Tesouro Nacional a cessão em caráter permanente de réplicas de sua coleção monetária.[7]

## 14 Conclusões

Considerando o curto espaço de quatro meses da reativação do Centro de Estudos do Ciclo do Ouro na Casa dos Contos, e, sobretudo, de sua institucionalização como órgão de pesquisa da ESAF, o planejamento estabelecido pela Coordenação de Pesquisas caminhou com segurança, inclusive antecipando prazos no que concerne aos principais objetivos.

Os óbices a serem vencidos pela administração, sobretudo no que diz respeito a materiais escassos, efetivamente podem ser compensados transitoriamente com os recursos disponíveis em instituições culturais existentes na área de Belo Horizonte.

A preparação dos Convênios, dos quais pelo menos um caminha executivamente e dois outros se fazem proceder por uma franca e compreensiva colaboração com o CECO, depende de minutas a serem elaboradas em Brasília, DF, naturalmente sujeitas às revisões e estudos das demais partes interessadas.

---

[7] A administração da Casa conseguiu, em fins de 1976, com a Casa da Moeda do Brasil a cessão permanente de réplicas numismáticas que ora se encontram em exposição no edifício.

Além disso, por diversas vezes nos anos seguintes, conveniou-se com o Banco do Brasil, área museológica, exposições numismáticas com materiais originais de altíssimo valor. Uma das propostas, ainda passível de entendimento, seria a de manter por parte daquela instituição financeira uma mostra permanente na Casa dos Contos, renovável semestralmente, condição não consumada na época pela falta de pessoal de segurança adequado.

Outra exposição monetária que permanece, com caráter didático-cultural, é a de réplicas de valores impressos no Brasil, montada com fac-símiles do Banco Central.

[7a] O convênio atual, já referido, permitiu o rearranjo, ampliação, adequação e atualização da mostra permanente da Casa da Moeda do Brasil e, em sala contígua, exposição do Banco Central do Brasil.

A importância atual do CECO e sua projeção futura como órgão de pesquisa da ESAF deriva essencialmente dos Projetos de Pesquisa 004 e 005/76.

As providências acessórias sugeridas pela experiência vivida neste quadrimestre se exprimem nos projetos, devendo em caso de sua aprovação preliminar, serem detalhados em projetos específicos com os respectivos orçamentos de execução.

Ao concluirmos esta monografia, determinada pelo Projeto de Pesquisa 003/76, devemos esclarecer que a fonte consultada (HÉLIO GRAVATÁ, Casa dos Contos de Ouro Preto, Bibliografia Barroco 6, Belo Horizonte, 1974) se acrescenta com os trabalhos posteriores de autoria do Dr. Tarquínio J. B. de OLIVEIRA (Exposição ao I Congresso Brasileiro de Arquivologia, São Paulo, 1975; A Casa dos Contos, in – O OURO PRETO, 1976), assim como na própria documentação administrativa do CECO/ESAF.

Ouro Preto, abril de 1976

*Eugênio Ferraz*

# ANEXOS

ANEXO A - Inventário analítico dos códices da coleção "Casa dos Contos"

ANEXO B - Inventário analítico do Arquivo Eclesiástico da Paróquia de Nossa Senhora da Conceição de Antonio Dias

ANEXO C - Inventário analítico do Arquivo Eclesiástico da Matriz de Santo Antonio de Casa Branca

ANEXO D - Documentos do Século XIX, pertencentes ao Museu do Tropeiro de Itabira

# ANEXO A - Inventário analítico dos códices da coleção "Casa dos Contos"

## 1 Introdução

Foram classificados um total de 273 rolos (265 de 16mm e 8 de 35mm), abrangendo a documentação de 1719 a 1890. Os códices receberam um tratamento descritivo tendo sido separados em séries constando o fundo/grupo, o local e o período abrangido. Nesta primeira etapa não consta a documentação avulsa.

## 2 Feitura do inventário

2.1 Procedimento metodológico de arranjo.

2.2 Separação das Séries e Sub-séries existentes. Entende-se por Série a tipologia ou assunto do documento. As Séries e Sub-séries encontradas no presente Inventário são:

- ACERTO DE CONTAS, do Contratador João Fernandes de Oliveira, referente à extração de diamantes.

- ALUGUEL, de carros, carroças, cavalos e bestas, lanchas, barcos dos Portos das Caixas.

- APÓLICES, de ordenados e jornais.

- ARREMATAÇÃO, de cargos públicos e bens de defuntos e ausentes da Província de Minas.

- BALANCETE, das partidas do ouro da Casa de Fundição e Tesouraria Geral da Fazenda Pública.

- BALANÇO, das contas da Junta da Real Fazenda; da Agência do Correio do Serro; geral da receita e despesa da Província do Espírito Santo e distrito de Campos.

- BILHETE, resgatados nas Casas do Trôco de Cobre em Ouro Preto, Diamantina, Uberaba, Vila Risonha, Pouso Alegre, São Romão, Rio Pardo e Pomba.

- BILHETE AVULSO E DE PARTE, de serviços da Real Extração em Pouso Alto, Santo Antônio, Santa Clara, Rio Pardo e Mata-Mata; de despesas da Real Extração nas lavras dos Caldeirões, Rio Pardo, do Mato, Rio Branco, Pouso Alto, Cardoso, Paraná, Chapada, Mata-Mata, Poção do Moreira, Quilombola, Barra das Cegas, Três Barras, Curralinho, Rio de Pedras, Mendanha, Ouro Fino; referente à despesa de expediente e Hospital; referente a ordenados e aluguéis de escravos; referente a materiais e gêneros alimentícios.

- BILHETE PARA PAGAMENTO, de ordenados pagos por caixas e jornais da escravatura em serviços de extração.

- BORRADOR, de pagamento dos devedores de jornais.

- CAIXA, da Contadoria e da Intendência da Real Extração Diamantina.

- CAPTAÇÃO, de escravos adventícios.

- CARGA, do dinheiro, ouro em pó ou barras provenientes da Provedoria da Fazenda de Vila Rica para permutas e gastos das Casas de Fundição da Vila do Príncipe e Rio das Mortes; de todos os bens, dinheiro, escritura, créditos e execução existentes na Provedoria dos Ausentes; dos bens dos Ausentes e Defuntos ao tesoureiro da Vila de Pitanguí.

- CARGA DE BILHETE, da Real Extração Diamantina da Vila do Príncipe; entregues na Casa de Fundição do Serro Frio.

- CARGA DE DÉCIMA, predial da Vila e termo de São Bento do Tamanduá, Vila de Bom Sucesso e Mariana; de heranças da cidade de Mariana e Vila de Pitanguí; predial da cidade de Mariana e de herança de Vila de Pitanguí.

- CARGA DE DERRAMA, em receita por lembrança de todos os pertences da Real Casa de Fundição.

- CARGA E DESCARGA, geral da cidade do Rio de Janeiro; do permutador do Arraial de Baixo da Vila do Príncipe, do Tejuco, do Arraial de Tapanhoacanga, Senhora do Porto, Sucuriú, Vila de Minas Novas, Morro do Pilar, Santo Antônio do Rio de Peixe, Arraial do Gambá, Arraial de São Domingos, Arraial da Chapada, Santo Antônio do Rio Abaixo, Tapera, Paraúna, Rio Manso, Gouvêa, da Conceição e do Curumataí.

- CARGA DE DIREITO DE ENTRADA, do registro do Rio Preto.

- CARGA DE DOBLA, de lojas, boticas, armazém de secos e molhados do Tejuco; e do produto da carne verde.

- CARGA DE MATERIAL, para provimento de armazém de primeira classe ao almoxarife "Arsenal do Real Exército".

- CARGA DO OURO E DO QUINTO, das Casas de Fundição da Vila do Príncipe, Sabará, Rio das Mortes, Serro Frio; remetidas da Provedoria e Régio Tribunal da Real Fazenda de Vila Rica, para pagamento de ordenados e mais despesas da Intendência da Vila do Príncipe e São João D'El Rei; do acréscimo do ouro permutado nos registros da comarca da Vila do Príncipe; pertencente ao Real Subsídio de Minas Novas; em pó permutado nos registros de Capivarí ou Mantiqueira, Jacuí, Jaguary, Ouro Fino, Comarca do Rio das Mortes, Arraial do Sucuriú, São João, Itambé, Indaí, Rio Preto e das Casas de Permutas de Vila Rica; da Casa de Fundição de Sabará referente à donativos de serventia de ofícios.

- CARGA DE RECEITA E DESPESA, de todos os rendimentos remissíveis cobrados ou arrecadados pela Real fazenda.

- CARGA DO SELO, das verbas de herança e legados; dos novos direitos passados no termo de Curvelo e Julgado do Papagaio Comarca dos Sabará; das taxas de herança deixadas aos herdeiros colaterais; das taxas de testamentos e papéis; de receita ou taxas dos autos e documentos na Vila de Barbacena, Santa Maria do Baependí, Campanha da Princesa; dos rendimentos das heranças e legados das freguesias de Barra Longa, Jacuí, Manga e Barra do Rio das Velhas.

- CARGA DA SISA, da arrecadação pela venda dos escravos ladinos na Vila de Bom Sucesso; do produto que se paga pelas compras e vendas dos bens de raiz; ao tesoureiro do Julgado de Nossa Senhora do Amparo do Brejo do Salgado.

- CARGA DO SUBSÍDIO LITERÁRIO E VOLUNTÁRIO, de aguardente das Vilas de São José e do Príncipe e seus termos; dos direitos dos gados cortados na Vila do Príncipe e termo; de todos os negros novos, gados, cavalos, vinhos e aguardentes que entraram nos registros de Capivarí e Caminho Novo; do ouro cobrado do produto dos créditos passados no registro de Paraibuna e pertencentes à Vila Rica.

- CARTA DE LIBERDADE, passadas aos escravos da Real Extração Diamantina por prêmio.

- CAUTELA, da Casa do Trôco do Cobre de Uberaba.

- CONFERÊNCIA DO QUINTO, da entrada do ouro como recebedor interino.

- CONHECIMENTO DE DINHEIRO, conduzido pelos militares para as Casas de Permutas de São João Del Rei; recolhidos nos reais cofre pertencentes a diversas repartições; de impostos adventícios e de compra de armas.

- CONSULTA, sobre propostas, requerimentos eclesiásticos e outros da Bahia, Cuiabá, Mato Grosso, Goiás, Maranhão, Mariana, Pará, São Paulo, Pernambuco, Rio de Janeiro, Angolas, Bispado de Angra, Funchal, Moçambique, São Tomé e Portugal.

- CONTA CORRENTE, de cada um dos contratos da Fazenda Pública da Província de Minas arrematados e administrados; do Contrato dos Dízimos dos Caminhos Novo e Velho, Rio de Janeiro, São Paulo, Caminho Novo do Sertão, Bahia, Comarca de Ouro Preto, Sabará, Rio das Mortes, Passagem do Rio Grande, Rio Jequitinhonha do Serro Frio, São Hipólito, Piedade, Bicudos, Paraopeba, Pitanguí, São João Del Rei e São Romão; das dívidas da Real Fazenda com o Administrador dos Reais

Contratos de arrematação e dízimos, terças partes e donativos da Capitania de Minas; dos Administradores dos Direitos das Entradas da Capitania de Minas, por conta da Real Fazenda; do tesoureiro da Intendência de Sabará com os rendimentos do Real Quinto, Escovilhas, Derrama, Real Subsídio Voluntário Lagoas, Ribeiro da Areia, Jequitibá, Termo de Paracatú, Serro Frio e Minas Novas; com o cobrador dos direitos de Entradas da Comarca de Sabará com o Tribunal do Júri; dos devedores da Real Fazenda de Minas; de importe de mercadorias; dos diversos permutadores da Comarca do Rio das Mortes; dos permutadores da Comarca com o tesoureiro da Intendência da Vila do Príncipe; do tesoureiro de Vila Rica com o permutante; da Secretaria do Tribunal da Mesa de Consciência e Ordens com o livreiro; do almoxarife da 2ª Classe; e Balanço Geral do Conselho da Administração do Regimento nº 3 de Infantaria de Linha; de cada um dos permutantes com os bilhetes e de Minas, da arrecadação dos 5% do ouro em pó em Santa Bárbara, Sabará e Caeté; da Tesouraria Geral com saldo a favor do Banco do Brasil; de estabelecimento; dos contratos arrematados por João Roiz de Macedo.

- CONTRATO DE ENTRADA, cobrados na Comarca de Sabará; arrematados pelo Cap. José Pereira Marques e do Administrador de Vila Rica.

- CONTRATO SOBRE DIREITOS DE ENTRADAS, rendimento do registro de São Luiz do distrito de Paracatú e pertencentes ao contrato de João Roiz de Macedo; rendimentos das cargas, cobrança, de rezes nos registros de Mantiqueira, Presídio do Rio Preto, Rabelo, Campanha do Toledo, Comarca de Sabará, Paracatú, distrito de Olhos d'Água, Caeté-Mirim, São João das Três Barras, Vila Rica, Jaguarí, Picú, Mar de Espanha, Malhada, Itajubá, Pomba, Nazareth, Rio Preto, Ouro Fino, Mandú, Capivarí, Sapucaí, Serro Frio, Caminho Novo, Sete Lagoas, Jequitibá, Zabelê, Pitanguí, Santo Antonio, São Luiz, Santa Isabel, Palheiro, Pé do Morro, Inhacica, Arasuahy, Jequitinhonha, Tocambira, Rio Pardo, Minas Novas, São João D'El Rei, Porto do Cunha, Sapucaí-Mirim, Santiago, Taguary, Mathias Barbosa, Paraibuna, Itaubira, Santo Antônio do Paracatú; do ouro na Vila Boa de Goiás.

- CORRESPONDÊNCIA, cópias de cartas remetidas pelo Des. Intendente Geral dos Diamantes ao Intendente do Tejuco; referente à conclusão da Capela e Lavagem dos diamantes, avisos remetidos pelo Tesoureiro Geral referente à diversos assuntos, Cartas e mais correspondências do papel Selado; diversas Cópias de Ofícios, Ordens e Cartas de contas relativas à Bula da Cruzada; Ofícios e Provisões remetidos aos Ouvidores Gerais; Provisões, Requerimentos, Procurações e outras; da Tesouraria da Fazenda; eclesiásticas do Palácio do Rio de Janeiro; Ordens, Cartas e Ofícios aos permutadores de Itabira e Nazareth; Guias de ouro para a Intendência de Vila Rica, das Ordens e Avisos aos permutantes de Soledade, São Sebastião, Paragem do Ouro Branco, Santo Antônio de Capanema, ArraiaL do Pinheiro; Calambáo, Barra Longa, Antônio Pereira; documento em Inglês.

- CRÉDITOS, distribuídos aos Estados do Amazonas, Bahia, Ceará, Espírito Santo, Goiás, Maranhão, Mato Grosso, Minas Gerais, Pará, Paraná, São Paulo, São Pedro, Sergipe, Rio de Janeiro, Pernambuco e suas aplicações e exterior.

- CRÉDITOS E CLAREZAS, entre as remessas que tenha feito a Real Fazenda pela Provedoria de Vila Rica ao registro de Jaguará.

- CRÉDITO PARTICULAR, de partes que por sequestro e apreensão se entregaram na Administração Geral dos Contratos para que pela mesma se agitar à cobrança.

- DÉCIMA DE HERANÇA, cargas, recebimentos, receita testamentária e legados, selo de papel de Mariana.

- DÉCIMA PREDIAL, lançamentos e cobrança das freguesias de Santa Maria de Baependi, Mariana e seu termo; Barbacena e seu termo, Vila do Bom Sucesso de Minas Novas do Arassuaí, Tejuco, Vila Rica e seu termo, Queluz, Sabará e seu termo, São João Del Rei e seu termo, Vila Nova da Rainha, Paracatú do Príncipe, Pitanguí, Campanha da Princesa e seu termo, São Gonçalo, Pouso Alegre, Vila do Príncipe e seu termo, Vila de São José, São Bento do Tamanduá, Santa Bárbara, Caeté, Santa Luzia, São Carlos do Jacuí, Formiga, Arraial das Lavras do Funil, Ouro Preto e Campo Belo.

- DECLARAÇÃO, feita debaixo de juramento pelos donos de engenho e alambique de destilar aguardente para cobrança de Subsídio Literário das freguesias de Sabará, Curral Del Rey, Santa Luzia, Raposos e Santo Antônio do Rio Acima.

- DEPÓSITO, de documentos e papéis que na conformidade de diversas leis e regulamentos, devem ser depositados no Arquivo Público do Império para concessão de privilégio; feitos na Real Casa da Intendência da Vila do Príncipe.

- DESPESA GERAL, com tropas e escravos no serviço de extração diamantina; da Casa de Administração do Papel Selado; da Casa do Trôco da Moeda de Cobre das Vilas de Baependí, Sabará, Vila do Príncipe e Jacuí; do Regimento de Artilharia da Côrte, "1ª Classe pertencente à Guerra"; com a catequese dos índios da Amazonas, Bahia, Espírito Santo, Goiás, Maranhão, Mato Grosso, Minas Gerais, Pará, Paraná, São Paulo, São Pedro, Sergipe e Alagoas.

- DEVASSA, contra o Administrador do registro do Rio Pardo.

- DIAMANTE E OURO, extração, remessa e entrada para o cofre dos serviços de Inhaí, Paraúna Acima, Carrapato, Córrego do Ferreira, Mata-Mata, Serra de Santo Antônio, Ribeirão do Inferno, Serrão, Caeté-Mirim, do Monteiro, Passagem de Antônio Roiz, Rio das Pedras dos Caldeirões, Lavras do Mosquito, Canjica, Rio Pardo, Córrego Novo, Andrequissú, Servo, Lavra do Mato, Cachoeira, Ponte São Gonçalo, Barca, Córrego São João, São Pedro, Pombal, Gouvêa, Mangabas, Formiga Massagano, Morrinhos, Itaipava, Santa Apolônia, Capivarí, Barra de Santa Maria, Córrego do Mulato, Taboleiro, Cascalho, Rio Acima, Lavra do Pinto de João Ponte, Curralinho, Cordeiro, Barra das Cegas, Pouso Alto, Cardoso, Bribí, Poção Chapada, Itaipava, Sanches, Mendanha, Bom Sucesso, Retiro do Capão Grosso, Taquaril, Beija-Flor, Retiro e Pinheiro; comprados por conta da Fazenda Pública, pela Caixa da Administração Diamantina.

- DIÁRIO, das transações da Caixa Filial de Vila Rica.

- DIÁRIO DA CASA DE FUNDIÇÃO, do Escrivão do ouro, conferência do quinto; do rendimento do quinto.

- DIÁRIO DO CORTE DE REZES, com o peso de cada rez e o número pago a cada talho nos termos de Caeté e Vila Nova da Rainha.

- DIÁRIO DA EXTRAÇÃO DIAMANTINA, nos serviços do Tejuco, dos jornais que vencer a escravatura nos serviços do Rio Pardo, Mata-Mata, Córrego do Ferreira, Capivarí, Calhambolas; do expediente da Província de Minas Gerais.

- DIÁRIO DA PERMUTA DO OURO, de faisqueira pelo tesoureiro do Arraial da Tapera e Vila do Príncipe.

- DIÁRIO DO TRÔCO DO COBRE, das localidades: Vila da Campanha da Princesa, Curvelo, Sabará, Baependí, Itabira do Mato Dentro, Jacuí, Vila do Príncipe, Vila de São Romão da Pomba, São Bento do Tamanduá, Araxá, Minas Novas, Paracatú do Príncipe, Lavras, Rio Pardo e Barbacena.

- DÍVIDA ATIVA E PASSIVA, resultada das contas-correntes de diversos com o Contrato dos diamantes; de dízimos orçados pelos Administradores da Província de Minas.

- DÍZIMOS, rendimento e avenças dos créditos pelos Administradores nas freguesias da Conceição da Vila do Príncipe, Conceição do Mato Dentro, Arraial do Paracatú, Santo Antônio do Curvelo, Nossa Senhorada Conceição do Pouso Alto, Ouro Fino, Santana do Sapucaí, Camanduacaya, Vila Rica, Caeté, Sumidouro, Mariana, São Sebastião, Furquim, Morrinhos, Itacambira, Ouro Branco, Ouro Preto, Itatiaya, Congonhas de Sabará, Santo Antônio do Rio Acima, Rio Vermelho, Campanha, Santa Catariana, Barra Longa, Antônio Dias, Santo Antônio da Casa Branca, São Bartolomeu, Itaubira, Cachoeira, Congonhas, Piranga, Antônio Pereira, Camargos, Inficcionado, Catas Altas, Barra, São Caetano, São José da Barra, São João Del Rey, Carrancas, Baependí, Rio Verde, Juruoca, Vila de São José, Prados, Borda do Campo, Caminho Novo, Roças Grandes, Curral Del Rey, Sete Lagoas, Pitanguí, Carijós, Itaverava, Jequitibá, Minas Novas, Jaguarí, Serro, Cuyaté, São João do Morro Grande, Santa Bárbara, São Miguel, Lavras do Funil, Vila de Queluz, Nossa Senhora da Glória do Simão Pereira, Nossa Senhora da Assunção do Engenho do Mato, Itabira do Campo, Barra do Rio das Velhas, Itambé, Rio Preto, Tapanhoacanga, Rio de Peixe, Gouvêa, Milho Verde, Rio Manso, Inhaí, Peçanha, Andrequissú, Rio de Pedras, Raposos, Caeté, Congonhas do Serro, Ayriuroca, Manga, Lagoa Santa, Matosinhos, Cachoeira do Campo, Cabo Verde, Itabira, Barbacena, Nossa Senhora da Assunção do Caminho Novo do Rio de Janeiro, Pomba, Tamanduá, Candeias, Desterro, Ponte Alta, Formiga, Pé do Morro, Palmeiras, Arraial Velho, Vargem, Rosário, Fazenda do Gama, São Julião, Lagoa, Morro da Ponta, Boa Vista, Rabelo, Pinhuí, Bambuí, Aranha, Bananal, Olhos D'Água, Cabo Verde, Nossa Senhora da Assunção da Campanha do Mato, Mantiqueira, Ribeirão da Areia, Campo Belo, Chapada, Nossa Senhora da Penha, Ventania, Jacuí, Pouso Alegre, Douradinho, Caldas, São Domingos, Água Suja, São João Batista do Presídio, São Caetano, Caeté-Mirim,

Canjica, Baú, Coqueiro, Ribeirão Fundo, Minas, Moreira, Nazareth, Bandeira, Sítio, Lavras Velhas, Grupiara, Fonte, Ibituruna, Gerais, Macaia, Campo Limpo, Macacos, São Thiago, Tatú, Jacaré, Alegre, Peixe, Caxambú, Babilônia, Flores, Fortaleza, Bom Jardim, Boa Vista, Desterro, Tamanduá, Brejo, Laranjeira, Pedra Branca, Trindade, Vergonha, Taquara, Porto Velho, Itapecerica, Varredouro, Estiva, Santa Cruz, Piedade, Atenas, Nossa Senhora das Dores do Indayá, Morro do Pilar, Simão Pereira, Engenho do Mato, Campo Belo, São Miguel do Piracicaba, Santo Antônio, Bom Sucesso, Conceição, Matriz do Cajerú, Sabatinga, São Miguel, São Francisco de Paula, Madre de Deus, Vilas Boas, Onça, Espírito Santo, Senhora da Ajuda, Porto, São Bento, Ponte Nova, Perdões, Pe. Gaspar, Japão, Bichinho, Cláudio, Córrego Lambarí, Indaiá, Iritiboca, Bertioga, Capela do Cel., Pinho Velho, Pinho Novo, Três Barras, Bambuí, Campo Formoso, Serra da Marcela, Morro Redondo, Ribeirão do Jorge, Palestina, Barra do Limoeiro, Retiro da Noruega, Pinhal, Tavacho e Piracicaba.

- DÍZIMOS E MIUNÇAS, lançamentos dos créditos das freguesias do Morro Grande, Caeté, Santa Bárbara, São Miguel, Vila do Príncipe, Conceição do Mato Dentro, Baependí, Campanha, Juruoca, Sapucaí, Jacuí, Cabo Verde, Ouro Fino, Cachoeira do Campo, Casa Branca, Paracatú, Mariana, São Sebastião, São Caetano, Camargos, Vila Rica, Catas Altas, Furquim, São José da Barra, Cuiaté, Itabira, Congonhas do Campo, São João Del Rey, Carrancas, Pouso Alto, Itajubá, Santa Bárbara, Sabará, Santa Luzia, Curvelo, Barra do Rio das Velhas, Manga, Prados, Raposos, Itatiaya, Ouro Branco, Itaverava, São José da Barra e Santa Luzia do Sabará.

- EMBARGO DE SEQUESTRO DE MOEDA, entre Gonçalo da Silva Minas e Manoel Francisco Moreira.

- EMOLUMENTO, da Secretaria da Junta do Comércio.

- ENTRADA DE MERCADORIA, na Real Casa de Fundição.

- ENTRADA E QUINTO, e rendimento do ouro nas Casas de Fundição das Intendências de Sabará, São João Del Rey, Cuiabá, Vila Rica, Vila Bela, Arraial São Félix, Tejuco, Mato Grosso, Rio das Mortes, Serro Frio e Ponte Nova.

- ENTRADA E SAÍDA DE DEPÓSITO, de diversas origens que não entraram no cofre de depósitos e cauções.

- ESCALA E ABONO, de serviços da 3ª Companhia do 1º Batalhão de Fuzileiros da Côrte.

- EXECUÇÃO, movida contra Francisco Gonçalves de Morais, Cel. João de Souza Lisboa, Ten. José Pereira de Amorim e outros herdeiros de Maria Pereira de Castro, Manoel Pedro de Aragão e seus fiadores, Joaquim Gomes dos Santos, João Baptista Pinto de Almeida.

- EXPEDIENTE, da Tesouraria da Real Fazenda da Capitania de Minas; Casa de Fundição do Rio das Mortes; Contadoria da Real Fazenda da Capitania de Minas;

Cartório do escrivão da Mesa do Rio das Mortes; Contadoria da Junta da Real Fazenda Nacional da Província de Minas e da Extração Diamantina.

- EXTRATO, das partidas do ouro manifestadas e fundidas na Intendência do Rio das Mortes; dos Conhecimentos pertencentes aos Novos Direitos, Terças Partes, Donativos de Ofícios de Justiça e outros, arrematados pelo tesoureiro; da Décima Predial Urbana da Vila da Campanha da Princesa.

- FATURA, dos gêneros remetidos do Rio de Janeiro a esta Administração Geral dos Contratos de Minas Gerais pelos Srs. Diretores Gerais da mesma.

- FERRAS, de gados vacum e cavalar e Dízimos de Miunças das Fazendas Mato Grosso e das Laranjeiras.

- FIANÇAS, prestadas ao escrivão da Provedoria; de Oficiais Militares; feitas pelo pessoal da Provedoria para serventia de Ofícios na Província de Minas; para prestar serviços públicos; e registros de Provisões dos que serviram na Secretaria do Governo de Minas; e obrigações; dos Oficiais de Justiça; e Contratos da Real Fazenda; passadas na Secretaria de Contratos do Governo Geral de Minas; prestadas pelas arrematações de Ofícios de Justiça e Fazenda na Capitania de Minas; prestadas à Contadoria da Junta da Real Fazenda; dos Donativos e Terças Partes dos Ofícios de Justiça e dos Contratos da Intendência do Rio das Mortes; e Aceitação dos permutários da Comarca de Vila Rica; dos Ofícios de Justiça, Segundo Tabelião e Escrivão das Vilas do Tamanduá e São José; para Ofícios públicos nas localidades de Mariana, São João Del Rey, Sabará e Caeté.

- FOLHA CIVIL E ECLESIÁSTICA, de ordenados, outras despesas, conhecimentos, 27 mandados correntes de ordenados de Fiéis pagos e apresentados em sua descarga pelotesoureiro; de ordenados dos Professores Régios da Província de Minas; de ordenados e comestíveis dos Empregados na mineração de diamantes; de ordenados suplementares; da Casa do Trôco do Cobre da Vila do Pomba; da Real Fazenda; da Real Extração Diamantina; da Intendência de Vila Rica; da Intendência de Sabará e seu termo; da Intendência do Rio das Velhas; da Junta Administrativa dos bens vinculados de Jaguará; dos Correios de Ouro Preto, São João Del Rey, Sabará, Vila do Príncipe, Vila de São José, Vila da Campanha; da Contadoria da Administração Diamantina; da Casa do Trôco da Vila do Príncipe, Minas Novas, Uberaba; de Côngruas e recibos das freguesias dos Bispados e Vigários Colados da Capitania de Minas; de ordenados do Bispado de Mariana, São Paulo e Bahia; dos funcionários da Junta da Real Fazenda da Província de Minas.

. JUNTA MILITAR, de ordenados e outras despesas, pensões e terças, conhecimentos, gratificações da Companhia de Dragões e Pedestres; da Real Fazenda; da Provedoria de Minas; do Quartel General da 2ª Companhia de Infantaria da Divisão Militar da Polícia e dos Oficiais de Cavalaria.

- GÊNERO, vendidos pelo armazém da Real extração Diamantina.

- GÊNERO DE EXPORTAÇÃO, da Província de Minas, passados pelos registros do Presídio do Rio Preto, Campanha do Toledo, Barra do Pomba, Picú, Itajubá, Mantiqueira, Malhada, Mar de Espanha, Ouro Preto, Jaguarí, Rio Preto, Sapucaí-Mirim, Jacuí, Porto do Cunha e Rio Pardo.

- IMPOSTO, sobre Indústrias e Profissões no Município do Pomba; Dobla sobre vendas em boticas, lojas de fazenda seca e armazéns de secos e molhados do Tejuco, Julgado da Barra do Rio das Velhas, Vila Nova da Rainha do Caeté, Campanha da Princesa, Campanha, Julgado de Curvelo, Pitanguí, Vila do Príncipe, Campanha do Toledo, Sabará, Conceição do Mato Dentro, Morro do Pilar, Santo Antônio Abaixo, Rio Vermelho, Itambé, Rio Preto, Bonfim, Corumataí Tapanhoacanga, Santo Antônio do Rio de Peixe, São Domingos, Corgos, Tapera, Congonhas, São Sebastião das Correntes; de negócios, taxas de escravos e escritórios do Serro, Pouso Alegre, Curvelo, Jacuí, Lavras, Presídio, Barbacena, Itabira, Bonfim, campanha, Mar de Espanha, Tamanduá, Jaguarí, Cabo Verde, Paracatú, Patrocínio, Itajubá, Queluz, Baependí, Januária, Araxá, Mariana, Diamantina, Pitanguí, Conceição, Ouro Preto, Oliveira, Santa Bárbara, Caeté e Rio Pardo.

- ÍNDICE, do livro de Matrícula e Manifestos; do livro de Receita e Despesa com o Batalhão; do livro de Donativos de Ofícios na Comarca do Rio das Mortes; do livro de Matrícula de Escravos, de Manifestos dos Ofícios, vendas, boticas, corte de carne, pretos e mulatos forros.

- INSCRIÇÃO, de escravos para minerarem diamantes na Comarca do Serro Frio; dos Oficiais Reformados residentes na Província de Minas; dos Oficiais e Praças das Cias. De Caçadores do Depósito da Côrte estacionados em Ouro Preto; dos Empregados da Pagadoria Militar da Província de Minas.

- INSTRUÇÃO E REGULAMENTO, para o Tesoureiro e recebidas desta Intendência, para se guiar por elas.

- INVENTÁRIO, dos bens do vento a cargo do tesoureiro; dos bens móveis pertencentes à Casa de Inspeção do Selo; e arrecadações de bens de falecidos, intestados, herdeiros, ausentes e legados da Provedoria da Câmara do termo de São João Del Rey, Ouro Preto e Municípios.

- JORNAIS DE ESCRAVOS, alugados à diversas pessoas pela Real extração Diamantina.

- JURAMENTO E POSSE, deferido às testemunhas de justificantes para viajar; dos Oficiais da Administração do Papel Selado.

- JUSTIFICAÇÃO, referente à arrematação de carvão para a Casa de Fundição.

- LEMBRANÇA, do ouro que entrou na Casa do Contrato; do ouro permutado aos fiéis dos registros da Comarca do Serro Frio; das compras de cavalos do dízimo, saída de dinheiro, despesas com camaradas, quinto e cobrança de venda de cavalos.

- LETRA, sacadas sobre a direção da Real Extração Diamantina no Rio de Janeiro.

- MANDADO, expedido pela Seção do Contencioso da Tesouraria Federal de Minas Gerais a todos os devedores da mesma.

- MANIFESTO, das carnes e aguardentes produzidas na Vila do Príncipe e seu termo, Vila de Pitanguí e seu termo, Vila de São José, Sabará, Prados, Igreja Nova, Carijós, Congonhas do Campo, Ibituruna, Itaverava, Vila Nova da Rainha e seu termo, Caeté, Vila Rica e seu termo, Comarca da Vila de São João Del Rey, Barra do Rio das Velhas, Julgado do Curado, Julgado do Curvelo, Santa Luzia, Curral Del Rey, Congonhas, Raposos, Rio Acima, Rio das Pedras, Distrito de Morrinhos Julgado de São Romão, Santa Rita, Campos; dos permutantes do Arraial de Catas Altas, Cachoeira, São Caetano termo de Mariana, Arraial de Furquim; das parcelas do ouro que entraram na Casa de Permuta de Vila Rica.

- MAPA, dos escravos da Real Extração; de vencimentos e fardamentos do 2º Batalhão de Caçadores da 1ª Linha, de soldos e gratificações da Cia. Fixa de Montevidéu.

- MATRÍCULA, e baixas de soldados e oficiais; de militares e soldados de Dragões da Capitania; dos oficiais da 1ª e 2ª Classe do Estado Maior do Exército; de adventícios e fugitivos; da Tropa dos Dragões da Guarnição de Minas Novas do Arassuahy; de escravos sujeitos à taxa anual; da Cia. da freguesia de Pouso Alto; de oficiais e soldados da Cia. do registro da Passagem de Mariana; do Regimento Militar; do Regimento de Cavalaria; promoções e baixas dos oficiais, Conselho de Guerra, Alferes, Cadetes Cornetas, Soldados e Cabos da 2ª Companhia do 2º Batalhão.

- NOMEAÇÃO, a diversas pessoas admitidas para o serviço da Real Extração Diamantina nas lavras dos Caldeirões, das datas de El Rey, serviço da Cachoeira, das Almas, São Pedro, Canjica, Lavra do Mato, Caeté-Mirim, Paraúna, Ponte de São Gonçalo, Córrego de São João, Mosquito e Itaipava.

- NOTAS, arrematações, escrituras, títulos e obrigações, contrato sobre negócios da Administração da Real extração Diamantina, da Bula e Administração do Comendador Antônio Luiz Maria Sarmento; dos Reais Armazéns da Intendência; de fiança; requerimentos e procurações.

- OFÍCIO, ORDEM E GUIA que pela Junta da Real Fazenda desta Capitania foram dirigidos ao tesoureiro das despesas miúdas e almoxarife dos armazéns; passados ao fiel dos registros de Inhacica, Rebelo, Rio Pardo; passados às Casas de Permutas de Vila de Barbacena, do Arraial de Santana da Chapada, Arraial de Inhaí, Vila Rica; passados à Intendência da Vila de São João Del Rey; do General da Divisão de Voluntários Leais de El Rey aos Quartéis Generais; da Divisão Expedicionária do Batalhão de Granadeiros da 5ª Cia.; Bancários; expedidos à diversas autoridades.

- PARTILHA, entre os herdeiros e legatários de Rafael Ferreira Brandão.

- PENHORA, entre Francisco Gomes Passos e Manoel Teixeira Sobreira.

- PONTO, dos empregados da Casa do Papel Selado; dos feitores empregados da esquadra nos serviços de Mendanha, Chapada, Curralinho, Pagão, Caeté-Mirim, Quebra-Panela, Mata-Mata, Tabuleiro da Viúva e Cachoeira.

- PORTARIA E CONHECIMENTO, do dinheiro que sai da Intendência para as permutas da Comarca.

- PROCURAÇÃO, para receber dos caixas da Real Extração Diamantina os jornais de escravos.

- PROTOCOLOS, das execuções do Juízo aos devedores dos dízimos; de demonstrativos dos devedores dos Reais Cofres da Província de Minas; das audiências da Real Fazenda; de documentos; de despachos em Junta da Real Fazenda; de autos; de correspondências de Corregedores, Juiz de Fora, Bispo, Escrivães, Juizes da Chancelaria, Desembargadores, Arcebispos, Ouvidores, Governadores e Juízes da Coroa; de correspondências que vão para o Desembargador João Ignácio da Cunha, como Juiz Conservador dos Privilegiados do Comércio; de ofícios e requerimentos; das execuções da Real Fazenda referente à arrecadação da Província de Minas; Eclesiástico; da correspondência da Secretaria do Estado dos Negócios da Agricultura, Comércio e Obras Públicas e de Audiências.

- PROVISÃO, de Ofício de Justiça no Cartório da Receita da Intendência de São João Del Rey; passadas aos arrematantes dos dízimos da Província de Minas; passadas aos Juizes do Contencioso dos Feitos.

- RECEITA E DESPESA DOS BENS DE RAIZ E ESCRAVOS LADINOS, transação de compras e vendas realizadas no Novo Julgado do Arraial do Amparo do Brejo Salgado, Vila Rica e seu termo, Curvelo, São João Del Rey, Queluz, Mariana, Baependí, Vila do Bom Sucesso de Minas Novas e seu termo e Desterro.

- RECEITA E DESPESA DE BILHETES, de partes e por lembrança referente à Extração Diamantina; da Real Casa de Fundição.

- RECEITA E DESPESA COM CATEQUESE, de índios Botocudos.

- RECEITA E DESPESAS COM CATIVOS, do produto da repartição.

- RECEITA E DESPESA DOS CORREIOS, de São João Del Rey, Vila do Sabará, Vila Rica, Paracatú do Príncipe, Pitanguí, Baependí, Vila de São José, Ouro Preto, Vila do Príncipe, Barra do Rio das Velhas; do rendimento dos selos dos papéis e autos que correram perante o Juiz Eclesiástico da Câmara Episcopal de Mariana.

- RECEITA E DESPESA DE CRÉDITOS, de indenizações e brindes em Amazonas, Bahia, Espírito Santo, Goiás, Maranhão, Mato Grosso, Minas Gerais, Pará, Paraná, São Paulo, São Pedro, Sergipe, Ceará, Pernambuco, Rio de Janeiro e Alagoas.

- RECEITA E DESPESA DA DÉCIMA DE HERANÇA, do rendimento do selo de papel de São João Del Rey, Paracatú do Príncipe, Mariana, Vila do Bom Sucesso, Pitanguí e Vila do Príncipe.

- RECEITA E DESPESA DA DÉCIMA PREDIAL, dos prédios urbanos das Vilas de Bom Sucesso de Minas Novas do Arassuahí, Paracatú do Príncipe, São José, Vila do Príncipe, Vila da Campanha e seu termo, Santa Luzia, São João Del Rey, Lavras e Ouro Preto.

- RECEITA E DESPESA DOS DIAMANTES E OURO, extraídos das lavras da Real Extração Diamantina; dos bilhetes; que entraram na Tesouraria Geral da Real Fazenda; dos possuidores de fábricas e massames; do Cofre da Real Extração.

- RECEITA E DESPESA DE DIVERSAS REPARTIÇÕES, da Cia. De Dragões; da Irmandade de Nossa Senhora do Rosário dos Pretos; da Casa de Fundição de Vila Rica; da Casa do Contrato; da Real Fazenda da Província de Minas; da Recebedoria de São João Del Rey; das Casas de Fundição da Vila do Príncipe e São João Del Rey, da Boca do Cofre da Real Fazenda; das Intendências da Vila do Príncipe, comarca do Rio das Mortes, Vila de São João Del Rey, comarca do Rio das Velhas, Serro Frio; da Contadoria da Real Extração dos Diamantes; da Bula da Santa Cruzada da Capitania de Minas; da Tesouraria Menor da Real Fazenda; da Caixa Filial de Vila Rica; da Junta do Comércio da Côrte; da Provedoria de Ausentes da Comarca de São João Del Rey; do Batalhão do Imperador e Caçadores; da Recebedoria da Intendência da Vila do Príncipe; das Coletorias da Província de Minas; do Montepio dos Servidores do Estado; das Recebedorias do Serro e de Ouro Preto; da Secretaria dos Negócios da Guerra; da Contadoria de São João Del Rey; do 1º Batalhão de Caçadores da 1ª Linha do Exército em Pernambuco; da Tesouraria Geral da Real Fazenda; da Tesouraria da Intendência da Água Verde para passagem de cargo.

- RECEITA E DESPESA DE DÍZIMOS, a cargo do tesoureiro da Real Administração; nas freguesias de Vila Rica, Antônio Dias, Rio Abaixo, Ribeiro da Crucuya, Santo Antônio do Manga, São Romão, Ribeira do Paracatú, Tucumbira, Morrinhos, Barra, Santo Antônio do Curvelo, Conceição do Mato Dentro, Vila do Príncipe, São Miguel, Santa Bárbara, São João do Morro Grande, Vila do Caeté, Pitanguí, Raposos, Rio de Pedras, Rio das Velhas, Congonhas, Curral Del Rel, Roças Grandes, Sabará, Itabrava, Carijós, Caminho Novo, Borda do Campo, Prados, São José, Itajubá, Ouro Fino, Juruoca, Rio Verde, Baependí, Pouso Alto, Carrancas, São João Del Rey, Sumidouro, São Sebastião, São Caetano, Furquim, Catas Altas, Inficionado, Camargos, Antônio Pereira, Mariana, Ouro Branco, Itatiaya, Cachoeira, Itaubira, São Bartolomeu, Casa Branca, Baependí, Rio Verde, Santa Ana do Sapucaí, Vila do Príncipe, Congonhas do Sabará, Brumado, São Gonçalo, Rio Manso, Macaúbas, Paracatú, Paraopeba, Suassuí, Pires, Chiqueiro, Salto, Piquerí, Rio de Peixe, Rodeio, Nossa Senhora da Pena do Rio Vermelho, Nossa Senhora da Conceição do Serro, Barbacena, Bambuhy, Turvo, Rio das Mortes, Nossa Senhora da Assunção do Engenho Manso, Pomba, Campanha da Princesa, Queluz, Prados, Camanducaya, Santa Cruz da Chapada, Água Suja, Formiga, São José do Gurutuba; dos contratos do arrematante João Roiz de Macedo para tratar de sua cobrança em Vila Rica, Comarca do Rio das Mortes, Sabará, Minas Novas, Paracatú, Serro Frio e Ouro Preto.

- RECEITA E DESPESA DE DOBLAS, dos confiscos e contrabandos das lojas de fazenda seca e molhados, das lojas, tabernas, boticas e botequins; pertencentes ao Banco do Brasil; para comércio de comida feita, café, botequim, hospedagem, pasto, taberna e estalagem.

- RECEITA E DESPESA DE DONATIVOS, gratuitos e contribuições voluntárias de escravos e outros para as precisões do Estado.

- RECEITA E DESPESA DA ENTRADA E QUINTO DO OURO, da Casa de Fundição da Vila do Príncipe, Vila Boa, Vila Rica, São João Del Rey, Serro Frio, Rio das Mortes, Sabará, Passagem, Itabira do Campo; de acréscimos, escovilhas, confiscos e derrama; na Contadoria do Serro.

- RECEITA E DESPESA COM EXECUÇÕES, aos devedores da Real Fazenda; dos devedores fiscais conferidos à Administração Geral das Vilas do Príncipe, do Sabará, Vila Rica, São João Del Rey, Paracatú, da Comarca do Rio das Mortes e da Intendência do Serro Frio.

- RECEITA E DESPESA DA FAZENDA E SÍTIO, do Morambo; das pessoas dos sítios dos Macacos, do Barreado, São Matheus, da Cana Brava, Santa Ana, Santa Maria, de Todos os Santos, São Jacinto, Santo Antônio, São Benedito e Philadélfia.

- RECEITA E DESPESA COM GÊNEROS DE EXPORTAÇÃO, das contravenções na Alfândega da Côrte; dos registros de Itajubá e Mantiqueira.

- RECEITA E DESPESA DE HERANÇA, intestados e do tesoureiro dos Defuntos e Ausentes, Capelas e Resíduos da Comarca do Rio das Mortes; pertencentes à Ausentes e arrecadadas pela Provedoria da Vila de São João Del Rey e termos; do Conselheiro Elias Antônio Lopes; dos líquidos da Intendência de São João Del Rey remetidas à Junta da Real Fazenda de Minas; da passagem do cofre que acabou, para o atual da Comarca de São João Del Rey.

- RECEITA E DESPESA COM MATERIAIS E GÊNEROS, das Casas de Fundiçao do Rio das Mortes, São João Del Rey, Vila Rica, Sabará, Vila do Príncipe, Vila Boa de Goiás; das Intendências de São João Del Rey, Rio das Mortes, Vila do Príncipe, Sabará; de Sua Majestade, existente na Real Casa de Fundição da Vila do Príncipe; dos Armazéns Reais da Extração Diamantina da Capitania com o Rancho do Quartel Geral das Divisões; da Extração Diamantina em Barra das Cegas, Mendanha, Tejuco, Monteiro, Caeté-Mirim, São Gonçalo, Cachoeira e Rio Pardo; da Junta da Real Fazenda; dos Armazéns Gerais da Côrte e com obras de carpinteiro e calafate.

- RECEITA E DESPESA COM OBRAS E MANUTENÇÃO, do Farol e Barcos de Socorro da Ilha Raza.

- RECEITA E DESPESA COM ORDENADOS, dos oficiais de Justiça e mais empregados das Casas de Fundições, Intendências, Real Fazenda e Fazenda Nacional do Sabará, Serro Frio, São João Del Rey, Vila do Príncipe, Vila Rica e Rio das Mortes; de militares; feitas pelos tesoureiros pagadores das tropas.

- RECEITA E DESPESA DE PENSÕES, pagas pelos Vigários da Comarca para a Capela Imperial.

- RECEITA E DESPESA DA PERMUTA E DO OURO EM PÓ DE FAISQUEIRAS, nas localidades do Tejuco, Serro Frio, São João Del Rey, Vila do Príncipe, Capivarí, Jaguarí, Jacuí, Ouro Fino, Serro Frio, Rio Preto, Presídio do Rio Preto, Mantiqueira, Sabará, Campanha do Toledo, Rio Doce, Pé do Morro, Galheiro, Rebelo, Inhacica, Caeté-Mirim, Simão Vieira, Jequitinhonha, Pomba, Santa Catarina, São José, Catas Altas, Itabira do Campo, Passagem de Mariana, Pinheiro, Itatiaya, Santana do Sapucaí, Conceição da Barra, Porto, Antônio Dias, São José do Paraopeba, Ponte do Salto, São José do Chopotó, São Caetano, Arraial dos Remédios, Paraopeba, Ponte Nova, Congonhas do Campo, Vila Rica, Antônio Pereira, Piranga, Lagoa Dourada, Bom Sucesso, Itambé, Itabira, Arraial da Espera, Sucuriú, Tapera, Tapanhoacanga, Conceição do Mato Dentro, Gambá, Santa Rita, Lagoa, Barra do Bacalhau, Barra Longa, Arassuaí, Morro do Pilar, Vila de Minas Novas, Gouvêa, Chapada, Arraial de Baixo, Campanha da Princesa, Serra, Campo Belo, Baependí, São Gonçalo da Campanha, Prados, Cachoeira do Rio Grande, Camargos, Madre de Deus, Piedade, Espírito Santo, São Domingos, Rio de Peixe, Santa Anna do Garambeo, Arraial da Lapa, Camanducaya, Queluz, Barbacena, Suassuí, São João do Morro Grande, São João de Madureira, Guarapiranga, Cachoeira do Campo, Gualaxo, São Miguel, Ponte de João Velho, Raposos, Paraúna, Arraial de São João Baptista, Santo Antônio do Rio Abaixo, Água Suja, Ubá, Penha, Passagem do Ouro Branco, Ouro Branco, Arraial do Morro, Cuiabá, Arraial da Casa do Córrego, Ponte Pequena, Calambáo, Cabeças, Mateus Leme, Morro Vermelho, Congonhas do Sabará, Lagoa Santa, São Gonçalo do Rio Abaixo, São Gonçalo do Tabor, Arraial da Quinta, Soledade, Freguesia de São Sebastião, Ponte do Fonseca, Bento Rodrigues, Macaúbas, Cocais, Rio Manso, Itatiaya, Pitanguí, São José da Lagoa, Inficcionado, Mariana, Formiga, Caeté, Água Limpa, Onça, Barra do Córrego, Água Quente, Passagem de Antônio da Silva Lessa, Salto, Morro Quente, Passos, Santana dos Ferros, Rio Novo, Ouro Preto, Santa Luzia, Ponte do Salto, Congo Sôco, Diamantina, Sumidouro, Brumado, Trindade, Socorro, Alagoa da Ayruroca, Arraial de Baixo da Vila de São José Gonçalves de Aguiar, Arraial da Pinha; escala de permutante.

- RECEITA E DESPESA DA PÓLVORA, da Vila de São João Del Rey e seu termo.

- RECEITA E DESPESA SOBRE DIREITOS DE ENTRADA, dos gados, cavalarias, efeitos, rendimentos e créditos que entraram nos registros de Olhos d'Água, Capivarí, Paracatú, Caminho Novo, Pitanguí, Nazareth, Mantiqueira, Sete Lagoas, Porto do Cunha, Barra do Pomba, Jaguarí, Itajubá, Santa Isabel, Jacuí, Campanha, Campanha do Toledo, Rio Preto, Sapucaí-Mirim, Sabará, Serro, Vila Rica, Carijós, Goiás, Itacambira, Rio das Mortes, Borda da Campo, Paraibuna, Ouro Fino, Vila do Príncipe, São João Del Rey, Sertão, Congonhas do Campo, Mariana, Presídio do Rio Preto, Malhada, Santa Tereza do Campo Grande, Piunhí, Rio Pardo, Confisco, Picú, Vila São José, Mar de Espanha, Barbacena, Matias Barbosa; dos registros que eleger nos descobertos novos das Capitanias de Santos e São Paulo.

- RECEITA E DESPESA SOBRE INDÚSTRIAS E PROFISSÕES, pagamentos.

- RECEITA E DESPESA SOBRE NOVOS E VELHOS DIREITOS, donativos e terças-partes, carta de seguro, arrematações para serventia de ofícios nas Comarcas do

Rio das Mortes, Sabará, Serro Frio, Vila Rica, Vila Boa de Goiás; da Vila de São João Del Rey seu termo e Sabará.

- RECEITA E DESPESA DO SUBSÍDIO, Literário e Voluntário de Vila Rica, Sabará, Vila do Príncipe, São João Del Rey, Paraibuna, Capivarí, Jaguarí, Santa Luzia, Curral Del Rey, Congonhas, Raposos, Rio Acima, Mariana, Bom Sucesso, Ouro Preto, Antônio Dias, Itabira, Itatiaya, Congonhas do Campo, São Bartolomeu, Cachoeira do Campo, Ouro Branco, Porto do Cunha, Baependí, Jaciaba, São José, Campanha do Toledo, Sapucaí, Picada, Queluz, Vila do Carmo, Paracatú do Príncipe, Barbacena, Pitanguí, Caminho Novo, Mantiqueira, Barra do Pomba, Malhada, Presídio do Rio Preto, Itajubá, Caeté, Santa Tereza, Piunhí, Rio Pardo, Mar de Espanha, Registro Novo; voluntário para despesa do Estado de Minas e Socorro da Bahia voluntário para despesas da Guerra do Brasil e Portugal.

- RECEITA E DESPESA COM TRANSPORTE, da Galera da Condessa da Ponte.

- RECEITA E DESPESA DO TROCO DO COBRE, da moeda em Rio Pardo, Pouso Alegre, Vila do Príncipe, Vila do Príncipe, Vila do Paracatú, Formiga, Jacuí, Vila da Campanha, Itabira, Minas Novas, Lavras, São Romão, Curvelo, Sabará, Tamanduá, Pomba, São João Del Rey, Pitanguí, Vila Diamantina, Barbacena, Baependy do Caixa Geral em Ouro Preto; de cédulas e conhecimentos remetidos pelos tesoureiros de Araxá, Vila do Príncipe, Itabira, Rio Pardo, Pitanguí, São Romão, Minas Novas e São João Del Rey.

- RECIBOS, passados por diversos condutores de dinheiro à tesouraria nas

Coletorias de Diamantina, Serro, Conceição, Santa Bárbara, Ubá, Pomba Leopoldina, Mar de Espanha, Paraibuna, Babacena, Queluz, Pitanguí, Paracatú, Araxá, Uberaba, Desemboque, Jacuí, Pinhuí, Tamanduá, Oliveira, Bonfim, Passos, Caldas, Pouso Alegre, Itajubá, Christina, Campanha, Três Pontas, Lavras, São José, São João Del Rey, Caeté, Sabará, Jaguará, Patrocínio, Formiga, Baependy, Ayruoca; dos permutadores pelos seus vencimentos em Cuiabá, Sabará, Congo Sêco, Itabira, Santa Luzia, Lagoa Santa, Mateus Leme, Onça, Pitanguí, Raposos, Santa Rita, Congonhas, Brumado, Itatiayussú, Rio de Pedras; de materiais de moinho que foram consertados.

- RECRUTAMENTO, dos oficiais da extinta 2ª Linha da Província de Minas.

- REQUERIMENTOS, Eclesiásticos.

- ROL, portarias e lembranças dos Clérigos da Província de Minas para recebimento de captação de escravos; de rendimentos de donativos, terça-parte, novos direitos de ofícios de justiça, carta de seguro, remetidos às Comarcas da Capitania de Minas; de oficiais; de cobradores dos direitos de entradas das Comarcas de Minas; de paioleiros e moleiros e bilhetes avulsos da despesa da Real Extração; de nomes; de devedores à Real Extração dos Diamantes, cuja cobrança se há de fazer pelos vencimentos; de mercadorias do armazém da Real Extração; dos discípulos da aula de comércio na Côrte; de títulos que se passam aos providos em propriedades e serventias de ofícios de ausentes nas Comarcas, Cidades, Vilas e Termos; de execuções em Juízo; de credores de dízimos, pertencentes à Fazenda Pública; de novos direitos de Alvará de Fiança; de pessoas coletadas a pagar a décima dos prédios urbanos do Arraial de Santa Luzia; do arrassoamento dos escravos empregados no serviço da Beija-Flor; de penhoras, dízimos e negócios em Pinhuí, Mariana, Ubá, Indaiá, Pitanguí, Patrocínio, Pará, Bagagem, Pomba, Baependí, Campanha, Pouso Alegre, Ouro Preto, Paracatú, Passos, Santa Luzia, Sabará, Araxá, Oliveira, Caldas, São João Del Rey, Itabira, Santa Bárbara, Ayuroca, Paraibuna, Minas Novas; dos devedores de Miunças do Sertão; dos devedores dos dízimos à Real Fazenda nas Freguesias de Congonhas, São João Del Rey, Carrancas, Pouso Alto Baependí, Rio Verde, Sapucaí, Ayuroca; de testemunhas na ação movida pelo Tenente Manoel Ferreira Rabelo, contra o Capitão Vicente Ferreira de Souza; de escravos da tropa do Administrador Francisco Melo; de comerciantes e oficiais; dos devedores de ofício de justiça, fiadores e testemunhas de abono; de colégios eleitorais das Províncias do Rio de Janeiro, Espírito Santo, Bahia, Sergipe, Alagoas, Pernambuco, Paraíba, Rio Grande do Norte, Ceará, Piauí, Maranhão, Pará, Mato Grosso, Goiás, Minas Gerais, São Paulo, São Pedro, Santa Catarina; do rendimento geral do Subsídio Voluntário por localidades; de ferramentas; de jornais e mantimentos.

- SELO, escrituração.

- SENTENÇA CÍVEL DE INSTRUMENTOS DE AGRAVO, da Irmandade dos Pretos de Nossa Senhora do Rosário do Alto da Cruz; contra o Vigário Bernardo José da Encarnação.

- SEQUESTRO, dos bens penhorados de Cláudio Manoel da Costa e Tiradentes.

- SISA, dos escravos ladinos e bens de rais dos termos de Pintanguí, Bom Sucesso e Minas Novas.

- SOLIMÃO, termos de aberturas dos caixões para uso nas fundições.

- SUBSÍDIO LITERÁRIO E VOLUNTÁRIO, dos rendimentos das aguardentes, vinhos, carnes, nos registros da Vila do Príncipe, Vila Rica, Sabará, Paraibuna, Capivarí, Ouro Fino, Jaguarí, Roças Grandes, Curral Del Rey, Congonhas do Campo, Raposos, Santo Antônio, Rio de Pedras, São João Del Rey, Minas Novas, Pitanguí, Jacuí, Vila de São José, Prados, Santo Antônio de Itaberava, Congonhas do Campo, São Bento do Tamanduá, Carijós, Julgado da Barra do Rio das Velhas, Julgado de São Romão, Vila Nova da Rainha, Serro Frio, São Luiz do Paracatú, Rio Pardo, Brumado, Santa Luzia, Caeté, São Miguel, Santa Bárbara, Curvelo, Mantiqueira, Itajubá, Campanha do Toledo, Rio Preto, Picú, Malhada, Barbacena, Simão Pereira, Lavras do Funil, Paracatú do Príncipe, Sapucaí Mirim, Caminho Novo, Pomba, Matias Barbosa, Presídio do Rio Preto; a bem do aumento da Marinha Nacional do Império que devem arrecadar tanto no Tejuco como nas demais demarcações Diamantinas.

- VERBA, dos selos dos papéis, herança e legados.

## 3 Descrição dos grupos: séries e sub-séries

### Abreviaturas:

Adm. = Administração

F = Fundo

N/C = Não Consta

TF/MG = Tesouraria Fiscal de Minas Gerais.

**ACERTO DE CONTAS**

F/Grupo: Intendência dos Diamantes.
Local: N/C

| | | |
|---|---|---|
| Período: 1767 a 1781 | 2566 | 145-0663/0779 |

**ALUGUEL**

F/ Grupo: N/C
Local: N/C

| | | |
|---|---|---|
| Período: N/C | 4183 | 256-0022/0035 |

**APÓLICES**

F/Grupo: N/C
Local: N/C

| | | |
|---|---|---|
| Período: 1817 a 1822 | 2712 | 152-0128/0249 |

**ARREMATAÇÃO**

F/Grupo: Ouvidoria
Local: N/C

| | | |
|---|---|---|
| Períodos: 1771 a 1825 | 3606 | 220-0005/0496 |
| 1829 a 1830 | 2713 | 152-0250/0271 |

**BALANCETE**

F/Grupo: Casa de Fundição e Tesouraria.
Locais: São João Del Rey e Ouro Preto.

| | | |
|---|---|---|
| Períodos: 1800 | 0050 | 008-0672/0828 |
| 1831 a 1835 | 3030 | 641-0005/0098 |

**BALANÇO**

F/grupo: Tesouraria e Agência do Correio.
Locais: Vila Rica, Serro e Espírito Santo.

| | | |
|---|---|---|
| Períodos: 1725 a 1776 | 2830 | 162-0327/0466 |
| 1830 a 1834 | 4072 | 246-0005/0064 |
| 1838 a 1839 | 2306 | 126-0496/0497 |

**BILHETE**

F/Grupo: Casa do Troco e Tesouraria.
Locais: Ouro Preto, Uberaba, Pouso Alegre, São Romão e Rio Pardo.

| | | |
|---|---|---|
| Períodos: 1775 a 1776 | 2467 | 637-0214/0264 |
| 1831 | 1459 | 084-0181/0191 |
| 1831 a 1834 | 1610 | 090-0008/0015 |

| | | |
|---|---|---|
| 1833 | 1445 | 082-0419/0420 |
| 1834 | 1434 | 082-0104/0215 |
| 1834 | 1444 | 082-0410/0417 |
| 1834 | 1564 | 087-0889/0891 |
| 1834 | 1567 | 088-0004/0010 |
| 1834 a 1838 | 1509 | 085-0605/0616 |
| 1835 | 3020 | 170-0457/0559 |
| 1837 a 1838 | 1839 | 108-0005/0189 |
| 1837 a 1838 | 3650 | 225-1078/1126 |
| 1838 | 1583 | 088-0440/0446 |
| 1857 | 1608 | 089-0896/0901 |
| 1858 | 1447 | 083-0008/0014 |
| 1858 | 1458 | 084-0175/0179 |

**BILHETE AVULSO E DE PARTE**

F/Grupo: Intendência dos Diamantes e Casa de Fundição.
Locais: Vila Rica e Tejuco.

| | | |
|---|---|---|
| Períodos: 1774 | 1034 | 063-0495/0518 |
| 1776 | 0282 | 030-0005/0069 |
| 1776 | 2809 | 159-1029/1080 |
| 1786 a 1816 | 2739 | 262-0734/0782 |
| 1786 a 1842 | 1035 | 063-0520/0657 |
| 1789 a 1790 | 1031 | 063-0050/0168 |
| 1792 a 1805 | 1037 | 063-0783/0912 |
| 1797 a 1799 | 2977 | 165-0727/0829 |
| 1801 a 1804 | 0444 | 040-0952/1045 |
| 1803 a 1804 | 2339 | 128-0441/0670 |
| 1804 a 1805 | 3007 | 169-0564/0630 |
| 1811 a 1812 | 1036 | 063-0658/0782 |
| 1811 a 1812 | 2342 | 128-0944/1090 |
| 1812 a 1813 | 2635 | 224-0605/0737 |
| 1812 a 1813 | 4082 | 246-0697/0825 |
| 1813 a 1814 | 2340 | 128-0671/0818 |
| 1813 a 1814 | 2344 | 129-0266/0394 |
| 1814 a 1815 | 3642 | 225-0825/0977 |
| 1814 a 1822 | 2738 | 157-0005/0149 |
| 1816 | 3452 | 207-0753/0974 |
| 1816 a 1817 | 3612 | 221-0652/0882 |
| 1817 a 1818 | 3641 | 225-0546/0824 |
| 1820 a 1822 | 2536 | 141-0642/0828 |
| 1820 a 1822 | 3640 | 225-0372/0545 |
| 1823 | 2341 | 128-0819/0943 |
| 1823 a 1826 | 3781 | 231-0739/0820 |
| 1827 a 1834 | 2360 | 129-0896/1218 |
| 1827 a 1834 | 3517 | 212-0482/0610 |
| 1835 a 1843 | 2437 | 141-0848/0905 |

**BILHETE PARA PAGAMENTO**

F/grupo: Intendência.
Local: Tejuco.

| | | |
|---|---|---|
| Períodos: 1788 a 1792 | 3637 | 225-0004/0137 |
| 1792 a 1824 | 1032 | 063-0168/0347 |
| 1798 a 1844 | 3605 | 219-0762/0792 |
| 1804 a 1806 | 0285 | 030-0202/0314 |
| 1804 a 1808 | 1858 | 109-0687/0743 |
| 1810 a 1811 | 2889 | 163-1059/1190 |
| 1811 a 1812 | 2700 | 150-0958/1079 |
| 1811 a 1815 | 1033 | 063-0348/0494 |
| 1812 a 1813 | 2704 | 151-0319/0434 |
| 1813 | 2703 | 151-0203/0318 |
| 1814 a 1815 | 2701 | 151-0004/0143 |
| 1815 a 1816 | 2702 | 151-0144/0202 |

**BORRADOR**

F/grupo: Intendência.
Local: N/C

| | | |
|---|---|---|
| Período: 1786 a 1787 | 3813 | 234-0110/0135 |

**CAIXA**

F/grupo: Contadoria e Intendência.
Local: Tejuco.

| | | |
|---|---|---|
| Períodos: 1788 a 1792 | 2532 | 140-0640/1103 |
| 1811 | 0730 | 051-0005/0559 |

**CAPTAÇÃO**

F/Grupo: N/C
Local: São João Del Rey.

| | | |
|---|---|---|
| Período: 1738 a 1775 | 3787 | 232-0091/0144 |

**CARGA**

F/Grupo: Casa de Fundição, Intendência e Provedoria de Ausentes.
Locais: Vila do Príncipe, São João Del Rey e Pitanguí.

| | | |
|---|---|---|
| Períodos: 1766 | 0852 | 058-0537/0547 |
| 1770 | 1466 | 084-0553/0602 |
| 1770 a 1776 | 0709 | 049-0929/0991 |
| 1811 a 1812 | 3619 | 223-0640/0742 |
| 1821 a 1830 | 4057 | 245-0031/0072 |

**CARGA DE BILHETE**

F/Grupo: Intendência dos Diamantes e Casa de Fundição.
Local: Vila do Príncipe.

| | | |
|---|---|---|
| Períodos: 1773 a 1775 | 1177 | 070-1043/1107 |
| 1776 | 1178 | 071-0005/0181 |
| 1781 a 1782 | 1179 | 071-0182/0253 |
| 1783 a 1785 | 1180 | 071-0254/0352 |
| 1794 a 1797 | 1176 | 070-0802/0949 |

**CARGA DE DÉCIMA**

F/Grupo: Intendência.
Locais: São Bento do Tamanduá, Vila de Bom Sucesso, Mariana e Vila de Pitanguí.

| | | |
|---|---|---|
| Períodos: 1810 a 1811 | 3646 | 225-1015-1018 |
| 1814 | 1498 | 085-0389/0394 |
| 1814 | 1502 | 085-0455/0467 |
| 1815 a 1816 | 3182 | 183-0312/0318 |
| 1816 a 1820 | 3193 | 184-0759/0780 |
| 1821 | 1481 | 084-0818/0822 |
| 1822 | 1480 | 084-0809/0816 |
| 1822 | 2999 | 168-1064/1147 |
| 1823 | 1479 | 084-0801/0807 |
| 1824 | 1482 | 084-0830/0839 |

### CARGA DE DERRAMA

F/Grupo: Casa de Fundição.
Local: Vila Rica

| | | |
|---|---|---|
| Período: 1775 a 1778 | 2813 | 160-0170/0289 |

### CARGAS E DESCARGAS

F/grupo: Intendência.
Locais: Vila do Príncipe e Rio de Janeiro.

| | | |
|---|---|---|
| Períodos: 1812 | 4198 | 257-0408/0436 |
| 1818 | 1819 | 104-0472/0477 |
| 1818 | 2789 | 158-0118/0122 |
| 1818 | 2895 | 164-0187/0190 |
| 1818 | 2913 | 164-0384/0388 |
| 1818 | 2915 | 164-0394/0397 |
| 1818 | 2916 | 164-0398/0401 |
| 1818 | 2917 | 164-0402/0405 |
| 1818 | 2918 | 164-0406/0409 |
| 1818 | 2919 | 164-0410/0413 |
| 1818 | 2920 | 164-0414/0417 |
| 1818 | 2921 | 164-0418/0421 |
| 1818 | 2923 | 164-0426/0430 |
| 1818 | 2925 | 164-0435/0438 |
| 1818 | 2926 | 164-0439/0443 |
| 1818 | 2927 | 164-0444/0448 |
| 1818 | 2928 | 164-0449/0453 |
| 1818 | 2930 | 164-0459/0466 |
| 1818 | 2931 | 164-0467/0475 |
| 1818 | 2932 | 164-0476/0479 |
| 1818 | 2933 | 164-0480/0483 |
| 1818 | 2934 | 164-0484/0488 |
| 1818 | 2936 | 164-0495/0498 |
| 1818 | 2938 | 164-0504/0508 |
| 1818 | 2939 | 164-0509/0512 |
| 1818 | 2940 | 164-0513/0516 |
| 1818 | 2941 | 164-0517/0520 |
| 1818 a 1819 | 1820 | 104-0478/0482 |
| 1818 a 1819 | 2786 | 157-0995/1000 |
| 1818 a 1819 | 2882 | 163-0922/0925 |
| 1818 a 1819 | 2888 | 163-1051/1058 |

| | | |
|---|---|---|
| 1818 a 1819 | 2912 | 164-0379/0383 |
| 1818 a 1819 | 2922 | 164-0422/0425 |
| 1818 a 1819 | 2924 | 164-0431/0434 |
| 1818 a 1819 | 2929 | 164-0454/0458 |
| 1818 a 1819 | 2935 | 164-0489/0494 |
| 1818 a 1819 | 2937 | 164-0499/0503 |

**CARGA DE DIREITO DE ENTRADA**

F/Grupo: Intendência
Local: Rio Preto.

| | | |
|---|---|---|
| Período: 1811 a 1813 | 0684 | 049-0145/0225 |

**CARGA DE DOBLA**

F/Grupo: Intendência dos Diamantes e Provedoria.
Locais: Lisboa e Barbacena.

| | | |
|---|---|---|
| Períodos: 1736 a 1740 | 0806 | 56-0005/0147 |
| 1739 a 1752 | 0860 | 059-0003/0199 |
| 1751 | 0861 | 059-0200/0384 |
| 1763 a 1764 | 0438 | 040-0285/0304 |
| 1810 a 1828 | 2489 | 137-1093/1124 |

**CARGA DE MATERIAL**

F/Grupo: N/C

| | | |
|---|---|---|
| Local: N/C | 4170 | 54-0501/0586 |
| Período: 1814 a 1818 | 4170 | 254-0635/0661 |

**CARGA DO OURO E DO QUINTO**

F/Grupo: Casa de Fundição e Intendência.
Locais: Lisboa, Vila do Príncipe, São João Del Rey, Sabará e Vila Rica.

| | | |
|---|---|---|
| Períodos: 1751 a 1759 | 1618 | 91-0144/0345 |
| 1757 a 1770 | 3207 | 185-0792/0832 |
| 1764 a 1777 | 1628 | 092-0564/0590 |
| 1766 a 1767 | 3206 | 185-0419/0790 |
| 1769 | 0946 | 060-0499/0503 |
| 1769 a 1770 | 2985 | 167-0005/0126 |
| 1769 a 1775 | 3205 | 185-0236/0417 |
| 1770 a 1771 | 1614 | 090-0025/0104 |
| 1772 | 1436 | 082-0220/0242 |
| 1772 a 1773 | 1313 | 078-0354/0362 |
| 1772 a 1775 | 4108 | 248-0137/0173 |
| 1773 | 1147 | 068-0791/0825 |
| 1774 | 1264 | 075-0661/0688 |
| 1775 | 1127 | 067-0858/0881 |
| 1775 | 1265 | 075-0689/0715 |
| 1775 a 1776 | 4117 | 249-0478/0499 |
| 1776 | 1152 | 069-0360/0509 |
| 1776 a 1777 | 1429 | 081-0187/0386 |
| 1776 a 1779 | 3283 | 193-0811/0835 |
| 1776 a 1779 | 3284 | 193-0836/0862 |
| 1776 a 1779 | 3294 | 193-0399/0449 |

| | | |
|---|---|---|
| 1776 a 1780 | 4110 | 248-0249/0298 |
| 1777 | 1428 | 081-0085/0186 |
| 1779 | 1430 | 081-0388/0546 |
| 1781 | 1153 | 069-0510/0678 |
| 1781 a 1783 | 4080 | 246-0660/0681 |
| 1783 | 1150 | 069-0004/0186 |
| 1784 | 1151 | 069-0187/0359 |
| 1800 a 1803 | 3295 | 194-0451/0535 |
| 1801 a 1807 | 2705 | 151-0435/0523 |
| 1809 | 3777 | 231-0405/0519 |
| 1810 | 3165 | 182-0467/0472 |
| 1810 | 3250 | 188-0858/0975 |
| 1811 | 3257 | 189-0382/0506 |
| 1818 | 0701 | 049-0899/0903 |
| 1818 | 0702 | 049-0904/0906 |
| 1818 | 0703 | 049-0907/0909 |
| 1818 | 0704 | 049-0910/0912 |
| 1818 | 0705 | 049-0913/0916 |
| 1818 | 0706 | 049-0917/0920 |
| 1818 | 0707 | 049-0921/0924 |
| 1818 | 0708 | 049-0925/0928 |
| 1824 | 1208 | 073-0209/0223 |

**CARGA DE RECEITA E DESPESA**

F/Grupo: Tesouraria e Intendência.
Locais: São João Del Rey e Tejuco.

| | | |
|---|---|---|
| Períodos: 1765 | 0840 | 58-0005/0053 |
| 1821 a 1822 | 0384 | 038-0631/0734 |

**CARGA DO SELO**

F/Grupo: Intendência.
Locais: Mariana, Sabará, Vila do Bom Sucesso e São João Del Rey.

| | | |
|---|---|---|
| Períodos: 1809 a 1810 | 1244 | 074-0870/0929 |
| 1810 a 1815 | 0833 | 057-0665/0766 |
| 1810 a 1838 | 3940 | 238-0623/0711 |
| 1811 | 0814 | 056-0861/0877 |
| 1811 | 1243 | 074-0809/0869 |
| 1811 a 1812 | 0821 | 056-0918/0968 |
| 1816 a 1819 | 3939 | 238-0526/0622 |
| 1819 a 1822 | 2944 | 238-0913/1003 |
| 1820 a 1825 | 2943 | 238-1004/1152 |
| 1821 | 3202 | 185-0115/0132 |
| 1822 a 1826 | 2941 | 238-0712/0912 |
| 1822 a 1840 | 3204 | 185-0181/0235 |
| 1825 a 1845 | 3203 | 185-0133/0179 |

**CARGA DA SISA**

F/Grupo: Ouvidoria, Câmara, Intendência e Cartório.
Locais: Barbacena, Vila do Bom Sucesso, Sabará, Paracatú do Príncipe, Vila Rica, Ouro Preto, Nossa Senhora do Amparo do Brejo do Salgado.

| | | |
|---|---|---|
| Períodos: 1809 a 1811 | 2507 | 138-0538/0607 |
| 1809 a 1816 | 2510 | 138-0731/0811 |
| 1810 a 1815 | 2403 | 138-0364/0413 |
| 1810 a 1816 | 2487 | 137-1037/1085 |
| 1811 | 0987 | 060-0986/1014 |
| 1811 a 1812 | 1191 | 072/0112-0140 |
| 1812 | 2506 | 138-0503/0537 |
| 1816 a 1818 | 2508 | 138-0608/0647 |
| 1817 | 2491 | 138-0004/0014 |
| 1818 | 2490 | 137-1125/1132 |
| 1818 a 1837 | 3927 | 236-0905/0951 |
| 1820 a 1837 | 3926 | 236-0836/0904 |
| 1824 a 1834 | 3925 | 236-0785/0835 |
| 1830 a 1833 | 2514 | 138-0842/0875 |

### CARGA DO SUBSÍDIO LITERÁRIO E VOLUNTÁRIO

F/Grupo: Intendência.
Locais: São João Del Rey, Vila do Príncipe e Vila Rica.

| | | |
|---|---|---|
| Períodos: 1756 a 1763 | 3556 | 17-0481/0601 |
| 1764 a 1771 | 1329 | 078-0701/0718 |
| 1799 a 1804 | 1388 | 079-0567/0602 |
| 1803 a 1805 | 2324 | 188-0171/0178 |
| 1804 a 1805 | 0314 | 035-0234/0277 |
| 1804 a 1805 | 0515 | 043-0254/0281 |
| 1806 | 0508 | 042-0886/0894 |
| 1806 a 1807 | 0315 | 035-0278/0304 |
| 1806 a 1807 | 3236 | 188-0402/0407 |

### CARTA DE LIBERDADE

F/Grupo: Intendência.
Local: N/C

| | | |
|---|---|---|
| Período: 1774 a 1839 | 3669 | 227-0073/0081 |

### CAUTELA

F/Grupo: Casa do Trôco da Moeda.
Local: Vila de Uberaba.

| | | |
|---|---|---|
| Período: 1838 | 3824 | 235-0362/0368 |

### CONFERÊNCIA DO QUINTO

F/Grupo: Intendência
Local: Vila Rica.

| | | |
|---|---|---|
| Período: 1800 | 4119 | 249-0545/0550 |

### CONHECIMENTO DE DINHEIRO

F/Grupo: Intendência, Contadoria, Coletoria e Quartel da Azanésia.
Locais: Vila Rica, São João Del Rey e Formiga.

| | | |
|---|---|---|
| Períodos: 1815 | 3682 | 228-0743/0759 |
| 1815 a 1820 | 3681 | 228-0566/0741 |
| 1817 a 1818 | 1469 | 084-0629/0652 |
| 1819 | 1468 | 084-0621/0628 |

| | | |
|---|---|---|
| 1820 | 1467 | 084-0604/0619 |
| 1820 a 1822 | 3280 | 192/0004/0227 |
| 1822 a 1825 | 3281 | 192/0229/0601 |
| 1840 | 2131 | 123-0533 |
| 1847 a 1848 | 4159 | 253-0005/0007 |

CONSIGNAÇÃO VOLUNTÁRIA
F/Grupo: Intendência.
Locais: Campanha da Princesa e Santa Maria do Baependí.

| | | |
|---|---|---|
| Períodos: 1802 a 1812 | 1433 | 082-0005/0202 |
| 1815 a 1828 | 0688 | 049-0441/0567 |

CONSULTA
F/Grupo: N/C
Local: N/C

| | | |
|---|---|---|
| Períodos: 1820 | 4195 | 257-0136/0159 |
| 1821 a 1824 | 4099 | 247-0852/0886 |

CONTA CORRENTE
F/Grupo: Contadoria, TF/MG, Casa de Fundição, Intendência, Secretaria da Mesa de Consciência e Ordens, Câmara Municipal e Coletoria.
Locais: Vila Rica, Ouro Preto, Tejuco, São João Del Rey, Vila do Príncipe, Vila Nova da Rainha, Rio de Janeiro, Sabará e Uberaba.

| | | |
|---|---|---|
| Períodos: 1720 a 1825 | 3816 | 234-0218/0408 |
| 1721 a 1756 | 1676 | 096-0574/0782 |
| 1722 a 1761 | 3029 | 640-0595/0628 |
| 1724 a 1821 | 1038 | 064-0005/0359 |
| 1766 a 1777 | 1879 | 110-0726/0741 |
| 1769 a 1776 | 1880 | 110-0742/0755 |
| 1773 a 1774 | 1648 | 094-0540/0811 |
| 1776 a 1780 | 1878 | 110-0713/0725 |
| 1777 a 1783 | 1679 | 096-0961/0968 |
| 1777 a 1783 | 2724 | 644-0777/0841 |
| 1783 a 1786 | 4081 | 246-0682/0695 |
| 1784 | 1015 | 061-0783/0873 |
| 1788 a 1820 | 0095 | 013-0583/0840 |
| 1790 a 1791 | 1647 | 094-0217/0538 |
| 1795 a 1815 | 0007 | 002-0679/1023 |
| 1796 | 0777 | 054-0005/0499 |
| 1804 a 1806 | 4063 | 245-0183/0198 |
| 1807 | 0193 | 024-0856/0911 |
| 1807 a 1819 | 2829 | 162-0005/0326 |
| 1808 | 0190 | 024-0710/0758 |
| 1809 | 0191 | 024-0759/0802 |
| 1809 a 1816 | 0839 | 057-1005/1093 |
| 1810 | 2892 | 164-0167/0173 |
| 1810 | 2893 | 164-0174/0181 |
| 1810 | 2942 | 164-0521/0525 |
| 1810 | 2943 | 164-0526/0532 |
| 1810 | 2944 | 164-0533/0539 |

| | | |
|---|---|---|
| 1810 | 2945 | 164-0540/0544 |
| 1810 | 2947 | 164-0550/0557 |
| 1810 | 2950 | 164-0583/0589 |
| 1810 | 2951 | 164-0590/0594 |
| 1810 | 2952 | 164-0595/0599 |
| 1810 | 2955 | 164-0611/0618 |
| 1810 | 3303 | 195-0256/0298 |
| 1810 a 1811 | 2953 | 164-0600/0604 |
| 1810 a 1817 | 4055 | 244-0901/0984 |
| 1811 | 0172 | 023-0121/0171 |
| 1811 | 0878 | 059-0597/0602 |
| 1811 | 0879 | 059-0603/0609 |
| 1811 | 0880 | 059-0610/0615 |
| 1811 | 0881 | 059-0616/0620 |
| 1811 | 0882 | 059-0621/0626 |
| 1811 | 0883 | 059-0627/0634 |
| 1811 | 0884 | 059-0635/0652 |
| 1811 | 0885 | 059-0653/0658 |
| 1811 | 0886 | 059-0659/0665 |
| 1811 | 0887 | 059-0667/0671 |
| 1811 | 0888 | 059-0672/0677 |
| 1811 | 0889 | 059-0678/0694 |
| 1811 | 0890 | 059-0695/0702 |
| 1811 | 0892 | 059-0709/0713 |
| 1811 | 0900 | 059-0984/0989 |
| 1811 | 0901 | 059-0990/0995 |
| 1811 | 0902 | 059-0996/1001 |
| 1811 | 0903 | 059-1002/1007 |
| 1811 | 0904 | 059-1008/1015 |
| 1811 | 0905 | 059-1016/1021 |
| 1811 | 0907 | 059-1028/1033 |
| 1811 | 0910 | 059-1043/1057 |
| 1811 | 0911 | 059-1058/1066 |
| 1811 | 0912 | 059-1067/1073 |
| 1811 a 1813 | 4046 | 244-0079/0228 |
| 1812 | 1039 | 064-0361/0365 |
| 1812 | 1040 | 064-0367/0375 |
| 1812 | 1041 | 064-0376/0385 |
| 1812 | 1042 | 064-0387/0393 |
| 1812 | 1043 | 064-0395/0401 |
| 1812 | 1044 | 064-0403/0411 |
| 1812 | 1075 | 064-0726/0738 |
| 1812 | 1076 | 064-0740/0749 |
| 1812 | 1078 | 064-0760/0767 |
| 1812 | 1079 | 064-0769/0776 |
| 1812 | 1084 | 064-0835/0863 |
| 1812 | 1062 | 064-0552/0568 |
| 1812 | 2832 | 163/0125/0130 |
| 1812 | 2845 | 163-0134/0142 |
| 1812 | 2846 | 163-0143/0147 |

| | | |
|---|---|---|
| 1812 | 2849 | 163-0179/0185 |
| 1812 | 2853 | 163-0230/0234 |
| 1812 | 2875 | 163-0815/0819 |
| 1812 | 2876 | 163-0820/0825 |
| 1812 | 3005 | 169-0503/0509 |
| 1812 a 1814 | 4129 | 249-0666/0893 |
| 1813 | 0870 | 059-0555/0559 |
| 1813 | 0871 | 059-0560/0567 |
| 1813 | 0872 | 059-0569/0571 |
| 1813 | 0873 | 059-0572/0575 |
| 1813 | 0891 | 059-0703/0708 |
| 1813 | 0896 | 258-0358/0366 |
| 1813 | 0897 | 258-0367/0369 |
| 1813 | 0906 | 059-1022/1027 |
| 1813 | 1052 | 064-0465/0475 |
| 1813 | 1053 | 064-0477/0483 |
| 1813 | 1054 | 064-0484/0491 |
| 1813 | 1068 | 064-0640/0646 |
| 1813 | 1069 | 064-0648/0656 |
| 1813 | 1070 | 064-0658/0664 |
| 1813 | 1071 | 064-0666/0679 |
| 1813 | 1072 | 064-0681/0705 |
| 1813 | 1073 | 064-0707/0716 |
| 1813 | 1074 | 064-0718/0724 |
| 1813 | 1077 | 064-0751/0758 |
| 1813 | 1080 | 064-0778/0791 |
| 1813 | 1081 | 064-0793/0800 |
| 1813 | 1082 | 064-0802/0827 |
| 1813 | 1083 | 064-0829/0833 |
| 1814 | 0188 | 024-0604/0661 |
| 1815 | 3298 | 194-0912/0947 |
| 1815 a 1816 | 3299 | 194-0948/0985 |
| 1815 a 1817 | 4045 | 244-0023-0076 |
| 1816 | 0874 | 059-0576/0580 |
| 1816 | 0875 | 059-0581/0585 |
| 1818 | 0876 | 059-0586/0590 |
| 1816 | 0877 | 059-0591/0596 |
| 1816 | 0899 | 059-0936/0983 |
| 1816 | 0908 | 059-1034/1037 |
| 1816 | 0909 | 059-1038/1042 |
| 1816 | 1045 | 064-0413/0417 |
| 1816 | 1046 | 064-0419/0424 |
| 1816 | 1047 | 064-0426/0432 |
| 1816 | 1048 | 064-0434/0439 |
| 1816 | 1049 | 064-0441/0447 |
| 1816 | 1050 | 064-0449/0457 |
| 1816 | 1051 | 064-0459/0463 |
| 1816 | 1055 | 064-0493/0499 |
| 1816 | 1056 | 064-0501/0507 |
| 1816 | 1057 | 064-0509/0513 |

| | | |
|---|---|---|
| 1816 | 1058 | 064-0515/0521 |
| 1816 | 1059 | 064-0523/0531 |
| 1816 | 1060 | 064-0533/0537 |
| 1816 | 1061 | 064-0539/0550 |
| 1816 | 1063 | 064-0570/0573 |
| 1816 | 1064 | 064-0575/0583 |
| 1816 | 1065 | 064-0585/0620 |
| 1816 | 1066 | 064-0622/0630 |
| 1816 | 1067 | 064-0632/0638 |
| 1816 | 2854 | 163-0235/0239 |
| 1816 | 1975 | 165-0706/0712 |
| 1816 | 3088 | 180-0126/0130 |
| 1816 | 3837 | 235-0962/0965 |
| 1817 | 1452 | 083-0253/0319 |
| 1817 a 1821 | 3407 | 205-0005/0088 |
| 1817 a 1833 | 1556 | 087-0411/0479 |
| 1820 a 1823 | 3609 | 220-0637/0703 |
| 1821 | 0854 | 058-0571/0673 |
| 1821 a 1826 | 0898 | 059-0840/0935 |
| 1821 a 1831 | 3300 | 194-0986/1080 |
| 1821 a 1831 | 3409 | 205-0228/0257 |
| 1834 a 1839 | 2376 | 132-0870/0886 |
| 1836 a 1840 | 4098 | 247-0823/0851 |
| 1837 a 1845 | 3624 | 223-0899/1056 |
| 1839 a 1840 | 3647 | 225-1019/1032 |
| 1851 a 1854 | 0633 | 044-0309/0319 |
| 1877 a 1878 | 0712 | 050-0170/0199 |
| 1887 | 4172 | 255-0005/0155 |

**CONTRATO DE ENTRADA**

F/grupo: Intendência.

Locais: Sabará e Vila Rica.

| | | |
|---|---|---|
| Períodos: 1776 | 1432 | 081-0896/1091 |
| 1786 a 1787 | 3091 | 180-0183/0198 |
| 1786 a 1788 | 3606 | 219-0794/1049 |

**CONTRATO SOBRE DIREITOS DE ENTRADAS**

F/Grupo: Intendência, Provedoria, Adm. dos Contratos das Entradas, Contadoria da Real Fazenda, Junta da Fazenda Pública.

Locais: Jequitinhonha, Vila Rica, Ouro Preto, São João Del Rey, Tejuco, Rio de Janeiro, Vila do Príncipe, Itajubá, Cunha, Lisboa e Itabira.

| | | |
|---|---|---|
| Períodos: 1724 | 1665 | 095-0408/0443 |
| 1757 a 1758 | 0032 | 005-0812/0853 |
| 1757 a 1759 | 0650 | 045-1174/1228 |
| 1757 a 1759 | 0651 | 046-0005/0022 |
| 1757 a 1759 | 0661 | 046-0520/0551 |
| 1757 a 1759 | 3231 | 188-0005/0126 |
| 1762 | 2675 | 149-0190/0226 |
| 1762 a 1764 | 2995 | 168-0944/1001 |
| 1762 a 1764 | 3090 | 180-0136/0182 |

| | | |
|---|---|---|
| 1762 a 1765 | 2872 | 163-0715/0786 |
| 1762 a 1765 | 2873 | 163-0787/0810 |
| 1762 a 1765 | 2981 | 166-0005/0319 |
| 1762 a 1765 | 3018 | 170-0271/0312 |
| 1762 a 1766 | 3011 | 169-0847/0944 |
| 1762 a 1766 | 3780 | 231-0674/0737 |
| 1762 a 1768 | 3784 | 231-0952/1010 |
| 1764 a 1765 | 0779 | 054-0536/0601 |
| 1764 a 1767 | 0406 | 039-0638/0671 |
| 1764 a 1767 | 1659 | 095-0153/0205 |
| 1765 | 0473 | 041-0855/0872 |
| 1765 | 1230 | 074-0221/0264 |
| 1765 a 1766 | 0472 | 041-0785/0854 |
| 1765 a 1767 | 0503 | 042-0705/0746 |
| 1765 a 1767 | 0504 | 042-0747/0789 |
| 1765 a 1767 | 0512 | 043-0216/0230 |
| 1765 a 1767 | 0513 | 043-0231/0253 |
| 1765 a 1767 | 0657 | 046-0452/0487 |
| 1765 a 1767 | 2111 | 120-0167/0215 |
| 1765 a 1767 | 2568 | 145-0857/0895 |
| 1765 a 1771 | 1534 | 086-0905/0951 |
| 1766 | 0491 | 042-0108/0158 |
| 1766 a 1767 | 0778 | 054-0500/0535 |
| 1768 | 0781 | 054-0662/0670 |
| 1768 a 1769 | 0417 | 039-0904/0947 |
| 1768 a 1769 | 0489 | 042-0036/0052 |
| 1768 a 1769 | 0656 | 046-0439/0451 |
| 1768 a 1769 | 3553 | 217-0229/0246 |
| 1768 a 1769 | 3786 | 232-0069/0889 |
| 1769 a 1771 | 1642 | 093-0383/0423 |
| 1769 a 1771 | 1657 | 094-0957/0999 |
| 1770 a 1782 | 0019 | 004-0594/0684 |
| 1771 | 1231 | 074-0265/0324 |
| 1772 a 1773 | 0015 | 003-1145/1293 |
| 1772 a 1773 | 0423 | 040-0028/0037 |
| 1772 a 1773 | 0658 | 046-0488/0505 |
| 1772 a 1773 | 2837 | 162-0922/0946 |
| 1772 a 1774 | 1533 | 086-0868/0903 |
| 1773 | 0769 | 052-0005/0229 |
| 1774 a 1775 | 0659 | 046-0506/0519 |
| 1774 a 1775 | 1232 | 074-0326/0370 |
| 1774 a 1776 | 0419 | 039-0954/0963 |
| 1774 a 1777 | 2869 | 163-0653/0672 |
| 1774 a 1777 | 3817 | 234-0410/0476 |
| 1774 a 1843 | 1951 | 113-0005/0481 |
| 1775 | 2957 | 164-0623/0636 |
| 1775 a 1776 | 0418 | 039-0949/0952 |
| 1776 | 2807 | 159-0984/1024 |
| 1776 a 1778 | 2811 | 160-0004/0093 |
| 1782 | 0428 | 040-0164/0181 |

| | | |
|---|---|---|
| 1782 | 1644 | 094-0004/0069 |
| 1782 a 1784 | 0490 | 042-0053/0107 |
| 1782 a 1788 | 0013 | 003-0581/0870 |
| 1784 a 1787 | 1645 | 094-0070/0089 |
| 1785 a 1787 | 0721 | 050-0425/0436 |
| 1788 a 1789 | 2976 | 165-0713/0726 |
| 1788 a 1790 | 0507 | 042-0858/0885 |
| 1789 a 1791 | 0014 | 03-0871/1144 |
| 1789 a 1796 | 0005 | 002-0005/0512 |
| 1789 a 1807 | 0004 | 001-0801/1028 |
| 1789 a 1819 | 0793 | 054-0975/1093 |
| 1789 a 1829 | 0003 | 001-0555/0800 |
| 1790 a 1809 | 2812 | 160-0094/0169 |
| 1790 a 1813 | 2969 | 165-0005/0237 |
| 1791 a 1809 | 0012 | 003-0489/0580 |
| 1792 a 1795 | 0023 | 005-0004/0547 |
| 1792 a 1810 | 1237 | 074-0506/0640 |
| 1796 a 1800 | 0020 | 004-0685/0969 |
| 1800 a 1809 | 2677 | 227-0702/0809 |
| 1804 a 1807 | 0426 | 040-0087/0153 |
| 1804 a 1810 | 0016 | 004-0004/0374 |
| 1806 a 1814 | 0803 | 055-0958/1008 |
| 1807 a 1813 | 0021 | 004-0970/1130 |
| 1809 | 0728 | 050-0495/0543 |
| 1809 a 1816 | 0559 | 043-0725/0733 |
| 1811 a 1814 | 0780 | 054-0602/0661 |
| 1812 a 1820 | 0509 | 042-0895/0970 |
| 1812 a 1820 | 3004 | 262-0864/0895 |
| 1813 a 1827 | 1668 | 095-0523/0550 |
| 1813 a 1839 | 1658 | 095-0005/0151 |
| 1814 a 1815 | 0006 | 002-0513/0678 |
| 1816 a 1817 | 1652 | 094-0870/0875 |
| 1816 a 1819 | 0679 | 047-0625/0738 |
| 1816 a 1820 | 1651 | 094-0829/0869 |
| 1820 | 0668 | 046-0605/0621 |
| 1820 | 0792 | 054-0949/0974 |
| 1820 | 1236 | 074-0454/0504 |
| 1820 | 1306 | 078-0162/0210 |
| 1820 a 1821 | 0557 | 043-0664/0673 |
| 1820 a 1821 | 2911 | 164-0369/0378 |
| 1821 | 0028 | 005-0699/0713 |
| 1821 | 0635 | 044-0669/0709 |
| 1821 | 0654 | 046-0412/0422 |
| 1821 | 1229 | 074-0212/0220 |
| 1821 | 1238 | 074-0641/0647 |
| 1821 | 1240 | 074-0677/0703 |
| 1821 | 1307 | 078-0212/0224 |
| 1821 | 1664 | 095-0370/0406 |
| 1821 a 1822 | 2996 | 168-1002/1009 |
| 1821 a 1823 | 0693 | 049-0631/0680 |

| | | |
|---|---|---|
| 1821 a 1839 | 0420 | 039-0964/0977 |
| 1822 | 0479 | 041-0943/0948 |
| 1822 | 0636 | 044-0710/0744 |
| 1822 | 0655 | 046-0423/0438 |
| 1822 | 1241 | 074-0704/0724 |
| 1822 | 1641 | 093-0347/0381 |
| 1822 | 2877 | 163-0826/0833 |
| 1822 a 1823 | 0407 | 039-0673/0684 |
| 1822 a 1823 | 0427 | 040-0154/0163 |
| 1822 a 1823 | 0556 | 043-0658/0663 |
| 1822 a 1823 | 1239 | 074-0648/0676 |
| 1822 a 1824 | 0425 | 040-0048/0086 |
| 1822 a 1824 | 0492 | 042-0160/0166 |
| 1823 | 0637 | 044-0745/0778 |
| 1823 | 0653 | 046-0401/0411 |
| 1823 | 0727 | 050-0488/0494 |
| 1823 | 1228 | 074-0203/0211 |
| 1823 | 1235 | 074-0438/0453 |
| 1823 | 1643 | 093-0425/0437 |
| 1823 a 1824 | 0429 | 040-0182/0196 |
| 1823 a 1839 | 0416 | 039-0893/0903 |
| 1824 | 0408 | 039-0686/0701 |
| 1824 | 0424 | 040-0038/0047 |
| 1824 | 0548 | 043-0525/0535 |
| 1824 | 0638 | 044-0779/0812 |
| 1824 | 0667 | 046-0592/0604 |
| 1824 | 0669 | 046-0622/0629 |
| 1824 | 0722 | 050-0437/0455 |
| 1824 | 1308 | 078-0226/0248 |
| 1824 | 1920 | 112-0474/0487 |
| 1824 a 1825 | 0409 | 039-0703/0727 |
| 1824 a 1825 | 0478 | 041-0933/0941 |
| 1824 a 1925 | 0486 | 042-0005/0015 |
| 1824 a 1825 | 1234 | 074-0389/0437 |
| 1824 a 1825 | 1666 | 095-0445/0484 |
| 1824 a 1825 | 3218 | 262-0897/0927 |
| 1825 | 0666 | 046-0585/0591 |
| 1825 | 0787 | 054-0782/0820 |
| 1825 | 1233 | 074-0371/0388 |
| 1825 | 1372 | 079-0236/0252 |
| 1825 | 1921 | 112-0488/0496 |
| 1825 a 1826 | 0477 | 041-0927/0932 |
| 1825 a 1826 | 0487 | 042-0016/0028 |
| 1825 a 1826 | 2716 | 152-0353/0378 |
| 1825 a 1826 | 2899 | 164-0242/0253 |
| 1825 a 1839 | 0549 | 043-0536/0547 |
| 1826 | 0031 | 005/0796/0811 |
| 1826 | 0410 | 039-0729/0750 |
| 1826 | 0506 | 042-0835/0857 |
| 1826 | 0665 | 046-0574/0584 |

| | | |
|---|---|---|
| 1826 | 0723 | 050-0456/0463 |
| 1826 | 0788 | 054-0821/0854 |
| 1826 | 0798 | 055-0026/0033 |
| 1826 | 1227 | 074-0173/0202 |
| 1826 | 1371 | 079-0217/0234 |
| 1826 a 1827 | 0475 | 041-0885/0899 |
| 1826 a 1827 | 1667 | 095-0486/0521 |
| 1826 a 1827 | 2715 | 152-0312/0352 |
| 1826 a 1827 | 2900 | 164-0254/0265 |
| 1826 a 1839 | 0552 | 043-0581/0592 |
| 1827 | 0411 | 039-0752/0777 |
| 1827 | 0664 | 046-0564/0573 |
| 1827 | 0789 | 054-0855/0886 |
| 1827 | 0797 | 055-0020/0025 |
| 1827 | 1373 | 079-0254/0270 |
| 1827 | 1640 | 093-0105/0345 |
| 1827 a 1828 | 0482 | 041-1031/1039 |
| 1827 a 1828 | 0555 | 043-0620/0657 |
| 1827 a 1828 | 2901 | 164-0266/0276 |
| 1827 a 1828 | 2968 | 164-0842/0861 |
| 1827 a 1839 | 0483 | 041-1040/1052 |
| 1828 | 0030 | 005-0754/0794 |
| 1828 | 0412 | 039-0779/0805 |
| 1828 | 0505 | 042-0791/0834 |
| 1828 | 0670 | 046-0630/0639 |
| 1828 | 0790 | 054-0887/0919 |
| 1828 | 0796 | 055-0012/0019 |
| 1828 | 1374 | 079-0272/0289 |
| 1828 | 2676 | 149-0227/0238 |
| 1828 | 3496 | 210-0956/0238 |
| 1828 a 1829 | 0488 | 042-0029/0035 |
| 1828 a 1829 | 0553 | 043-0593/0605 |
| 1828 a 1829 | 2902 | 164-0277/0286 |
| 1828 a 1829 | 2967 | 164-0817/0841 |
| 1829 | 0414 | 029-0840/0864 |
| 1829 | 0474 | 041-0873/0884 |
| 1829 | 0484 | 041-1053/1095 |
| 1829 | 0485 | 041-1096/1103 |
| 1829 | 0795 | 055-0004/0009 |
| 1829 | 1375 | 179-0291/0312 |
| 1829 | 2674 | 149-0176/0189 |
| 1829 | 3498 | 211-0005/0129 |
| 1829 a 1830 | 0551 | 043-0566/0580 |
| 1829 a 1830 | 0782 | 054-0671/0701 |
| 1829 a 1830 | 2903 | 164-0287/0296 |
| 1830 | 0413 | 039-0806/0839 |
| 1830 | 0481 | 041-0981/1030 |
| 1830 | 0689 | 049-0568/0574 |
| 1830 | 0695 | 049-0725/0764 |
| 1830 | 0819 | 050-0389/0415 |

| | | |
|---|---|---|
| 1830 | 0720 | 050-0416/0424 |
| 1830 | 0726 | 050-0480/0487 |
| 1830 | 0794 | 054-1094/1101 |
| 1830 | 1305 | 078-0120/0160 |
| 1830 | 1376 | 079-0314/0339 |
| 1830 | 2904 | 164-0297/0305 |
| 1830 | 2993 | 168-0493/0715 |
| 1830 | 3067 | 178-0601/0740 |
| 1830 a 1831 | 0550 | 043-0548/0565 |
| 1830 a 1831 | 0786 | 054-0753/0781 |
| 1831 | 0480 | 041-0950/0980 |
| 1831 | 0558 | 043-0674/0724 |
| 1831 | 0672 | 046-0647/0665 |
| 1831 | 0694 | 049-0681/0724 |
| 1831 | 0716 | 050-0358/0372 |
| 1831 | 0718 | 050-0383/0388 |
| 1831 | 0785 | 054-0730/0752 |
| 1831 | 1304 | 078-0098/0119 |
| 1831 | 1654 | 094-0911/0932 |
| 1831 | 2894 | 165-0182/0186 |
| 1831 | 2905 | 164-0306/0314 |
| 1831 a 1832 | 0415 | 039-0866/0892 |
| 1831 a 1832 | 0554 | 043-0606/0619 |
| 1831 a 1832 | 2874 | 163-0811/0814 |
| 1832 | 0476 | 041-0900/0925 |
| 1832 | 0516 | 043-0282/0296 |
| 1832 | 0662 | 046-0552/0556 |
| 1832 | 0663 | 046-0557/0563 |
| 1832 | 0671 | 046-0640/0646 |
| 1832 | 0717 | 050-0373/0382 |
| 1832 | 0724 | 050-0464/0470 |
| 1832 | 0783 | 054-0702/0712 |
| 1832 | 0784 | 054-0713/0729 |
| 1832 | 0791 | 054-0920/0948 |
| 1832 | 1309 | 078-0242/0258 |
| 1832 | 1646 | 094-0090/0215 |
| 1832 | 2856 | 163-0248/0253 |
| 1832 | 3046 | 174-0273/0287 |
| 1832 | 3089 | 180-0131/0135 |

## CORRESPONDÊNCIA

F/Grupo: Intendência, Tesouraria Geral da Real Fazenda, Casa da Administração do Papel Selado, Secretaria do Governo, Cartório e TF/MG, Casa de Fundição.
Locais: Tejuco, Vila Rica, Mariana, Rio de Janeiro, Ouro Preto, Vila da Campanha da Princesa, São João Del Rey e Liverpool.

| | | |
|---|---|---|
| Períodos: 1775 | 2731 | 155-0164/0165 |
| 1802 a 1804 | 2359 | 129-0834/0895 |
| 1803 a 1819 | 4051 | 244-0470/0647 |
| 1806 a 1840 | 3507 | 211-0519/0598 |
| 1809 | 3132 | 180-0654/0657 |

| | | |
|---|---|---|
| 1809 | 3778 | 231-0520/0524 |
| 1809 a 1810 | 3166 | 182-0473/0475 |
| 1809 a 1811 | 3868 | 236-0216/0220 |
| 1809 a 1814 | 2292 | 126-0085/0100 |
| 1809 a 1814 | 2964 | 240-0315/0333 |
| 1809 a 1816 | 3842 | 235-1073/1081 |
| 1809 a 1817 | 1821 | 104-0483/0520 |
| 1810 | 2768 | 157-0208/0211 |
| 1819 | 3133 | 180-0659/0662 |
| 1825 a 1832 | 2131 | 123-0546/0554 |
| 1827 | 2302 | 126-0462/0468 |
| 1836 | 0324 | 035-0737/0750 |
| 1859 a 1890 | 4041 | 243-0610/0702 |
| 1863 a 1868 | 4043 | 244-0005/0020 |

**CRÉDITO**

F/Grupo: Provedoria.
Local: Rio de Janeiro.
Período: 1864 a 1866 — 4135 — 250-0104/0147

**CRÉDITO E CLAREZA**

F/Grupo: Secretaria do Governo do Rio de Janeiro.
Local: Lisboa.
Período: 1758 — 0422 — 040-0005/0027

**CRÉDITO PARTICULAR**

F/Grupo: N/C
Local: Vila Rica
Período: 1805 a 1807 — 0770 — 052-0231/0554

**DÉCIMA DE HERANÇA**

F/Grupo: Intendência, Confrataria, Cartório e Tesouraria.
Locais: São João Del Rey, Sabará, Tejuco, Vila Rica, Mariana, Ouro Preto e Minas Novas.

| | | |
|---|---|---|
| Períodos: 1814 | 1961 | 113-0858/0862 |
| 1814 a 1815 | 2399 | 133-0688/0697 |
| 1815 a 1816 | 1960 | 113-0850/0857 |
| 1815 a 1816 | 2397 | 113-0665/0678 |
| 1816 | 2387 | 133-0427/0437 |
| 1816 a 1817 | 2959 | 113-0840/0849 |
| 1816 a 1817 | 2396 | 133-0649/0664 |
| 1817 | 2390 | 133-0534/0551 |
| 1817 a 1818 | 1958 | 113-0832/0839 |
| 1817 a 1818 | 1991 | 260-0048/0054 |
| 1817 a 1818 | 2395 | 133-0631/0648 |
| 1818 | 1957 | 113-0822/0831 |
| 1818 | 2391 | 133-0552/0573 |
| 1818 a 1819 | 2381 | 133-0089/0104 |
| 1818 a 1819 | 3164 | 182-0449/0466 |
| 1818 a 1837 | 1992 | 260-0057/0061 |

| | | |
|---|---|---|
| 1819 | 1956 | 113-0812/0821 |
| 1819 | 2394 | 133-0614/0630 |
| 1819 a 1820 | 1988 | 114-0443/0446 |
| 1820 | 1955 | 113-0802/0811 |
| 1820 | 2404 | 133-1039/1115 |
| 1820 a 1832 | 2004 | 115-0005/0082 |
| 1821 a 1824 | 2408 | 134-0132/0163 |
| 1821 a 1829 | 1972 | 113-0936/0973 |
| 1822 | 2384 | 133-0370/0385 |
| 1823 | 2385 | 133-0386/0398 |
| 1824 a 1828 | 2407 | 134-0087/0131 |
| 1825 | 2386 | 133-0399/0416 |
| 1827 | 1257 | 075-0281/0299 |
| 1827 a 1831 | 3070 | 178-0871/0974 |
| 1828 a 1829 | 2406 | 134-0066/0086 |
| 1831 a 1833 | 3474 | 208-0534/0554 |
| 1832 | 1990 | 114-0455/0472 |

**DÉCIMA PREDIAL**

F/Grupo: Intendência, Ouvidoria, Câmara, Contadoria, Casa de Fundição e Tesouraria.
Locais: Santa Maria Baependí, Mariana, Barbacena, Vila do Bom Sucesso de Minas Novas da Arassuaí, Tejuco, Vila Rica, Queluz, São João Del Rey, Vila Nova da Rainha, Paracatú do Príncipe, Pitanguí, Campanha da Princesa, Vila do Príncipe, Sabará, São Bento do Tamanduá, Vila São José, Santa Luzia, São Carlos do Jacuí, Formiga, Ouro Preto, Guarapiranga, Inficcionado e Catas Altas.

| | | |
|---|---|---|
| Períodos: 1806 a 1808 | 0356 | 036-0439/0443 |
| 1808 | 2784 | 157-0760/0782 |
| 1808 a 1810 | 1496 | 085-0330/0368 |
| 1809 | 1462 | 084-0332/0414 |
| 1809 | 1854 | 108-0916/0961 |
| 1809 | 1907 | 112-0196/0236 |
| 1809 | 1930 | 112-0586/0657 |
| 1809 | 2266 | 125-0513/0520 |
| 1809 | 2540 | 215-1130/1276 |
| 1809 a 1810 | 0341 | 036-0074/0145 |
| 1809 a 1810 | 1403 | 080-0005/0125 |
| 1809 a 1810 | 3542 | 216-0004/0283 |
| 1809 a 1810 | 3602 | 219-0078/0299 |
| 1809 a 1811 | 0342 | 036-0146/0194 |
| 1809 a 1815 | 3585 | 218-0989/0997 |
| 1809 a 1815 | 3586 | 218-0999/1008 |
| 1809 a 1827 | 4022 | 242-0074/0088 |
| 1809 a 1828 | 2835 | 162-0857/0921 |
| 1809 a 1828 | 4023 | 242-0089/0102 |
| 1810 | 1263 | 075-0576/0658 |
| 1810 | 1286 | 076-0862/1093 |
| 1810 | 1753 | 101-0209/0256 |
| 1810 | 1844 | 108-0590/0607 |
| 1810 | 1862 | 109-0859/0913 |
| 1810 | 1908 | 112-0237/0259 |

| | | |
|---|---|---|
| 1810 | 1941 | 112-0858/0896 |
| 1810 | 2268 | 125-0627/0722 |
| 1810 | 2839 | 163-0005/0086 |
| 1810 | 3524 | 214-0653/0833 |
| 1810 | 3621 | 223-0787/0831 |
| 1810 | 3648 | 225-1033/1045 |
| 1810 | 3930 | 237-0284/0560 |
| 1810 a 1811 | 1799 | 103-0834/0853 |
| 1810 a 1811 | 1909 | 112-0260/0275 |
| 1810 a 1811 | 3190 | 184-0537/0612 |
| 1810 a 1813 | 1284 | 076-0593/0767 |
| 1810 a 1815 | 3587 | 218-1009/1018 |
| 1810 a 1815 | 3588 | 218-1020/1030 |
| 1810 a 1826 | 2662 | 148-0775/0878 |
| 1810 a 1836 | 2929 | 259-0757/0800 |
| 1811 | 1267 | 075-0822/1086 |
| 1811 | 1285 | 076-0768/0861 |
| 1811 | 1489 | 085-0159/0183 |
| 1811 | 1701 | 098-0004/0147 |
| 1811 | 1800 | 103-0861/0918 |
| 1811 | 1842 | 108-0550/0581 |
| 1811 | 1843 | 108-0582/0589 |
| 1811 | 1910 | 112-0276/0297 |
| 1811 | 2323 | 127-0158/0229 |
| 1811 | 2542 | 142-0288/0317 |
| 1811 | 2733 | 155-0200/0245 |
| 1811 | 3177 | 182-1064/1117 |
| 1811 | 3277 | 190-0736/0821 |
| 1811 | 3929 | 237-0004/0283 |
| 1811 | 4031 | 242-0580/0804 |
| 1811 a 1812 | 1801 | 103-0919/0951 |
| 1811 a 1812 | 1911 | 112-0298/0314 |
| 1811 a 1812 | 2322 | 127-0086/0157 |
| 1811 a 1813 | 1268 | 076-0005/0173 |
| 1811 a 1813 | 3630 | 224-0254/0479 |
| 1811 a 1814 | 1940 | 113-0840/0857 |
| 1811 a 1815 | 3589 | 218-1031-1039 |
| 1811 a 1815 | 3590 | 218-1041/1050 |
| 1811 a 1816 | 3191 | 184-0613/0654 |
| 1811 a 1836 | 3033 | 173-0005/0040 |
| 1811 a 1836 | 3037 | 173-0150/0208 |
| 1812 | 0305 | 033-0997/1163 |
| 1812 | 1460 | 084-0193/0302 |
| 1812 | 1488 | 085-0133/0157 |
| 1812 | 1500 | 085-0415/0433 |
| 1812 | 1681 | 097-0005/0219 |
| 1812 | 1726 | 098-0787/0926 |
| 1812 | 1797 | 103-0752/0806 |
| 1812 | 1848 | 108-0668/0706 |
| 1812 | 1849 | 108-0707/0714 |

| | | |
|---|---|---|
| 1812 | 1864 | 109-0916/0919 |
| 1812 | 1912 | 112-0315/0336 |
| 1812 | 1913 | 112-0337/0358 |
| 1812 | 2546 | 142-0501/0511 |
| 1812 | 2736 | 155-0294/0342 |
| 1812 | 2785 | 644-0585/0675 |
| 1812 | 3390 | 201-0563/0662 |
| 1812 | 3548 | 216-0335/0592 |
| 1812 a 1813 | 1796 | 103-0727/0751 |
| 1812 a 1813 | 2540 | 142-0211/0270 |
| 1812 a 1813 | 2543 | 142-0318/0431 |
| 1812 a 1815 | 3225 | 187-0345/0408 |
| 1812 a 1815 | 3591 | 218-1052/1060 |
| 1812 a 1815 | 3592 | 218-1061/1071 |
| 1812 a 1819 | 1781 | 102-0710/0779 |
| 1812 a 1836 | 3034 | 173-0048/0068 |
| 1812 a 1836 | 3038 | 173-0210/0249 |
| 1812 a 1836 | 3633 | 224-0507/0515 |
| 1813 | 1242 | 074-0725/0808 |
| 1813 | 1487 | 085-0106/0131 |
| 1813 | 1501 | 085-0435/0454 |
| 1813 | 1770 | 101-0447/0459 |
| 1813 | 1794 | 103-0671/0708 |
| 1813 | 1847 | 108-0651/0667 |
| 1813 | 1914 | 112-0359/0379 |
| 1813 | 1939 | 112-0812/0839 |
| 1813 | 2544 | 142-0432/0482 |
| 1813 | 2548 | 142-0518/0528 |
| 1813 | 2549 | 142-0529/0539 |
| 1813 | 2723 | 154-0659/0720 |
| 1813 | 3372 | 199-0510/0604 |
| 1813 | 2539 | 215-0300/0556 |
| 1813 | 4029 | 242-0260/0428 |
| 1813 | 4030 | 242-0429/0579 |
| 1813 a 1814 | 1974 | 103-0672/0708 |
| 1813 a 1814 | 1795 | 103-0710/0725 |
| 1813 a 1814 | 1915 | 112-0380/0398 |
| 1813 a 1814 | 2553 | 142-0581/0631 |
| 1813 a 1815 | 1279 | 076-0270/0429 |
| 1813 a 1815 | 1807 | 103-1093/1109 |
| 1813 a 1815 | 1938 | 112-0791/0811 |
| 1813 a 1815 | 3593 | 218-1072/1080 |
| 1813 a 1815 | 3594 | 218-1082/1091 |
| 1813 a 1836 | 3050 | 175-0854/0898 |
| 1813 a 1836 | 3036 | 173-0113/0148 |
| 1814 | 1283 | 076-0505/0592 |
| 1814 | 1465 | 084-0501/0551 |
| 1814 | 1486 | 085-0080/0105 |
| 1814 | 1688 | 097-0300/0515 |
| 1814 | 1771 | 101-0460/0475 |

| | | |
|---|---|---|
| 1814 | 1792 | 103-0625/0670 |
| 1814 | 1846 | 108-0636/0650 |
| 1814 | 1851 | 108-0749/0799 |
| 1814 | 1865 | 109-0920/0925 |
| 1814 | 1916 | 112-0399/0419 |
| 1814 | 1936 | 112-0754/0767 |
| 1814 | 1937 | 112-0768/0790 |
| 1814 | 2550 | 142-0540/0550 |
| 1814 | 2551 | 142-0551/0561 |
| 1814 | 2671 | 149-0004/0047 |
| 1814 | 3265 | 190-0004/0061 |
| 1814 | 3530 | 215-0557/0853 |
| 1814 a 1815 | 1802 | 103-0952/0970 |
| 1814 a 1815 | 1946 | 112-0973/0991 |
| 1814 a 1815 | 3595 | 219-0004/0012 |
| 1814 a 1815 | 3596 | 219-0013/0022 |
| 1814 a 1836 | 3016 | 170-0175/0211 |
| 1814 a 1836 | 3035 | 173-0070/0111 |
| 1815 | 0346 | 036-0256/0263 |
| 1815 | 0370 | 037-0699/0811 |
| 1815 | 1277 | 076-0245/0256 |
| 1815 | 1278 | 076-0257/0268 |
| 1815 | 1484 | 085-0034/0057 |
| 1815 | 1505 | 085-0508/0529 |
| 1815 | 1803 | 103-0971/1010 |
| 1815 | 1852 | 1080800/0855 |
| 1815 | 1935 | 112-0732/0753 |
| 1815 | 1947 | 112-0992/1011 |
| 1815 | 2545 | 142-0483/0500 |
| 1815 | 2552 | 142-0562/0580 |
| 1815 | 3371 | 199-0461/0508 |
| 1815 | 3528 | 215-0005/0298 |
| 1815 | 3597 | 219-0023/0032 |
| 1815 | 3598 | 219-0033/0039 |
| 1815 | 3924 | 236-0573/0783 |
| 1815 a 1816 | 1853 | 108-0856/0915 |
| 1815 a 1816 | 1928 | 112-0546/0584 |
| 1815 a 1816 | 1848 | 112-1012/1027 |
| 1815 a 1816 | 3220 | 186-0249/0292 |
| 1815 a 1817 | 0330 | 035-1022/1029 |
| 1815 a 1817 | 1804 | 103-1011/1028 |
| 1816 | 0309 | 034-0654/0867 |
| 1816 | 0331 | 035-1030/1046 |
| 1816 | 1253 | 075-0180/0204 |
| 1816 | 1280 | 076-0430/0447 |
| 1816 | 1485 | 085-0059/0078 |
| 1816 | 1495 | 085-0308/0328 |
| 1816 | 1504 | 085-0489/0507 |
| 1816 | 1752 | 101-0151/0208 |
| 1816 | 1806 | 103-1087/1092 |

| | | |
|---|---|---|
| 1816 | 1923 | 112-0518/0525 |
| 1816 | 1933 | 112-0694/0710 |
| 1816 | 1934 | 112-0711/0731 |
| 1816 | 1949 | 112-1028/1034 |
| 1816 | 2321 | 127-0004/0085 |
| 1816 | 2330 | 127-0946/1032 |
| 1816 | 2378 | 133-0003/0044 |
| 1816 | 2392 | 133-0574/0594 |
| 1816 | 2730 | 155-0058/0088 |
| 1816 | 3238 | 188-0464/0508 |
| 1816 | 3549 | 216-0593/0701 |
| 1816 | 3599 | 219-0041/0050 |
| 1816 a 1817 | 0308 | 034-0441/0653 |
| 1816 a 1817 | 0354 | 036-0405/0420 |
| 1816 a 1817 | 3600 | 219-0051/0057 |
| 1816 a 1818 | 2541 | 142-0281/0287 |
| 1816 a 1819 | 2320 | 126-0965/1036 |
| 1816 a 1836 | 3233 | 188-0157/0169 |
| 1816 a 1836 | 3247 | 188-0724/0738 |
| 1817 | 0310 | 034-0869/1080 |
| 1817 | 1255 | 075-0241/0261 |
| 1817 | 1261 | 075-0485/0530 |
| 1817 | 1492 | 085-0248/0267 |
| 1817 | 1507 | 085-0547/0571 |
| 1817 | 1823 | 104-0608/0651 |
| 1817 | 1824 | 104-0652/0698 |
| 1817 | 2319 | 126-0900/0964 |
| 1817 | 3170 | 182-0710/0741 |
| 1817 | 3523 | 214-0530/0651 |
| 1817 a 1818 | 0355 | 036-0422/0438 |
| 1817 a 1818 | 0366 | 037-0005/0220 |
| 1817 a 1819 | 2732 | 155-0166/0199 |
| 1817 a 1819 | 3626 | 224-0145/0161 |
| 1818 | 0306 | 034-0005/0223 |
| 1818 | 0382 | 038-0293/0504 |
| 1818 | 1262 | 075-0531/0575 |
| 1818 | 1281 | 076-0448/0476 |
| 1818 | 1494 | 085-0287/0306 |
| 1818 | 1926 | 259-0727/0737 |
| 1818 | 1932 | 112-0674/0693 |
| 1818 | 2316 | 260-0842/0910 |
| 1818 | 2327 | 127-0540/0661 |
| 1818 | 2329 | 127-0827/0945 |
| 1818 | 2541 | 142-0271/0280 |
| 1818 | 3629 | 224-0203/0252 |
| 1818 a 1819 | 1825 | 104-0699/0755 |
| 1818 a 1819 | 1931 | 112-0659/0673 |
| 1818 a 1819 | 2317 | 126-0764/0834 |
| 1818 a 1819 | 2318 | 126-0835/0899 |
| 1818 a 1819 | 2328 | 127-0662/0826 |

| | | |
|---|---|---|
| 1818 a 1819 | 3522 | 214-0408/0529 |
| 1818 a 1820 | 3628 | 224-0178/0201 |
| 1819 | 0307 | 034-0224/0440 |
| 1819 | 0345 | 036-0232/0254 |
| 1819 | 0369 | 037-0484/0698 |
| 1819 | 1250 | 075-0050/0095 |
| 1819 | 1493 | 085-0269/0285 |
| 1819 | 1782 | 102-0780/0843 |
| 1819 | 1927 | 259-0738/0756 |
| 1819 | 1942 | 112-0897/0914 |
| 1819 | 2272 | 125-0909/0961 |
| 1819 | 2315 | 260-0771/0839 |
| 1819 | 2325 | 127-0353/0444 |
| 1819 | 2326 | 127-0445/0539 |
| 1819 | 3525 | 214-0834/1014 |
| 1819 | 4033 | 243-0004/0227 |
| 1819 a 1820 | 2783 | 102-0844/0913 |
| 1819 a 1820 | 2273 | 125-0962/0982 |
| 1819 a 1820 | 2324 | 127-0230/0352 |
| 1819 a 1820 | 3564 | 217-0848/0895 |
| 1819 a 1826 | 3240 | 188-0548/0599 |
| 1820 | 0344 | 036-0223/0230 |
| 1820 | 0349 | 036-0303/0309 |
| 1820 | 0368 | 037-0268/0482 |
| 1820 | 1245 | 074-0930/0946 |
| 1820 | 1249 | 075-0005/0048 |
| 1820 | 1252 | 075-0166/0179 |
| 1820 | 1260 | 075-0398/0484 |
| 1820 | 1402 | 079-1034/1037 |
| 1820 | 1784 | 102-0914/0996 |
| 1820 | 1943 | 112-0915/0933 |
| 1820 | 1944 | 112-0934/0953 |
| 1820 | 1945 | 112-0954/0972 |
| 1820 | 3491 | 210-0319/0354 |
| 1820 | 3527 | 214-1198/1322 |
| 1820 | 3562 | 217-0721/0787 |
| 1820 a 1821 | 3563 | 217-0788/0847 |
| 1820 a 1822 | 1508 | 085-0573/0603 |
| 1820 a 1822 | 2380 | 133-0072/0088 |
| 1820 a 1824 | 1776 | 102-0271/0332 |
| 1820 a 1826 | 1777 | 102-0333/0542 |
| 1820 a 1826 | 3239 | 188-0510/0546 |
| 1821 | 0350 | 036-0311/0321 |
| 1821 | 0351 | 036-0323/0331 |
| 1821 | 1248 | 074-1025/1065 |
| 1821 | 1471 | 084-0679/0691 |
| 1821 | 1499 | 085-0396/0413 |
| 1821 | 1774 | 102-0005/0215 |
| 1821 | 1785 | 103-0005/0075 |
| 1821 | 1841 | 108-0339/0549 |

| | | |
|---|---|---|
| 1821 | 2263 | 125-0422/0488 |
| 1821 | 2783 | 157-0676/0759 |
| 1821 | 3526 | 214-1015/1197 |
| 1821 | 3565 | 217-0896/0961 |
| 1821 a 1822 | 3566 | 217-0962/1025 |
| 1821 a 1823 | 1925 | 259-0681/0725 |
| 1821 a 1824 | 1276 | 076-0216/0244 |
| 1821 a 1824 | 1786 | 103-0076/0145 |
| 1821 a 1826 | 1773 | 101-0636/0770 |
| 1822 | 0304 | 033-0985/0995 |
| 1822 | 0347 | 036-0265/0291 |
| 1822 | 0348 | 036-0293/0301 |
| 1822 | 1247 | 074-0984/1024 |
| 1822 | 1475 | 084-0734/0749 |
| 1822 | 1476 | 084-0751/0763 |
| 1822 | 1730 | 099-0217/0260 |
| 1822 | 1787 | 103-0146/0215 |
| 1822 | 1855 | 109-0005/0215 |
| 1822 | 1924 | 112-0526/0542 |
| 1822 | 2333 | 128-0014/0084 |
| 1822 | 3276 | 190-0729/0735 |
| 1822 | 3438 | 215-1088/1102 |
| 1822 | 3539 | 215-1103/1129 |
| 1822 | 3567 | 217-1026/1087 |
| 1822 a 1823 | 2559 | 143-0004/0209 |
| 1822 a 1824 | 1788 | 103-0216/0286 |
| 1822 a 1826 | 1822 | 104-0521/0607 |
| 1823 | 0340 | 036-0062/0072 |
| 1823 | 0343 | 036-0196/0221 |
| 1823 | 0352 | 036-0333/0342 |
| 1823 | 1246 | 074-0947/0983 |
| 1823 | 1474 | 084-0720/0732 |
| 1823 | 1497 | 085-0370/0388 |
| 1823 | 1678 | 096-0861/0959 |
| 1823 | 1680 | 096-0970/1029 |
| 1823 | 1729 | 099-0005/0215 |
| 1823 | 1779 | 102-0597/0663 |
| 1823 | 2560 | 143-0211/0418 |
| 1823 | 3537 | 215-1059/1087 |
| 1823 | 3569 | 218-0005/0074 |
| 1823 | 3570 | 218-0075/0146 |
| 1823 a 1824 | 1789 | 103-0287/0354 |
| 1823 a 1826 | 1772 | 101-0476/0635 |
| 1823 a 1827 | 1490 | 085-0185/0214 |
| 1823 a 1827 | 3536 | 215-1044/1057 |
| 1824 | 0329 | 035-1011/1021 |
| 1824 | 0333 | 035-1119/1130 |
| 1824 | 1251 | 075-0096/0165 |
| 1824 | 1282 | 076-0477/0504 |
| 1824 | 1473 | 084-0706/0718 |

| | | |
|---|---|---|
| 1824 | 1478 | 084-0786/0799 |
| 1824 | 1744 | 100-0590/0797 |
| 1824 | 1790 | 103-0355/0410 |
| 1824 | 3275 | 190-0714/0728 |
| 1824 | 3535 | 215-1015/1042 |
| 1824 | 3571 | 218-0148/0216 |
| 1824 | 3572 | 128-0217/0285 |
| 1824 a 1825 | 1259 | 075-0335/0397 |
| 1824 a 1825 | 1775 | 102-0216/0270 |
| 1824 a 1825 | 3274 | 190-0698/0713 |
| 1824 a 1827 | 3627 | 224-0163/0176 |
| 1824 a 1829 | 2834 | 162-0818/0856 |
| 1825 | 1472 | 084-0692/0705 |
| 1825 | 1477 | 084-0765/0784 |
| 1825 | 1732 | 099-0470/0681 |
| 1825 | 1750 | 101-0005/0072 |
| 1825 | 1791 | 103-0411/0624 |
| 1825 | 2336 | 128-0152/0168 |
| 1825 | 2555 | 142-0856/0998 |
| 1825 | 3272 | 190-0666/0681 |
| 1825 | 3533 | 215-0972/0985 |
| 1825 | 3534 | 215-0986/1013 |
| 1825 | 3573 | 218-0287/0353 |
| 1825 | 1768 | 101-0357/0418 |
| 1825 a 1827 | 2833 | 162-0783/0817 |
| 1825 a 1827 | 3273 | 190-0682/0797 |
| 1825 a 1827 | 3574 | 218-0354/0420 |
| 1825 a 1828 | 1769 | 101-0419/0446 |
| 1826 | 1731 | 099-0261/0468 |
| 1826 | 1742 | 100-0287/0498 |
| 1826 | 1751 | 101-0073/0150 |
| 1826 | 2335 | 260-0913/0987 |
| 1826 | 3575 | 218-0421/0487 |
| 1826 | 3576 | 218-0489/0555 |
| 1826 a 1827 | 1805 | 103-1029/1086 |
| 1826 a 1827 | 2379 | 133-0045/0071 |
| 1826 a 1827 | 3271 | 190-0652/0654 |
| 1826 a 1827 | 4021 | 242-0059/0073 |
| 1826 a 1828 | 1845 | 108-0608/0635 |
| 1826 a 1828 | 3171 | 182-0742/0755 |
| 1826 a 1828 | 0332 | 035-1047/1118 |
| 1826 a 1831 | 1254 | 075-0105/0239 |
| 1827 | 1258 | 075-0301/0333 |
| 1827 | 1491 | 085-0216/0246 |
| 1827 | 1506 | 085-0531/0545 |
| 1827 | 1738 | 099-1184/1251 |
| 1827 | 2262 | 125-0392/0421 |
| 1827 | 2334 | 128-0085/0151 |
| 1827 | 3577 | 218-0557/0619 |
| 1827 | 3578 | 218-0620/0681 |

| | | |
|---|---|---|
| 1827 a 1828 | 3196 | 184-0890/0904 |
| 1827 a 1828 | 3197 | 184-0905/0928 |
| 1827 a 1829 | 1778 | 102-0543/0596 |
| 1827 a 1830 | 1798 | 103-0808/0833 |
| 1827 a 1830 | 3601 | 219-0058/0077 |
| 1828 | 1470 | 084-0654/0677 |
| 1828 | 1687 | 097-0249/0299 |
| 1828 | 1733 | 099-0683/0751 |
| 1828 | 1780 | 102-0664/0709 |
| 1828 | 2270 | 125-0793/0807 |
| 1828 | 2332 | 128-0003/0013 |
| 1828 | 3195 | 184-0864/0889 |
| 1828 | 3579 | 218-0683/0741 |
| 1828 | 3580 | 218-0743/0802 |
| 1828 | 4024 | 242-0104/0113 |
| 1828 a 1829 | 1740 | 100-0082/0150 |
| 1829 | 0353 | 036-0344/0403 |
| 1829 | 1461 | 084-0304/0330 |
| 1829 | 1741 | 100-0151/0285 |
| 1829 | 2260 | 125-0123/0138 |
| 1829 | 2265 | 125-0498/0511 |
| 1829 | 2668 | 148-0957/0965 |
| 1829 | 3581 | 218-0803/0861 |
| 1829 | 3582 | 218-0863/0922 |
| 1829 a 1831 | 3473 | 208-0473/0532 |
| 1830 | 1734 | 099-0752/0896 |
| 1830 | 2331 | 127-1033/1086 |
| 1830 | 3584 | 218-0985/0987 |
| 1830 a 1831 | 1826 | 104-0757/0897 |
| 1830 a 1837 | 1749 | 100-1017/1061 |
| 1830 a 1838 | 3583 | 218-0923/0983 |
| 1831 | 0337 | 036-0029/0038 |
| 1831 | 0339 | 036-0051/0061 |
| 1831 | 1735 | 099-0898/0995 |
| 1831 | 1736 | 099-0997/1078 |
| 1831 | 2269 | 125-0723/0792 |
| 1831 a 1840 | 3246 | 188-0704/0722 |
| 1832 | 0336 | 036-0018/0027 |
| 1832 | 0338 | 036-0039/0049 |
| 1832 | 1737 | 099-1080/1182 |
| 1832 | 1824 | 104-0322/0351 |
| 1832 | 1918 | 112-0441/0457 |
| 1832 | 2051 | 119-0560/0580 |
| 1833 | 1815 | 104-0352/0443 |
| 1833 | 1866 | 109-0926/0943 |
| 1833 a 1836 | 0334 | 036-0004/0013 |
| 1833 a 1840 | 1813 | 104-0305/0321 |
| 1834 | 1811 | 104-0193/0297 |
| 1834 | 1869 | 109-0989/1007 |
| 1834 a 1840 | 1812 | 104-0298/0304 |

| | | |
|---|---|---|
| 1834 a 1840 | 1919 | 112-0458/0473 |
| 1835 | 1810 | 104-0102/0192 |
| 1835 | 1867 | 109-0944/0965 |
| 1835 | 1868 | 109-0966/0988 |
| 1835 | 1917 | 122-0420/0440 |
| 1835 a 1840 | 1871 | 110-0005/0022 |
| 1836 | 1808 | 104-0005/0095 |
| 1836 | 1809 | 104-0096/0101 |
| 1836 | 1922 | 112-0497/0517 |
| 1836 a 1840 | 1870 | 109-1009/1025 |
| 1837 | 3541 | 125-1277/1278 |

**DECLARAÇÃO**

F/Grupo: N/C
Local: Sabará

| | | |
|---|---|---|
| Período: 1804 a 1806 | 4004 | 241-0524/0568 |

**DEPÓSITO**

F/Grupo: Intendência.
Locais: Rio de Janeiro e Vila do Príncipe.

| | | |
|---|---|---|
| Períodos: 1773 a 1786 | 0692 | 049-0595/0630 |
| 1874 a 1876 | 4207 | 265-0655/0674 |

**DESPESA GERAL**

F/Grupo: Junta da Administração Diamantina, Casa do Trôco da Moeda e Provedoria da Côrte.
Locais: Província de Minas e Rio de Janeiro.

| | | |
|---|---|---|
| Períodos: 1767 a 1780 | 3520 | 213 |
| 1774 a 1780 | 2525 | 139 |
| 1775 a 1785 | 3521 | 214 |
| 1802 a 1804 | 2052 | 119 |
| 1817 | 4067 | 245 |
| 1817 a 1820 | 2530 | 140 |
| 1827 a 1839 | 3833 | 235 |
| 1827 a 1838 | 1634 | 092 |
| 1837 a 1838 | 1636 | 092 |
| 1837 a 1839 | 1635 | 092 |
| 1839 | 1637 | 092 |
| 1858 a 1859 | 4071 | 245 |

**DEVASSA**

F/Grupo: Fazenda Nacional
Local: Vila Rica.

| | | |
|---|---|---|
| Período: 1831 a 1832 | 4211 | 639-0075/0126 |

**DIAMANTE E OURO**

F/Grupo: Secretaria do Governo de Minas, Intendência e Casa de Fundição.
Locais: Tejuco e São João Del Rey.

| | | |
|---|---|---|
| Períodos: 1753 a 1827 | 3266 | 190-0063/0293 |
| 1760 a 1765 | 1950 | 112-1035/1064 |

| | | |
|---|---|---|
| 1762 a 1774 | 1953 | 259-0801/0876 |
| 1772 a 1781 | 3482 | 209-0410/0610 |
| 1773 | 3375 | 199-0653/0704 |
| 1773 a 1775 | 3386 | 200-0891/0968 |
| 1773 a 1775 | 3392 | 201-0745/0832 |
| 1773 a 1782 | 3519 | 213-0008/0650 |
| 1774 a 1777 | 3481 | 209-0321/0409 |
| 1774 a 1779 | 3785 | 232-0005/0677 |
| 1774 a 1780 | 3820 | 234-0906/1092 |
| 1774 a 1782 | 3789 | 232-0147/0242 |
| 1775 a 1778 | 3783 | 231-0881/0950 |
| 1775 a 1778 | 3788 | 263-0791/0855 |
| 1775 a 1779 | 3814 | 234-0137/0210 |
| 1777 a 1779 | 3518 | 212-0613/0669 |
| 1777 a 1782 | 3663 | 226-0571/0639 |
| 1777 a 1784 | 3668 | 226-0978/1072 |
| 1778 a 1781 | 3666 | 226-0821/0884 |
| 1778 a 1782 | 3667 | 226-0886/0977 |
| 1779 a 1790 | 2665 | 226-0727/0820 |
| 1779 a 1796 | 3664 | 226-0640/0726 |
| 1780 a 1788 | 3811 | 233-0981/1057 |
| 1781 a 1786 | 0258 | 028-0153/0245 |
| 1782 a 1785 | 2042 | 638-0441/0508 |
| 1782 a 1790 | 1025 | 062-0982/1051 |
| 1782 a 1793 | 2041 | 260-0064/0202 |
| 1783 a 1794 | 2048 | 119-0005/0129 |
| 1785 a 1795 | 4130 | 249-0894/1040 |
| 1785 a 1795 | 4131 | 249-1043/1088 |
| 1788 a 1792 | 4118 | 249-0500/0544 |
| 1788 a 1793 | 4107 | 248-0005/0136 |
| 1788 a 1806 | 4141 | 250-0323/0330 |
| 1789 a 1795 | 3561 | 263-0743/0790 |
| 1790 | 3662 | 226-0489/0569 |
| 1792 a 1828 | 3376 | 198-0435/0745 |
| 1793 a 1800 | 3364 | 198-0142/0287 |
| 1793 a 1803 | 3359 | 197-0649/0795 |
| 1793 a 1804 | 3360 | 197-0796/0938 |
| 1794 a 1806 | 3365 | 198-0289/0433 |
| 1794 a 1841 | 3363 | 198-0102/0140 |
| 1799 a 1806 | 3358 | 197-0531/0648 |
| 1800 a 1809 | 3357 | 197-0410/0530 |
| 1801 a 1808 | 3362 | 198-0007/0101 |
| 1801 a 1810 | 3355 | 197-0175/0285 |
| 1803 a 1812 | 3354 | 197-0061/0174 |
| 1807 a 1822 | 3356 | 197-0286/0409 |
| 1808 a 1814 | 3361 | 197-0939/1014 |
| 1809 a 1817 | 3183 | 183-0319/0442 |
| 1809 a 1820 | 3186 | 183-0685/0821 |
| 1813 a 1828 | 3185 | 183-0539/0684 |
| 1817 a 1826 | 3184 | 183-0443/0538 |

| | | |
|---|---|---|
| 1820 a 1842 | 3794 | 232-0901/0999 |
| 1821 a 1831 | 0289 | 030-0731/0918 |
| 1822 a 1828 | 3232 | 188-0126/0156 |
| 1829 a 1837 | 3812 | 234-0007/0109 |

**DIÁRIO**

F/Grupo: N/C
Local: Vila Rica

| | | |
|---|---|---|
| Período: 1820 a 1822 | 3608 | 220-0498/0635 |

**DIÁRIO DA CASA DE FUNDIÇÃO**

F/Grupo: Casa de Fundição e Intendência.
Locais: São João Del Rey, Vila Rica e Ouro Preto.

| | | |
|---|---|---|
| Períodos: 1800 a 1805 | 2365 | 130-0049/0496 |
| 1803 a 1805 | 2371 | 131-0503/0914 |
| 1805 a 1807 | 2370 | 131-0209/0502 |
| 1815 a 1818 | 2367 | 130-1091/1280 |
| 1818 | 4112 | 248-0306/0417 |
| 1819 a 1820 | 2364 | 130-0014/0048 |
| 1827 | 3825 | 235-0370/0375 |

**DIÁRIO DO CORTE DE REZES**

F/Grupo: Paço do Conselho.
Local: Sabará.

| | | |
|---|---|---|
| Períodos: 1774 | 2500 | 138-0210/0250 |
| 1775 a 1776 | 2498 | 138-0110/0146 |

**DIÁRIO DA EXTRAÇÃO DIAMANTINA**

F/Grupo: Intendência e Administração Geral dos Diamantes.
Local: Tejuco

| | | |
|---|---|---|
| Períodos: 1780 a 1781 | 1175 | 070-0950/1041 |
| 1781 a 1786 | 1983 | 114-0311/0380 |
| 1782 a 1790 | 2043 | 117-0831/0929 |
| 1787 a 1793 | 1906 | 112-0047/0195 |
| 1788 | 1994 | 114-0476/0524 |
| 1793 a 1810 | 2562 | 144-0004/0784 |
| 1813 a 1819 | 2563 | 145-0005/0361 |

**DIÁRIO DA PERMUTA DO OURO**

F/Grupo: Intendência.
Local: Vila do Príncipe.

| | | |
|---|---|---|
| Períodos: 1809 | 4089 | 247-0258/0263 |
| 1810 | 0526 | 0430373/0375 |

**DIÁRIO DO TRÔCO DO COBRE**

F/Grupo: Casa do trôco e Tesouraria da Fazenda Pública de Minas.
Locais: Ouro Preto, Araxá, Curvelo, Minas Novas, Itabira, Rio Pardo e Barbacena.

| | | |
|---|---|---|
| Períodos: 1834 | 1135 | 068-0188-0205 |
| 1835 | 0639 | 044-0813/0866 |
| 1835 | 1120 | 066-1080/1140 |

| | | |
|---|---|---|
| 1835 | 1129 | 067-0916/0936 |
| 1835 | 1131 | 067-0974/1011 |
| 1835 | 1139 | 068-0432/0457 |
| 1835 | 1186 | 071-0842/0868 |
| 1835 | 1590 | 089-0005/0056 |
| 1835 | 2586 | 146-0836/0962 |
| 1836 | 1587 | 088-0612/0698 |
| 1837 | 1134 | 068-0005/0187 |
| 1837 | 1136 | 068-0206/0292 |
| 1837 | 1118 | 066-0918/1001 |
| 1837 | 1119 | 066-1002/1078 |
| 1837 | 1130 | 067-0937/0973 |
| 1837 | 1181 | 071-0353/0484 |
| 1837 | 1182 | 071-0485/0543 |
| 1837 | 1185 | 071-0662/0841 |
| 1837 | 1303 | 078-0005/0095 |
| 1837 | 1586 | 088-0522/0610 |
| 1837 | 1589 | 088-0737/0776 |
| 1837 a 1838 | 1137 | 068-0293/0373 |
| 1837 a 1838 | 1594 | 089-0208/0332 |
| 1837 a 1838 | 2673 | 149-0110/0175 |
| 1837 a 1840 | 0328 | 035-0942/1010 |

### DÍVIDA ATIVA E PASSIVA

F/Grupo: Intendência.
Local: Tejuco

| | | |
|---|---|---|
| Períodos: 1771 a 1776 | 3373 | 199-0605/0644 |
| 1831 a 1837 | 3026 | 171-0316/0529 |

### DÍZIMOS

F/Grupo: Fazenda Provincial, Contadoria da Junta da Real Fazenda, Intendência, Fazenda Real, Provedoria, Administração Geral dos Contratos e Casa de Fundição.
Locais: Vila Rica, Vila do Príncipe, São João Del Rey, Lisboa, Mariana, Paracatú do Príncipe, Ouro Preto, Ouro Branco, Barbacena e São Miguel do Piracicaba.

| | | |
|---|---|---|
| Períodos: 1752 a 1817 | 0173 | 023-0172/0627 |
| 1754 a 1799 | 2982 | 166-0321/0829 |
| 1754 a 1813 | 0174 | 023-0628/0974 |
| 1861 a 1790 | 2040 | 117-0395/0827 |
| 1762 | 0649 | 045-0514/1173 |
| 1762 a 1769 | 0510 | 042-0973/1098 |
| 1763 a 1774 | 2801 | 159-0004/0333 |
| 1764 a 1775 | 0511 | 043-0004/0215 |
| 1765 a 1784 | 0297 | 032-0365/0683 |
| 1766 a 1824 | 2781 | 157-0417/0524 |
| 1772 a 1800 | 0683 | 049-0005/0144 |
| 1772 a 1813 | 0298 | 032-0685/0932 |
| 1772 a 1826 | 0675 | 047-0005/0381 |
| 1779 a 1783 | 0303 | 033-0603/0983 |
| 1784 | 0674 | 046-0778/0858 |
| 1784 a 1802 | 4190 | 643-0005/0406 |

| | | |
|---|---|---|
| 1784 a 1813 | 0681 | 048-0005/0531 |
| 1791 a 1813 | 0678 | 047-0492/0624 |
| 1791 a 1802 | 0682 | 048-0533/1181 |
| 1793 a 1844 | 0246 | 026-0938/1021 |
| 1793 a 1845 | 0296 | 032-0004/0363 |
| 1797 a 1818 | 0115 | 016-0236/0348 |
| 1801 a 1829 | 3012 | 169-0945/0991 |
| 1802 a 1824 | 2725 | 154-0722/0907 |
| 1805 a 1807 | 2640 | 262-0628/0732 |
| 1805 a 1825 | 3087 | 180-0005/0125 |
| 1805 a 1825 | 3161 | 182-0172/0250 |
| 1805 a 1825 | 3394 | 201-0948/0968 |
| 1805 a 1833 | 0449 | 041-0400/0422 |
| 1805 a 1842 | 3235 | 188-0180/0401 |
| 1805 a 1845 | 3022 | 170-0609/0753 |
| 1805 a 1845 | 3047 | 174-0289/0771 |
| 1805 a 1845 | 3049 | 175-0550/0854 |
| 1805 a 1846 | 2798 | 158-0448/0803 |
| 1806 a 1825 | 2538 | 141-0906/1207 |
| 1806 a 1825 | 3221 | 186-0294/0537 |
| 1806 a 1832 | 2046 | 118-0583/0951 |
| 1806 a 1834 | 0300 | 033-0005/0305 |
| 1806 a 1843 | 3384 | 200-0500/0773 |
| 1806 a 1842 | 2802 | 159-0334/0684 |
| 1806 a 1845 | 2539 | 142-0004/0210 |
| 1806 a 1848 | 2720 | 153-0607/1052 |
| 1807 a 1816 | 0117 | 016-0640/0908 |
| 1807 a 1822 | 0116 | 016-0349/0639 |
| 1807 a 1830 | 2564 | 145-0362/0488 |
| 1807 a 1840 | 2039 | 117-0004/0394 |
| 1807 a 1842 | 2044 | 118-0004/0451 |
| 1807 a 1844 | 2038 | 116-0885/1101 |
| 1807 a 1869 | 0299 | 032-0934/1133 |
| 1808 a 1822 | 3079 | 179-0376/0752 |
| 1808 a 1823 | 2047 | 118-0952/1131 |
| 1808 a 1827 | 3024 | 171-0005/0142 |
| 1808 a 1828 | 3021 | 170-0561/0607 |
| 1808 a 1833 | 2565 | 145-0489/0662 |
| 1808 a 1834 | 3790 | 232-0243/0347 |
| 1808 a 1836 | 0276 | 029-0532/0576 |
| 1808 a 1836 | 3618 | 223-0589/0639 |
| 1808 a 1837 | 2122 | 122-0658/0818 |
| 1808 a 1843 | 3192 | 184-0655/0758 |
| 1808 a 1845 | 0008 | 002-1024/1185 |
| 1808 a 1845 | 3015 | 170-0004/0134 |
| 1808 a 1845 | 3023 | 170-0756/1049 |
| 1808 a 1845 | 3393 | 201-0834/0946 |
| 1809 a 1815 | 0111 | 015-1005/1257 |
| 1809 a 1827 | 2261 | 125-0139/0391 |
| 1810 a 1846 | 2785 | 157-0784/0984 |

| | | |
|---|---|---|
| 1811 a 1825 | 0275 | 029-0517/0531 |
| 1811 a 1842 | 2037 | 116-0785/0884 |
| 1811 a 1845 | 2567 | 145-0780/0856 |
| 1811 a 1845 | 3389 | 201-0401/0562 |
| 1811 a 1845 | 3497 | 210-1038/1118 |
| 1811 a 1848 | 3013 | 169-0993/1033 |
| 1812 a 1829 | 2035 | 116-0399/0484 |
| 1812 a 1829 | 2036 | 116-0485/0784 |
| 1812 a 1846 | 0301 | 033-0307/0522 |
| 1813 a 1819 | 0676 | 047-0382/0481 |
| 1813 a 1822 | 0680 | 047-0739/0847 |
| 1813 a 1828 | 0249 | 027-0045/0272 |
| 1815 a 1832 | 2121 | 122-0556/0657 |
| 1815 a 1838 | 3552 | 217-0137/0228 |
| 1816 a 1832 | 0002 | 001-0327/0554 |
| 1816 a 1845 | 0112 | 015-1258/1345 |
| 1816 a 1845 | 3025 | 171-0144/0315 |
| 1916 a 1846 | 3396 | 202-0005/0164 |
| 1817 a 1845 | 2034 | 116-0134/0398 |
| 1819 | 3173 | 182-0765/0766 |
| 1819 a 1832 | 0074 | 011-0284/0329 |
| 1820 a 1840 | 3092 | 180-0199/0325 |
| 1821 a 1832 | 3532 | 215-0907/0971 |
| 1821 a 1845 | 0122 | 017-0792/1329 |
| 1821 a 1845 | 2647 | 148-0503/0638 |
| 1825 a 1830 | 3270 | 190-0533/0631 |
| 1825 a 1839 | 0091 | 013-0004/0176 |
| 1825 a 1839 | 0093 | 013-0229/0410 |
| 1825 a 1841 | 2722 | 154-0407/0658 |
| 1825 a 1842 | 0094 | 013-0411/0582 |
| 1825 a 1843 | 3168 | 182-0549/0566 |
| 1825 a 1844 | 3051 | 175-0900/1020 |
| 1825 a 1845 | 0010 | 003-0172/0337 |
| 1825 a 1845 | 3269 | 190-0375/0531 |
| 1826 a 1828 | 0076 | 011-0468/0477 |
| 1826 a 1830 | 2578 | 146-0293/0331 |
| 1826 a 1834 | 0244 | 026-0865/0876 |
| 1826 a 1835 | 0001 | 001-0005/0326 |
| 1826 a 1835 | 3187 | 184-0005/0355 |
| 1826 a 1838 | 2369 | 261-0403/0477 |
| 1826 a 1840 | 0109 | 015-0548/0848 |
| 1826 a 1840 | 2991 | 015-0005/0395 |
| 1826 a 1845 | 0068 | 010-0917/1136 |
| 1826 a 1845 | 0108 | 015-0517/0547 |
| 1826 a 1845 | 1837 | 107-0537/0976 |
| 1826 a 1845 | 2728 | 154-1150/1356 |
| 1826 a 1845 | 3059 | 177-0432/0468 |
| 1826 a 1845 | 3223 | 186-0668/0788 |
| 1826 a 1845 | 3551 | 217-0005/0135 |

| | | |
|---|---|---|
| 1826 a 1847 | 3057 | 177-0001/0297 |
| 1827 a 1831 | 3531 | 215-0854/0904 |
| 1827 a 1833 | 3268 | 190-0337/0373 |
| 1827 a 1834 | 3198 | 184-0931/1000 |
| 1827 a 1836 | 0099 | 014-0601/0759 |
| 1827 a 1836 | 3064 | 177-0800/0967 |
| 1827 a 1839 | 0247 | 026-1022/1106 |
| 1827 a 1840 | 0101 | 014-0819/0896 |
| 1827 a 1840 | 0294 | 031-0601/0851 |
| 1827 a 1840 | 3194 | 184-0781/0863 |
| 1827 a 1842 | 0097 | 014-0004/0373 |
| 1827 a 1842 | 0100 | 014-0760/0818 |
| 1827 a 1842 | 0278 | 029-0631/0780 |
| 1827 a 1842 | 0647 | 045-0249/0458 |
| 1827 a 1843 | 0011 | 003-0338/0488 |
| 1827 a 1843 | 0105 | 015-0170/0265 |
| 1827 a 1844 | 0009 | 003-0005/0171 |
| 1827 a 1844 | 0098 | 014-0374/0600 |
| 1827 a 1844 | 0279 | 029-0781/0946 |
| 1872 a 1844 | 2779 | 157-0306/0408 |
| 1827 a 1845 | 3504 | 211-0377/0500 |
| 1827 a 1846 | 0106 | 015-0266/0397 |
| 1827 a 1846 | 2535 | 141-0242/0641 |
| 1828 | 0293 | 031-0588/0599 |
| 1828 a 1840 | 0092 | 013-0177/0228 |
| 1828 a 1841 | 0102 | 014-0897/1002 |
| 1828 a 1841 | 3039 | 173-0251/0337 |
| 1828 a 1842 | 3622 | 223-0832/0836 |
| 1828 a 1843 | 3928 | 236-0953/0969 |
| 1828 a 1845 | 0085 | 012-0503/0540 |
| 1828 a 1845 | 0104 | 015-0004/0169 |
| 1828 a 1845 | 2045 | 118-0452/0582 |
| 1828 a 1845 | 3169 | 182-0567/0709 |
| 1828 a 1845 | 3385 | 200-0774/0890 |
| 1828 a 1845 | 3499 | 211-0131/0197 |
| 1828 a 1845 | 3500 | 211-0200/0355 |
| 1828 a 1846 | 0103 | 014-1003/1086 |
| 1828 a 1855 | 2726 | 154-0908/1062 |
| 1829 a 1835 | 3160 | 182-0004/0170 |
| 1829 a 1837 | 0277 | 029-0586/0631 |
| 1829 a 1839 | 2646 | 148-0361/0502 |
| 1829 a 1840 | 0110 | 015-0849/1004 |
| 1829 a 1841 | 0237 | 026-0427/0501 |
| 1829 a 1841 | 3180 | 183-0135/0196 |
| 1829 a 1845 | 0096 | 013-0841/0919 |
| 1829 a 1845 | 3162 | 182-0252/0295 |
| 1829 a 1846 | 0176 | 023-0995/1099 |
| 1830 | 0292 | 031-0564/0486 |
| 1830 | 3617 | 223-0434/0587 |

| | | |
|---|---|---|
| 1830 a 1832 | 2267 | 125-0522/0626 |
| 1830 a 1835 | 0245 | 026-0877/0937 |
| 1830 a 1835 | 3071 | 178-0975/1010 |
| 1830 a 1835 | 3201 | 85-0010/0114 |
| 1830 a 1836 | 2356 | 129-0601/0645 |
| 1830 a 1837 | 2579 | 146-0332/0388 |
| 1830 a 1839 | 3344 | 196-0725/0860 |
| 1830 a 1840 | 0114 | 016-0081/0235 |
| 1830 a 1840 | 3625 | 224-0005/0143 |
| 1830 a 1841 | 0107 | 015-0398/0516 |
| 1830 a 1841 | 2580 | 146-0389/0450 |
| 1830 a 1842 | 0274 | 029-0364/0516 |
| 1830 a 1843 | 3042 | 174-0131/0230 |
| 1830 a 1845 | 0090 | 012-0796/0960 |
| 1830 a 1846 | 2033 | 116-0004/0133 |
| 1831 a 1833 | 2377 | 132-0887/0971 |
| 1831 a 1840 | 3815 | 234-0212/0216 |
| 1831 a 1841 | 3199 | 184-1001/1140 |
| 1831 a 1843 | 3835 | 235-0824/0958 |
| 1831 a 1845 | 2110 | 120-0117/0165 |
| 1832 a 1835 | 0113 | 016-0004/0080 |
| 1832 a 1835 | 0086 | 012-0641/0766 |
| 1832 a 1842 | 2806 | 159-0834/0983 |
| 1833 a 1836 | 0084 | 012-0432/0502 |
| 1833 a 1841 | 0175 | 023-0975/0994 |
| 1835 a 1836 | 0677 | 047-0482/0490 |
| 1835 a 1841 | 0248 | 027-0004/0044 |

## DÍZIMOS E MIUNÇAS

F/Grupo: Provedoria, Contadoria, Intendência e Fazenda Provincial.
Locais: Lisboa, Vila Rica, Mariana e Santa Luzia do Sabará.

| | | |
|---|---|---|
| Períodos: 1757 a 1815 | 3054 | 176-0005/0754 |
| 1765 a 1800 | 3055 | 176-0756/1034 |
| 1766 a 1800 | 3156 | 181-0005/0363 |
| 1799 a 1825 | 3228 | 187-0666/0727 |
| 1799 a 1830 | 3159 | 181-0824/1094 |
| 1799 a 1843 | 2987 | 167-0200/0742 |
| 1799 a 1845 | 2984 | 166-0999/1143 |
| 1806 a 1830 | 3158 | 181-0498/0822 |
| 1806 a 1842 | 3056 | 176-1036/1184 |
| 1808 a 1824 | 0236 | 026-0331/0426 |
| 1808 a 1834 | 3157 | 181-0365/0496 |
| 1809 a 1817 | 0238 | 026-0502/0541 |
| 1811 a 1845 | 3227 | 187-0426/0664 |
| 1826 a 1835 | 3229 | 187-0728/0786 |

## EMBARGO DE SEQÜESTRO DE MOEDA

F/Grupo: Intendência.
Local: Vila Rica

| | | |
|---|---|---|
| Período: 1776 | 4174 | 255-0260/0432 |

**EMOLUMENTO**
F/Grupo: Junta do Comércio.
Local: Rio de Janeiro.

| | | |
|---|---|---|
| Período: 1844 a 1850 | 4054 | 244-0855/0899 |

**ENTRADA DE MERCADORIA**
F/Grupo: Casa de Fundição.
Local: N/C

| | | |
|---|---|---|
| Período: 1763 a 1766 | 3672 | 227-0291/0325 |

**ENTRADA E QUINTO**
F/Grupo: Casa de Fundição e Intendência.
Locais: Lisboa, Cuiabá, Vila Rica, Vila Bela, Mato Grosso, São João Del Rey, Tejuco, Vila do Príncipe, Ponte Nova, Santíssima Trindade do Mato Grosso e Sabará.

| | | |
|---|---|---|
| Períodos: 1763 a 1764 | 2521 | 638-0165/0233 |
| 1766 a 1777 | 1674 | 095-0829/1140 |
| 1770 | 0652 | 046-0024/0400 |
| 1771 a 1780 | 2118 | 122-0005/0406 |
| 1772 | 0773 | 052-0982/1080 |
| 1772 a 1773 | 2363 | 261-0006/0401 |
| 1772 a 1792 | 3307 | 196-0005/0212 |
| 1773 | 1086 | 064-0906/1275 |
| 1775 a 1809 | 1671 | 095-0667/0750 |
| 1776 a 1779 | 2115 | 121-0005/0248 |
| 1777 | 0260 | 028-0365/0517 |
| 1777 | 2116 | 121-0249/0650 |
| 1777 | 2527 | 140-0004/0128 |
| 1777 a 1778 | 2526 | 139-0785/0911 |
| 1778 | 2117 | 121-0651/1049 |
| 1778 | 2120 | 122-0408/0555 |
| 1778 | 2528 | 140-0129/0254 |
| 1778 | 2534 | 141-0113/0240 |
| 1778 a 1782 | 2114 | 120-0559/0959 |
| 1779 | 1104 | 066-0005/0143 |
| 1779 | 2119 | 260-0204/0603 |
| 1779 | 3400 | 203-0005/0319 |
| 1779 a 1783 | 3401 | 203-0321/0616 |
| 1779 a 1784 | 3670 | 227-0082/0277 |
| 1780 | 0037 | 006-0802/1000 |
| 1780 | 2371 | 132-0005/0208 |
| 1780 a 1781 | 0393 | 039-0148/0230 |
| 1780 a 1784 | 1107 | 066-0206/0233 |
| 1781 | 0392 | 039-0111/0146 |
| 1781 | 0395 | 039-0317/0400 |
| 1781 | 1423 | 080-0886/0957 |
| 1781 a 1809 | 3402 | 203-0618/1012 |
| 1782 | 1121 | 067-0005/0177 |
| 1782 | 2303 | 204-0005/0405 |
| 1782 a 1784 | 1187 | 071-0869/0977 |
| 1782 a 1784 | 4116 | 249-0005/0477 |

| | | |
|---|---|---|
| 1782 a 1796 | 2522 | 262-0096/0557 |
| 1783 | 1116 | 066-0765/0880 |
| 1783 | 1213 | 073-0544/0640 |
| 1783 | 3398 | 202-0220/0623 |
| 1783 a 1784 | 1206 | 073-0005/0175 |
| 1783 a 1795 | 3304 | 263-0005/0404 |
| 1784 | 4151 | 252-0270/0350 |
| 1784 a 1785 | 2517 | 139-0004/0528 |
| 1785 | 1166 | 070-0227/0317 |
| 1785 a 1786 | 2520 | 638-0006/0162 |
| 1785 a 1787 | 4069 | 245-0832/1286 |
| 1786 | 2519 | 637-0585/0760 |
| 1786 a 1788 | 4180 | 255-0887/0939 |
| 1786 a 1789 | 1627 | 092-0214/0562 |
| 1787 a 1808 | 3306 | 195-0502/0907 |
| 1788 | 4048 | 244-0251/0315 |
| 1788 a 1789 | 3308 | 196-0213/0416 |
| 1791 | 3305 | 195-0301/0500 |
| 1792 a 1793 | 1889 | 259-0005/0680 |
| 1792 a 1793 | 3399 | 202-0625/1026 |
| 1795 | 1890 | 111-0545/0946 |
| 1796 a 1797 | 1887 | 111-0191/0543 |
| 1796 a 1799 | 1888 | 258-0758/1073 |
| 1797 | 1782 | 157-0525/0675 |
| 1797 a 1809 | 2414 | 261-0478/0942 |
| 1798 | 0047 | 008-0004/0158 |
| 1798 | 0053 | 008-1089/1178 |
| 1798 a 1800 | 1209 | 073-0225/0404 |
| 1798 a 1800 | 1954 | 259-0878/1280 |
| 1798 a 1800 | 2719 | 153-0271/0606 |
| 1800 | 3048 | 175-0005/0548 |
| 1802 | 2718 | 153-0004/0270 |
| 1803 | 2482 | 637-0386/0583 |
| 1803 | 2483 | 644-0006/0208 |
| 1802 a 1809 | 2717 | 152-0379/0830 |
| 1802 a 1809 | 2721 | 154-0004/0406 |
| 1804 | 1675 | 096-0005/0572 |
| 1806 a 1807 | 2410 | 134-0272/0672 |
| 1807 | 2412 | 135-0004/0406 |
| 1807 a 1808 | 2415 | 261-0943/1244 |
| 1808 | 2413 | 135-0407/0807 |
| 1809 a 1810 | 2834 | 105-0024/0428 |
| 1809 a 1810 | 2411 | 134-0673/1074 |
| 1810 a 1811 | 3296 | 194-0536/0723 |
| 1811 | 2776 | 231-0187/0403 |
| 1811 a 1812 | 3002 | 169-0005/0501 |
| 1812 a 1819 | 3139 | 180-0699/0705 |
| 1813 a 1814 | 2831 | 162-0467/0767 |
| 1814 | 3610 | 220-0705/1078 |
| 1815 a 1816 | 2561 | 143-0419/0818 |

| | | |
|---|---|---|
| 1816 a 1817 | 2368 | 131-0005/0207 |
| 1816 a 1830 | 3611 | 221-0005/0650 |
| 1818 a 1819 | 2014 | 115-0259/0660 |
| 1819 a 1821 | 3550 | 216-0703/1104 |
| 1821 | 3948 | 240-0005/0207 |
| 1821 a 1822 | 2271 | 125-0808/0908 |
| 1821 a 1826 | 2032 | 115-0781/1181 |
| 1822 | 2974 | 240-0474/0680 |
| 1861 | 1703 | 098-0150/0546 |
| 1872 a 1873 | 3495 | 210-0555/0955 |

**ENTRADA E SAÍDA DE DEPÓSITO**

F/Grupo: Tesouraria da Fazenda de Minas Gerais.
Local: Província de Minas.

| | | |
|---|---|---|
| Período: 1860 a 1876 | 4064 | 245-0199/0298 |

**ESCALA E ABONO**

F/Grupo: N/C
Local: Rio de Janeiro

| | | |
|---|---|---|
| Períodos: 1821 | 4046 | 244-0231/0243 |
| 1825 | 4132 | 264-0655/0783 |

**EXECUÇÃO**

F/Grupo: Cartórios, Intendência e Provedoria.
Locais: Vila Rica e Vila da Campanha da Princesa.

| | | |
|---|---|---|
| Períodos: 1751 a 1771 | 4145 | 251-0422/0761 |
| 1770 a 1772 | 4144 | 251-0073/0421 |
| 1771 | 2052 | 119-0593/0596 |
| 1771 | 4174 | 255-0433/0438 |
| 1787 a 1792 | 4147 | 252-0005/0084 |
| 1798 | 4143 | 251-0005/0071 |
| 1815 a 1826 | 4157 | 252-0752/1011 |

**EXPEDIENTE**

F/Grupo: Tesouraria da Fazenda, Casa de Fundição, Contadoria da Junta da Real Fazenda, Intendência, Cartórios.
Locais: São João Del Rey, Vila Rica e Ouro Preto.

| | | |
|---|---|---|
| Períodos: 1776 a 1778 | 0772 | 052-0687/0980 |
| 1776 a 1789 | 2154 | 124-0004/0553 |
| 1782 | 1562 | 087-0637/0775 |
| 1782 a 834 | 2484 | 137-0006/1002 |
| 1783 a 1789 | 2485 | 644-0211/0532 |
| 1784 | 1563 | 087-0777/0887 |
| 1785 | 1421 | 080-0632/0796 |
| 1785 a 1788 | 3931 | 237-0562/0792 |
| 1786 | 0035 | 006-0483/0697 |
| 1786 | 0044 | 007-0580/0732 |
| 1787 | 0073 | 011-0163/0283 |
| 1787 | 1882 | 110-0757/0954 |
| 1788 | 0039 | 007-0004/0124 |

| | | |
|---|---|---|
| 1788 | 0080 | 011-0523/0730 |
| 1789 | 0040 | 007-0125/0300 |
| 1789 | 0043 | 007-0421/0579 |
| 1790 | 0055 | 009-0158/0279 |
| 1790 | 1875 | 110-0205/0478 |
| 1791 | 0033 | 005-0854/1028 |
| 1791 | 1149 | 068-0909/1006 |
| 1792 | 0049 | 008-0552/0671 |
| 1792 a 1801 | 3066 | 178-0005/0599 |
| 1792 a 1833 | 3451 | 207-0005/0751 |
| 1793 | 0036 | 006-0698/0801 |
| 1793 | 0056 | 009-0280/0398 |
| 1794 | 0250 | 027-0273/0424 |
| 1794 | 0262 | 028-0649/0763 |
| 1795 | 0054 | 009-0004/0157 |
| 1796 a 1827 | 3163 | 182-0297/0448 |
| 1797 | 0046 | 007-0886/0996 |
| 1798 a 1807 | 0081 | 011-0731/1155 |
| 1799 | 0045 | 007-0733/0885 |
| 1799 | 0253 | 027-0650/0754 |
| 1799 a 1801 | 2581 | 146-0451/0692 |
| 1800 | 0067 | 010-0833/0916 |
| 1800 | 2153 | 123-1095/1260 |
| 1801 | 0041 | 007-0301/0410 |
| 1801 | 0066 | 010-0680/0832 |
| 1801 a 1803 | 3343 | 196-0638/0723 |
| 1802 a 1845 | 0123 | 018-0004/0356 |
| 1803 | 1876 | 110-0479/0610 |
| 1804 | 0052 | 008-0952/1088 |
| 1804 | 0075 | 011-0330/0467 |
| 1805 | 0261 | 028-0518/0648 |
| 1806 | 0263 | 028-0764/0895 |
| 1806 a 1832 | 2366 | 130-0497/1090 |
| 1807 | 0071 | 011-0004/0106 |
| 1807 a 1808 | 2351 | 129-0446/0536 |
| 1808 | 0038 | 006-1001/1133 |
| 1809 | 0057 | 009-0399/0512 |
| 1809 | 0063 | 010-0213/0348 |
| 1809 | 0064 | 010-0349/0485 |
| 1810 | 0042 | 007-0411/0420 |
| 1810 | 0058 | 009-0513/0649 |
| 1810 a 1822 | 3041 | 174-0004/0129 |
| 1811 | 0051 | 008-0831/0949 |
| 1811 a 1828 | 3279 | 191-0378-0965 |
| 1812 | 0061 | 010-0003/0112 |
| 1813 | 0062 | 010-0113/0212 |
| 1814 | 0070 | 010-1141/1279 |
| 1824 | 0774 | 053-0005/0404 |
| 1835 a 1842 | 2519 | 140-0255/0332 |

**EXTRATO**

F/Grupo: Intendência.
Locais: São João Del Rey, Vila Rica e Vila da Campanha da Princesa.

| | | |
|---|---|---|
| Períodos: 1784 | 1094 | 065-0563/0657 |
| 1786 | 1093 | 065-0476/0561 |
| 1787 | 1112 | 066-0402/0541 |
| 1801 a 1803 | 1092 | 065-0331/0474 |
| 1804 a 1806 | 1095 | 065-0659/0786 |
| 1804 a 1807 | 4171 | 254-0662/0977 |
| 1815 a 1820 | 1863 | 258-0712/0716 |

**FATURA**

F/Grupo: Administração Geral
Local: Rio de Janeiro.

| | | |
|---|---|---|
| Período: 1809 a 1829 | 2687 | 149-0324/0336 |

**FERRAS**

F/Grupo: Intendência
Local: Ouro Preto

| | | |
|---|---|---|
| Período: 1805 a 1820 | 0690 | 049-0575/0586 |

**FIANÇAS**

F/Grupo: Provedoria, Contadoria, Intendência e Junta da Real Fazenda e Secretaria da Junta do Comércio.
Locais: Sabará, Vila Rica, Lisboa, Vila do Príncipe, São João Del Rey, Rio de Janeiro e Ouro Preto.

| | | |
|---|---|---|
| Períodos: 1725 a 1728 | 1024 | 062-0840/0981 |
| 1730 a 1756 | 0129 | 019-0354/0547 |
| 1736 a 1747 | 4176 | 255-0598/0621 |
| 1753 a 1754 | 2357 | 129-0646/0823 |
| 1753 a 1755 | 0805 | 055-1010-1173 |
| 1758 a 1762 | 4212 | 639-0127/0245 |
| 1762 a 1765 | 0082 | 012-0004/0395 |
| 1763 a 1765 | 0135 | 020-0874/0913 |
| 1763 a 1769 | 0136 | 020-0914/1118 |
| 1765 a 1766 | 0125 | 018-0995/1206 |
| 1767 a 1768 | 0121 | 017-0402/0791 |
| 1768 a 1769 | 0134 | 020-0582/0873 |
| 1769 a 1778 | 0127 | 019-0004/0320 |
| 1770 a 1791 | 3278 | 191-0005/0376 |
| 1771 a 1774 | 0120 | 017-0004/0401 |
| 1773 a 1777 | 0131 | 019-0827/1186 |
| 1776 a 1778 | 1426 | 081-0005/0072 |
| 1782 a 1784 | 1156 | 069-0762/0834 |
| 1785 a 1787 | 3237 | 188-0409/0462 |
| 1791 a 1804 | 0124 | 018-0357/0994 |
| 1795 a 1797 | 1017 | 062-0005/0114 |
| 1798 a 1800 | 3078 | 179-0262/0374 |
| 1801 a 1803 | 3072 | 179-0005/0100 |
| 1803 a 1806 | 3555 | 217-0372/0480 |

| | | |
|---|---|---|
| 1804 a 1817 | 0132 | 020-0004/0391 |
| 1807 a 1809 | 0119 | 016-0970/1060 |
| 1809 a 1821 | 3782 | 231-0821/0880 |
| 1809 a 1847 | 4133 | 250-0005/0035 |
| 1810 a 1812 | 0118 | 016-0909/0969 |
| 1813 a 1815 | 1018 | 062-0115/0205 |
| 1814 a 1832 | 0130 | 019-0548/0826 |
| 1815 a 1820 | 1013 | 061-0732/0759 |
| 1816 a 1818 | 1113 | 066-0542/0647 |
| 1817 a 1821 | 0126 | 018-1207/1266 |
| 1823 | 1021 | 062-0618/0691 |
| 1824 | 1019 | 062-0206/0257 |
| 1824 | 1022 | 062-0692/0772 |
| 1826 | 1023 | 062-0773/0839 |
| 1827 a 1833 | 1016 | 061/0874/0975 |

### FOLHA CIVIL E ECLESIÁSTICA

F/Grupo: Contadoria, Casa do Trôco, Junta da Administração e Arrecadação da Real Fazenda, Intendência e Real Fazenda.

Locais: Vila Rica, Vila de São João Del Rey, Tejuco, Ouro Preto, Minas Novas, Uberaba e Jaguará.

| | | |
|---|---|---|
| Períodos: 1772 | 4175 | 255-0449/0597 |
| 1772 a 1773 | 2149 | 123-0937/0958 |
| 1772 a 1773 | 2857 | 163-0254/0288 |
| 1772 a 1775 | 2862 | 163-0414/0462 |
| 1773 a 1774 | 2860 | 163-0341/0384 |
| 1774 a 1778 | 2737 | 156-0005/1159 |
| 1775 | 2863 | 163-0463/0509 |
| 1776 | 0264 | 028-0896/0961 |
| 1776 | 2134 | 123-0592/0612 |
| 1776 a 1777 | 3076 | 179-0185/0253 |
| 1777 | 2135 | 123-0613/0635 |
| 1778 | 2136 | 123-0636/0660 |
| 1779 a 1780 | 2816 | 160-0520/0565 |
| 1780 | 0947 | 060-0505/0548 |
| 1780 a 1782 | 2864 | 163-0510/0528 |
| 1782 a 1783 | 2865 | 163-0529/0559 |
| 1783 a 1784 | 2859 | 163-0318/0340 |
| 1783 a 1846 | 3370 | 199-0005/0460 |
| 1784 a 1786 | 2861 | 163-0385/0413 |
| 1785 a 1786 | 2858 | 163-0289/0317 |
| 1786 a 1787 | 0200 | 025-0136/0178 |
| 1787 | 2796 | 158-0353/0396 |
| 1787 a 1790 | 3810 | 233-0935/0979 |
| 1788 a 1792 | 3075 | 179-0159/0183 |
| 1789 | 0283 | 030-0070/0137 |
| 1790 | 0230 | 026-0217/0244 |
| 1790 | 0284 | 030-0139/0201 |
| 1790 a 1791 | 2794 | 158-0304/0343 |
| 1791 | 0714 | 050-0224/0248 |

| | | |
|---|---|---|
| 1791 | 1174 | 070-0732/0801 |
| 1791 | 3369 | 198-0928/0995 |
| 1791 a 1792 | 0198 | 025-0004/0076 |
| 1791 a 1792 | 0229 | 026-0177/0216 |
| 1791 a 1795 | 3557 | 217-0603/0696 |
| 1792 | 0196 | 024-0987/1028 |
| 1792 | 0199 | 025-0077/0135 |
| 1792 | 0202 | 025-0277/0368 |
| 1792 | 0228 | 026-0152/0176 |
| 1792 | 0713 | 050-0200/0223 |
| 1792 a 1793 | 0210 | 025-0649/0672 |
| 1793 | 0799 | 055-0035/0095 |
| 1793 | 1173 | 070-0669/0730 |
| 1793 a 1794 | 0197 | 024-1029/1107 |
| 1794 a 1798 | 0209 | 025-0625/0648 |
| 1795 | 3367 | 198-0747/0834 |
| 1795 a 1796 | 0208 | 025-0601/0624 |
| 1796 a 1798 | 0207 | 025-0578/0600 |
| 1796 a 1798 | 3378 | 199-1091/1195 |
| 1797 a 1798 | 0206 | 025-0555/0577 |
| 1798 a 1818 | 0195 | 024-0927/0986 |
| 1798 a 1799 | 2867 | 163-0584/0628 |
| 1799 | 0205 | 025-0530/0554 |
| 1799 a 1801 | 0834 | 057-0768/0858 |
| 1800 | 1905 | 112-0029/0045 |
| 1800 | 3085 | 179-1186/1205 |
| 1800 a 1801 | 2841 | 163-0095/0119 |
| 1801 a 1802 | 1904 | 112-0005/0028 |
| 1801 a 1802 | 2866 | 163-0560/0583 |
| 1801 a 1803 | 2354 | 129-0571/0586 |
| 1802 a 1803 | 1903 | 211-1196/1217 |
| 1802 a 1803 | 2868 | 163-0629/0652 |
| 1802 a 1804 | 3368 | 198-0835/0926 |
| 1803 | 2353 | 129-0548/0570 |
| 1803 a 1804 | 0226 | 026-0088/0105 |
| 1803 a 1804 | 0227 | 026-0106/0151 |
| 1803 a 1804 | 1902 | 111-1174/1195 |
| 1803 a 1805 | 1901 | 111-1152/1173 |
| 1803 a 1806 | 3082 | 179-0835/0949 |
| 1804 | 2352 | 129-0538/0547 |
| 1805 | 0214 | 025-0721/0744 |
| 1805 | 1899 | 111-1112/1131 |
| 1805 | 1900 | 111-1132/1151 |
| 1805 a 1811 | 0501 | 042-0218/0485 |
| 1806 | 1898 | 111-1093/1111 |
| 1807 | 1896 | 111-1055/1072 |
| 1807 | 1897 | 111-1073/1092 |
| 1807 a 1808 | 0221 | 025-0838/0863 |
| 1807 a 1808 | 2307 | 126-0564/0635 |
| 1807 a 1808 | 2788 | 158-0004/0117 |

| | | |
|---|---|---|
| 1807 a 1809 | 1895 | 111-1036/1054 |
| 1808 a 1809 | 0204 | 025-0505/0529 |
| 1808 a 1809 | 3006 | 169-0510/0563 |
| 1808 a 1811 | 3216 | 186-0209/0222 |
| 1809 | 0235 | 026-0307/0330 |
| 1809 | 1894 | 111-1017/1035 |
| 1809 | 3210 | 185-0943/0998 |
| 1809 | 3213 | 186-0005/0072 |
| 1809 a 1910 | 3211 | 185-0999/1080 |
| 1809 a 1811 | 0211 | 025-0673/0688 |
| 1809 a 1811 | 3212 | 185-1081/1132 |
| 1809 a 1812 | 3215 | 186-0148/0208 |
| 1809 a 1818 | 3214 | 186-0073/0147 |
| 1810 a 1811 | 1893 | 111-0997/1016 |
| 1810 a 1811 | 3226 | 187-0409/0424 |
| 1810 a 1852 | 1007 | 061-0436/0647 |
| 1811 a 1812 | 0220 | 025-0822/0837 |
| 1811 a 1812 | 1892 | 111-0977/0996 |
| 1811 a 1816 | 0225 | 026-0003/0087 |
| 1811 a 1817 | 0841 | 058-0075/0354 |
| 1812 a 1813 | 0219 | 025-0806/0821 |
| 1813 a 1814 | 0218 | 025-0790/0805 |
| 1813 a 1814 | 3178 | 183-0004/0021 |
| 1814 a 1815 | 0835 | 057-0860/0941 |
| 1814 a 1815 | 2851 | 163-0200/0214 |
| 1815 | 1827 | 104-0898/0926 |
| 1815 a 1816 | 1828 | 104-0927/0945 |
| 1815 a 1816 | 2852 | 163-0215/0229 |
| 1815 a 1816 | 3073 | 179-0101/0145 |
| 1815 a 1821 | 2988 | 167-0743/0850 |
| 1816 a 1817 | 1829 | 104-0946/0964 |
| 1816 a 1817 | 1830 | 104-0966/0985 |
| 1817 | 2137 | 123-0661/0679 |
| 1817 a 1818 | 2138 | 123-0680/0698 |
| 1817 a 1832 | 0203 | 025-0369/0504 |
| 1818 | 1831 | 104-0987/1005 |
| 1818 | 2139 | 123-0699/0718 |
| 1818 | 2847 | 163-0148/0163 |
| 1819 | 1833 | 105-0005/0023 |
| 1819 | 2140 | 123-0719/0737 |
| 1819 | 2848 | 163-0164/0178 |
| 1819 a 1824 | 2989 | 167-0852/0962 |
| 1820 | 1832 | 104-1006/1025 |
| 1820 | 2141 | 123-0738/0756 |
| 1820 | 2851 | 163-0186/0199 |
| 1821 | 3094 | 180-0359/0369 |
| 1821 a 1822 | 2142 | 123-0757/0774 |
| 1821 a 1822 | 2817 | 160-0566/0583 |
| 1822 | 0231 | 026-0245/0259 |

| | | |
|---|---|---|
| 1822 a 1823 | 0232 | 026-0260/0276 |
| 1822 a 1837 | 2294 | 126-0203/0383 |
| 1823 | 2143 | 123-0775/0792 |
| 1823 a 1825 | 0233 | 026-0277/0281 |
| 1823 a 1825 | 0234 | 026-0282/0306 |
| 1823 a 1826 | 0217 | 025-0776/0789 |
| 1823 a 1832 | 0222 | 025-0864/0932 |
| 1824 a 1825 | 2144 | 123-0793/0809 |
| 1824 a 1826 | 0194 | 024-0912/0926 |
| 1825 a 1829 | 0215 | 025-0745/0760 |
| 1825 a 1831 | 3008 | 169-0631/0694 |
| 1826 | 0223 | 025-0933/1047 |
| 1826 | 0224 | 025-1048/1164 |
| 1826 | 2145 | 123-0810/0826 |
| 1826 a 1827 | 0216 | 025-0761/0775 |
| 1826 a 1828 | 2990 | 167-0963/1045 |
| 1827 | 3074 | 179-0146/0158 |
| 1828 a 1829 | 0212 | 025-0689/0703 |
| 1828 a 1829 | 2146 | 123-0827/0844 |
| 1829 a 1846 | 3604 | 219-0635/0761 |
| 1830 a 1831 | 3010 | 169-0721/0846 |
| 1831 a 1832 | 0213 | 025-0704/0720 |
| 1831 a 1836 | 4189 | 256-0214/0441 |
| 1836 a 1837 | 3822 | 235-0259/0284 |
| 1837 | 0626 | 044-0170/0180 |
| 1837 | 1085 | 064-0865/0904 |
| 1837 | 3651 | 225-1128/1160 |
| 1837 a 1840 | 0323 | 035-0713/0736 |
| 1851 a 1854 | 0756 | 051-0859/0937 |

## FOLHA MILITAR

F/Grupo: Contadoria e Secretaria do Estado.
Locais: Cidades de Minas e Vila Bela.

| | | |
|---|---|---|
| Períodos: 1762 a 1830 | 3791 | 232-0349/0487 |
| 1773 a 1776 | 4142 | 250-0332/0450 |
| 1773 a 1787 | 3792 | 232-0488/0606 |
| 1803 a 1805 | 3623 | 223-0837/0896 |
| 1809 a 1816 | 3800 | 233-0367/0606 |
| 1809 a 1853 | 4068 | 245-0597/0830 |
| 1817 a 1830 | 3792 | 232-0607/0898 |
| 1825 a 1828 | 3809 | 233-0811/0934 |
| 1828 a 1831 | 4085 | 247-0005/0185 |
| 1836 a 1838 | 2690 | 149-0465/0528 |
| 1836 a 1840 | 1690 | 097-0523/0620 |

## GÊNEROS

F/Grupo: Intendência.
Local: Tejuco

| | | |
|---|---|---|
| Período: 1808 a 1812 | 1805 | 061-0098/0247 |

## GÊNERO DE EXPORTAÇÃO

F/Grupo: Intendência, Contadoria da Fazenda e Tesouraria.
Locais: Vila Rica e Ouro Preto.

| | | |
|---|---|---|
| Períodos: 1822 | 0745 | 051-0693/0702 |
| 1822 a 1823 | 0450 | 041-0423/0466 |
| 1822 a 1823 | 0466 | 041-0728/0733 |
| 1822 a 1823 | 4123 | 249-0576/0595 |
| 1823 | 2898 | 164-0225/0241 |
| 1823 | 3675 | 227-0403/0458 |
| 1823 | 4106 | 247-1004/1007 |
| 1823 a 1825 | 3249 | 188-0847/0857 |
| 1823 a 1828 | 3000 | 168-1148/1180 |
| 1824 | 0729 | 050-0544/0550 |
| 1824 | 0743 | 051-0682/0687 |
| 1824 | 0744 | 051-0688/0692 |
| 1824 | 2906 | 164-0315/0324 |
| 1824 | 3253 | 188-1142-1150 |
| 1824 | 4104 | 247-0972/0977 |
| 1824 a 1825 | 3252 | 188-1132/1140 |
| 1824 a 1825 | 4120 | 249-0551/0561 |
| 1825 | 0451 | 041-0467/0496 |
| 1825 | 0462 | 041-0656/0685 |
| 1825 | 0465 | 041-0721/0727 |
| 1825 | 0687 | 049-0434/0440 |
| 1825 | 0735 | 051-0623/0627 |
| 1825 | 0742 | 051-0673/0681 |
| 1825 | 0953 | 060-0625/0638 |
| 1825 | 2907 | 164-0325/0335 |
| 1825 a 1826 | 4103 | 247-0965/0971 |
| 1825 a 1826 | 4125 | 249-0608/0620 |
| 1825 a 1827 | 4105 | 247-0979/1002 |
| 1826 | 0471 | 041-0763/0784 |
| 1826 | 0741 | 051/0664-0672 |
| 1826 | 0752 | 051-0786/0793 |
| 1826 | 2818 | 160-0584/0605 |
| 1826 | 2908 | 164-0336/0347 |
| 1826 | 3825 | 235-0375/0380 |
| 1826 a 1827 | 0464 | 041-0714/0720 |
| 1826 a 1827 | 4126 | 249-0621/0633 |
| 1827 | 0467 | 041-0734/0740 |
| 1827 | 0691 | 049-0587/0594 |
| 1827 | 0740 | 051-0654/0663 |
| 1827 | 0751 | 051-0779/0785 |
| 1817 | 1660 | 095-0207/0232 |
| 1827 | 2897 | 164-0204/0224 |
| 1827 | 2909 | 164-0348/0361 |
| 1827 | 4111 | 248-0300/0305 |
| 1827 a 1828 | 4127 | 249-0634/0645 |
| 1828 | 0468 | 041-0742/0748 |
| 1828 | 0738 | 051-0639/0647 |

| | | |
|---|---|---|
| 1828 | 0748 | 051/0745/0762 |
| 1828 | 0750 | 051-0771/0778 |
| 1828 | 2896 | 164-0191/0203 |
| 1828 | 2961 | 164-0676/0700 |
| 1828 | 4122 | 249-0570/0575 |
| 1829 | 0463 | 041-0686/0712 |
| 1829 | 0736 | 051-0628/0633 |
| 1829 | 0747 | 051-0726/0744 |
| 1829 | 0749 | 051-0763/0770 |
| 1829 a 1830 | 0459 | 041-0564/0601 |
| 1829 a 1830 | 0469 | 041-0749/0756 |
| 1829 a 1830 | 2962 | 164-0701/0731 |
| 1829 a 1830 | 2963 | 164-0732/0738 |
| 1829 a 1830 | 4124 | 249-0596/0607 |
| 1830 | 0461 | 041-0620/0655 |
| 1830 | 0470 | 041-0757/0762 |
| 1830 | 0739 | 051-0648/0653 |
| 1830 | 0746 | 051-0703/0725 |
| 1830 | 3631 | 224-0481/0493 |
| 1830 a 1832 | 0460 | 041/0602/0619 |
| 1831 | 0453 | 041-0505/0508 |
| 1831 | 0454 | 041-0509/0516 |
| 1831 | 0455 | 041/0518/0541 |
| 1831 | 0456 | 041-0549/0558 |
| 1831 | 0457 | 041-0543/0548 |
| 1831 | 0458 | 041-0559/0563 |
| 1831 | 0731 | 051-0560/0567 |
| 1831 | 0753 | 051-0794/0806 |
| 1831 | 0754 | 051-0807/0833 |
| 1831 | 0755 | 051-0834/0858 |
| 1831 | 4121 | 249-0564/0569 |
| 1831 a 1832 | 0452 | 041-0497/0504 |
| 1832 | 0733 | 051/0593/0616 |
| 1832 | 0737 | 051-0634/0638 |
| 1832 | 0732 | 051-0568/0592 |

## IMPOSTO

F/Grupo: Intendência, Câmara, Inspetoria da Intendência.
Locais: Vila do Príncipe, Vila da Campanha da Princesa e Tejuco.

| | | | |
|---|---|---|---|
| Períodos: | 1750 a 1751 | 0167 | 023-0004/0039 |
| | 1812 a 1823 | 3987 | 241-0005/0066 |
| | 1813 | 3645 | 225-1004/1014 |
| | 1813 | 3981 | 240-0771/0803 |
| | 1814 | 2653 | 226-0171/0186 |
| | 1814 | 2979 | 240-0729/0750 |
| | 1814 | 3982 | 240-0804/0829 |
| | 1814 a 1820 | 3655 | 226-0204/0302 |
| | 1815 | 3654 | 226-0188/0202 |
| | 1815 | 3983 | 240-0830/0846 |
| | 1815 | 3985 | 240-0865/0870 |

| | | |
|---|---|---|
| 1815 | 3986 | 240-0871/0884 |
| 1816 | 3445 | 206-0331/0348 |
| 1816 | 3446 | 206-0349/0363 |
| 1816 | 3558 | 217-0697/0717 |
| 1816 a 1817 | 3444 | 206-0322/0329 |
| 1816 a 1820 | 3643 | 225-0978/0989 |
| 1816 a 1823 | 3449 | 206-0395/0493 |
| 1817 | 3454 | 208-0180/0194 |
| 1817 | 3455 | 208-0196/0206 |
| 1817 | 3644 | 225-0990/1002 |
| 1817 a 1818 | 3447 | 206-0364/0379 |
| 1817 a 1818 | 3456 | 208-0208/0213 |
| 1817 a 1826 | 3660 | 226-0370/0441 |
| 1818 | 2346 | 129-0402/0407 |
| 1818 | 2658 | 226-0333/0349 |
| 1818 | 3460 | 208-0244/0260 |
| 1818 | 3461 | 208-0262/0274 |
| 1819 | 2347 | 129-0408/0421 |
| 1819 | 2348 | 129-0422/0428 |
| 1819 | 2349 | 129-0429/0438 |
| 1819 | 2350 | 129-0439/0445 |
| 1819 | 3980 | 2400751/0770 |
| 1819 a 1820 | 2345 | 129-0395/0401 |
| 1819 a 1820 | 3659 | 226-0351/0368 |
| 1820 | 3458 | 208-0223/0227 |
| 1820 | 3516 | 212-0460/0481 |
| 1820 | 3459 | 208-0229/0241 |
| 1820 a 1821 | 3457 | 208-0215/0221 |
| 1820 a 1822 | 2298 | 126-0414/0424 |
| 1821 a 1822 | 2297 | 126-0403/0413 |
| 1824 | 3657 | 226-0320/0331 |
| 1824 a 1825 | 3435 | 206-0213/0221 |
| 1825 | 3656 | 226-0304/0317 |
| 1825 | 3976 | 240-0714/0718 |
| 1825 | 3984 | 240-0847/0864 |
| 1825 a 1826 | 3436 | 206-0223/0232 |
| 1826 | 3438 | 206-0240/0253 |
| 1826 a 1827 | 3977 | 240-0719/0724 |
| 1826 a 1827 | 3978 | 240-0725/0728 |
| 1826 a 1829 | 3437 | 206-0233/0239 |
| 1827 a 1830 | 3443 | 206-0312/0321 |
| 1829 | 2295 | 126-0384/0390 |
| 1829 a 1830 | 3442 | 206-0304/0311 |
| 1830 a 1831 | 2440 | 026-0267/0285 |
| 1831 a 1832 | 3439 | 206-0254/0266 |
| 1832 a 1833 | 3441 | 206-0286/0303 |
| 1833 | 3448 | 206-0381/0394 |
| 1850 a 1851 | 2828 | 640-0005/0219 |
| 1888 | 4140 | 250-0309/0321 |

### ÍNDICE

F/Grupo: Intendência
Local: Rio das Mortes

| | | |
|---|---|---|
| Períodos: 1737 | 3209 | 185-0856/0942 |
| 1831 | 3614 | 222-0457/0779 |
| N/C | 1412 | 256-0414/0433 |
| N/C | 4193 | 256-0880/0957 |

### INSCRIÇÃO

F/Grupo: Provedoria e Pagadoria Militar.
Locais: Tejuco e Ouro Preto.

| | | |
|---|---|---|
| Períodos: 1733 a 1735 | 3636 | 224-0739/0889 |
| 1733 a 1739 | 3639 | 225-0224/0371 |
| 1841 a 1846 | 2643 | 148-0242/0324 |
| 1845 | 2644 | 148-0325/0352 |
| 1845 | 2645 | 148-0353/0359 |

### INSTRUÇÃO E REGULAMENTO

F/Grupo: Intendência e Palácio do Rio de Janeiro.
Locais: São João Del Rey e Rio de Janeiro.

| | | |
|---|---|---|
| Períodos: 1808 | 2774 | 157-0263/0266 |
| 1809 a 1815 | 0385 | 028-0736/0746 |

### INVENTÁRIO

F/Grupo: Ouvidoria, Casa de Inspeção do Selo, Provedoria e Contadoria.
Locais: Vila Rica, São João Del Rey. Ouro Preto.

| | | |
|---|---|---|
| Períodos: 1800 a 1829 | 2688 | 149-0337/0435 |
| 1803 | 2362 | 129-1240/1246 |
| 1812 a 1815 | 1859 | 109-0744/0758 |
| 1814 a 1815 | 1860 | 109-0759/0857 |
| 1814 a 1815 | 2004 | 115-0005/0082 |
| 1815 | 2005 | 115-0083/0103 |
| 1815 a 1816 | 2006 | 115-0104/0155 |
| 1824 a 1826 | 3068 | 178-0742/0842 |
| 1824 a 1827 | 3060 | 177-0469/0620 |
| 1824 a 1830 | 2710 | 152-0058/0100 |
| 1827 | 2708 | 151-0942/1050 |
| 1830 | 2707 | 151-0898/0941 |
| 1830 | 3063 | 177-0703/0798 |
| 1841 a 1844 | 1014 | 061-0760/0782 |

### JORNAIS DE ESCRAVOS

F/Grupo: Real Extração Diamantina, Tesouraria da Fazenda, Intendência e Contadoria.
Local: Tejuco.

| | | |
|---|---|---|
| Períodos: 1777 | 1974 | 113-0985/1019 |
| 1777 a 1841 | 3616 | 223-0391/0432 |
| 1778 | 1975 | 113-1020-1045 |
| 1778 | 1976 | 260-0006/0036 |
| 1778 a 1802 | 3652 | 226-0004/0169 |
| 1779 | 1977 | 113-1046/1091 |

| | | |
|---|---|---|
| 1779 | 1978 | 113-1093/1114 |
| 1780 | 1979 | 114-0005/0037 |
| 1780 | 1984 | 114-0381/0426 |
| 1781 | 1980 | 114-0038/0100 |
| 1781 | 1981 | 114-0101/0232 |
| 1781 a 1788 | 1985 | 638-0241/0327 |
| 1782 | 1982 | 114-0233/0310 |
| 1782 | 1997 | 114-0702/0775 |
| 1783 | 1996 | 114-0617/0701 |
| 1784 | 1995 | 114-0525/0616 |
| 1786 | 0290 | 030-0919/1034 |
| 1790 | 0288 | 030-0542/0730 |
| 1792 | 0442 | 040-0770/0926 |
| 1792 a 1803 | 1993 | 638-0330/0440 |
| 1794 a 1796 | 1006 | 061-0249/0435 |
| 1795 a 1796 | 0441 | 040-0487/0768 |
| 1796 a 1798 | 0800 | 055-0096/0318 |
| 1799 a 1801 | 0502 | 042-0487/0704 |
| 1802 a 1804 | 0776 | 053-0407/0723 |
| 1803 | 1020 | 062-0259/0617 |
| 1810 | 0634 | 044-0320/0668 |
| 1822 a 1832 | 3381 | 200-0240/0323 |
| 1822 a 1846 | 3381 | 200-0358/0372 |
| 1823 a 1834 | 2689 | 149-0436/0464 |
| 1837 a 1840 | 0443 | 040-0927/0951 |

JURAMENTO E POSSE

F/Grupo: Secretaria da Real Junta do Comércio, Casa da Administração do Papel Selado.

Local: Rio de Janeiro e Vila Rica.

| | | |
|---|---|---|
| Períodos: 1801 a 1803 | 2355 | 129-0587/0600 |
| 1809 a 1811 | 4138 | 250-0225/0252 |

JUSTIFICAÇÃO

F/Grupo: Intendência

Local: Vila Rica

| | | |
|---|---|---|
| Período: 1752 a 1754 | 4181 | 255-0940/1060 |

LEMBRANÇA

F/Grupo: Intendência

Local: Província de Minas

| | | |
|---|---|---|
| Período: 1763 a 1769 | 3509 | 211-0612/0749 |
| 1783 a 1787 | 4097 | 247-0794/0821 |
| 1787 a 1788 | 4088 | 247-0241/0256 |

LETRA

F/Grupo: N/C

Local: Rio de Janeiro

| | | |
|---|---|---|
| Período: 1775 a 1777 | 3632 | 224-0495/0505 |

**MANDADO**

F/Grupo: Seção do Contencioso da TF/MG
Local: Ouro Preto

| | | |
|---|---|---|
| Período: 1864 | 0807 | 056-0148/0236 |

**MANIFESTO**

F/Grupo: Intendência, Ouvidoria, Câmara, Fazenda Provincial, Real Fazenda e Casa de Permuta.
Locais: Sabará, Vila do Príncipe, São João Del Rei, Pitanguí, Vila Rica e Caeté.

| | | |
|---|---|---|
| Períodos: 1774 | 1396 | 079-0797/0818 |
| 1774 | 2588 | 147-0359/0366 |
| 1774 | 3691 | 229-0029/0038 |
| 1774 a 1775 | 1743 | 100-0500/0588 |
| 1774 a 1775 | 2980 | 165-0864/0881 |
| 1774 a 1775 | 3685 | 228-1165/1211 |
| 1775 | 3687 | 228-1263/1273 |
| 1775 | 3689 | 229-0004/0011 |
| 1775 a 1776 | 2589 | 147-0368/0376 |
| 1775 a 1776 | 2970 | 165-0238/0327 |
| 1775 a 1776 | 3686 | 228-1212-1262 |
| 1776 | 0869 | 059-0480/0554 |
| 1776 | 3970 | 240-0383/0426 |
| 1776 a 1777 | 2593 | 147-0431/0480 |
| 1776 a 1777 | 2971 | 165-0328/0409 |
| 1776 a 1777 | 3708 | 229-0526/0586 |
| 1776 a 1778 | 0320 | 035-0610/0640 |
| 1776 a 1778 | 3742 | 229-1016/1027 |
| 1776 a 1778 | 4019 | 242-0026/0034 |
| 1776 a 1779 | 3043 | 174-0231/0236 |
| 1777 | 2590 | 147-0377/0389 |
| 1777 a 1778 | 2592 | 147-0402/0430 |
| 1777 a 1778 | 2973 | 165-0466/0556 |
| 1777 a 1778 | 3704 | 229-0291/0355 |
| 1777 a 1779 | 3267 | 190-0310/0336 |
| 1777 a 1779 | 3690 | 229-0012/0028 |
| 1777 a 1779 | 3744 | 229-1038/1047 |
| 1777 a 1779 | 3971 | 240-0427/0458 |
| 1778 | 0079 | 011-0497/0522 |
| 1778 | 2591 | 147-0390/0401 |
| 1778 | 3044 | 174-0237/0241 |
| 1778 a 1779 | 0365 | 036-0913/1006 |
| 1778 a 1779 | 2634 | 148-0032/0074 |
| 1778 a 1779 | 3705 | 229-0356/0423 |
| 1778 a 1782 | 3743 | 229-1028-1037 |
| 1779 | 1226 | 074-0078/0171 |
| 1779 | 1395 | 079-0783/0795 |
| 1779 | 2337 | 128-0169/0174 |
| 1779 a 1780 | 0373 | 037-1019/1052 |
| 1779 a 1780 | 2635 | 148-0075/0114 |
| 1779 a 1780 | 3706 | 229-0424/0477 |

| | | |
|---|---|---|
| 1779 a 1781 | 3996 | 241-0453/0470 |
| 1779 a 1782 | 3741 | 229-1005/1015 |
| 1779 a 1801 | 3995 | 241-0421/0452 |
| 1779 a 1820 | 3768 | 230-0355/0363 |
| 1780 a 1781 | 2628 | 147-1011/1042 |
| 1780 a 1781 | 3503 | 211-0370/0375 |
| 1780 a 1781 | 3707 | 229-0478/0524 |
| 1780 a 1782 | 3740 | 229-0991/1004 |
| 1780 a 1783 | 0374 | 037-1053/1089 |
| 1780 a 1789 | 3746 | 2300004/0014 |
| 1781 a 1782 | 2629 | 147-1043/1079 |
| 1781 a 1784 | 0321 | 035-0641/0681 |
| 1781 a 1785 | 3747 | 230-0015/0022 |
| 1782 | 1406 | 080-0204/0230 |
| 1782 a 1783 | 2630 | 147-1080/1098 |
| 1782 a 1786 | 3737 | 229-0953/0966 |
| 1782 a 1787 | 3748 | 230-0024/0322 |
| 1783 a 1786 | 3738 | 229-0967/0977 |
| 1783 a 1788 | 3749 | 230-0033/0043 |
| 1784 | 1320 | 078-0598/0605 |
| 1784 | 2631 | 147-1099/1116 |
| 1784 a 1787 | 3750 | 230-0044/0053 |
| 1784 a 1787 | 3769 | 230-0365/0391 |
| 1784 a 1788 | 0322 | 035-0682/0712 |
| 1785 | 1321 | 078-0607/0620 |
| 1785 | 1397 | 079-0820/0854 |
| 1785 | 2632 | 147-1117/1133 |
| 1785 | 3709 | 229-0587/0599 |
| 1785 | 3724 | 229-0802/0810 |
| 1785 a 1786 | 0311 | 035-0005/0079 |
| 1785 a 1786 | 2633 | 148-0004/0031 |
| 1785 a 1787 | 3751 | 230-0054/0061 |
| 1785 a 1788 | 3735 | 229-0932/0942 |
| 1785 a 1788 | 3736 | 229-0943/0952 |
| 1786 | 3734 | 229-0922/0931 |
| 1786 a 1787 | 2620 | 147-0857/0872 |
| 1786 a 1788 | 3752 | 230-0063/0071 |
| 1786 a 1789 | 0313 | 035-0178/0233 |
| 1786 a 1790 | 3725 | 229-0812/0819 |
| 1787 | 0089 | 012-0786/0795 |
| 1787 | 3501 | 211-0358/0362 |
| 1787 | 3753 | 230-0074/0081 |
| 1787 | 3999 | 241-0474/0484 |
| 1787 a 1788 | 2621 | 147-0873/0891 |
| 1787 a 1790 | 0319 | 035-0581/0609 |
| 1787 a 1790 | 3733 | 229-0915/0921 |
| 1788 | 1225 | 074-0004/0077 |
| 1788 | 3754 | 230-0084/0091 |
| 1788 | 4013 | 241-1056/1059 |
| 1788 a 1789 | 3692 | 229-0040/0062 |

| | | |
|---|---|---|
| 1788 a 1790 | 3717 | 229-0730/0738 |
| 1788 a 1791 | 3718 | 229-0739/0755 |
| 1788 a 1791 | 3726 | 229-0821/0831 |
| 1788 a 1791 | 3771 | 230-0530/0539 |
| 1789 | 1322 | 078-0622/0630 |
| 1789 | 2622 | 147-0892/0910 |
| 1789 | 3502 | 211-0363/0368 |
| 1789 | 3755 | 230-0093/0111 |
| 1789 | 4000 | 241-0485/0488 |
| 1789 | 4014 | 241-1060/1063 |
| 1789 a 1790 | 0317 | 035-0389/0477 |
| 1789 a 1790 | 2879 | 163-0839/0876 |
| 1789 a 1790 | 3693 | 229-0063/0082 |
| 1789 a 1791 | 2623 | 262-0598/0625 |
| 1789 a 1792 | 3728 | 229-0842/0852 |
| 1790 | 1323 | 078-0632/0646 |
| 1790 | 3756 | 230-0112/0129 |
| 1790 a 1791 | 0318 | 035-0478/0580 |
| 1790 a 1791 | 3694 | 229-0083/0100 |
| 1790 a 1791 | 3727 | 229-0833/0840 |
| 1790 a 1792 | 3719 | 229-0757/0764 |
| 1790 a 1792 | 3729 | 229-0854/0866 |
| 1790 a 1798 | 4008 | 241-0817/0862 |
| 1791 | 1394 | 079-0773/0782 |
| 1791 | 3757 | 230-0131/0151 |
| 1791 | 4001 | 241-0490/0503 |
| 1791 a 1792 | 0316 | 035-0305/0388 |
| 1791 a 1792 | 2624 | 147-0912/0935 |
| 1791 a 1792 | 3695 | 229-0101/0115 |
| 1791 a 1792 | 3720 | 229-0766/0774 |
| 1791 a 1799 | 4009 | 241-0863/0907 |
| 1792 | 0734 | 051-0617/0622 |
| 1792 | 2131 | 123-0539/0540 |
| 1792 a 1793 | 0312 | 035-0080/0177 |
| 1792 a 1793 | 2625 | 147-0936/0958 |
| 1792 a 1793 | 3696 | 229-0116/0130 |
| 1792 a 1794 | 0088 | 012-0774/0785 |
| 1792 a 1794 | 3732 | 229-0901/0914 |
| 1793 | 3722 | 229-0788/0794 |
| 1793 | 3759 | 230-0173/0193 |
| 1793 a 1794 | 0364 | 036-0826/0911 |
| 1793 a 1794 | 2626 | 147-0959/0982 |
| 1793 a 1794 | 3697 | 229-0131/0147 |
| 1793 a 1797 | 0077 | 011-0478/0494 |
| 1793 a 1798 | 4003 | 241-0510/0523 |
| 1793 a 1798 | 4011 | 241-0956/1005 |
| 1794 | 3723 | 229-0796/0801 |
| 1794 | 3760 | 2300195/0215 |
| 1794 a 1795 | 1389 | 079-0604/0691 |
| 1794 a 1795 | 2627 | 147-0983/1010 |

| | | |
|---|---|---|
| 1794 a 1795 | 3731 | 229-0884/0899 |
| 1794 a 1795 | 3698 | 229-0148/0163 |
| 1794 a 1796 | 0087 | 012-0767/0773 |
| 1794 a 1798 | 4012 | 241-1006/1055 |
| 1795 | 1398 | 079-0856/0889 |
| 1795 | 3761 | 230-0216/0236 |
| 1795 a 1796 | 1405 | 080-0140/0202 |
| 1795 a 1796 | 2636 | 148-0115/0140 |
| 1795 a 1796 | 3730 | 229-0868/0882 |
| 1795 a 1797 | 3699 | 229-0164/0186 |
| 1795 a 1797 | 4017 | 242-0013/0019 |
| 1795 a 1798 | 3989 | 241-0133/0181 |
| 1796 | 1270 | 076-0180/0184 |
| 1796 | 3762 | 230-0238/0262 |
| 1796 a 1797 | 1401 | 079-0957/1032 |
| 1796 a 1797 | 2637 | 148-0141/0165 |
| 1796 a 1797 | 3700 | 229-0187/0212 |
| 1796 a 1801 | 3990 | 241-0182/0230 |
| 1797 | 0363 | 036-0754/0824 |
| 1797 | 1407 | 080-0232/0251 |
| 1797 | 3763 | 230-0264/0286 |
| 1797 | 4018 | 242-0020/0024 |
| 1797 a 1798 | 2638 | 148-0167/0187 |
| 1797 a 1798 | 3701 | 229-0213/0226 |
| 1797 a 1801 | 3991 | 241-0231/0279 |
| 1798 | 3764 | 230-0288/0309 |
| 1798 | 4002 | 241-0504/0509 |
| 1798 a 1799 | 2639 | 148-0188/0213 |
| 1798 a 1800 | 0357 | 036-0445/0490 |
| 1799 | 0078 | 011-0495/0496 |
| 1799 | 3765 | 230-0311/0327 |
| 1799 a 1802 | 0362 | 036-0718/0752 |
| 1799 a 1802 | 3992 | 241-0280/0326 |
| 1799 a 1802 | 3993 | 241-0327/0375 |
| 1800 | 0069 | 010-1138/1140 |
| 1800 | 3766 | 230-0330/0346 |
| 1800 a 1802 | 3093 | 180-0327/0357 |
| 1801 a 1802 | 3994 | 241-0377/0420 |
| 1804 | 2596 | 147-0564/0640 |
| 1805 | 2595 | 147-0482/0563 |
| 1805 a 1806 | 4005 | 241-0569/0613 |
| 1806 | 1399 | 079-0891/0938 |
| 1806 | 1400 | 079-0939/0956 |
| 1807 | 2972 | 165-0410/0465 |
| 1807 a 1808 | 4006 | 241-0614/0644 |
| 1809 | 2257 | 125-0091/0109 |
| 1809 a 1815 | 2219 | 124-1002/1010 |
| 1809 a 1816 | 2213 | 124-0930/0948 |
| 1809 a 1817 | 3115 | 180-0527/0530 |
| 1809 a 1818 | 2235 | 124-1096/1114 |

## MAPA

F/Grupo: N/C
Locais: Bahia e Montevidéu.

| | | |
|---|---|---|
| Períodos: 1792 a 1804 | 3282 | 193-0005/0800 |
| 1825 a 1826 | 4150 | 252-0225/0269 |
| 1825 a 1831 | 4092 | 247-0316/0352 |

## MATRÍCULA

F/Grupo: Provedoria, Casa de Fundição, Cia. Dos Dragões, Contadoria da Fazenda de Minas Gerais, Vedoria e Intendência.
Locais: Nossa Senhora do Bom Sucesso de Minas Novas, Vila Rica, Ouro Preto, Capivarí, Carijós, Mariana e Tejuco.

| | | |
|---|---|---|
| Períodos: 1719 a 1736 | 4148 | 252-0086/0210 |
| 1720 a 1745 | 0255 | 257-0436/0533 |
| 1733 | 3515 | 212-0304/0459 |
| 1735 a 1775 | 2409 | 134-0164/0271 |
| 1748 | 1850 | 108-0715/0748 |
| 1754 a 1761 | 3796 | 233-0136/0214 |
| 1764 a 1768 | 2734 | 155-0246/0292 |
| 1764 a 1769 | 2787 | 157-1001/1045 |
| 1764 a 1769 | 2790 | 158-0123/0170 |
| 1765 | 3804 | 233-0681/0717 |
| 1766 a 1782 | 4139 | 250-0255/0307 |
| 1767 a 1784 | 3802 | 263-0856/0920 |
| 1768 a 1776 | 4102 | 247-0943/0964 |
| 1768 a 1783 | 3826 | 235-0381/0446 |
| 1769 | 4026 | 242-0165/0207 |
| 1769 a 1776 | 3805 | 233-0718/0754 |
| 1769 a 1784 | 2793 | 158-0235/0303 |
| 1769 a 1781 | 4027 | 242-0108/0252 |
| 1769 a 1786 | 4039 | 243-0508/0561 |
| 1769 a 1789 | 3798 | 233-0260/0308 |
| 1770 | 3803 | 233-0632/0679 |
| 1770 | 4040 | 243-0562/0608 |
| 1770 a 1779 | 2797 | 158-0399/0447 |
| 1770 a 1785 | 4083 | 246-0826/0904 |
| 1771 | 3806 | 233-0756/0796 |
| 1771 | 4056 | 245-0005/0030 |
| 1771 | 4078 | 246-0623/0658 |
| 1771 | 4100 | 247-0887/0915 |
| 1771 a 1772 | 4086 | 247-0187/0221 |
| 1771a 1783 | 3799 | 233-0309/0366 |
| 1771 a 1788 | 4154 | 252-0526/0582 |
| 1772 | 3797 | 233-0216/0258 |
| 1772 a 1775 | 2792 | 158-0186/0234 |
| 1773 a 1777 | 3801 | 233-0608/0630 |
| 1774 a 1775 | 4028 | 242-0253/0259 |
| 1775 | 4049 | 244-0316/0358 |
| 1776 | 4101 | 247-0918/0942 |
| 1794 a 1844 | 3084 | 179-1146/1185 |

| | | |
|---|---|---|
| 1816 a 1831 | 4170 | 254-0587/0635 |
| 1845 | 1799 | 103-0854/0860 |
| 1863 a 1868 | 4090 | 247-0264/0302 |

**NOMEAÇÃO**

F/Grupo: Junta da Extração Diamantina.
Local: N/C

| | | |
|---|---|---|
| Período: 1774 a 1839 | 3669 | 227-0005/0072 |

**NOTA**

F/Grupo: Intendência
Locais: Tejuco, Mariana, Cuiabá e São João Del Rei.

| | | |
|---|---|---|
| Períodos: 1795 a 1831 | 3508 | 211-0600/0611 |
| 1803 a 1808 | 3511 | 212-0031/0101 |
| 1808 a 1824 | 3510 | 212-0004/0029 |
| 1811 a 1817 | 4084 | 246-0905/1044 |
| 1827 a 1830 | 0128 | 019-0321/0353 |

**OFÍCIO, ORDEM E GUIA**

F/Grupo: Intendência, Junta da Real Fazenda, Depósito Geral de Recrutas.
Locais: Vila Rica, Vila do Príncipe, São João Del Rei e Ouro Preto.

| | | |
|---|---|---|
| Períodos: 1783 a 1835 | 3080 | 179-0753/0785 |
| 1804 a 1809 | 1884 | 110-1045/1058 |
| 1808 | 0641 | 044-0873/0878 |
| 1809 | 1155 | 069-0734/0761 |
| 1809 | 3001 | 168-1181/1188 |
| 1809 | 3116 | 180-0532/0536 |
| 1809 a 1814 | 2998 | 168-1058/1062 |
| 1809 a 1819 | 0531 | 043-0405/0418 |
| 1810 a 1832 | 0242 | 026-0711/0769 |
| 1817 a 1819 | 4093 | 247-0353/0440 |
| 1817 a 1822 | 4093 | 247-0441/0490 |
| 1820 | 0645 | 045-0107/0144 |
| 1826 a 1828 | 4199 | 264-0784/0916 |
| 1830 | 0642 | 044-0879/0881 |

**PARTILHA**

F/Grupo: Cartório
Local: Vila Rica

| | | |
|---|---|---|
| Período: 1736 a 1744 | 4146 | 251-0763/1021 |

**PENHORA**

F/Grupo: Intendência
Local: Vila Rica

| | | |
|---|---|---|
| Período: 1746 a 1749 | 4156 | 252-0591/0751 |

**PONTO**

F/Grupo: Administração do Papel Selado, Administração da Real Extração Diamantina.
Locais: Vila Rica e Tejuco.

| | | |
|---|---|---|
| Períodos: 1801 a 1803 | 2361 | 129-1219/1239 |
| 1822 | 3381 | 200-0324/0357 |
| 1822 a 1833 | 3381 | 200-0374/0381 |

**PORTARIA E CONHECIMENTO**

F/Grupo: Intendência
Local: Vila Rica

| | | |
|---|---|---|
| Período: 1810 a 1812 | 3832 | 235-0540/0709 |

**PROCURAÇÃO**

F/Grupo: N/C
Local: N/C

| | | |
|---|---|---|
| Período: 1798 | 2737 | 156-1160 |

**PROTOCOLO**

F/Grupo: Contadoria, Provedoria, Procuradoria da Real Fazenda e Diretoria da Agricultura.
Locais: Vila Rica, Ouro Preto e Rio de Janeiro.

| | | |
|---|---|---|
| Períodos: 1762 a 1816 | 0391 | 039-0005/0109 |
| 1762 a 1838 | 1125 | 067-0432/0807 |
| 1780 a 1792 | 4076 | 246-0160/0577 |
| 1793 a 1794 | 0715 | 050-0249/0357 |
| 1805 a 1810 | 0138 | 021-0367/0612 |
| 1809 a 1810 | 4205 | 265-0518/0652 |
| 1809 a 1813 | 4164 | 642-0294/0353 |
| 1811 a 1812 | 4168 | 254-0247/0499 |
| 1814 a 1817 | 0643 | 044-0882/1127 |
| 1815 | 4052 | 244-0649/0836 |
| 1816 | 4191 | 256-0442/0781 |
| 1819 a 1822 | 4063 | 245-0145/0182 |
| 1820 a 1825 | 4137 | 250-0175/0223 |
| 1822 a 1823 | 4208 | 265-0675/0822 |
| 1823 a 1829 | 4160 | 641-0354/0419 |
| 1826 a 1828 | 4174 | 246-0103/0136 |
| 1826 a 1830 | 1836 | 107-0005/0536 |
| 1827 a 1831 | 4202 | 265-0284/0330 |
| 1828 a 1832 | 4166 | 254-0005/0103 |
| 1829 a 1830 | 4203 | 265-0332/0440 |
| 1833 a 1859 | 4050 | 244-0360/0467 |
| 1875 | 4204 | 265-0442/0517 |
| N/C | 4066 | 245-0399/0532 |
| N/C | 4162 | 642-0006/0231 |

**PROVISÃO**

F/Grupo: Intendência e Junta da Fazenda Pública de Minas Gerais.
Local: Cidades de Minas.

| | | |
|---|---|---|
| Períodos: 1814 a 1829 | 0644 | 045-0005/0106 |
| 1819 a 1832 | 3634 | 224-0517/0602 |
| 1825 a 1832 | 2133 | 123-0577/0590 |

### RECEITA E DESPESA DE BENS DE RAIZ E ESCRAVOS LADINOS

F/Grupo: Intendência, Câmara, Ouvidoria e Cartório.
Locais: Amparo do Brejo Salgado, Vila Rica, Sabará, São João Del Rey, Queluz, Baependy e Serro.

| | | |
|---|---|---|
| Períodos: 1809 | 1197 | 072-0390/0453 |
| 1809 a 1812 | 2504 | 138-0414/0467 |
| 1809 a 1816 | 1188 | 071-0978/1025 |
| 1809 a 1818 | 1202 | 072-0823/0896 |
| 1809 a 1821 | 1198 | 072-0454/0665 |
| 1810 a 1812 | 2505 | 138-0468/0500 |
| 1812 | 2499 | 138-0149/0209 |
| 1813 | 1204 | 072-0929/0960 |
| 1813 a 1815 | 1193 | 072-0336/0370 |
| 1814 a 1819 | 1201 | 072-0760/0822 |
| 1815 | 1203 | 072-0897/0928 |
| 1815 | 2493 | 138-0024/0081 |
| 1815 a 1825 | 1199 | 072-0666/0728 |
| 1816 | 1194 | 072-0371/0376 |
| 1816 | 2492 | 138-0015/0023 |
| 1816 | 2513 | 138-0032/0841 |
| 1816 a 1818 | 1195 | 072-0377/0384 |
| 1816 a 1826 | 2815 | 160-0320/0519 |
| 1816 a 1832 | 1189 | 071-1026/1108 |
| 1817 | 1196 | 072-0385/0389 |
| 1817 | 2512 | 138-0822/0831 |
| 1818 | 2511 | 138-0812/0821 |
| 1820 | 1192 | 072-0142/0335 |
| 1827 a 1833 | 1200 | 072-0729/0759 |
| 1846 | 1972 | 113-0974/0977 |
| 1877 a 1878 | 4091 | 247-0304/0314 |

### RECEITA E DESPESA DE BILHETES

F/Grupo: Casa de Fundição e Intendência.
Locais: Vila do Príncipe e Tejuco.

| | | |
|---|---|---|
| Períodos: 1776 | 3613 | 222-0005/0456 |
| 1783 a 1789 | 0448 | 041-0376/0398 |
| 1785 a 1787 | 0446 | 041-0174/0209 |
| 1786 a 1789 | 0287 | 030-0430/0540 |
| 1786 a 1789 | 1431 | 081-0548/0895 |
| 1789 a 1792 | 0440 | 040-0344/0484 |
| 1792 | 0447 | 041-0210/0375 |
| 1794 | 0439 | 040-0309/0343 |
| 1797 a 1819 | 0775 | 257-0563/0956 |
| 1812 a 1813 | 0571 | 043-0798/0805 |

### RECEITA E DESPESA COM CATEQUESE

F/Grupo: N/C
Local: São João de Madureira.

| | | |
|---|---|---|
| Período: 1830 a 1831 | 41841 | 256-0037/0051 |

**RECEITA E DESPESA COM CATIVOS**

F/Grupo: N/C
Local: Pitanguí

| | | |
|---|---|---|
| Período: 1821 a 1830 | 3671 | 227-0279/0289 |

**RECEITA E DESPESA DOS CORREIOS**

F/Grupo: Intendência, Administração do Papel Selado, Administração Geral dos Correios, Contadoria da Real Fazenda, Junta da Administração da Real Fazenda e Provedoria.
Locais: São João Del Rey, Vila Rica, Sabará, Paracatú do Príncipe, Baependy, Campanha da Princesa, Ouro Preto e Vila do Príncipe.

| | | |
|---|---|---|
| Períodos: 1799 | 0915 | 059-1093/1104 |
| 1800 | 0916 | 059-1105/1131 |
| 1801 a 1803 | 2063 | 119-0934/0994 |
| 1801 a 1804 | 2062 | 119-0915/0933 |
| 1801 a 1804 | 3167 | 182-0477/0547 |
| 1802 a 1803 | 2058 | 119-0702/0763 |
| 1802 a 1803 | 2059 | 119-0764/0772 |
| 1802 a 1804 | 2053 | 119-0597/0621 |
| 1802 a 1804 | 2057 | 119-0683/0701 |
| 1802 a 1811 | 2587 | 147-0004/0356 |
| 1803 | 2126 | 122-0849/0862 |
| 1803 | 2358 | 129-0824/0833 |
| 1804 | 2127 | 122-0867/0898 |
| 1804 | 2128 | 122-0899/0912 |
| 1804 a 1806 | 0930 | 060-0229/0253 |
| 1805 a 1806 | 2125 | 122-0837/0848 |
| 1807 | 3264 | 189-1033/1052 |
| 1807 a 1809 | 0919 | 060-0058/0082 |
| 1809 a 1813 | 2388 | 133-0438/0473 |
| 1809 a 1819 | 3946 | 239-0568/0808 |
| 1809 a 1838 | 3429 | 205-0570/0723 |
| 1810 a 1812 | 0921 | 060-0094/0130 |
| 1811 a 1812 | 1838 | 107-0907/1009 |
| 1812 a 1813 | 2383 | 133-0319/0369 |
| 1811 a 1813 | 2389 | 133-0474/0533 |
| 1812 a 1821 | 3431 | 205-0783/0932 |
| 1813 a 1815 | 0917 | 060-0005/0047 |
| 1814 a 1819 | 2293 | 126-0101/0202 |
| 1818 a 1819 | 2574 | 146-0004/0169 |
| 1816 | 0914 | 059-1087/1092 |
| 1816 a 1817 | 0918 | 060-0048/0057 |
| 1816 a 1818 | 0920 | 060-0083/0093 |
| 1818 a 1822 | 2130 | 123-0003/0187 |
| 1818 a 1838 | 3945 | 239-0108/0567 |
| 1819 a 1821 | 2573 | 145-1106/1187 |
| 1820 | 2056 | 119-0671/0682 |
| 1820 a 1821 | 2393 | 133-0595/0613 |
| 1820 a 1825 | 1700 | 097-0715/1001 |
| 1821 | 2672 | 149-0048/0109 |

| | | |
|---|---|---|
| 1821 a 1823 | 2575 | 146-0170/0249 |
| 1822 1831 | 3944 | 239-0005/0106 |
| 1823 a 1826 | 2129 | 122-0196/1275 |
| 1824 a 1844 | 2576 | 146-0250/0285 |
| 1825 a 1842 | 3975 | 240-0681/0713 |
| 1826 a 1833 | 3770 | 230-0393/0528 |
| 1827 a 1828 | 2061 | 119-0836/0914 |
| 1828 a 1832 | 3434 | 206-0075/0212 |
| 1829 | 2054 | 119-0621/0630 |
| 1832 | 2060 | 119-0774/0835 |
| 1832 a 1837 | 3432 | 205-0933/1008 |
| 1834 a 1835 | 3433 | 206-0004/0074 |
| 1835 a 1838 | 3428 | 205-0427/0569 |
| 1835 a 1840 | 2558 | 142-1019/1073 |
| 1836 a 1838 | 3620 | 223-0742/0786 |
| 1838 a 1842 | 3430 | 205-0724/0781 |
| 1838 a 1843 | 3988 | 241-0067/0132 |

**RECEITA E DESPESA DE CRÉDITOS**

F/Grupo: Provedoria da Côrte.
Local: Rio de Janeiro

| | | |
|---|---|---|
| Período: 1861 a 1864 | 4075 | 246-01337/0158 |

**RECEITA E DESPESA DA DÉCIMA DE HERANÇA**

F/Grupo: Intendência.
Locais: São João Del Rei, Vila Rica, Pitanguí e Vila do Príncipe.

| | | |
|---|---|---|
| Períodos: 1805 a 1806 | 0823 | 056-1027/1063 |
| 1805 a 1809 | 0822 | 056-0969/1026 |
| 1809 | 0832 | 057-0402/0664 |
| 1809 a 1810 | 0825 | 057-0005/0055 |
| 1809 a 1810 | 0826 | 057-0056/0102 |
| 1809 a 1815 | 0827 | 057-0103/0119 |
| 1813 a 1817 | 0828 | 057-0120/0271 |
| 1814 | 0816 | 056-0885/0890 |
| 1815 | 0824 | 056-1064/1074 |
| 1816 | 0815 | 056-0878/0884 |
| 1816 | 0829 | 057-0272/0277 |
| 1817 | 0817 | 056-0891/0896 |
| 1818 | 0818 | 056-0897/0902 |
| 1819 | 0819 | 056-0903/0910 |
| 1820 | 0820 | 056-0911/0917 |
| 1820 | 1463 | 084-0416/0438 |
| 1826 a 1828 | 0831 | 057-0360/0401 |
| 1833 | 2398 | 133-0679/0687 |

**RECEITA E DESPESA DE DÉCIMA PREDIAL**

F/Grupo: Intendência e Contadoria.
Locais: Bom Sucesso de Minas Novas do Arassuahí, Paracatú do Príncipe, São José, Vila do Príncipe, Campanha da Princesa, Sabará, São João Del Rey e Ouro Preto.

| | | |
|---|---|---|
| Períodos: 1810 | 1483 | 085-0004/0032 |

| | | |
|---|---|---|
| 1811 | 1503 | 085-0468/0487 |
| 1811 | 2735 | 644-0540/0549 |
| 1813 | 1291 | 077-0393/0476 |
| 1813 a 1815 | 1287 | 077-0005/0127 |
| 1814 | 1464 | 084-0440/0498 |
| 1814 a 1815 | 1292 | 077-0478/0638 |
| 1815 | 1288 | 077-01290215 |
| 1815 | 1289 | 077-0217/0306 |
| 1815 a 1816 | 1290 | 077-0308/0391 |
| 1816 a 1836 | 1745 | 100-0799/0861 |
| 1818 | 1294 | 077-0807/0827 |
| 1818 a 1819 | 1293 | 077-0640/0805 |
| 1822 | 2791 | 158-0171/0185 |
| 1822 | 3568 | 217-1088/1148 |
| 1827 | 1739 | 100-0005/0080 |
| 1828 | 1746 | 100-0863/0896 |
| 1829 | 1747 | 100-0899/0960 |
| 1829 a 1830 | 1748 | 100-0962/1015 |
| 1832 | 2547 | 142-0513/0517 |

### RECEITA E DESPESA DOS DIAMANTES E OURO

F/Grupo: Extração Diamantina, Real Fazenda e Intendência.
Locais: Tejuco, Ouro Preto e Vila Rica.

| | | |
|---|---|---|
| Períodos: 1774 | 2515 | 138-0876/0886 |
| 1774 a 1777 | 2731 | 155-0089/0163 |
| 1774 1796 | 3661 | 226-0443/0487 |
| 1774 a 1846 | 2669 | 148-0966/1051 |
| 1776 | 2343 | 129-0005/0265 |
| 1779 a 1793 | 0281 | 029-1008/1046 |
| 1780 a 1791 | 1952 | 113-0482/0799 |
| 1782 a 1784 | 3376 | 199-0748/0940 |
| 1782 a 1807 | 2382 | 133-0105/0318 |
| 1798 a 1810 | 3377 | 199-0941/1089 |
| 1816 | 3380 | 200-0234/0239 |
| 1825 a 1828 | 4155 | 252-0584/0590 |
| 1825 a 1829 | 2556 | 142-0999/1011 |
| 1831 a 1836 | 2533 | 141-0004/0111 |
| 1840 | 4095 | 247-0567/0626 |

### RECEITA E DESPESA DE DIVERSAS REPARTIÇÕES

F/Grupo: Provedoria, Tesouraria, Administração Geral dos Contratos, Real Fazenda, Intendência, Casa de Fundição, Recebedoria da Real Fazenda, Tesouraria da Administração da Bula, Contadoria, Caixa Filial de Vila Rica, Secretaria dos Negócios da Guerra e Junta de Administração e Arrecadação da Real Fazenda.
Locais: Vila Rica, Tejuco, Vila de São João Del Rey, Vila do Príncipe, Mariana, Rio de Janeiro, Ouro Preto, Serro e Sabará.

| | | |
|---|---|---|
| Períodos: 1736 a 1744 | 4201 | 265-0161/0283 |
| 1742 a 1753 | 4179 | 255-0817/0885 |
| 1760 a 1763 | 0257 | 028-0004/0152 |
| 1761 a 1777 | 4194 | 257-0005/0135 |

| | | |
|---|---|---|
| 1768 a 1858 | 0802 | 055-0742/0957 |
| 1770 | 1427 | 081-0073/0082 |
| 1770 | 1662 | 095-0301/0336 |
| 1770 | 1663 | 095-0337/0368 |
| 1770 a 1771 | 3821 | 235-0005/0258 |
| 1772 a 1774 | 1661 | 095-0234/0300 |
| 1772 a 1776 | 2148 | 123-0885/0935 |
| 1773 | 1096 | 065-0788/0871 |
| 1773 a 1774 | 2150 | 123-0959/1002 |
| 1773 a 1776 | 2814 | 160-0290/0319 |
| 1774 a 1775 | 2151 | 123-1003/1042 |
| 1775 a 1776 | 2152 | 123-1043/1094 |
| 1779 a 1782 | 1728 | 098-0973/1000 |
| 1782 a 1785 | 3560 | 638-0517/0616 |
| 1785 a 1787 | 3680 | 638-0620/0698 |
| 1785 a 1794 | 4197 | 257-0228/0407 |
| 1789 a 1892 | 1702 | 258-0554/0582 |
| 1796 a 1803 | 0291 | 031-0005/0562 |
| 1801 a 1804 | 2055 | 119-0631/0670 |
| 1802 a 1836 | 2292 | 126-0061/0083 |
| 1803 | 3839 | 235-1012/1054 |
| 1804 a 1808 | 2147 | 123-0846/0884 |
| 1807 a 1812 | 4196 | 257-0160/0226 |
| 1808 a 1810 | 3554 | 217-0248/0371 |
| 1811 a 1812 | 0771 | 052-0556/0685 |
| 1812 | 4165 | 642-0356/0383 |
| 1817 a 1819 | 0383 | 038-0507/0629 |
| 1818 a 1820 | 0152 | 022-0248/0375 |
| 1820 a 1822 | 3453 | 208-0005/0178 |
| 1824 a 1826 | 3027 | 640-0221/0463 |
| 1825 a 1829 | 4163 | 642-0233/0292 |
| 1825 a 1829 | 4214 | 639-0247/0338 |
| 1826 | 4042 | 243-0704/1047 |
| 1826 a 1831 | 3058 | 177-0294/0430 |
| 1829 a 1830 | 4161 | 641-0421/0476 |
| 1829 a 1832 | 4167 | 254-0105/0244 |
| 1830 a 1832 | 2375 | 132-0632/0869 |
| 1830 a 1839 | 2306 | 126-0498/0564 |
| 1833 a 1836 | 2832 | 162-0768/0782 |
| 1834 a 1838 | 3554 | 142-0632/0854 |
| 1835 a 1839 | 2400 | 133-0698/0812 |
| 1835 a 1864 | 2338 | 128-0175/0440 |
| 1838 | 2401 | 133-0813/0854 |
| 1838 a 1840 | 2374 | 132-0442/0631 |
| 1838 a 1845 | 2373 | 132-0209/0441 |
| 1839 a 1845 | 2274 | 125-0983/1065 |
| 1841 a 1842 | 2405 | 134-0003/0065 |
| 1844 a 1849 | 2402 | 133-0855/0893 |
| 1845 | 4206 | 265-0653/0654 |
| 1845 a 1846 | 3514 | 212-0257/0275 |

| | | |
|---|---|---|
| 1845 a 1846 | 2403 | 133-0895/1036 |
| 1846 | 2132 | 123-0567/0575 |
| 1846 | 2416 | 135-0810/0817 |
| 1846 | 3513 | 212-0277/0283 |
| 1849 | 2131 | 123-0555/0560 |

## RECEITA E DESPESA DE DÍZIMOS

F/Grupo: Administração Geral dos Contratos, Arrecadação da Real Fazenda de Minas Gerais e Coletorias.
Locais: Vila Rica, Comarca do Rio das Mortes e Formiga.

| | | |
|---|---|---|
| Períodos: 1751 a 1777 | 2810 | 159-1081/1182 |
| 1754 a 1776 | 1835 | 106-0005/0737 |
| 1754 a 1806 | 3818 | 234-0478/0572 |
| 1761 | 3684 | 228-0760/1163 |
| 1764 a 1836 | 3819 | 234-0574/0904 |
| 1775 a 1822 | 3616 | 223-0005/0390 |
| 1803 a 1848 | 0804 | 258-0005/0266 |
| 1811 a 1824 | 4158 | 252-1012/1089 |
| 1832 a 1841 | 4177 | 255-0623/0649 |

## RECEITA E DESPESA DE DOBLAS

F/Grupo: Tesouraria da Fazenda, Provedoria, Intendência e Tesouraria das Rendas.
Locais: Tejuco, Sabará, Vila Rica, São João Del Rey, Vila do Bom Sucesso, Campanha da Princesa, Vila do Príncipe, Ouro Preto e Curvelo.

| | | |
|---|---|---|
| Períodos: 1734 a 1736 | 0139 | 021-0613/0715 |
| 1742 a 1751 | 3936 | 238-0005/0381 |
| 1756 a 1762 | 0140 | 021-0717/0795 |
| 1813 | 0631 | 044-0261/0297 |
| 1813 a 1815 | 0629 | 044-0243/0254 |
| 1813 a 1824 | 0627 | 044-0182/0214 |
| 1816 | 0630 | 044-0255/0260 |
| 1816 | 2313 | 126-0679/0690 |
| 1817 | 0640 | 044-0867/0872 |
| 1822 | 2299 | 126-0425/0435 |
| 1823 | 2300 | 126-0436/0449 |
| 1823 | 2303 | 126-0469/0479 |
| 1824 a 1825 | 4182 | 255-1061/1116 |
| 1826 a 1828 | 2301 | 126-0450/0457 |
| 1826 a 1828 | 2305 | 126-0488/0495 |
| 1826 a 1829 | 2304 | 126-0480/0487 |
| 1827 a 1830 | 2302 | 126-0458/0461 |
| 1829 | 0622 | 044-0143/0155 |
| 1829 | 0632 | 044-0298/0308 |
| 1830 a 1831 | 2296 | 126-0392/0402 |

## RECEITA E DESPESA DE DONATIVOS

F/Grupo: Junta da Real Fazenda
Local: Capitania de Minas.

| | | |
|---|---|---|
| Períodos: 1804 a 1826 | 3494 | 210-0379/0553 |
| 1805 | 0256 | 027-0851/1242 |

**RECEITA E DESPESA DA ENTRADA E QUINTO DO OURO**

F/Grupo: Casa de Fundição, Intendência, Contadoria, Contadoria da Real Fazenda.
Locais: Lisboa, Vila Rica, Vila do Príncipe, Sabará, São João Del Rey e Serro.

| | | |
|---|---|---|
| Períodos: 1751 a 1755 | 1626 | 092-0005/0212 |
| 1754 a 1755 | 3479 | 209-0003/0310 |
| 1756 a 1758 | 0060 | 009-0776/1170 |
| 1758 a 1759 | 0048 | 008-0159/0551 |
| 1760 a 1763 | 3395 | 201-0969/0997 |
| 1764 a 1775 | 3478 | 263-0405/0705 |
| 1765 a 1777 | 1998 | 114-0776/1035 |
| 1768 a 1769 | 3475 | 208-0557/0612 |
| 1769 a 1777 | 3065 | 177-0969/1021 |
| 1770 a 1771 | 2000 | 114-1076/1166 |
| 1770 a 1777 | 2049 | 119-0130/0534 |
| 1771 | 1087 | 064-1277/1287 |
| 1771 | 3477 | 208-0771/0921 |
| 1771 a 1772 | 0252 | 027-0473/0649 |
| 1772 | 1205 | 072-0961/1045 |
| 1772 | 3476 | 208-0615/0769 |
| 1772 a 1773 | 1874 | 110-0209/0304 |
| 1773 a 1774 | 1210 | 073-0405/0485 |
| 1773 a 1774 | 1873 | 110-0116/0208 |
| 1774 | 1422 | 080-0798/0884 |
| 1774 a 1775 | 1872 | 110-0023/0115 |
| 1775 a 1776 | 1861 | 258-0619/0709 |
| 1775 a 1780 | 0396 | 039-0402/0478 |
| 1776 | 1266 | 075-0717/0820 |
| 1780 a 1781 | 3485 | 209-0894/1046 |
| 1781 a 1782 | 34484 | 209-0744/0893 |
| 1782 | 3483 | 209-0612/0742 |
| 1783 a 1784 | 3472 | 208-0345/0471 |
| 1784 a 1785 | 2692 | 149-0949/1078 |
| 1785 a 1786 | 2699 | 150-0820/0957 |
| 1786 a 1787 | 2696 | 150-0510/0569 |
| 1787 a 1788 | 2698 | 150-0692/0816 |
| 1788 a 1789 | 2697 | 150-0570/0691 |
| 1789 | 3387 | 200-0969/1050 |
| 1789 a 1791 | 2691 | 149-0529/0948 |
| 1791 | 3391 | 201-0663/0744 |
| 1792 a 1795 | 2693 | 150-0004/0207 |
| 1794 | 3383 | 200-0416/0499 |
| 1795 | 2516 | 138-0887/0969 |
| 1795 a 1798 | 2706 | 151-0524/0897 |
| 1798 | 1162 | 258-0372/0454 |
| 1798 a 1799 | 1622 | 091-0475/0557 |
| 1798 a 1801 | 2694 | 150-0209/0381 |
| 1799 a 1800 | 1621 | 091-0392/0474 |
| 1801 | 1165 | 070-0144/0226 |
| 1801 a 1804 | 2695 | 150-0382/0509 |
| 1802 | 1148 | 068-0826/0908 |

| | | |
|---|---|---|
| 1803 | 1172 | 070-0661/0668 |
| 1804 | 1450 | 083-0156/0240 |
| 1804 a 1806 | 1615 | 091-0005/0084 |
| 1806 | 1158 | 069-0908/0990 |
| 1807 | 1142 | 068-0500/0579 |
| 1807 a 1810 | 1885 | 111-0005/0090 |
| 1808 | 1624 | 091/0578/0657 |
| 1809 | 1163 | 070-0005/0085 |
| 1809 a 1812 | 2112 | 120-0216/0409 |
| 1810 | 1157 | 069-0835/0907 |
| 1810 a 1813 | 1886 | 111-0091/0190 |
| 1811 | 1145 | 068-0658/0726 |
| 1812 | 1161 | 069-1019/1083 |
| 1813 | 1146 | 068-0727/0790 |
| 1813 a 1815 | 2113 | 120-0410/0558 |
| 1813 a 1816 | 1883 | 110-0955/1044 |
| 1814 | 1154 | 069-0679/0733 |
| 1815 | 1143 | 068-0580/0645 |
| 1815 a 1818 | 4115 | 248-0488/0663 |
| 1816 | 1160 | 069-1003/1018 |
| 1816 | 1625 | 091-0659/0708 |
| 1816 a 1821 | 1877 | 110-0611/0712 |
| 1817 | 1164 | 070-0086/0143 |
| 1817 | 1171 | 070-0581/0660 |
| 1817 a 1818 | 1616 | 091-0086/0132 |
| 1819 | 1620 | 091-0363/0390 |
| 1819 a 1824 | 4109 | 248-0175/0248 |
| 1820 | 1619 | 091-0350/0361 |
| 1822 | 1617 | 091-0134/0142 |
| 1827 | 1623 | 091-0558/0577 |
| 1828 a 1830 | 0628 | 044-0215/0242 |
| 1828 a 1833 | 1999 | 114-1036/1075 |
| 1830 | 1159 | 069-0991/1002 |
| 1831 a 1832 | 2050 | 119-0535/0559 |
| 1836 | 1691 | 097-0622/0627 |
| 1843 a 1845 | 3830 | 235-0512/0519 |

**RECEITA E DESPESA COM EXECUÇÕES**

F/Grupo: Junta da Real Fazenda e Intendência.
Locais: Vila Rica e Ouro Preto.

| | | |
|---|---|---|
| Períodos: 1806 a 1816 | 0801 | 055-0320/0740 |
| 1816 a 1820 | 3083 | 179-0950/1145 |
| 1821 a 1825 | 3512 | 212-0102/0249 |
| 1825 a 1827 | 3638 | 225-0138/0223 |

**RECEITA E DESPESA DA FAZENDA E SÍTIO**

S/Grupo: Fazenda do Morambo.
Local: Sabará.

| | | |
|---|---|---|
| Período: 1840 a 1844 | 4215 | 262-0005/0091 |
| N/C | 4188 | 256-0137/0213 |

**RECEITA E DESPESA COM GÊNEROS DE EXPORTAÇÃO**

F/Grupo: N/C

Locais: Rio de Janeiro e Ouro Preto.

| | | |
|---|---|---|
| Períodos: 1822 a 1823 | 4060 | 245-0107/0118 |
| 1826 | 4037 | 243-0350/0400 |
| 1828 a 1829 | 4061 | 245-0119/0130 |
| 1828 a 1830 | 4062 | 245-0131/0144 |
| 1830 | 4058 | 245-0073/0088 |
| 1832 a 1834 | 4059 | 245-0089/0105 |

**RECEITA E DESPESA DE HERANÇA**

F/Grupo: Intendência, Ouvidoria e Provedoria.

Locais: São João Del Rey e Ouro Preto.

| | | |
|---|---|---|
| Períodos: 1792 a 1794 | 1111 | 066-0314/0401 |
| 1795 | 1575 | 088-0187/0294 |
| 1813 a 1817 | 0862 | 059-0385/0449 |
| 1814 a 1815 | 0151 | 022-0140/0247 |
| 1815 | 3062 | 177-0652/0702 |
| 1815 a 1818 | 0863 | 059-0450/0455 |
| 1815 a 1818 | 4096 | 247-0628/0792 |
| 1824 a 1830 | 3947 | 239-0809/0914 |
| 1828 a 1829 | 2709 | 152-0004/0057 |
| 1829 a 1830 | 3061 | 177-0621/0651 |
| 1830 | 2711 | 152-0101/0127 |

**RECEITA E DESPESA COM MATERIAIS E GÊNEROS**

F/Grupo: Tesouraria, Intendência, Real Fazenda, Casa de Fundição, Armazém Real e Contadoria.

Locais: Vila Rica, São João Del Rey, Vila do Príncipe, Ouro Preto, Rio de Janeiro e Sabará.

| | | |
|---|---|---|
| Períodos: 1760 a 1763 | 0254 | 027-0755/0849 |
| 1771 | 1211 | 073-0486/0519 |
| 1772 | 1207 | 073-0176/0208 |
| 1773 | 1117 | 066-0881/0917 |
| 1774 | 1103 | 065-1053/1099 |
| 1775 | 1115 | 066-0728/0764 |
| 1776 | 1102 | 065-1029/1051 |
| 1776 a 1780 | 0065 | 010-0486/0679 |
| 1778 | 1101 | 065-0993/1027 |
| 1780 a 1788 | 2974 | 165-0557/0707 |
| 1781 | 1546 | 087-0131/0164 |
| 1786 a 1788 | 3053 | 175-1044/1084 |
| 1788 | 1545 | 087-0100/0129 |
| 1788 | 3487 | 209-1121/1148 |
| 1790 | 1544 | 087-0073/0098 |
| 1790 a 1797 | 0133 | 020-0392/0581 |
| 1790 a 1831 | 4186 | 256-0103/0124 |
| 1791 a 1798 | 0445 | 041-0005/0172 |
| 1793 | 1298 | 077-0869/0890 |
| 1798 | 0168 | 023-0040/0065 |

| | | |
|---|---|---|
| 1798 | 0166 | 022-1155/1181 |
| 1799 | 3486 | 209-1047/1120 |
| 1800 | 0165 | 022-1133/1154 |
| 1800 a 1803 | 3490 | 210-0221/0318 |
| 1800 a 1803 | 4114 | 248-0439/0487 |
| 1801 | 1630 | 092-0614/0642 |
| 1801 | 1633 | 092-0668/0687 |
| 1802 | 1632 | 092-0644/0666 |
| 1802 a 1803 | 3382 | 200-0385/0415 |
| 1802 a 1810 | 4136 | 250-0150/0173 |
| 1803 a 1804 | 1631 | 258-0532/0552 |
| 1803 a 1805 | 0150 | 022-0012/0137 |
| 1804 | 1629 | 092-0592/0612 |
| 1804 a 1806 | 4094 | 247-0492/0565 |
| 1805 | 0170 | 023-0087/0108 |
| 1805 a 1807 | 3489 | 210-0115/0219 |
| 1806 | 0169 | 023-0066/0086 |
| 1807 | 1105 | 066-0144/0173 |
| 1807 a 1809 | 3488 | 210-0005/0113 |
| 1807 a 1811 | 4077 | 246-0578/0621 |
| 1808 a 1830 | 3615 | 222-0781/1040 |
| 1810 a 1812 | 4152 | 252-0351/0444 |
| 1817 a 1826 | 4073 | 246-0066/0102 |
| 1818 a 1821 | 0810 | 056-0498/0673 |
| 1833 | 4113 | 248-0418/0437 |
| 1830 | 2531 | 140-0577/0639 |
| 1835 a 1836 | 3807 | 233-0798/0809 |
| N/C | 4149 | 252-0212/0223 |

### RECEITA E DESPESA COM OBRAS E MANUTENÇÃO

F/Grupo: N/C
Local: N/C

| | | |
|---|---|---|
| Período: 1828 | 4038 | 243-0402/0507 |

### RECEITA E DESPESA COM ORDENADOS

F/Grupo: Casa de Fundição, Intendência, Contadoria, Tesouraria e Fazenda Nacional.
Locais: Sabará, São João Del Rey, Vila do Príncipe, Vila Rica e Ouro Preto.

| | | |
|---|---|---|
| Períodos: 1754 a 1759 | 0059 | 009-0650/0774 |
| 1769 a 1775 | 0156 | 022-0558/0664 |
| 1770 | 0948 | 060-0549/0598 |
| 1770 | 1106 | 066-0174/0203 |
| 1770 a 1771 | 2729 | 155-0004/0057 |
| 1770 a 1771 | 4087 | 247-0222/0240 |
| 1771 a 1772 | 0155 | 022-0498/0557 |
| 1771 a 1772 | 0159 | 022-0882/1045 |
| 1771 a 1776 | 2124 | 122-0819/0836 |
| 1773 a 1775 | 0153 | 022-0376/0448 |
| 1776 a 1778 | 0072 | 011-0107/0162 |
| 1782 a 1784 | 0154 | 022-0449/0497 |
| 1784 a 1788 | 1727 | 098-0928/0971 |

| | | |
|---|---|---|
| 1788 | 1128 | 067-0888/0915 |
| 1790 | 1108 | 066-0234/0263 |
| 1792 | 1109 | 066-0264/0295 |
| 1792 a 1794 | 1816 | 258-0586/0617 |
| 1797 | 1110 | 066-0296/0313 |
| 1797 | 1571 | 088-0088/0116 |
| 1798 | 0431 | 040-0220/0241 |
| 1800 | 0143 | 021-0831/0854 |
| 1800 a 1803 | 1699 | 097-0680/0714 |
| 1801 | 0163 | 022-1091/1113 |
| 1802 a 1803 | 1569 | 088-0037/0060 |
| 1803 | 1570 | 088-0062/0086 |
| 1803 a 1805 | 1725 | 098-0745/0785 |
| 1804 | 0430 | 040-0198/0219 |
| 1805 | 0944 | 060-0453/0476 |
| 1805 a 1807 | 1724 | 098-0702/0743 |
| 1806 | 0433 | 040-0250/0274 |
| 1807 | 1572 | 088-0119/0141 |
| 1807 a 1810 | 3261 | 189-0737/0787 |
| 1808 | 0146 | 021-1070/1094 |
| 1809 | 0145 | 021-1047/1069 |
| 1809 a 1813 | 3258 | 189-0508/0562 |
| 1810 | 0945 | 060-0477/0498 |
| 1811 a 1812 | 1008 | 061-0648/0676 |
| 1812 | 1568 | 088-0013/0035 |
| 1813 | 0432 | 040-0242/0249 |
| 1813 a 1815 | 3559 | 263-0707/0742 |
| 1814 | 0162 | 022-1077/1090 |
| 1816 | 1009 | 061-0677/0688 |
| 1817 | 0149 | 021-1129-1155 |
| 1818 a 1819 | 0171 | 023-0109/0120 |
| 1819 | 0160 | 022-1046/1057 |
| 1819 a 1820 | 3301 | 195-0005/0208 |
| 1820 | 0141 | 021-0796/0812 |
| 1821 | 0142 | 021-0813/0830 |
| 1821 a 1829 | 2727 | 154-1063/1149 |
| 1822 | 0147 | 021-1095/1112 |
| 1823 | 0161 | 022-1057/1076 |
| 1823 a 1824 | 0434 | 040-0275/0282 |
| 1825 | 1010 | 061-0689/0706 |
| 1826 | 0943 | 060-0435/0452 |
| 1826 a 1828 | 4192 | 256-0782/0879 |
| 1826 a 1828 | 4200 | 265-0005/0160 |
| 1826 a 1832 | 3032 | 641-0113/0353 |
| 1827 | 1011 | 061-0708/0723 |
| 1828 | 0148 | 021-1113/1128 |
| 1829 a 1831 | 0157 | 022-0665/0793 |
| 1829 a 1832 | 2997 | 168-1010/1057 |
| 1829 a 1833 | 4173 | 255-0157/0259 |

**RECEITA E DESPESA DE PENSÕES**

F/Grupo: Intendência
Local: São João Del Rey

| | | |
|---|---|---|
| Período: 1829 a 1830 | 2780 | 157-0409/0416 |

**RECEITA E DESPESA DA PERMUTA DO OURO EM PÓ DE FAISQUEIRAS**

F/Grupo: Intendência, Casa de Fundição, Coletoria, Contadoria, Tesouraria, Recebedoria, Real Fazenda e Casa do Trôco.
Locais: Vila Rica, Sabará, São João Del Rey, Vila do Príncipe, Vila de Minas Novas, Ouro Preto, Vila Ayuroca, Diamantina, Vila Bela e Mariana.

| | | |
|---|---|---|
| Períodos: 1722 a 1725 | 0137 | 021-0004/0366 |
| 1763 a 1765 | 0280 | 029-0947/1007 |
| 1768 | 0699 | 049-0869/0875 |
| 1769 | 1144 | 068-0646/0657 |
| 1769 a 1771 | 1557 | 087-0480/0497 |
| 1770 a 1773 | 0697 | 049-0788/0847 |
| 1772 a 1774 | 1539 | 086-1049/1067 |
| 1773 | 1514 | 086-0056/0081 |
| 1773 a 1774 | 1026 | 062-1052/1097 |
| 1775 | 0934 | 060-0292/0308 |
| 1776 | 0935 | 060-0309/0340 |
| 1776 | 1573 | 088-0143/0168 |
| 1776 | 1574 | 088-0170/0185 |
| 1779 a 1780 | 3404 | 204-0407/0782 |
| 1781 | 0928 | 060-0202/0217 |
| 1781 | 0936 | 060-0341/0356 |
| 1781 a 1782 | 4079 | 264-0599/0654 |
| 1783 | 0937 | 060-0358/0377 |
| 1785 | 1387 | 079-0534/0563 |
| 1788 a 1791 | 0842 | 058-0355/0401 |
| 1788 a 1809 | 0813 | 056-0684/0860 |
| 1791 | 0399 | 039-0508/0526 |
| 1791 | 0929 | 060-0218/0228 |
| 1791 | 0932 | 060-0368/0378 |
| 1792 a 1795 | 0843 | 058-0402/0455 |
| 1794 a 1795 | 0844 | 058-0456/0483 |
| 1796 | 0390 | 038-1031-1047 |
| 1797 | 0845 | 058-0484/0505 |
| 1798 | 0940 | 060-0402/0412 |
| 1798 | 1512 | 086-0008/0028 |
| 1799 | 0939 | 060-0389/0401 |
| 1799 | 1548 | 087-0219/0240 |
| 1800 | 0924 | 060-0157/0167 |
| 1800 | 1549 | 087-0242/0262 |
| 1800 a 1802 | 3831 | 235-0521/0537 |
| 1801 | 0853 | 058-0548/0570 |
| 1801 | 0925 | 060-0168/0177 |
| 1801 | 1540 | 086-1069/1089 |
| 1801 a 1803 | 2799 | 158-0804/0816 |
| 1802 | 0397 | 039-0480/0501 |

| | | |
|---|---|---|
| 1802 | 0941 | 060-0413/0423 |
| 1803 | 0698 | 049-0848/0868 |
| 1803 | 0942 | 060-0424/0434 |
| 1804 | 0403 | 039-0582/0598 |
| 1804 | 0938 | 060-0378/0388 |
| 1804 a 1805 | 0696 | 049-0768/0787 |
| 1805 | 0404 | 039-0600/0617 |
| 1805 | 0931 | 060-0254/0267 |
| 1806 | 0405 | 039-0619/0636 |
| 1806 | 0922 | 060-0131/0144 |
| 1806 | 0923 | 060-0145/0156 |
| 1806 a 1807 | 2131 | 123-0189/0532 |
| 1806 a 1820 | 1513 | 086-0030/0054 |
| 1807 | 0400 | 039-0528/0545 |
| 1807 | 0926 | 060-0178/0189 |
| 1807 | 1515 | 086-0083/0106 |
| 1808 | 0401 | 039-0546/0563 |
| 1808 | 0927 | 060-0190/0201 |
| 1809 | 0402 | 039-0565/0580 |
| 1809 | 0517 | 043-0297/0301 |
| 1809 | 0518 | 043-0302/0307 |
| 1809 | 0519 | 043-0308/0313 |
| 1809 | 0564 | 043-0753/0756 |
| 1809 | 0569 | 043-0780/0791 |
| 1809 | 0601 | 043-1023/1028 |
| 1809 | 0602 | 043-1029/1033 |
| 1809 | 0623 | 044-0156/0160 |
| 1809 | 0624 | 044-0161/0164 |
| 1809 | 0625 | 044-0165/0169 |
| 1809 | 0700 | 049-0876/0898 |
| 1809 | 0838 | 057-0994/1004 |
| 1809 | 0933 | 060-0279/0290 |
| 1809 | 1028 | 062-1098/1128 |
| 1809 | 1029 | 063-0004/0029 |
| 1809 | 1030 | 063-0031/0048 |
| 1809 | 1518 | 086-0151/0165 |
| 1809 | 1555 | 087-0378/0409 |
| 1809 | 1693 | 097-0637/0643 |
| 1809 | 1709 | 098-0590/0597 |
| 1809 | 1719 | 098-0661/0668 |
| 1809 | 1963 | 113-0871/0875 |
| 1809 | 2002 | 114-1175/1183 |
| 1809 | 2214 | 124-0949/0955 |
| 1809 | 2227 | 124-1039/1045 |
| 1809 | 2234 | 260-0710/0715 |
| 1809 | 2246 | 638-0510/0514 |
| 1809 | 2256 | 2600764/0768 |
| 1809 | 2259 | 125-0118/0122 |
| 1809 | 2603 | 147-0689/0693 |
| 1809 | 2604 | 147-0694/0702 |

| | | |
|---|---|---|
| 1809 | 2751 | 157-0162/0165 |
| 1809 | 2757 | 157-0189/0197 |
| 1809 | 2767 | 638-0235/0239 |
| 1809 | 2774 | 157-0257/0262 |
| 1809 | 3095 | 180-0370/0376 |
| 1809 | 3099 | 180-0398/0402 |
| 1809 | 3102 | 180-0423/0428 |
| 1809 | 3140 | 180-0708/0712 |
| 1809 | 3151 | 180-0789/0794 |
| 1809 | 3153 | 180-0801/0808 |
| 1809 | 3351 | 197-0022/0026 |
| 1809 | 3480 | 209-0311/0318 |
| 1809 | 3873 | 236-0245/0251 |
| 1809 | 3879 | 236-0290/0294 |
| 1809 | 3954 | 240-0244/0248 |
| 1809 | 3955 | 240-0249/0253 |
| 1809 | 3965 | 240-0334/0341 |
| 1809 a 1810 | 0520 | 043-0314/0319 |
| 1809 a 1810 | 0561 | 043-0740/0744 |
| 1809 a 1810 | 0562 | 043-0745/0748 |
| 1809 a 1810 | 0563 | 043-0749/0752 |
| 1809 a 1810 | 0565 | 043-0757/0761 |
| 1809 a 1810 | 0566 | 043-0762/0770 |
| 1809 a 1810 | 0567 | 043-0771/0776 |
| 1809 a 1810 | 0568 | 043-0777/0779 |
| 1809 a 1810 | 2164 | 124-0620/0633 |
| 1809 a 1810 | 2617 | 147-0843/0846 |
| 1809 a 1810 | 3302 | 195-0210/0254 |
| 1809 a 1810 | 3867 | 236-0210/0215 |
| 1809 a 1811 | 1168 | 070-0440/0556 |
| 1809 a 1812 | 1551 | 087-0295/0324 |
| 1809 a 1812 | 2605 | 147-0703/0747 |
| 1809 a 1813 | 1437 | 082-0244/0251 |
| 1809 a 1814 | 0034 | 006-0005/0482 |
| 1809 a 1815 | 1541 | 086-1091/1119 |
| 1809 a 1815 | 3224 | 187-0004/0344 |
| 1809 a 1816 | 0837 | 057-0964/0993 |
| 1809 a 1816 | 1559 | 087-0509/0537 |
| 1809 a 1816 | 1560 | 087-0539/0566 |
| 1809 a 1816 | 2883 | 163-0927/0957 |
| 1809 a 1817 | 0605 | 044-0023/0039 |
| 1809 a 1817 | 2247 | 125-0031/0039 |
| 1809 a 1818 | 0603 | 043-1034/1041 |
| 1809 a 1820 | 1554 | 087-0353/0376 |
| 1809 a 1820 | 2979 | 165-0835/0863 |
| 1809 a 1821 | 1516 | 086-0108/0130 |
| 1809 a 1821 | 1538 | 086-1038/1047 |
| 1809 a 1821 | 2658 | 148-0732/0753 |
| 1809 a 1821 | 3545 | 216-0299/0325 |
| 1809 a 1822 | 0836 | 057-0943/0963 |

| | | |
|---|---|---|
| 1809 a 1822 | 1553 | 087-0334/0351 |
| 1809 a 1822 | 2665 | 148-0895/0924 |
| 1809 a 1822 | 3352 | 197-0027/0045 |
| 1810 | 0521 | 043-0320/0327 |
| 1810 | 0522 | 043-0328/0334 |
| 1810 | 0523 | 043-0335/0343 |
| 1810 | 0524 | 043-0344/0351 |
| 1810 | 0525 | 043-0352/0372 |
| 1810 | 0583 | 043-0874/0879 |
| 1810 | 0584 | 043-0880/0886 |
| 1810 | 0588 | 043-0908/0911 |
| 1810 | 0589 | 043-0912/0925 |
| 1810 | 0590 | 043-0926/0932 |
| 1810 | 0591 | 043-0933/0937 |
| 1810 | 0592 | 043-0938/0947 |
| 1810 | 0596 | 043-0969/0973 |
| 1810 | 0607 | 044-0045/0049 |
| 1810 | 0608 | 044-0050/0056 |
| 1810 | 0609 | 044-0057/0062 |
| 1810 | 0610 | 044-0063/0069 |
| 1810 | 0611 | 044-0070/0075 |
| 1810 | 0612 | 044-0076/0078 |
| 1810 | 0613 | 044-0079/0082 |
| 1810 | 0614 | 044-0083/0088 |
| 1810 | 0615 | 044-0089/0099 |
| 1810 | 0616 | 044-0100/0106 |
| 1810 | 0617 | 044-0107/0112 |
| 1810 | 0618 | 044-0113/0118 |
| 1810 | 0620 | 044-0125/0137 |
| 1810 | 0621 | 044-0138/0142 |
| 1810 | 0757 | 051-0938/0946 |
| 1810 | 0759 | 051-0953/0957 |
| 1810 | 0760 | 051-0958/0963 |
| 1810 | 0761 | 051-0964/0970 |
| 1810 | 0762 | 051-0971/0978 |
| 1810 | 0764 | 051-0985/0990 |
| 1810 | 0765 | 051-0991/0996 |
| 1810 | 0768 | 051-1008/1012 |
| 1810 | 1967 | 113-0899/0906 |
| 1810 | 2017 | 115-0678/0687 |
| 1810 | 2097 | 120-0020/0026 |
| 1810 | 2195 | 260-0621/0627 |
| 1810 | 2198 | 260-0647/0652 |
| 1810 | 2216 | 124-0965/0973 |
| 1810 | 2220 | 124-1011/1016 |
| 1810 | 2228 | 124-1046/1052 |
| 1810 | 2245 | 125-0023/0029 |
| 1810 | 2248 | 260-0735/0741 |
| 1810 | 2308 | 126-0636/0645 |
| 1810 | 2449 | 261-1246/1252 |

| | | |
|---|---|---|
| 1810 | 2458 | 637-0156/0162 |
| 1810 | 2606 | 147-0748/0756 |
| 1810 | 2758 | 157-0198/0206 |
| 1810 | 2770 | 157-0218/0224 |
| 1810 | 2775 | 157-0267/0273 |
| 1810 | 2838 | 162-0947/0956 |
| 1810 | 2946 | 164-0545/0549 |
| 1810 | 2948 | 164-0558/0563 |
| 1810 | 2949 | 164-0564/0582 |
| 1810 | 2956 | 164-0619/0622 |
| 1810 | 3109 | 180-0485/0491 |
| 1810 | 3323 | 196-0494/0501 |
| 1810 | 3374 | 199-0645/0652 |
| 1810 | 3493 | 210-0364/0378 |
| 1810 | 3506 | 211-0510/0517 |
| 1810 | 3843 | 236-0005/0012 |
| 1810 | 3874 | 236-0253/0257 |
| 1810 | 3880 | 236-0296/0299 |
| 1810 | 3922 | 236-0561/0568 |
| 1810 | 3953 | 240-0237/0243 |
| 1810 a 1811 | 3963 | 264-0589/0596 |
| 1810 a 1811 | 0585 | 043-0887/0890 |
| 1810 a 1811 | 0593 | 043-0948/0954 |
| 1810 a 1811 | 0595 | 043-0963/0968 |
| 1810 a 1811 | 0619 | 044-0119/0124 |
| 1810 a 1811 | 1764 | 101-0326/0333 |
| 1810 a 1811 | 2064 | 119-0995/1002 |
| 1810 a 1811 | 2072 | 119-1058/1064 |
| 1810 a 1811 | 2173 | 124-0703/0709 |
| 1810 a 1811 | 2179 | 124-0742/0750 |
| 1810 a 1811 | 2182 | 124-0766/0772 |
| 1810 a 1811 | 2184 | 124-0778/0785 |
| 1810 a 1811 | 2664 | 148-0887/0894 |
| 1810 a 1811 | 2954 | 164-0605/0610 |
| 1810 a 1811 | 3110 | 180-0493/0499 |
| 1810 a 1811 | 3126 | 180-0607/0613 |
| 1810 a 1811 | 3131 | 180-0648/0653 |
| 1810 a 1811 | 3322 | 196-0487/0493 |
| 1810 a 1811 | 3350 | 197-0014/0021 |
| 1810 a 1811 | 3544 | 216-0292/0298 |
| 1810 a 1811 | 3772 | 230-0541/0695 |
| 1811 | 3869 | 236-0222/0226 |
| 1811 | 3902 | 236-0441/0448 |
| 1811 | 0527 | 043-0377/0381 |
| 1811 | 0528 | 043-0382/0385 |
| 1811 | 0529 | 043-0386/0392 |
| 1811 | 0579 | 043-0847/0852 |
| 1811 | 0580 | 043-0853/0858 |
| 1811 | 0581 | 043-0859/0868 |
| 1811 | 0582 | 043-0869/0873 |

| | | |
|---|---|---|
| 1811 | 0597 | 043-0974/0979 |
| 1811 | 0598 | 043-0980/0991 |
| 1811 | 0599 | 043-0992/0999 |
| 1811 | 0606 | 044-0040/0044 |
| 1811 | 0758 | 051-0947/0952 |
| 1811 | 0763 | 051-0979/0983 |
| 1811 | 0766 | 051-0997/1002 |
| 1811 | 0767 | 051-1003/1007 |
| 1811 | 1694 | 097-0645/0651 |
| 1811 | 1710 | 098-0599/0606 |
| 1811 | 1720 | 098-0670/0676 |
| 1811 | 1765 | 101-0334/0341 |
| 1811 | 1966 | 113-0892/0898 |
| 1811 | 2021 | 115-0708/0715 |
| 1811 | 2096 | 120-0012/0019 |
| 1811 | 2177 | 124-0726/0733 |
| 1811 | 2181 | 124-0759/0765 |
| 1811 | 2187 | 124-0793/0799 |
| 1811 | 2189 | 124-0808/0813 |
| 1811 | 2197 | 260-0639/0644 |
| 1811 | 2211 | 124-0922/0929 |
| 1811 | 2217 | 124-0985/0995 |
| 1811 | 2236 | 124-1115-1121 |
| 1811 | 2258 | 125-0110/0117 |
| 1811 | 2450 | 637-0109/0115 |
| 1811 | 2457 | 136-0144/0150 |
| 1811 | 2597 | 147-0641/0647 |
| 1811 | 2607 | 147-0757/0766 |
| 1811 | 2615 | 147-0833/0837 |
| 1811 | 2618 | 147-0847/0850 |
| 1811 | 2619 | 147-0851/0856 |
| 1811 | 2663 | 148-0880/0886 |
| 1811 | 2769 | 157-0212/0217 |
| 1811 | 2776 | 157-0274/0277 |
| 1811 | 2777 | 157-0280/0287 |
| 1811 | 2844 | 163-0131/0133 |
| 1811 | 3098 | 180-0388/0396 |
| 1811 | 3112 | 180-0507/0513 |
| 1811 | 3125 | 180-0598/0604 |
| 1811 | 3144 | 180-0730/0734 |
| 1811 | 3155 | 180-0817/0823 |
| 1811 | 3251 | 188-0976/1130 |
| 1811 | 3325 | 196-0510/0515 |
| 1811 | 3332 | 196-0561/0565 |
| 1811 | 3340 | 196-0613/0620 |
| 1811 | 3851 | 236-0072/0078 |
| 1811 | 3844 | 236-0014/0019 |
| 1811 | 3870 | 236-0228/0233 |
| 1811 | 3881 | 236-0301/0207 |
| 1811 | 3884 | 236-0325/0331 |

| | | |
|---|---|---|
| 1811 | 3890 | 236-0364/0370 |
| 1811 | 3921 | 236-0554/0560 |
| 1811 | 3950 | 240-0218/0221 |
| 1811 | 3951 | 240-0223/0229 |
| 1811 | 3952 | 240-0231/0235 |
| 1811 a 1812 | 3962 | 240-0307/0313 |
| 1811 a 1812 | 3969 | 240-0376/0382 |
| 1811 a 1812 | 3972 | 240-0459/0465 |
| 1811 a 1812 | 0544 | 043-0502/0510 |
| 1811 a 1812 | 0573 | 043-0811/0818 |
| 1811 a 1812 | 2016 | 115-0669/0677 |
| 1811 a 1812 | 2071 | 119-1049/1057 |
| 1811 a 1812 | 2091 | 119-1190-1197 |
| 1811 a 1812 | 2178 | 124-0734/0741 |
| 1811 a 1812 | 2479 | 637-0324/0329 |
| 1811 a 1812 | 2652 | 148-0681/0689 |
| 1811 a 1812 | 2657 | 148-0723/0731 |
| 1811 a 1812 | 3324 | 196-0502/0509 |
| 1812 | 3492 | 210-0355/0363 |
| 1812 | 3543 | 216-0284/0291 |
| 1812 | 3903 | 236-0449/0456 |
| 1812 | 0543 | 043-0490/0501 |
| 1812 | 0540 | 043-0473/0479 |
| 1812 | 0541 | 043-0480/0484 |
| 1812 | 0570 | 043-0792/0797 |
| 1812 | 0572 | 043-0806/0810 |
| 1812 | 0576 | 043-0831/0836 |
| 1812 | 0577 | 043-0837/0840 |
| 1812 | 0846 | 058-0506/0509 |
| 1812 | 0847 | 058-0510/0514 |
| 1812 | 0848 | 058-0515/0520 |
| 1812 | 0849 | 058-0521/0525 |
| 1812 | 0850 | 058-0526/0531 |
| 1812 | 0851 | 058-0532/0536 |
| 1812 | 0913 | 059-1074/1086 |
| 1812 | 1695 | 097-0653/0659 |
| 1812 | 1711 | 098-0608/0614 |
| 1812 | 1721 | 098-0678/0684 |
| 1812 | 1766 | 101-0342/0348 |
| 1812 | 1965 | 113-0885/0891 |
| 1812 | 2001 | 114-1167/1174 |
| 1812 | 2020 | 115-0699/0707 |
| 1812 | 2077 | 119-1091/1098 |
| 1812 | 2188 | 124-0800/0806 |
| 1812 | 2205 | 124-0871/0877 |
| 1812 | 2207 | 124-0888/0903 |
| 1812 | 2210 | 260-0668/0672 |
| 1812 | 2225 | 260-0685/0690 |
| 1812 | 2229 | 124-1053/1060 |
| 1812 | 2237 | 124-1122/1129 |

| | | |
|---|---|---|
| 1812 | 2249 | 125-0041/0049 |
| 1812 | 2312 | 126-0672/0678 |
| 1812 | 2471 | 637-0270/0274 |
| 1812 | 2598 | 147-0648/0654 |
| 1812 | 2608 | 147-0767/0774 |
| 1812 | 2616 | 147-0838/0842 |
| 1812 | 2743 | 644-0766/0774 |
| 1812 | 2752 | 262-0825/0831 |
| 1812 | 2759 | 644-0571/0583 |
| 1812 | 2771 | 157-0225/0235 |
| 1812 | 2778 | 157-0288/0305 |
| 1812 | 2842 | 163-0120/0124 |
| 1812 | 3097 | 180-0381/0387 |
| 1812 | 3101 | 180-0412/0422 |
| 1812 | 3114 | 180-0521/0525 |
| 1812 | 3129 | 180-0630/0636 |
| 1812 | 3143 | 180-0725/0728 |
| 1812 | 3154 | 180-0809/0816 |
| 1812 | 3172 | 182-0756/0763 |
| 1812 | 3255 | 189-0126/0247 |
| 1812 | 3328 | 196-0530/0537 |
| 1812 | 3845 | 236-0021/0026 |
| 1812 | 3850 | 236-0065/0071 |
| 1812 | 3882 | 236-0309/0316 |
| 1812 a 1813 | 3904 | 236-0457/0462 |
| 1812 a 1813 | 3949 | 240-0208/0217 |
| 1812 a 1813 | 3973 | 240-0467/0470 |
| 1812 a 1813 | 0494 | 042-0175/1184 |
| 1812 a 1813 | 0542 | 043-0485/0489 |
| 1812 a 1813 | 0574 | 043-0819/0823 |
| 1812 a 1813 | 0578 | 043-0841/0846 |
| 1812 a 1813 | 2015 | 115-0661/0668 |
| 1812 a 1813 | 2070 | 119-1042/1048 |
| 1812 a 1813 | 2084 | 119-1132/1140 |
| 1812 a 1813 | 2095 | 120-0003/0011 |
| 1812 a 1813 | 2168 | 124-0664/0670 |
| 1812 a 1813 | 2172 | 124-0696/0702 |
| 1812 a 1813 | 2180 | 124-0751/0758 |
| 1812 a 1813 | 2196 | 260-0630/0636 |
| 1812 a 1813 | 2215 | 124-0956/0964 |
| 1812 a 1813 | 2456 | 637-0148/0154 |
| 1812 a 1813 | 2651 | 148-0672/0680 |
| 1812 a 1813 | 2656 | 148-0713/0722 |
| 1812 a 1813 | 3086 | 179-1206/1212 |
| 1812 a 1813 | 3108 | 180-0477/0483 |
| 1812 a 1813 | 3326 | 196-0516/0522 |
| 1812 a 1813 | 3341 | 196-0621/0627 |
| 1812 a 1813 | 3342 | 196-0628/0636 |
| 1812 a 1813 | 3872 | 236-0240/0243 |
| 1812 a 1814 | 3883 | 236-0318/0324 |

| | | |
|---|---|---|
| 1812 a 1814 | 3891 | 236-0371/0378 |
| 1812 a 1814 | 3920 | 236-0545/0552 |
| 1812 a 1814 | 0575 | 043-0824/0830 |
| 1812 a 1815 | 0586 | 043-0891/0897 |
| 1812 a 1816 | 2753 | 262-0833/0839 |
| 1812 a 1819 | 2840 | 163-0087/0094 |
| 1812 a 1819 | 1167 | 070-0319/0439 |
| 1812 a 1822 | 1550 | 087-0264/0293 |
| 1812 a 1823 | 3135 | 180-0669/0679 |
| 1813 | 3254 | 189-0004/0125 |
| 1813 | 0389 | 038-0871/1029 |
| 1813 | 3118 | 180-0549/0554 |
| 1813 | 0435 | 257-0534/0540 |
| 1813 | 0436 | 257-0542/0547 |
| 1813 | 0437 | 040-0305/0308 |
| 1813 | 0533 | 043-0433/0436 |
| 1813 | 0534 | 043-0437/0441 |
| 1813 | 0535 | 043-0442/0446 |
| 1813 | 0536 | 043-0447/0455 |
| 1813 | 0537 | 043-0456/0463 |
| 1813 | 0538 | 043-0464/0468 |
| 1813 | 0539 | 043-0469/0472 |
| 1813 | 1704 | 098-0548/0564 |
| 1813 | 1712 | 098-0616/0622 |
| 1813 | 1722 | 098-0686/0691 |
| 1813 | 1767 | 101-0349/0356 |
| 1813 | 2186 | 260-0606/0612 |
| 1813 | 2221 | 124-1017/1022 |
| 1813 | 2222 | 124-1023/1028 |
| 1813 | 2238 | 124-1130/1135 |
| 1813 | 2250 | 125-0050/0058 |
| 1813 | 2311 | 126-0663/0671 |
| 1813 | 2455 | 637-0140/0145 |
| 1813 | 2465 | 637-01990205 |
| 1813 | 2599 | 147-0655/0662 |
| 1813 | 2609 | 147-0775/0782 |
| 1813 | 2745 | 644-0875/0877 |
| 1813 | 2754 | 157-0168/0175 |
| 1813 | 2760 | 644-0558/0569 |
| 1813 | 2772 | 157-0236/0248 |
| 1813 | 3096 | 180-0377/0380 |
| 1813 | 3107 | 180-0469/0476 |
| 1813 | 3119 | 180-0556/0560 |
| 1813 | 3127 | 180-0615/0621 |
| 1813 | 3138 | 180-0692/0697 |
| 1813 | 3149 | 180-0779/0782 |
| 1813 | 3150 | 180-0783/0787 |
| 1813 | 3152 | 180-0796/0799 |
| 1813 | 3248 | 188-0739/0846 |
| 1813 | 3256 | 189-0248/0381 |

| | | |
|---|---|---|
| 1813 | 3329 | 196-0538/0544 |
| 1813 | 3349 | 197-0005/0013 |
| 1813 | 3846 | 236-0028/0033 |
| 1813 | 3849 | 236-0055/0063 |
| 1813 | 3886 | 236-0339/0345 |
| 1813 a 1814 | 3901 | 236-0433/0439 |
| 1813 a 1814 | 3961 | 240-0300/0306 |
| 1813 a 1814 | 3968 | 240-0368/0375 |
| 1813 a 1814 | 0496 | 042-0189/0192 |
| 1813 a 1814 | 0497 | 042-0193/0196 |
| 1813 a 1814 | 0532 | 043-0419/0432 |
| 1813 a 1814 | 1986 | 260-0040/0046 |
| 1813 a 1814 | 2022 | 115-0716/0723 |
| 1813 a 1814 | 2069 | 119-1036/1041 |
| 1813 a 1814 | 2076 | 119-1084/1091 |
| 1813 a 1814 | 2085 | 119-1141/1149 |
| 1813 a 1814 | 2094 | 119-1212-1219 |
| 1813 a 1814 | 2159 | 124-0580/0587 |
| 1813 a 1814 | 2171 | 124-0688/0695 |
| 1813 a 1814 | 2206 | 124-0878/0887 |
| 1813 a 1813 | 2451 | 637-0117/0121 |
| 1813 a 1813 | 2650 | 148-0664/0671 |
| 1813 a 1813 | 2655 | 148-0706/0712 |
| 1813 a 1814 | 3327 | 196-0523/0529 |
| 1813 a 1814 | 3331 | 196-0553/0559 |
| 1813 a 1814 | 3337 | 196-0591/0597 |
| 1813 a 1814 | 3773 | 230-0697/0809 |
| 1813 a 1814 | 3860 | 236-0149/0157 |
| 1813 a 1822 | 3861 | 236-0159/0167 |
| 1814 | 3889 | 236-0358/0363 |
| 1814 | 3919 | 236-0539/0544 |
| 1814 | 2820 | 160-0667/1110 |
| 1814 | 1705 | 098-0565/0570 |
| 1814 | 1713 | 098-0624/0630 |
| 1814 | 1723 | 098-0693/0700 |
| 1814 | 1962 | 113-0863/0870 |
| 1814 | 1964 | 113-0876/0884 |
| 1814 | 2003 | 114-1184/1192 |
| 1814 | 2067 | 119-1020/1027 |
| 1814 | 2093 | 119-1205/1211 |
| 1814 | 2156 | 124-0561/0567 |
| 1814 | 2160 | 124-0588/0595 |
| 1814 | 2208 | 124-0904/0913 |
| 1814 | 2223 | 124-1029/1035 |
| 1814 | 2230 | 124-1061/1068 |
| 1814 | 2239 | 260-0718/0732 |
| 1814 | 2251 | 125-0059/0067 |
| 1814 | 2310 | 126-0654/0662 |
| 1814 | 2454 | 637-0132/0138 |
| 1814 | 2464 | 637-0191/0197 |

| | | |
|---|---|---|
| 1814 | 2478 | 637-0316/0322 |
| 1814 | 2600 | 147-0663/0671 |
| 1814 | 2610 | 147-0783/0791 |
| 1814 | 2649 | 148-0647/0663 |
| 1814 | 2747 | 644-0762/0764 |
| 1814 | 2755 | 157-0176/0182 |
| 1814 | 2761 | 644-0677/0691 |
| 1814 | 2762 | 644-0550/0556 |
| 1814 | 2773 | 157-0249/0256 |
| 1814 | 3106 | 180-0461/0467 |
| 1814 | 3113 | 180-0515/0519 |
| 1814 | 3120 | 180-0562/0566 |
| 1814 | 3137 | 180-0686/0691 |
| 1814 | 3259 | 189-0563/0680 |
| 1814 | 3320 | 196-0473/0479 |
| 1814 | 3321 | 196-0480/0486 |
| 1814 | 3330 | 196-0545/0552 |
| 1814 | 3338 | 196-0598/0604 |
| 1814 | 3779 | 231-0526/0673 |
| 1814 | 3862 | 236-0168/0173 |
| 1814 | 3863 | 236-0174/0181 |
| 1814 | 3875 | 236-0258/0266 |
| 1814 | 3885 | 236-0333/0338 |
| 1814 a 1815 | 3900 | 236-0426/0432 |
| 1814 a 1815 | 3908 | 236-0482/0488 |
| 1814 a 1815 | 3960 | 240-0292/0298 |
| 1814 a 1815 | 2023 | 115-0724/0731 |
| 1814 a 1815 | 2086 | 119-1150/1161 |
| 1814 a 1815 | 2109 | 120-0108/0116 |
| 1814 a 1815 | 2169 | 124-0671/0679 |
| 1814 a 1815 | 2204 | 124-0862/0870 |
| 1814 a 1815 | 2452 | 637-0124/0130 |
| 1814 a 1815 | 2654 | 148-0698/0705 |
| 1814 a 1815 | 3128 | 180-0623/0629 |
| 1814 a 1815 | 3147 | 180-0756/0764 |
| 1814 a 1815 | 3847 | 236-0035/0043 |
| 1814 a 1815 | 3856 | 236-0119/0128 |
| 1814 a 1815 | 3871 | 236-0234/0238 |
| 1814 a 1815 | 3888 | 236-0352/0357 |
| 1814 a 1815 | 3918 | 236-0533/0538 |
| 1815 | 0604 | 044-0005/0022 |
| 1815 | 1519 | 086-0167/0250 |
| 1815 | 3142 | 180-0719/0723 |
| 1815 | 0530 | 043-0393/0404 |
| 1815 | 1706 | 098-0572/0577 |
| 1815 | 1754 | 101-0257/0264 |
| 1815 | 1968 | 113-0907/0911 |
| 1815 | 1970 | 113-0922/0928 |
| 1815 | 1971 | 113-0929/0935 |
| 1815 | 1973 | 113-0978/0984 |

| | | |
|---|---|---|
| 1815 | 2007 | 115-0156/0219 |
| 1815 | 2009 | 115-0227/0234 |
| 1815 | 2068 | 119-1028/1034 |
| 1815 | 2092 | 119-1198/1204 |
| 1815 | 2209 | 124-0914/0920 |
| 1815 | 2240 | 124-1139/1144 |
| 1815 | 2241 | 124-1145-1158 |
| 1815 | 2253 | 125-0070/0075 |
| 1815 | 2309 | 126-0646/0653 |
| 1815 | 2445 | 637-0096/0102 |
| 1815 | 2453 | 136-0132/0139 |
| 1815 | 2463 | 637-0183/0189 |
| 1815 | 2472 | 637-0277/0283 |
| 1815 | 2611 | 147-0792/0798 |
| 1815 | 2612 | 147-0799/0807 |
| 1815 | 2756 | 157-0183/0188 |
| 1815 | 2763 | 644-0717/0734 |
| 1815 | 3105 | 180-0455/0459 |
| 1815 | 3111 | 180-0501/0505 |
| 1815 | 3122 | 180-0574/0577 |
| 1815 | 3124 | 180-0592/0597 |
| 1815 | 3136 | 180-0681/0684 |
| 1815 | 3260 | 189-0681/0735 |
| 1815 | 3333 | 196-0566/0574 |
| 1815 | 3840 | 235-1055/1059 |
| 1815 | 3858 | 236-0135/0140 |
| 1815 | 3876 | 236-0268/0270 |
| 1815 | 3877 | 236-0272/0279 |
| 1815 | 3907 | 236-0474/0480 |
| 1815 | 3959 | 240-0285/0291 |
| 1815 a 1816 | 1500 | 086-0252/0284 |
| 1815 a 1816 | 2087 | 119-1162/1169 |
| 1815 a 1816 | 2155 | 124-0554/0560 |
| 1815 a 1816 | 2163 | 124-0611/0619 |
| 1815 a 1816 | 2203 | 124-0854/0861 |
| 1815 a 1816 | 2648 | 148-0639/0646 |
| 1815 a 1816 | 2653 | 148-0690/0697 |
| 1815 a 1816 | 3262 | 189-0789/0946 |
| 1815 a 1816 | 3319 | 196-0466/0472 |
| 1815 a 1816 | 3405 | 204-0783/0964 |
| 1815 a 1816 | 3887 | 236-0346/0351 |
| 1815 a 1816 | 3899 | 236-0419/0425 |
| 1815 a 1816 | 3917 | 236-0527/0532 |
| 1915 a 1817 | 0660 | 257-0548/0562 |
| 1815 a 1817 | 2217 | 124-0974/0984 |
| 1815 a 1817 | 2231 | 260-0697/0707 |
| 1815 a 1817 | 2252 | 260-0744/0754 |
| 1815 a 1817 | 3146 | 180-0742/0753 |
| 1815 a 1817 | 3855 | 236-0107/0117 |
| 1815 a 1817 | 3859 | 236-0141/0147 |

| | | |
|---|---|---|
| 1815 a 1818 | 3864 | 236-0182/0190 |
| 1815 a 1818 | 3958 | 240-0272/0283 |
| 1815 a 1818 | 3967 | 240-0355/0366 |
| 1815 a 1819 | 2224 | 260-0674/0682 |
| 1815 a 1819 | 2226 | 260-0693/0694 |
| 1816 | 0495 | 042-0185/0188 |
| 1816 | 0498 | 042-0198/0200 |
| 1816 | 0546 | 043-0516/0520 |
| 1816 | 0587 | 043-0898/0907 |
| 1816 | 1696 | 097-0661/0665 |
| 1816 | 1707 | 098-0579/0583 |
| 1816 | 1755 | 101-0265/0271 |
| 1816 | 1989 | 114-0447/0454 |
| 1816 | 2066 | 119-1013/1019 |
| 1816 | 2108 | 120-0100/0107 |
| 1816 | 2158 | 124-0574/0579 |
| 1816 | 2446 | 637-0089/0093 |
| 1816 | 2462 | 637-0175/0181 |
| 1816 | 2466 | 637-0207/0212 |
| 1816 | 2473 | 637-0285/0291 |
| 1816 | 2661 | 148-0767/0774 |
| 1816 | 2667 | 148-0949/0956 |
| 1816 | 2795 | 158-0344/0351 |
| 1816 | 2978 | 165-0831/0834 |
| 1816 | 3104 | 180-0442/0453 |
| 1816 | 3217 | 186-0223/0227 |
| 1816 | 3339 | 196-0605/0612 |
| 1816 | 3906 | 236-0468/0472 |
| 1816 | 3916 | 236-0521/0526 |
| 1816 a 1817 | 0493 | 042-0167/0173 |
| 1816 a 1817 | 0545 | 043-0511/0515 |
| 1816 a 1817 | 0547 | 043-0521/0524 |
| 1816 a 1817 | 1027 | 062-1131/1139 |
| 1816 a 1817 | 2024 | 115-0732/0739 |
| 1816 a 1817 | 2088 | 119-1170/1177 |
| 1816 a 1817 | 2162 | 124-0603/0610 |
| 1816 a 1817 | 2191 | 124-0820/0827 |
| 1816 a 1817 | 2202 | 260-0661/0666 |
| 1816 a 1817 | 3263 | 189-0947/1032 |
| 1816 a 1817 | 3318 | 196-0459/0465 |
| 1816 a 1817 | 3898 | 236-0412/0418 |
| 1816 a 1818 | 2613 | 147-0808/0818 |
| 1816 a 1818 | 2764 | 644-0693/0715 |
| 1816 a 1818 | 3878 | 236-0281/0288 |
| 1816 a 1820 | 1558 | 087-0499/0506 |
| 1816 a 1820 | 1987 | 114-0427/0442 |
| 1816 a 1820 | 2870 | 163-0673/0703 |
| 1816 a 1821 | 2666 | 148-0925/0948 |
| 1817 | 0812 | 056-0675/0683 |
| 1817 | 1438 | 082-0253/0315 |

| | | |
|---|---|---|
| 1817 | 1697 | 097-0667/0672 |
| 1817 | 1708 | 098-0585/0588 |
| 1817 | 1714 | 098-0632/0637 |
| 1817 | 1756 | 101-0272/0276 |
| 1817 | 2011 | 115-0241/0247 |
| 1817 | 2107 | 120-0092/0099 |
| 1817 | 2170 | 124-0680/0687 |
| 1817 | 2190 | 124-0814/0819 |
| 1817 | 2461 | 637-0168/0173 |
| 1817 | 2474 | 637-0293/0298 |
| 1817 | 2660 | 148-0759/0766 |
| 1817 | 3100 | 180-0404/0410 |
| 1817 | 3123 | 180-0579/0590 |
| 1817 | 3310 | 196-0424/0429 |
| 1817 | 3335 | 196-0581/0586 |
| 1817 | 3905 | 236-0463/0467 |
| 1817 | 3915 | 236-0517/0520 |
| 1817 a 1818 | 1537 | 086-0997/1036 |
| 1817 a 1818 | 2025 | 115-0740/0746 |
| 1817 a 1818 | 2089 | 119-1178/1184 |
| 1817 a 1818 | 2157 | 124-0568/0573 |
| 1817 a 1818 | 2161 | 124-0596/0602 |
| 1817 a 1818 | 2201 | 124-0849/0853 |
| 1817 a 1818 | 3309 | 196-0417/0423 |
| 1817 a 1818 | 3406 | 204-0965/1165 |
| 1817 a 1818 | 3774 | 230-0811/1055 |
| 1817 a 1818 | 3854 | 236-0099/0106 |
| 1817 a 1818 | 3897 | 236-0406/0411 |
| 1817 a 1818 | 2232 | 124-1069/1081 |
| 1817 a 1820 | 2065 | 119-1003/1012 |
| 1817 a 1820 | 2765 | 262-0850/0862 |
| 1817 a 1820 | 3103 | 180-0430/0441 |
| 1817 a 1820 | 3148 | 180-0765/0778 |
| 1817 a 1821 | 0811 | 258-0268/0356 |
| 1817 a 1821 | 2098 | 120-0027/0039 |
| 1817 a 1821 | 2254 | 125-0076/0088 |
| 1818 | 1698 | 097-0674/0678 |
| 1818 | 1715 | 098-0639/0644 |
| 1818 | 1757 | 101-0277/0282 |
| 1818 | 2008 | 115-0220/0226 |
| 1818 | 2106 | 120-0085/0091 |
| 1818 | 2167 | 124-0654/0663 |
| 1818 | 2185 | 124-0786/0790 |
| 1818 | 2192 | 124-0828/0833 |
| 1818 | 2200 | 124-0844/0848 |
| 1818 | 2448 | 637-0105/0107 |
| 1818 | 2468 | 644-0756/0760 |
| 1818 | 2475 | 637-0300/0303 |
| 1818 | 2659 | 148-0754/0758 |
| 1818 | 2914 | 164-0389/0393 |

| | | |
|---|---|---|
| 1818 | 3334 | 196-0576/0579 |
| 1818 | 3896 | 236-0401/0404 |
| 1818 a 1819 | 2018 | 115-0688/0693 |
| 1818 a 1819 | 2026 | 115-0747/0751 |
| 1818 a 1819 | 2090 | 119-1185/1189 |
| 1818 a 1819 | 3312 | 196-0434/0438 |
| 1818 a 1819 | 3313 | 196-0439/0442 |
| 1818 a 1819 | 3914 | 236-0513/0516 |
| 1818 a 1820 | 2242 | 125-0003/0012 |
| 1818 a 1821 | 2614 | 147-0819/0832 |
| 1818 a 1821 | 3841 | 235-1060/1072 |
| 1818 a 1821 | 3853 | 236-0088/0097 |
| 1818 a 1846 | 3296 | 194-0724/0731 |
| 1819 | 1536 | 086-0985/0995 |
| 1819 | 1682 | 097-0221/0224 |
| 1819 | 2012 | 115-0248/0253 |
| 1819 | 2083 | 119-1127/1131 |
| 1819 | 2176 | 124-0719/0725 |
| 1819 | 2183 | 124-0773/0777 |
| 1819 | 2199 | 260-0655/0658 |
| 1819 | 2459 | 637-0165/0166 |
| 1819 | 2476 | 637-0305/0308 |
| 1819 | 3121 | 180-0568/0572 |
| 1819 | 3134 | 180-0663/0667 |
| 1819 | 3895 | 236-0396/0399 |
| 1819 a 1820 | 1440 | 082-0342/0364 |
| 1819 a 1820 | 1758 | 101-0283/0288 |
| 1819 a 1820 | 2027 | 115-0752/0756 |
| 1819 a 1820 | 3311 | 196-0430/0433 |
| 1819 a 1820 | 3336 | 196-0587/0590 |
| 1819 a 1820 | 3775 | 231-0005/0186 |
| 1819 a 1820 | 3913 | 236-0509/0512 |
| 1819 a 1821 | 2233 | 124-1083/1094 |
| 1819 a 1821 | 2878 | 163-0834/0838 |
| 1819 a 1821 | 3408 | 205-0089/0227 |
| 1819 a 1821 | 3865 | 236-0192/0201 |
| 1819 a 1821 | 3966 | 240-0342/0354 |
| 1819 a 1822 | 3857 | 236-0130/0133 |
| 1820 | 1439 | 082-0317/0340 |
| 1820 | 1683 | 097-0226/0230 |
| 1820 | 1759 | 101-0289/0293 |
| 1820 | 2105 | 120-0080/0084 |
| 1820 | 2193 | 124-0834/0837 |
| 1820 | 3141 | 180-0714/0717 |
| 1820 a 1821 | 0594 | 043-0955/0962 |
| 1820 a 1821 | 1535 | 086-0953/0983 |
| 1820 a 1821 | 1552 | 087-0326/0332 |
| 1820 a 1821 | 2028 | 115-0757/0763 |
| 1820 a 1821 | 2166 | 124-0642/0653 |
| 1820 a 1821 | 2601 | 147-0672/0678 |

| | | |
|---|---|---|
| 1820 a 1821 | 3894 | 236-0391/0394 |
| 1820 a 1821 | 3957 | 240-0264/0271 |
| 1820 a 1822 | 2243 | 125-0013/0018 |
| 1820 a 1822 | 3795 | 233-0005/0135 |
| 1821 | 1449 | 083-0025/0155 |
| 1821 | 1684 | 097-0232/0235 |
| 1821 | 1969 | 113/0920 |
| 1821 | 2013 | 115-0254/0258 |
| 1821 | 2019 | 115-0694/0698 |
| 1821 | 2082 | 119-1122/1126 |
| 1821 | 2104 | 120-0073/0079 |
| 1821 | 2218 | 124-0996/1001 |
| 1821 | 2477 | 637-0130/0315 |
| 1821 | 2766 | 644-0736/0754 |
| 1821 | 3130 | 180-0638/0646 |
| 1821 | 3547 | 216-0330/0334 |
| 1821 | 3911 | 236-0501/0504 |
| 1821 | 3912 | 236-0505/0508 |
| 1821 | 3956 | 240-0254/0263 |
| 1821 a 1822 | 1760 | 101-0294/0298 |
| 1821 a 1822 | 2029 | 115-0764/0769 |
| 1821 a 1822 | 2175 | 124-0714/0718 |
| 1821 a 1822 | 2244 | 125-0019/0022 |
| 1821 a 1822 | 2470 | 637-0266/0267 |
| 1821 a 1822 | 3315 | 196-0447/0450 |
| 1821 a 1822 | 3893 | 236-0384/0489 |
| 1821 a 1823 | 2010 | 115-0235/0240 |
| 1821 a 1823 | 2602 | 147-0679/0688 |
| 1821 a 1823 | 3145 | 180-0735/0741 |
| 1821 a 1823 | 3852 | 236-0080/0087 |
| 1821 a 1823 | 3866 | 236-0203/0209 |
| 1821 a 1824 | 1969 | 113-0912/0919 |
| 1821 a 1824 | 3117 | 180-0538/0547 |
| 1821 a 1824 | 3848 | 236-0044/0054 |
| 1821 a 1826 | 3828 | 235-0449/0499 |
| 1821 a 1832 | 2255 | 260-0756/0761 |
| 1822 | 1441 | 082-0366/0393 |
| 1822 | 1685 | 097-0237/0241 |
| 1822 | 1686 | 097-0243/0247 |
| 1822 | 1716 | 098-0646/0649 |
| 1822 | 1717 | 098-0651/0654 |
| 1822 | 2031 | 115-0776/0780 |
| 1822 | 2081 | 119-1116/1121 |
| 1822 | 2101 | 120-0050/0055 |
| 1822 | 2102 | 120-0056/0064 |
| 1822 | 3892 | 236-0379/0382 |
| 1822 | 3909 | 236-0490/0493 |
| 1822 a 1823 | 0386 | 038-0748/0771 |
| 1822 a 1823 | 1761 | 101-0299/0307 |
| 1822 a 1823 | 2074 | 119-1072/1076 |

| | | |
|---|---|---|
| 1822 a 1823 | 3316 | 196-0451/0454 |
| 1823 | 3546 | 216-0326/0329 |
| 1823 | 0600 | 043-1000/1022 |
| 1823 | 1169 | 070-0557/0572 |
| 1823 | 2100 | 120-0045/0049 |
| 1823 | 2103 | 120-0065/0072 |
| 1823 | 2080 | 119-1110/1115 |
| 1823 | 3317 | 196-0455/0458 |
| 1823 a 1824 | 1762 | 101-0308/0317 |
| 1823 a 1824 | 2030 | 115-0770/0775 |
| 1823 a 1824 | 2075 | 119-1077/1082 |
| 1823 a 1824 | 2165 | 124-0634/0641 |
| 1823 a 1824 | 3910 | 236-0494/0498 |
| 1823 a 1834 | 1561 | 087-0568/0635 |
| 1824 | 1442 | 082-0395/0405 |
| 1824 | 2079 | 119-1103/1109 |
| 1824 a 1826 | 1763 | 101-0318/0325 |
| 1825 | 0398 | 039-0502/0506 |
| 1825 | 1451 | 083-0241/0252 |
| 1826 | 1170 | 070-0573/0580 |
| 1826 | 1689 | 097-0517/0521 |
| 1826 | 1718 | 098-0656/0659 |
| 1826 | 2099 | 120-0040/0044 |
| 1826 | 3923 | 236-0569/0572 |
| 1826 a 1827 | 2073 | 119-1065/1070 |
| 1826 a 1827 | 2078 | 119-1099/1103 |
| 1826 a 1827 | 2174 | 124-0710/0713 |
| 1826 a 1828 | 3314 | 196-0443/0446 |
| 1827 | 1448 | 083-0015/0023 |
| 1832 | 3466 | 208-0207/0310 |
| 1832 a 1833 | 1091 | 065-0320/0329 |
| 1832 a 1833 | 3077 | 179-0254/0261 |
| 1832 a 1833 | 3411 | 205-0263/0267 |
| 1832 a 1833 | 3424 | 205-0376/0390 |
| 1832 a 1848 | 3412 | 205-0268/0303 |
| 1832 a 1849 | 3422 | 205-0365/0368 |
| 1833 a 1842 | 3410 | 205-0258/0262 |
| 1833 a 1842 | 3425 | 205-0391/0414 |
| 1834 | 3423 | 205-0370/0374 |
| 1834 a 1841 | 3427 | 205-0421/0426 |
| 1835 | 0499 | 042-0202/0208 |
| 1835 | 0500 | 042-0210/0216 |
| 1835 | 3469 | 208-0323/0328 |
| 1835 a 1936 | 3417 | 205-0325/0330 |
| 1836 a 1837 | 3467 | 208-0311/0316 |
| 1837 | 3468 | 208-0318/0321 |
| 1838 a 1840 | 3416 | 205-0319/0324 |
| 1839 a 1840 | 3465 | 208-0301/0306 |
| 1840 a 1841 | 3471 | 208-0338/0343 |
| 1840 a 1842 | 3418 | 205-0331/0342 |

| | | |
|---|---|---|
| 1841 a 1846 | 3462 | 208-0276/0287 |
| 1841 a 1848 | 3470 | 208-0330/0336 |
| 1842 a 1848 | 3419 | 205-0343/0351 |
| 1844 a 1848 | 3420 | 205-0352/0358 |
| 1845 | 3421 | 205-0359/0363 |
| 1845 | 3463 | 208-0288/0293 |
| 1845 | 3464 | 208-0294/0298 |
| 1845 a 1846 | 3413 | 205-0304/0307 |
| 1845 a 1848 | 3414 | 205-0308/0314 |
| 1846 | 3426 | 205-0415/0419 |
| 1847 a 1848 | 3415 | 205-0315/0316 |
| N/C | 2194 | 260-0615/0618 |

**RECEITA E DESPESA DE PÓLVORA**

F/Grupo: Intendência
Local: São João Del Rey.

| | | |
|---|---|---|
| Períodos: 1810 a 1812 | 1386 | 079-0509/0532 |
| 1813 a 1815 | 1390 | 079-0693/0723 |
| 1816 | 1382 | 079-0445/0450 |
| 1816 a 1818 | 1383 | 079-0452/0460 |
| 1817 | 1384 | 079-0462/0466 |
| 1819 | 1385 | 079-0468/0507 |
| 1830 | 1391 | 079-0725/0730 |

**RECEITA E DESPESA SOBRE DIREITOS DE ENTRADA**

F/Grupo: Junta da Real Fazenda, Administração Geral dos Contratos, Provedoria, Intendência, Casa de Fundição, Contadoria e Tesouraria.
Locais: Vila Rica, São João Del Rey, Vila do Príncipe, Sabará e Ouro Preto.

| | | |
|---|---|---|
| Períodos: 1757 a 1835 | 0018 | 004-0446/0593 |
| 1760 a 1775 | 2314 | 126-0691/0761 |
| 1762 a 1764 | 2803 | 159-0685/0727 |
| 1762 a 1826 | 3838 | 235-0966/1010 |
| 1763 | 3823 | 235-0285/0360 |
| 1765 a 1767 | 0809 | 056-0350/0496 |
| 1765 a 1767 | 2290 | 126-0018/0034 |
| 1765 a 1780 | 0022 | 004-1131/1239 |
| 1765 a 1798 | 4134 | 250-0037/0090 |
| 1766 a 1772 | 2740 | 262-0785/0823 |
| 1768 a 1780 | 0017 | 004-0375/0445 |
| 1770 | 114 | 066-0648/0727 |
| 1772 a 1773 | 2291 | 126-0035/0059 |
| 1773 a 1776 | 2741 | 644-0844/0874 |
| 1791 a 1795 | 1639 | 093-0050/0103 |
| 1797 a 1800 | 0029 | 005-0714/0753 |
| 1800 | 2569 | 145-0896/0936 |
| 1801 a 1803 | 0024 | 005-0548/0588 |
| 1804 a 1806 | 0025 | 005-0589/0622 |
| 1805 a 1845 | 3603 | 219-0300/0634 |
| 1807 a 1809 | 1653 | 094-0876/0910 |
| 1809 a 1812 | 0026 | 005-0623/0658 |

| | | |
|---|---|---|
| 1812 a 1815 | 0027 | 005-0659/0698 |
| 1813 a 1816 | 0686 | 049-0306/0433 |
| 1814 a 1832 | 1856 | 109-0216/0486 |
| 1815 a 1818 | 1650 | 094-0817/0828 |
| 1816 | 1656 | 094-0952/0956 |
| 1816 a 1817 | 0685 | 049-0226/0305 |
| 1817 | 2570 | 145-0937/1037 |
| 1819 | 2571 | 145-1038/1053 |
| 1819 a 1821 | 1638 | 093-0005/0048 |
| 1820 | 2572 | 145-1054/1105 |
| 1820 | 3388 | 201-0001/0400 |
| 1820 a 1821 | 1655 | 094-0933/0951 |
| 1822 | 2275 | 125-1066/1080 |
| 1822 a 1823 | 3188 | 184-0356/0386 |
| 1823 | 1649 | 094-0812/0816 |
| 1823 | 2287 | 125-1170/1181 |
| 1823 a 1827 | 2418 | 135-0831 |
| 1823 a 837 | 3019 | 170-0313/0455 |
| 1824 a 1825 | 1090 | 065-0206/0318 |
| 1824 a 1839 | 3176 | 182-0830/1063 |
| 1825 | 1124 | 067-0347/0431 |
| 1827 | 1214 | 073-0641/0695 |
| 1827 | 3243 | 188-0614/0679 |
| 1828 a 1830 | 1088 | 065-0005/0124 |
| 1828 a 1832 | 2714 | 152-0272/0311 |
| 1829 a 1832 | 0144 | 021-0855/1046 |
| 1831 | 3189 | 184-0388/0536 |
| 1831 a 1834 | 2189 | 065-0126/0204 |
| 1832 | 4032 | 242-0805/1104 |
| 1832 a 1839 | 0725 | 050-0471/0479 |

**RECEITA E DESPESA SOBRE INDÚSTRIA E PROFISSÕES**

F/Grupo: N/C
Local: N/C

| | | |
|---|---|---|
| Período: 1751 | 2800 | 158-0817/0851 |

**RECEITA E DESPESA SOBRE NOVOS E VELHOS DIREITOS**

F/Grupo: Provedoria, Real Fazenda, Intendência, Casa de Fundição, Tesouraria, Contadoria, Fazenda Pública de Minas.
Locais: Sabará, São João Del Rey, Vila Rica, Vila do Príncipe, Ouro Preto e Lisboa.

| | | |
|---|---|---|
| Períodos: 1751 a 1759 | 3937 | 264-0394/0586 |
| 1762 a 1768 | 3935 | 264-0005/0391 |
| 1763 a 1780 | 0273 | 029-0273/0363 |
| 1763 a 1780 | 1425 | 080-0983/1074 |
| 1766 a 1778 | 2992 | 168-0396/0492 |
| 1767 a 1777 | 3933 | 237-0846/0901 |
| 1769 a 1770 | 3934 | 237-0903/0962 |
| 1770 a 1772 | 3289 | 194-0005/0066 |
| 1770 a 1776 | 0855 | 058-0674/0753 |
| 1770 a 1776 | 3219 | 186-0230/0248 |

| | | |
|---|---|---|
| 1772 a 1773 | 1424 | 080-0959/0981 |
| 1773 a 1776 | 3285 | 193-0863/0931 |
| 1773 a 1776 | 3286 | 193-0933/0967 |
| 1773 a 1776 | 3287 | 193-0968/0986 |
| 1773 a 1776 | 3288 | 193-0988/1033 |
| 1773 a 1780 | 3674 | 227-0374/0402 |
| 1773 a 1784 | 3808 | 263-0921/1026 |
| 1774 | 3045 | 174-0242/0272 |
| 1774 a 1775 | 3009 | 169-0695/0720 |
| 1775 | 3069 | 178-0844/0870 |
| 1776 a 1782 | 0646 | 045-0145/0248 |
| 1782 a 1784 | 3291 | 194-0140/0274 |
| 1782 a 1785 | 3292 | 194-0275/0362 |
| 1782 a 1785 | 3293 | 194-0364/0398 |
| 1783 a 1785 | 0241 | 026-0606/0710 |
| 1784 a 1799 | 0240 | 026-0595/0605 |
| 1785 a 1789 | 0243 | 026-0770/0864 |
| 1786 a 1790 | 2804 | 159-0728/0790 |
| 1789 a 1791 | 0182 | 024-0170/0278 |
| 1790 a 1813 | 0239 | 026-0542/0594 |
| 1792 a 1793 | 0184 | 024-0316/0415 |
| 1794 | 0180 | 024-0003/0059 |
| 1794 a 1797 | 0856 | 058-0754/0873 |
| 1798 | 0267 | 028-1020/1043 |
| 1798 a 1800 | 0858 | 058-0965/1126 |
| 1799 | 0265 | 028-0962/0988 |
| 1799 a 1800 | 0271 | 029-0215/0249 |
| 1800 a 1801 | 0272 | 029-0250/0272 |
| 1800 a 1803 | 3290 | 194-0072/0138 |
| 1801 a 1803 | 0269 | 029-0004/0160 |
| 1802 | 0266 | 028-0989/1019 |
| 1803 | 0268 | 028-1044/1075 |
| 1804 | 0183 | 024-0279/0315 |
| 1804 | 2480 | 637-0330/0384 |
| 1804 a 1806 | 0181 | 024-0060/0169 |
| 1805 | 0177 | 023-1100/1138 |
| 1806 | 0192 | 024-0803/0855 |
| 1807 | 2501 | 138-0251/0261 |
| 1807 a 1810 | 0857 | 058-0874/0964 |
| 1808 a 1826 | 2502 | 138-0262/0363 |
| 1808 a 1837 | 2481 | 136-0174/0407 |
| 1810 | 0189 | 024-0662/0709 |
| 1810 a 1812 | 0185 | 024-0416/0518 |
| 1811 a 1812 | 0270 | 029-0161/0214 |
| 1813 a 1815 | 0859 | 058-1127/1242 |
| 1815 | 0186 | 024-0519/0566 |
| 1816 | 0187 | 024-0567/0603 |
| 1816 a 1817 | 0179 | 023-1154/1169 |
| 1817 | 0178 | 023-1139-1153 |
| 1826 a 1829 | 2486 | 137-1004/1036 |

| | | |
|---|---|---|
| 1829 a 1832 | 2509 | 138-0648/0730 |
| 1832 a 1833 | 3052 | 175-1021/1042 |
| 1832 a 1834 | 4187 | 256-0125/0132 |

## RECEITA E DESPESA DO SUBSÍDIO

F/Grupo: Casa de Fundição, Tesouraria, Intendência, Junta da Real Fazenda, Contadoria, Câmara, Procuradoria, Junta da Administração e Arrecadação da Fazenda Pública.

Locais: Vila Rica, Sabará, São João Del Rey, Vila do Príncipe, Rio Pardo, Vila do Bom Sucesso, Santa Tereza do Campo Grande e Ouro Preto.

| | | |
|---|---|---|
| Períodos: 1759 a 1770 | 0673 | 046-0656/0777 |
| 1762 a 1770 | 0158 | 022-0794/0881 |
| 1770 a 1773 | 1525 | 258-0466/0529 |
| 1771 | 1300 | 077-0906/0939 |
| 1772 a 1774 | 1314 | 078-0364/0393 |
| 1772 a 1776 | 0394 | 039-0232/0315 |
| 1772 a 1776 | 3014 | 169-1034/1088 |
| 1774 | 1524 | 086-0471/0534 |
| 1774 a 1800 | 4007 | 241-0646/0816 |
| 1775 a 1776 | 0387 | 038-0774/0849 |
| 1775 a 1780 | 0388 | 038-0851/0869 |
| 1777 a 1778 | 1097 | 065-0872/0901 |
| 1779 | 1098 | 065-0903/0921 |
| 1779 | 1100 | 065-0951/0991 |
| 1780 | 1099 | 065-0923/0949 |
| 1782 a 1785 | 4020 | 242-0035/0058 |
| 1788 | 3241 | 188-0601/0607 |
| 1793 a 1799 | 4010 | 241-0908/0955 |
| 1793 a 1844 | 0083 | 012-0396/0431 |
| 1800 a 1803 | 3245 | 188-0690/0702 |
| 1800 a 1803 | 3345 | 196-0861/0919 |
| 1800 a 1850 | 3450 | 206-0495/0675 |
| 1803 a 1805 | 3244 | 188-0681/0688 |
| 1805 a 1806 | 2577 | 146-0287/0292 |
| 1808 a 1809 | 2428 | 135-1047/1054 |
| 1809 a 1830 | 1857 | 109-0487/0686 |
| 1810 | 0864 | 059-0456/0460 |
| 1810 a 1812 | 2429 | 135-1055/1059 |
| 1811 | 0865 | 059-0461/0465 |
| 1811 a 1813 | 2430 | 135-1060/1064 |
| 1811 a 1824 | 1840 | 108-0190/0338 |
| 1812 | 0866 | 059-0466/0469 |
| 1813 | 0867 | 059-0470/0474 |
| 1813 | 2431 | 135-1065/1067 |
| 1813 a 1815 | 2684 | 149-0283/0305 |
| 1814 | 2685 | 149-0306/0314 |
| 1814 a 1817 | 2131 | 123-0541/0543 |
| 1815 | 0868 | 059-0475/0478 |
| 1815 | 2686 | 149-0315/0322 |
| 1816 | 2677 | 149-0239/0242 |

| | | |
|---|---|---|
| 1816 | 2678 | 149-0243/0250 |
| 1816 a 1817 | 2131 | 123-0544/0545 |
| 1817 | 1576 | 088-0296/0300 |
| 1817 | 2679 | 149-0251/0252 |
| 1819 | 3242 | 188-0609/0612 |
| 1820 | 0980 | 060-0853/0859 |
| 1820 | 2417 | 135-0818/0829 |
| 1821 | 2432 | 135-1069/1074 |
| 1822 a 1823 | 2433 | 135-1075/1084 |
| 1823 | 2418 | 135-0832/0836 |
| 1823 | 2680 | 149-0253/0258 |
| 1823 a 1824 | 2434 | 135-1085/1092 |
| 1823 a 1824 | 3028 | 640-0465/0593 |
| 1824 | 2419 | 135-0837/0844 |
| 1824 | 2681 | 149-0259/0265 |
| 1824 a 1829 | 3031 | 641-0099/0112 |
| 1825 | 2420 | 135-0845/0856 |
| 1825 | 2436 | 35-1102/1105 |
| 1825 a 1826 | 2435 | 135-1093/1101 |
| 1825 a 1826 | 2682 | 149-0266/0274 |
| 1825 a 1826 | 3346 | 196-0921/0937 |
| 1826 | 2421 | 135-0857/0869 |
| 1826 | 2683 | 149-0275/0282 |
| 1826 a 1827 | 2437 | 135-1106/1113 |
| 1827 | 2422 | 135-0870/0892 |
| 1827 a 1828 | 2438 | 135-1114/1119 |
| 1828 | 2423 | 135-0893/0918 |
| 1828 | 3348 | 196-0955/0975 |
| 1829 | 2424 | 135-0920/0947 |
| 1829 a 1830 | 3347 | 196-0938/0954 |
| 1830 | 2425 | 135-0948/0998 |
| 1830 | 2439 | 135-1120/1127 |
| 1831 | 2426 | 135-0999/1030 |
| 1832 | 2427 | 135-1031/1045 |
| 1832 | 2441 | 135-1129-1134 |

## RECEITA E DESPESA COM TRANSPORTE

F/Grupo: N/C
Local: Rio de Janeiro

| | | |
|---|---|---|
| Período: 1811 a 1812 | 4070 | 245-1289/1312 |

## RECEITA E DESPESA DO TRÔCO DO COBRE

F/Grupo: Tesouraria da Fazenda e Casa do Trôco, Intendência, Contadoria e Casa de Fundição.
Locais: Rio Pardo, Ouro Preto, Itabira, Lavras, Minas Novas, Sabará, Araxá, Vila do Príncipe e São João Del Rey.

| | | |
|---|---|---|
| Períodos: 1809 | 1517 | 086-0131/0149 |
| 1834 | 1588 | 088-0700/0735 |
| 1834 | 1595 | 089-0334/0341 |
| 1834 a 1835 | 2960 | 164-0668/0675 |

| | | |
|---|---|---|
| 1835 | 0164 | 022-1114/1132 |
| 1835 | 0359 | 036-0496/0528 |
| 1835 | 0560 | 043-0734/0739 |
| 1835 | 1584 | 088-0448/0452 |
| 1835 | 2582 | 146-0693/0731 |
| 1835 | 2584 | 146-0741/0760 |
| 1835 | 4036 | 243-0315/0348 |
| 1835 | 4134 | 250-0092/0102 |
| 1836 a 1838 | 4035 | 243-0277/0314 |
| 1836 a 1840 | 0325 | 035-0751/0798 |
| 1836 a 1840 | 1592 | 089-0061/0102 |
| 1837 | 1122 | 067-0178/0313 |
| 1837 | 1123 | 067-0314/0346 |
| 1837 | 1126 | 067-0808/0856 |
| 1837 | 1132 | 067-1012/1071 |
| 1837 | 1133 | 067-1072/1107 |
| 1837 | 1138 | 068-0374/0431 |
| 1837 | 1140 | 068-0458/0495 |
| 1837 | 1141 | 068-0496/0499 |
| 1837 | 1301 | 077-0941/0981 |
| 1837 | 1547 | 087-0166/0218 |
| 1837 | 1579 | 088-0363/0367 |
| 1837 | 1580 | 088-0368/0423 |
| 1837 | 1581 | 088-0425/0434 |
| 1837 | 1582 | 088-0436/0438 |
| 1837 | 1596 | 089-0343/0372 |
| 1837 | 2583 | 146-0732/0740 |
| 1837 | 2808 | 159-1025/1028 |
| 1837 a 1838 | 0302 | 033-0524/0601 |
| 1837 a 1838 | 0327 | 035-0873/0941 |
| 1837 a 1838 | 0360 | 036-0530/0666 |
| 1837 a 1838 | 0361 | 036-0668/0716 |
| 1837 a 1838 | 0367 | 037-0221/0267 |
| 1837 a 1838 | 0372 | 037-0947/1018 |
| 1837 a 1838 | 1183 | 071-0544/0598 |
| 1837 a 1838 | 1184 | 071-0599/0661 |
| 1837 a 1838 | 1302 | 077-0983/1032 |
| 1837 a 1838 | 1593 | 089-0104/0206 |
| 1837 a 1838 | 2585 | 146-0761/0835 |
| 1837 a 1838 | 4025 | 242-0114/0164 |
| 1837 a 1838 | 4034 | 243-0228/0276 |
| 1837 a 1838 | 0371 | 037-0812/0946 |
| 1837 a 1838 | 0326 | 035-0799/0872 |
| 1838 | 1585 | 088-0454/0520 |
| 1845 a 1846 | 0711 | 050-0099/0168 |
| 1849 a 1851 | 0710 | 050-0005/0097 |

**RECIBO**

F/Grupo: Secretaria da Fazenda e Intendência.
Locais: Tejuco, Vila Rica, Rio de Janeiro e Sabará.

| | | |
|---|---|---|
| Períodos: 1755 a 1770 | 2364 | 130-0003/0013 |
| 1796 | 1231 | 123-0537/0538 |
| 1826 | 3829 | 235-0501/0510 |
| 1855 a 1857 | 0201 | 025-0179/0276 |

**RECRUTAMENTO**

F/Grupo: Pagadoria Militar.
Local: Ouro Preto

| | | |
|---|---|---|
| Períodos: 1844 a 1845 | 2641 | 148-0215/0231 |
| 1845 | 2642 | 148-0232/0241 |

**REQUERIMENTO**

F/Grupo: N/C
Local: N/C

| | | |
|---|---|---|
| Períodos: 1857 | 4046 | 244-0244/0248 |

**ROL**

F/Grupo: Provedoria, Intendência, Casa de Fundição, Contadoria e Câmara.
Locais: Vila Rica, Lisboa, Tejuco, Vila do Príncipe, Raposos, Barbacena, Minas Novas, Sabará, Beija-Flor, Piranga, Pitanguí, Paracatú, Vila Nova da Rainha.

| | | |
|---|---|---|
| Períodos: 1735 a 1753 | 4178 | 255-0650/0815 |
| 1761 a 1768 | 2805 | 159-0791/0833 |
| 1769 a 1794 | 2670 | 148-1052/1110 |
| 1770 a 1773 | 0808 | 056-0238/0348 |
| 1772 a 1782 | 2131 | 123-536 |
| 1775 | 2890 | 164-0004/0066 |
| 1780 | 2819 | 160-0606/0666 |
| 1782 | 4153 | 252-0446/0525 |
| 1783 a 1836 | 3266 | 190-0294/0309 |
| 1784 a 1786 | 0286 | 030-0316/0429 |
| 1793 | 0895 | 059-0714/0837 |
| 1805 | 0276 | 029-05770585 |
| 1805 a 1808 | 0259 | 028-0246/0364 |
| 1897 | 3649 | 225-1046/1077 |
| 1811 | 4128 | 249-0646/0664 |
| 1819 a 1828 | 4065 | 245-0245/0398 |
| 1823 a 1824 | 2126 | 122-0864/0866 |
| 1826 a 1827 | 2636 | 141-0829/0847 |
| 1831 | 1012 | 061-0724/0731 |
| 1831 | 2557 | 142-1012/1018 |
| 1833 | 3381 | 200-0382/0384 |
| 1860 a 1865 | 3676 | 227-0460/0700 |
| N/C | 0251 | 027-0425/0472 |
| N/C | 0648 | 045-0459/0512 |
| N/C | 0954 | 060-0639/0640 |
| N/C | 0954 | 060-0648/0649 |
| N/C | 2131 | 123-0534/0535 |
| N/C | 2131 | 123-0561/0565 |
| N/C | 3679 | 228-0005/0564 |
| N/C | 3836 | 235-0960/0961 |

| | | |
|---|---|---|
| N/C | 3921 | 237-0793/0844 |
| N/C | 4053 | 244-0838/0853 |
| N/C | 4185 | 256-0052/0102 |

**SELO**

F/Grupo: N/C
Local: Mariana

| | | |
|---|---|---|
| Periodo: 1820 a 1823 | 3834 | 235-0721/0821 |

**SENTENÇA CÍVEL DE INSTRUMENTO DE AGRAVO**

F/Grupo: Provedoria.
Local: Vila Rica

| | | |
|---|---|---|
| Período: 1793 | 4211 | 639-0004/0074 |

**SEQÜESTRO**

F/Grupo: Intendência
Local: Vila Rica

| | | |
|---|---|---|
| Período: 1799 a 1800 | 0296 | 032-0012/0013 |
| N/C | 0296 | 032-0169/0172 |

**SISA**

F/Grupo: Intendência e Câmara.
Locais: Sabará, Vila de Bom Sucesso e Minas Novas.

| | | |
|---|---|---|
| Períodos: 1810 | 1190 | 072-0005/0140 |
| 1810 a 1818 | 2891 | 164-0067/0166 |
| 1813 a 1815 | 2958 | 164-0637/0667 |
| 1831 | 1256 | 075-0263/0280 |

**SOLIMÃO**

F/Grupo: Casa de Fundição e Intendência.
Local: Vila Rica

| | | |
|---|---|---|
| Períodos: 1792 a 1795 | 2673 | 227-0327/0373 |
| 1795 a 1802 | 3938 | 238-0384/0525 |
| 1803 a 1805 | 1891 | 111-0947/0976 |
| 1805 a 1807 | 3678 | 227-0811/0832 |
| 1807 a 1819 | 1881 | 258-0719/0756 |

**SUBSÍDIO LITERÁRIO E VOLUNTÁRIO**

F/Grupo: Intendência, Casa de Fundição, Ouvidoria, Contadoria, Tesouraria e Câmara.
Locais: Vila Rica, São João Del Rey, Sabará, Vila do Príncipe, Ouro Preto, Tejuco, Lisboa, Pitanguí, Bom Sucesso de Minas Novas.

| | | |
|---|---|---|
| Períodos: 1753 a 1766 | 1335 | 078-0878/0970 |
| 1757 a 1771 | 1601 | 089-0526/0572 |
| 1759 a 1787 | 3379 | 200-0005/0232 |
| 1764 a 1769 | 1315 | 078-0395/0416 |
| 1765 a 1767 | 0421 | 039-0978/1042 |
| 1766 a 1779 | 1317 | 039-0437/0500 |
| 1769 | 1417 | 080-0533/0551 |
| 1770 | 1312 | 078-0344/0352 |
| 1770 a 1772 | 1318 | 078-0502/0586 |

| | | |
|---|---|---|
| 1772 a 1774 | 1419 | 080-0571/0602 |
| 1772 a 1780 | 3040 | 173-0339/0372 |
| 1773 | 1526 | 086-0537/0596 |
| 1774 | 2285 | 125-1148/1153 |
| 1774 | 3713 | 229-0661/0672 |
| 1774 a 1780 | 1598 | 089-0421/0493 |
| 1775 | 1420 | 080-0604/0630 |
| 1775 | 1523 | 086-0417/0469 |
| 1775 | 2289 | 126-0011/0017 |
| 1775 a 1776 | 0381 | 038-0268/0291 |
| 1775 a 1776 | 2594 | 262-0558/0597 |
| 1775 a 1776 | 2871 | 63-0704/0714 |
| 1776 | 1324 | 078-0648/0660 |
| 1776 a 1777 | 1527 | 086-0598/0607 |
| 1776 a 1777 | 3688 | 228-1275/1283 |
| 1776 a 1778 | 1542 | 087-0005/0043 |
| 1776 a 1788 | 1522 | 086-0332/0415 |
| 1777 | 1393 | 079-0751/0772 |
| 1777 | 1404 | 080-0127/0138 |
| 1778 | 1296 | 077-0841/0854 |
| 1778 | 1412 | 080-0410/0413 |
| 1778 a 1779 | 2288 | 126-0005/0010 |
| 1778 a 1779 | 3745 | 229-1048/1056 |
| 1779 | 1224 | 073-1166/1178 |
| 1779 | 2286 | 125-1154/1169 |
| 1780 | 1219 | 073-0880/0975 |
| 1780 | 1297 | 077-0856/0867 |
| 1780 | 1392 | 079-0732/0749 |
| 1780 | 1604 | 089-0611/0625 |
| 1781 | 1223 | 073-1158/1164 |
| 1781 | 1325 | 078-0662/0673 |
| 1781 | 2284 | 125-1144/1147 |
| 1781 a 1782 | 1220 | 073-0977/1060 |
| 1781 a 1782 | 3702 | 229-0227/0273 |
| 1781 a 1782 | 3739 | 229-0978/0990 |
| 1781 a 1783 | 1418 | 080-0553/0569 |
| 1782 | 1221 | 073-1062/1149 |
| 1782 | 1271 | 076-0185/0190 |
| 1782 | 1295 | 077-0829/0840 |
| 1782 a 1783 | 3703 | 229-0274/0289 |
| 1782 a 1784 | 1521 | 086-0286/0330 |
| 1783 | 1217 | 073-0865/0877 |
| 1783 | 1319 | 078-0588/0596 |
| 1783 | 1602 | 089-0574/0585 |
| 1783 a 1784 | 1215 | 073-0697/0783 |
| 1783 a 1784 | 3710 | 229-0600/0620 |
| 1783 a 1787 | 0377 | 038-0117/0147 |
| 1783 a 1797 | 1606 | 089-0639/0806 |
| 1784 a 1785 | 0376 | 038-0048/0115 |
| 1785 a 1786 | 3714 | 229-0673/0690 |

| | | |
|---|---|---|
| 1786 a 1789 | 1715 | 229-0691/0705 |
| 1787 | 2277 | 125-1105/1109 |
| 1787 a 1788 | 1216 | 073-0785/0863 |
| 1787 a 1789 | 3716 | 229-0706/0728 |
| 1788 | 2282 | 125-1132/1137 |
| 1788 a 1789 | 2910 | 164-0362/0368 |
| 1789 | 2283 | 125-1138/1143 |
| 1790 | 1605 | 089-0627/0637 |
| 1790 | 2281 | 125-1126/1131 |
| 1791 | 0378 | 038-0149/0188 |
| 1792 | 3758 | 230-0153/0171 |
| 1792 | 4015 | 242-0004/0007 |
| 1792 a 1794 | 0380 | 038-0227/0276 |
| 1792 a 1794 | 3721 | 229-0776/0785 |
| 1792 a 1835 | 0295 | 031-0853/1154 |
| 1793 | 1272 | 076-0191/0195 |
| 1793 | 2280 | 125-1120/1125 |
| 1794 a 1796 | 0379 | 038-0190/0225 |
| 1795 | 1269 | 076-0175/0179 |
| 1795 a 1809 | 1677 | 096-0784/0859 |
| 1795 a 1813 | 2442 | 136-0005/0121 |
| 1795 a 1830 | 3230 | 187-0787/0841 |
| 1795 a 1835 | 3983 | 166-0830/0998 |
| 1796 | 1316 | 078-0418/0435 |
| 1796 a 1798 | 0375 | 038-0005/0047 |
| 1796 a 1808 | 1673 | 095-0767/0826 |
| 1796 a 1820 | 1669 | 095-0552/0631 |
| 1797 | 1275 | 076-0210/0215 |
| 1797 | 2279 | 125-1115-1119 |
| 1797 | 4016 | 242-0008/0012 |
| 1798 | 1274 | 076-0203/0209 |
| 1798 a 1800 | 1310 | 078-0260/0302 |
| 1798 a 1811 | 3397 | 202-0166/0217 |
| 1798 a 1839 | 2994 | 168-0718/0942 |
| 1799 | 1273 | 076-0196/0202 |
| 1799 | 2278 | 125-1111-1114 |
| 1800 | 3767 | 230-0348/0353 |
| 1800 a 1801 | 1817 | 104-0444/0456 |
| 1800 a 1802 | 2488 | 137-1086/1092 |
| 1801 a 1803 | 1311 | 078-0304/0342 |
| 1801 a 1804 | 1818 | 104-0459/0471 |
| 1804 | 2494 | 138-0083/0088 |
| 1804 a 1805 | 3711 | 229-0621/0645 |
| 1804 a 1806 | 1416 | 080-0499/0532 |
| 1804 a 1818 | 3017 | 170-0213/0270 |
| 1805 | 2495 | 138-0089/0095 |
| 1806 | 2496 | 138-0096/0102 |
| 1806 a 1807 | 3712 | 229-0646/0660 |
| 1807 | 2497 | 138-0103/0109 |
| 1807 a 1809 | 1332 | 078-0740/0779 |

| | | |
|---|---|---|
| 1807 a 1813 | 1670 | 095-0633/0665 |
| 1808 | 1530 | 086-0693/0743 |
| 1808 a 1830 | 3200 | 184-1141/1196 |
| 1809 | 2264 | 125-0489/0497 |
| 1809 a 1814 | 1334 | 078-0826/0876 |
| 1809 a 1816 | 3505 | 211-0503/0508 |
| 1810 a 1812 | 1333 | 078-0780/0824 |
| 1810 a 1812 | 2276 | 125-1081/1104 |
| 1810 a 1818 | 3175 | 182-0805/0829 |
| 1810 a 1819 | 3174 | 182-0768/0803 |
| 1812 | 1354 | 079-0065/0079 |
| 1812 | 1532 | 186-0849/0866 |
| 1812 a 1826 | 3181 | 183-0199/0311 |
| 1812 a 1833 | 3222 | 186-0539/0663 |
| 1813 a 1815 | 1597 | 089-0374/0419 |
| 1813 a 1820 | 2965 | 164-0763/0796 |
| 1814 a 1822 | 2443 | 637-0011/0069 |
| 1814 a 1826 | 3179 | 183-0022/0133 |
| 1814 a 1833 | 2986 | 167-0128/0198 |
| 1815 a 1824 | 1607 | 089-0808/0894 |
| 1816 | 1299 | 077-0892/0904 |
| 1816 | 1330 | 078-0720/0729 |
| 1816 a 1819 | 1672 | 095-0752/0764 |
| 1817 | 1331 | 078-0731/0738 |
| 1820 | 0986 | 060-0971/0985 |
| 1820 | 1343 | 078-1031/1042 |
| 1820 a 1821 | 1337 | 078-0977/0982 |
| 1820 a 1821 | 2966 | 164-0797/0816 |
| 1821 | 0952 | 060-0620/0624 |
| 1821 | 0967 | 060-0747/0755 |
| 1821 | 0981 | 060-0860/0867 |
| 1821 | 1327 | 078-0684/0692 |
| 1821 | 1414 | 080-0448/0471 |
| 1821 | 1528 | 086-0609/0646 |
| 1821 | 1603 | 089-0587/0607 |
| 1821 a 1822 | 1336 | 078-0972/0976 |
| 1821 a 1822 | 1599 | 089-0495/0513 |
| 1822 | 0949 | 060-0599/0604 |
| 1822 | 0958 | 060-0756/0762 |
| 1822 | 1326 | 078-0675/0682 |
| 1822 | 1328 | 078-0697/0699 |
| 1822 | 1411 | 080-0346/0408 |
| 1822 | 1415 | 080-0473/0497 |
| 1822 a 1823 | 2444 | 637-0072/0087 |
| 1822 a 1853 | 1338 | 078-0984/0992 |
| 1823 | 0966 | 060-0739/0746 |
| 1823 | 0970 | 060-0772/0779 |
| 1823 | 0977 | 060-0830/0837 |
| 1823 | 0950 | 060-0605/0611 |

| | | |
|---|---|---|
| 1823 | 1351 | 079-0021/0031 |
| 1823 | 1355 | 079-0081/0088 |
| 1823 | 1543 | 087-0045/0071 |
| 1823 | 2964 | 164-0739/0762 |
| 1823 | 3353 | 197-0046/0059 |
| 1823 a 1824 | 2885 | 163-1032/1050 |
| 1823 a 1826 | 3081 | 179-0786/0834 |
| 1824 | 0965 | 060-0731/0738 |
| 1824 | 0972 | 060-0788/0795 |
| 1824 | 0975 | 060-0814/0820 |
| 1824 | 0976 | 060-0821/0829 |
| 1824 | 0983 | 060-0893/0918 |
| 1824 | 0951 | 060-0612/0618 |
| 1824 | 1352 | 079-0033/0045 |
| 1824 | 1356 | 079-0090/0097 |
| 1824 | 1577 | 088-0320/0330 |
| 1824 | 2884 | 163-0958/0980 |
| 1824 a 1827 | 2881 | 163-0901/0921 |
| 1825 | 0964 | 060-0724/0730 |
| 1825 | 0974 | 060-0806/0813 |
| 1825 | 0984 | 060-0919/0945 |
| 1825 | 1353 | 079-0047/0062 |
| 1825 | 1364 | 079-0165/0172 |
| 1825 | 1578 | 088-0332/0361 |
| 1825 | 1855 | 163-0240/0247 |
| 1825 a 1826 | 1880 | 261-0878/0900 |
| 1826 | 0963 | 060-0716/0723 |
| 1826 | 0971 | 060-0780/0787 |
| 1826 | 0973 | 060-0796/0805 |
| 1826 | 0985 | 060-0946/0970 |
| 1826 | 0989 | 060-1019/1022 |
| 1826 | 1350 | 079-0005/0019 |
| 1826 | 1357 | 079-0099/0106 |
| 1826 | 1362 | 079-0142/0153 |
| 1826 | 1408 | 080-0253/0278 |
| 1827 | 0962 | 060-0708/0715 |
| 1827 | 0969 | 060-0763/0771 |
| 1827 | 0982 | 060-0868/0892 |
| 1827 | 0988 | 060-1015/1018 |
| 1827 | 0992 | 060-1036/1045 |
| 1827 | 1349 | 078-1127/1144 |
| 1827 | 1363 | 079-0155/0162 |
| 1827 | 1358 | 079-0108/0114 |
| 1827 | 1529 | 086-0648/0691 |
| 1827 a 1828 | 2886 | 163-1008/1031 |
| 1827 a 1838 | 3208 | 185-0834/0854 |
| 1828 | 0961 | 060-0698/0705 |
| 1828 | 0990 | 060-1023/1031 |
| 1828 | 0993 | 060-1046/1054 |

| | | |
|---|---|---|
| 1828 | 0999 | 060-1093/1100 |
| 1828 | 1004 | 061-0073/0097 |
| 1828 | 1348 | 078-1108/1125 |
| 1828 | 1359 | 079-0116/0123 |
| 1828 | 1361 | 079-0134/0140 |
| 1828 | 1409 | 080-0280/0316 |
| 1828 a 1829 | 2887 | 163-0981/1007 |
| 1829 | 0960 | 060-0688/0697 |
| 1829 | 0991 | 060-1033/1035 |
| 1829 | 0997 | 060-1075/1082 |
| 1829 | 0998 | 060-1083/1092 |
| 1829 | 1003 | 061-0051/0072 |
| 1829 | 1347 | 078-1090/1106 |
| 1829 | 1360 | 079-0125/0132 |
| 1829 | 1369 | 079-0202/0207 |
| 1829 | 1378 | 079-0346/0376 |
| 1829 | 1531 | 086-0745/0847 |
| 1830 | 0954 | 060-0641/0647 |
| 1830 | 0959 | 060-0678/0687 |
| 1830 | 0995 | 060-1056/1067 |
| 1830 | 0996 | 060-1068/1074 |
| 1830 | 1002 | 061-0031/0050 |
| 1830 | 1342 | 078-1020/1030 |
| 1830 | 1346 | 078-1072/1088 |
| 1830 | 1367 | 079-0186/0191 |
| 1830 | 1368 | 079-0193/0200 |
| 1830 | 1380 | 079-0402/0429 |
| 1830 | 1410 | 080-0318/0344 |
| 1831 | 0955 | 060-0650/0658 |
| 1831 | 0958 | 060-0669/0677 |
| 1831 | 0978 | 060-0838/0845 |
| 1831 | 1001 | 061-0014/0030 |
| 1831 | 1212 | 073-0520/0543 |
| 1831 | 1340 | 078-1002/1005 |
| 1831 | 1341 | 078-1006/1019 |
| 1831 | 1344 | 078-1044/1059 |
| 1831 | 1366 | 079-0180/0184 |
| 1831 | 1370 | 079-0209/0215 |
| 1831 | 1379 | 079-0378/0401 |
| 1832 | 0956 | 060-0657/0662 |
| 1832 | 0957 | 060-0663/0668 |
| 1832 | 0979 | 060-0847/0852 |
| 1832 | 0994 | 060-1055/1058 |
| 1832 | 1000 | 061-0004/0013 |
| 1832 | 1345 | 078-1060/1070 |
| 1832 | 1365 | 079-0174/0178 |
| 1832 | 1377 | 079-0341/0344 |
| 1832 | 1381 | 079-0431/0443 |
| 1832 | 1413 | 080-0435/0446 |
| 1832 a 1833 | 1339 | 078-0993/1000 |

| | | |
|---|---|---|
| **VERBA** | | |
| F/Grupo: N/C | | |
| Local: Vila Rica | | |
| Período: 1812 a 1816 | 3297 | 194-0732/0911 |

# ANEXO B - Inventário Analítico do Arquivo Eclesiástico da Paróquia de Nossa Senhora da Conceição de Antônio Dias

## 1 Procedimento metodológico

- Separação do Fundo em Grupos, entendidos como o organismo de subordinação imediata ao Fundo e que gerou a documentação. Salientamos que um Fundo pode, às vezes, fazer papel de grupo. O Fundo Arquivo Eclesiástico da Paróquia de Nossa Senhora da Conceição de Antônio Dias é constituído pela documentação das Irmandades e Igrejas, associações e sociedades beneficentes e dos registros paroquiais. Os documentos das Igrejas e os registros paroquiais figuram neste inventário como Documentos Diversos.

- A documentação foi separada em Códices, Avulsos e Impressos.

- Os grupos foram separados em Séries e Sub-Séries. Entende-se por Série, a tipologia ou assunto do documento.

- A documentação manuscrita foi totalmente microfilmada sem nenhuma discriminação, quanto aos livros impressos, respeitamos os critérios de antiguidade e raridade. Sendo assim foram microfilmados todos aqueles do século XVIII, já os livros do século XIX e XX foram microfilmados apenas os exemplares considerados raros, segundo as regras da Biblioteca Nacional.

- Os Grupos, Séries e Sub-séries encontrados no presente inventário são:

Irmandade das Almas

*Avulsos:*

- RECIBOS, de pagamentos de crédito e referente à escritura.

Irmandade de Nossa Senhora do Carmo

*Avulsos:*

- PATENTE, referente à entrada e profissões de irmãos.
- RECEITA E DESPESA, da Irmandade.

**Irmandade de Nossa Senhora da Conceição Antônio Dias**

*Códices:*

- ATAS E DELIBERAÇÕES, da mesa.
- ÓBITOS E TESTAMENTOS, de livres e escravos.
- RECEITA E DESPESA, da Irmandade.

*Avulsos:*

- COMUNICADOS, aos irmãos eleitos para ocupar cargos da Irmandade.
- CORRESPONDÊNCIAS, recebidas e remetidas.
- LICENÇA, para celebração da festa de Nossa Senhora da Conceição, na Paróquia de Antônio Dias.
- PAUTA, para eleição de novos mesários.
- POSSE, de irmãos eleitos em Assembléia Geral.
- RELATÓRIO, apresentado pela Mesa Administrativa.
- RECEITA E DESPESA, da Irmandade.
- ROL, de irmãos e protetores da Irmandade e convocação para proceder a eleição da nova Mesa.
- TERMO DE PRESENÇA, de irmãos para formação da Mesa.

**Irmandade de Nossa Senhora das Dores**

*Códices:*

- CONTA-CORRENTE, dos irmãos.

*Avulsos:*

- INSTRUMENTO DE PÚBLICA FORMA DE PETIÇÃO E REAL BENEPLÁCITO, para eleição e fundação da confraria da Freguesia de Nossa Senhora da Conceição de Vila Rica.
- PROVISÃO, do Conselho Ultramarino, passada a favor da Confraria e referente à petição para tirar esmolas para construção da Capela.
- RECEITA E DESPESA, da Irmandade.
- ROL, de irmãos quer serviram à Ordem na Matriz de Nossa Senhora do Pilar.

*Impressos:*

- Livro: SEPTENÁRIO DAS DORES DE NOSSA SENHORA. Sem data.

**Irmandade de Nossa Senhora das Mercês e Misericórdia**

*Avulsos:*

- ÓBITOS, guias para sepultamento.

**Irmandade de Nossa Senhora das Mercês e Perdões**

*Códices:*

- ATAS, das reuniões e benção do sino "Antão".
- CATACUMBAS, registros com os nomes dos irmãos sepultados.
- CERTIDÕES, de missa para os irmãos falecidos.
- COMPROMISSOS, econômicos da Confraria.
- CONTA-CORRENTE, do irmão Síndico.
- DELIBERAÇÕES, da Mesa.
- ENTRADAS, PROFISSÕES, CONTA-CORRENTE, PATENTES E BREVES, de irmãos.
- ESTATUTOS, da Irmandade.
- INVENTÁRIO, das alfaias e bens móveis da Capela do Senhor Bom Jesus dos Perdões.
- PAUTA, de irmãos.

- RECEITA E DESPESA, da Irmandade, do Síndico e da Fábrica.
- ROL, de irmãos que concorreram com esmolas para colocação dos altares do corpo da Igreja e reboque exterior da capela.

*Avulsos:*

- ANÚNCIOS, de venda de casa e novena à Nossa Senhora.
- ATAS, da Mesa Administrativa e Assembléia de irmãos.
- ATESTADOS, referente à obra da torre.
- CATACUMBAS, registros.
- CAUSAS JUDICIAIS, movidas pelo juiz e mais oficiais da Irmandade.
- CERTIDÕES, de missas e concorrência para acompanhamento enterro de irmãos.
- CIRCULARES, da Diretoria Geral de Obras Públicas.
- COMPRA E VENDA, de imóveis e outros objetos.
- COMPROMISSOS, da Irmandade.
- COMUNICADO, de nomeação de comissão para dirigir obras da capela e de exoneração.
- CONSULTA, sobre portas e portais.
- CONTA-CORRENTE, de irmãos falecidos.
- CONVITES, recebidos e remetidos.
- CORRESPONDÊNCIAS, recebidas e remetidas.
- CRÉDITOS, pertencentes à Irmandade referente à dívida de irmãos falecidos.
- DELIBERAÇÕES, da Mesa.
- DISCURSO, feito na solenidade de reinauguração dos sinos da Igreja.
- DOAÇÕES, de casa, terrenos e outros bens à Irmandade.
- EDITAL, referente à Procissão de Penitência.
- ENTRADAS E PROFISSÕES, de irmãos.
- EXÉQUIAS, do irmão Ten. João Ferreira Couto, benfeitor da Irmandade.
- INVENTÁRIO, dos bens móveis da Capela.
- LICENÇA, para edificação da Capela das Mercês.
- MANDADOS, de manutenção a favor da Irmandade; para sepultamento de irmãos e para pagamento de legado deixado pelo finado José Francisco de Paula, irmão do Senhor do Bom Fim.
- MATERIAL, para fundir o Sino Grande.
- NOMEAÇÕES, para o cargo de Escrivão ad-hoc e Procurador Geral.
- ÓBITOS, certidões, guias de sepultamento e atestados.
- ORAÇÕES, diversas.
- ORÇAMENTO, para pintura e consertos na Igreja.
- PATENTES.
- PAUTA, de eleição de mesários.
- PLANO, ORÇAMENTO E PROPOSTA, para construção do teto, da torre frontispício e altar-mor.
- PREZÍDIAS, dos irmãos moradores na freguesia de Antônio Dias
- PROCURAÇÕES, diversas.
- PROPOSTA, para compra e venda de casa.
- RECEITA E DESPESA, da Irmandade e do Síndico.
- RENÚNCIAS DE CARGOS, de Secretário e Prior.
- ROL, de irmãos e devotos que concorreram com suas esmolas para festividades e obras da Igreja; de irmãos que compareceram à reunião da Mesa.
- SOLENIDADE DE TRANSLADAÇÃO, dos restos mortais de Maria do Carmo Barradas, Joanna Jacinta de Vasconcellos e Fernando Antonio de Vasconcellos.

- TABELA, de anuais da Irmandade.
- TERMO DE REUNIÃO, de irmãos e Mesa Administrativa

*Impressos:*
- BOLETIM, referente às obras do desabamento do telhado. Ouro Preto, 1899.
- CEGUEIRA DO QUE DESPREZA A SUA SALVAÇÃO. Mariana, Typografia Episcopál, 1848.
- CONVITES, recebidos e remetidos. Ouro Preto, 1921 a 1964.
- EXEMPLO DE CRISTO. Mariana. Typografia Episcopal, 1848.
- MEDITAÇÃO SOBRE A ETERNIDADE DAS PENAS. Mariana, Typografia Episcopal, 1848.
- O PAGEM DE D. DINIZ. Mariana, Typografia Episcopal, 1849.
- ORAÇÕES, à Virgem das Candeias e a São Bernardo. Ouro Preto, Congregação de Marianos, 1942.
- QUANTO VALE O TEMPO? Mariana, Typografia Episcopal, 1848.
- SOBRE A DIGNIDADE E OBRIGAÇÕES DO CRISTÃO. Mariana, Typografia Episcopal, 1848.
- SOBRE O FIM DO HOMEM. Mariana, Typografia Episcopal, 1848.
- SOBRE O PECADO MORTAL. Mariana, Typografia Episcopal, 1848.
- SONETO AO SENHOR CRUCIFICADO. Mariana, Typografia Episcopal, 1849.
- VIDA DE SANTO ANTONIO DE LISBOA. Mariana, Typografia Episcopal, 1848.
- VIDA DE SÃO LOURENÇO MARTYR. Mariana Typografia Episcopal, 1848.
- VIDA DE SÃO SEBASTIÃO MARTYR. Mariana, Typografia Episcopal, 1848.
- VIDA DE SÃO VVICENTE DIÁCONO. Mariana Typografia Episcopal, 1848.

*Livros:*
- CERIMONIAL para profissão dos irmãos da ordem 3ª de Nossa Senhora das Mercês, ereta na Capela do Senhor Bom Jesus dos Perdões da Freguesia de Nossa Senhora da Conceição da Imperial cidade de Ouro Preto, Oficina Patrícia Barboza, 1824.
- MATÉRIA MÉDICA, distribuída em classes e ordens segundo seus efeitos, em que plenamente se apontam suas virtudes, doses e moléstias a que se fazem aplicáveis. Adicionada com as tábuas da Matéria Médica, methodicamente seguidas de selectas, originais, e copioaas fórmulas, e de hum diccionário nosológico, ou nomenclatura synonômica das moléstias, simptomas, vícius, e afecções da Natureza por Antonio José de Souza Pinto. Nova Edição por Luiz Mª da Silva Pinto. Ouro Preto na Typografia de Silva, 1837.

***Documentos diversos***

*Avulsos:*
- CERTIDÕES, de missas de 7° dia.
- CONVITES, recebidos e remetidos.
- ÓBITOS, certidões e guias.
- PRESTAÇÃO DE CONTAS, de Agostinho Tassara de Pádua com Francisco Álvares Santiago.
- RECIBOS, de despesa com funeral de Felício da Silva; pagamento referente a ajuste de contas e quantia paga ao Pe. Tobias.

*Impressos:*
- MISSALE ROMANUM Ex Decreto Sacrosancti Concilii Tridentini Restitutum, S. PII V Pontificis Maximi Jussu Editum, Clementis VIII et Urbani VIII. Auctoritate recognitum, in quo Missae novissimae Sanctorum accuratè funt dispositae Venetiis, 1741 (?). Ex typografia Balleoniana.

- MISSALE ROMANUM, Ex Decreto Sacrosancti Concilii Tridentine Restitutum, S. PII Pont Max Jussu Editum, et Clementis VIII. Primun, Nunc Denuo Urbani Papae VIII. Auctoritate. Recognitum, Ex novis Missis ex Indulto Apostolico Jucusque concessis auctum in quo etiam Missae, quae ex concessionibus Pontificiis in Regno Portugalliae celebrantur, suis locis accuraté ponuntur. Ullissipone, Apud Michaelem Manescal da Costa, Sancti Officii Typographum, Anno 1764 Cum Facultate Superiorum.
- MISSALE ROMANUM ex Decreto Sacrossancti Concilii Tridentini Restitutum, S. PII Pont Max Jussu Editum, Clementis VIII. Primum, Nunc Denuo Urbani Papae VIII Auctoritate Recognitum, et novis Missis ex Indulto Apostolico hucusque concessis auctum, in quo etiam, Missae quae ex conceccionibus Pontificiis in Regno Portugalliae ceelebrantur, suis locis accuraté ponuntur. Olisipone Typographia Regiae, et Privilegio Anno 1782 cum facultate Regiae Curiae censoriae.

Irmandade de Nossa Senhora do Rosário dos Pretos

*Códices:*
- COMPROMISSO, da Irmandade.
- DELIBERAÇÕES, da mesa.
- ENTRADA DE IRMÃOS, e pagamento de anuais.
- RECEITA E DESPESA, da Irmandade.
- ROL, de irmãos.

*Avulsos:*
- CORRESPONDÊNCIAS, recebidas e remetidas.
- RECEITA E DESPESA, da Irmandade.

**Irmandade do Santíssimo Sacramento**

*Códices:*
- ATAS E DELIBERAÇÕES, da Mesa e termos de eleições e posse.
- ENTRADA E PROFISSÕES, de irmãos.
- RECEITA E DESPESA, da Irmandade.

*Avulsos:*
- COMISSÃO, encarregada pela organização da Semana Santa.
- CONVITES, para a solenidade da Semana Santa.
- CORRESPONDÊNCIAS, recebidas e remetidas.
- INVENTÁRIO de registros da Irmandade.
- RECEITA E DESPESA, da Irmandade.

*Impressos:*
- CONVITES, recebidos e remetidos. 1936 a 1953.

**Irmandade de São Francisco de Assis**

*Códices:*
- ALUGUÉIS, de casas da Irmandade na ladeira de São José.
- ATAS, DE REUNIÃO DA Mesa, do Definitório e do Conselho e todo expediente da Irmandade
- CONTA-CORRENTE, dos membros da Mesa Administrativa e dos irmãos.
- COPIADOR, de cartas, representações, súplicas e postulações que fizerem os Reverendíssimos Ministros Provinciais e seus Delegados.
- DELIBERAÇÕES, da Mesa Administrativa.
- DOCUMENTOS, diversos referentes à fundação e inventário da Capela do Arraial de Catas Altas da Noruega.

- ELEIÇÕES, da Mesa Administrativa.
- ENTRADA E PROFISSÕES, com conta-corrente e noviciado de irmãos, patentes e visita pastoral.
- ESTATUTOS, da Irmandade.
- INVENTÁRIO, dos bens e fábrica.
- LEGADOS E CERTIDÕES DE MISSAS, de irmãos falecidos.
- ÓBITOS E CERTIDÕES DE MISSAS, de irmãos falecidos.
- PATENTES, DA FUNDAÇÃO, Instituição e Origem da Venerável Ordem 3ª e mandadas passar a todos os irmãos.
- PREZÍDIA, entrada e profissões de irmãos.
- RECEITA E DESPESA, da Irmandade.
- ROL, de documentos existentes no arquivo da Irmandade.
- TESTAMENTO E INVENTÁRIO, de bens dos irmãos falecidos que deixaram a dita Irmandade como testamenteira.
- VISITAS, feitas à Venerável Ordem.

*Avulsos:*
- ALUGUÉIS, de casas pertencentes à Irmandade na ladeira de São José.
- ARREMATAÇÕES, de madeiras e obras da Igreja.
- ATAS, de reunião da Mesa, Eleição e Assembléia de irmãos.
- ATESTADO, de morte de um cavalo pertencente à Irmandade.
- AUTORIZAÇÕES, para Eucaristia na Capela e uso de sepulturas pela Irmandade.
- AVISO, com referência ao procedimento do sacristão subordinado e de desligamento da Irmandade de todos os irmãos que não contribuíram com anuais, jóias de cargos e jóia de entrada durante 5 anos.
- BREVES, concedendo privilégio à Ordem; do Núncio Apostólico e da invenção do corpo do Seráfico Pe. São Francisco.
- CARTAS JUDICIAIS, protestos, apelações, sentença cível, certidões, carta citatória, débitos, notificações, libelo cível e justificações.
- CÉDULAS, para eleição de Ministros e mais Definitório da Irmandade.
- CERTIDÕES, de testamento; de carta do frei Pedro João de Molina; de registro de terras devolutas e recibo de escritura de compra e venda.
- CERTIDÕES DE MISSAS, para irmãos falecidos.
- CESSÃO E TRESPASSE, referente à aluguel de casa.
- COBRANÇA, de irmãos.
- COMPRA E VENDA, de imóveis.
- COMPROMISSO, para criação da Capela de São Francisco na freguesia de São João do Morro Grande.
- COMUNICADOS, diversos.
- CONDIÇÕES, AJUSTE, ARREMATAÇÕES E DEVERES, sobre obras da Igreja e catacumbas.
- CONSULTA, referente a cobrador de dívida ativa.
- CONTA-CORRENTE, de irmãos falecidos.
- CONTRATO, celebrado pela Mesa Administrativa para construção dos altares laterais.
- CONVITES, recebidos e remetidos.
- CORRESPODÊNCIAS, recebidas e remetidas.
- CRÉDITOS, da Irmandade.
- DÉBITOS, da Irmandade.
- DECLARAÇÕES, sobre as obras da Irmandade e recebimento de lâmpadas.
- DELIBERAÇÕES, da Mesa Administrativa.
- DIPLOMA, de gratificação a sacerdote e sacristão.

- DOAÇÕES, de harmônio e objetos sacros para a Irmandade.
- EDITAL, referente a eleição de irmãos e adoção de novos Estatutos.
- ELEIÇÃO, POSSE E PAUTA, de irmãos.
- ENTRADAS E PROFISSÕES, de irmãos.
- ESTATUTOS E FUNDAÇÃO, da Irmandade.
- INDULGÊNCIAS, diversas.
- INVENTÁRIOS, da Irmandade.
- LEMBRANÇA, da negra Ana pertencente à Irmandade.
- LICENÇA, para visitação das Igrejas.
- MANDADOS, de prisão, preceito e levantamento de dinheiro.
- MATRÍCULA, das catacumbas.
- MEMORANDUM, solicitando pagamento de débitos.
- NOMEAÇÃO, de comissão examinadora das obras dos altares.
- ÓBITOS, guias de sepultamento, atestados e certidões.
- OBRIGAÇÕES, para desempenhar o cargo de Sacristão.
- ORÇAMENTOS, para conclusão da Capela do cemitério.
- PATENTES, diversas.
- PETIÇÕES, para edificação da Capela; referente a obras dos altares colaterais; para pagamento do restante da obra de cantaria e manufatura e para construção do cemitério.
- PORTA, da Igreja de São Francisco.
- PORTARIA, referente a nomeação de procurador da Irmandade.
- PROCURAÇÕES, diversas.
- PROPOSTA, referente a contas do Presidente e Procurador da Prezídia.
- POVISÃO, para edificação da Capela e exposição do Santíssimo.
- RECEITA E DESPESA, do Síndico e da Irmandade.
- RECIBOS, do Andor dos Bens Casados e empréstimo de lâmpadas.
- RECOMENDAÇÕES, por lembrança da Mesa da Irmandade a um irmão em viagem para Lisboa.
- REGIMENTO, respectivo ao cargo do Reverendo Comissário nas Ordens.
- RELATÓRIOS, do procurador Geral da Irmandade e do Ex-Ministro Antonio Luís Maria Soares de Albergaria.
- REPAROS, na Igreja.
- RESPONSÓRIO, Terço de São Francisco.
- RELÍQUIA.
- ROL, de irmãos; Prezídas; diligências; responsáveis pelos anjos da procissão de cinzas; documentos extraídos do livro de entradas; para giro do Sertão; de imagens de Santos da Ordem.
- SOLICITAÇÕES, ao Santo Padre Papa Pio VI de privilégios para seus membros; de um altar privilegiado e de reforma dos Capítulos 6°, 7°, 12°, 14° e 15° do Estatuto da Irmandade.
- TESTAMENTOS, de irmãos.
- VERBAS TESTAMENTÁRIAS, solicitações do procurador da Irmandade; instrumento de justificação de órfãos que receberam dotes e remessa de verbas para Portugal.
- VISITAS, do Pregador Comissário, Reformador e Visitador Geral de todas as Ordens Terceiras.

*Impressos:*
- CONVITES, recebidos e remetidos. Ouro Preto, 1937 a 1962.
- ESTAMPA, de São Francisco de Assis. Paris, s/data.
- SACRUM CONVIVIUM (Oração). Ouro Preto, Typographia de Soares, 1854.

*Livros:*

- ANA-CHRONOLOGIA DEVOTA de nove preciosas pedras achadas nas nove letras do nome de Francisco das quais um seu filho lhe formou essa Seráfica, e devota novena que sahio à luz do ano de 1748.
- ESTATUTO DA ORDEM TERCEIRA DE SÃO FRANCISCO DE ASSIS DE OURO PRETO. Ouro Preto, Typografia D'O Regenerador, 1911.
- HOMENAGEM AO Pe. PEDRO ARBUES DAS CHAGAS CONCEIÇÃO. Ouro Preto, 1901.
- MANUALE SERAPHICUM, ET ROMANUM, Ad usum praecipuè Fratrum Minorum, ac Monialium ejufdem Ordinis, in alma Provin... Algarbiorum S.P.N. FRANCISCI. Includens omnia portinentia ad receptionem habitus Noviciorum, tam Fratu, quam Monialium, nec ou Ritus ad Exequias Defunctorum, & C. PARS SECUNDA. PER FR. EMMANUELEM A' CONCEPTIONE, Divi Francisci Xabreguensi vicarium Chori Jubilatum. ULYSSIPONE OCCIDENTALI, Ex Typographia MUSICAE. 1732. Cum facultate Superiorum.
- MANUALE ROMANO SERAPHICUM. Ad usum Fratrum Minorum Almae Proviciae Algarbiorum Ordinis Sancti Francisci, perutile etiam Parochis, et aliis Sacerdotibus Saecularibus. Ubi plurima, inventiur ad Divinum cultum spectantia; praecipue Processiones, Preces rogative, Comemorationes, Orationes, Litaniae, Officium defunctorum, Ritus administrandi Sacramenta Baptismi parvulis, & adultis, Eucharistiae, Extremaeque Unctionis; ordo Sepeliendi Religiosos, & Saeculares: modus conferendi habitum Fratribus, Monialibus, & Tertiariis: Exorcismi varii; necnon selectissimae Beneditiones juxta Ritum S. R. Ecclesiae. Pars I et II P. Fr. Emmanuelem A Conceceptione, Vicarium chori Jubilatum, & Ex-Guardianum Coenobii S. Mariae à Jesu de Xabregas. Editio tertia correctior, & aucta per quemdam Religiosum ejusdem Coenobii, & Provinciae, Ulyssipone, Ex Praelo Michaelis Manescal da Costa, Sancti Officii Typographi. Ano 1758. Superiorum permissu. À custa de Francisco Gonçalves Marques, Mercador de Livros.

***Documentos diversos***

- AÇÕES DE COBRANÇA, de José Martins Figueiras contra Manoel Francisco; de José Gomes da Rocha, contra José Soares; de José Siqueira contra Antonio Gomes da Silva; de Antonio João da Silva contra Dandim Ribeiro de Carvalho; de Bento de Oliveira Lima contra Manoel Gomes Batista; de José Pereira contra Fructuoso Álvares Pereira; de Paulo de Araújo contra João Alz. F.; de Diogo Vaz de Freitas contra o testamenteiro de João de Almeida Vasconcellos; de José Martins Figueiras contra João Batista Correa; de Luiz João de Morais contra João F. Guimarães e de João Moreira Leite contra Manoel José Coelho.
- ACÓRDÃO, referente à cartas de datas de terras e águas.
- AUDIÊNCIA, de notificação para cumprimento de legado.
- AVALIAÇÃO, de uma crioulinha com 20 meses de idade.
- CARTA DE ARREMATAÇÃO, para título de posse de quatro moradas de casas.
- CARTAS EXECUTÓRIAS DE DELIGÊNCIA, passada a requerimento de José Luiz da Calçada para em virtude dela se fazer apreensão em um negro por nome Pedro "Angola" que arrematou na Praça deste Juízo e por este título lhe pertence e dele é senhor que foi confiscado a João de Oliveira para depois lhe ser entregue como adiante se declara.
- CARTA SENTENÇA CÍVEL, de créditos.
- CERTIDÕES, de batismo; autos de contas de verbas testamentárias; apelação crime; de dívida com justificação dos autos de arrematação de um sítio com vários escravos e bens; de escritura de venda de dois serviços de minerar; de cessão e

trespasse de bens de confissão sob juramento; de posse do escrivão da ouvidoria; de acórdão entre vereadores e procuradores; de autos de causa e matéria cível de apelação; de contas em autos de agravo e de autos de causa e matéria cível de apelação; de ofício de ajudante do expediente das ordens do Governo de Minas Gerais e de patente do posto de ajudante das ordens da Capitania de Minas; para receber soldos e de entrada de ouro na Casa de Fundição.
- COMPRAS, de cavalo para El Rey.
- CONCESSÃO, de datas minerais.
- CONCORDATA, credores Manoel Pires de Carvalho e outros contra Bento Soares Guimarães
- CONTA –CORRENTE, diversas.
- CORRESPONDÊNCIAS, recebidas e remetidas.
- CRÉDITOS, referente à venda de rancho; de botica; de animais; de escravos; de remédios; de mercadorias; dízimos; preparação de embarque para o Brasil; posse de datas; aluguéis de escravos e de casa; de empréstimo de dinheiro; jornal de escravos; gastos com destacamento dos diamantes e causas judiciais.
- DECLARAÇÕES, de venda de escravos; posse de créditos; recebimento de embrulhos e dinheiro.
- DENÚNCIAS, do testamenteiro do Dr. Bento de Sousa Ribeiro; com referência a cartas rogatórias e precatórias em poder do escrivão do juízo e de furtos feitos por ciganos.
- DIPLOMA, concedido à irmã Maria Thomásia da Conceição pela Irmandade de Jerusalém.
- DITOS DE TESTEMUNHAS, judicialmente perguntadas a requerimento de Faustina de Avellar.
- DOAÇÃO, de dinheiro.
- ESCRITURAS, de compra e venda de casas, minas e escravos.
- EXECUÇÃO, custas dos autos de Caetano da Motta Barros a Francisco de Souza Leitão.
- GUARNIÇÃO, de destacamento da Serra de Santo Antonio e sua patrulha.
- INQUIRIÇÃO, de testemunhas do Cap. José Ferreira Araújo e seu sócio.
- INVENTÁRIO, de bens e documentos de Antonio Lopes Carvalho e Álvaro José.
- JUSTIFICAÇÕES, do preso Luís Alz. Monte Arroyo para requerer sua liberdade; referente a compra de casa para servir de quartel da patrulha dos soldados dragões da Gouvêa com o Intendente dos Diamantes.
- LEMBRANÇAS, de José Gomes da Rocha; de execução; de créditos; de bens; de papéis; de ouro e de testamento.
- LISTA, de assinantes da Cia. Industrial Ouropretana de Tecidos, Força, Luz e Telefone.
- MANDADOS DE PENHORA, PRECEITO E SOLVENDO, em bens de Francisco Martins Rosado a requerimento de José Francisco; Manoel de Araújo a requerimento de Gabriel da Silva; JOSÉ Gonçalves Portilinho a requerimento de Agostinho Nobre dos Santos; Bernardes de Caldas Barbosa a requerimento de Manoel Dias Palheiros; João Dias Ferreira a requerimento de Manoel Pires de Carvalho; José Ferreira Lisboa a requerimento de Eugênio Luiz da Silva e José Gomes da Rocha contra Euzébio da Silva Lima.
- MATRÍCULA, de escravos.
- OBRIGAÇÕES, referente a tomada de entrega de uma negra.
- PAPEL DE SOCIEDADE, de terras minerais.
- PARECER, sobre a transmissão de um Fidei Comisso ou Sucessão dele.

- PENHORA, feita na roça de Manoel Teixeira de Carvalho.
- PETIÇÕES, de José Gomes da Rocha solicitando os autos das execuções feitas pelo mesmo aos Ouvidores e seus antecessores nos anos de 1730 e 1746; solicitando despacho da vista em causa de verificação e de José Gomes da Rocha solicitando precatória executória contra José Antonio Martins.
- PRESTAÇÃO DE CONTAS, referente a aluguel e conserto de casa.
- PROCURAÇÕES, diversas.
- QUITAÇÃO, com testemunha de recebimento de herança de Rodrigo da Silva.
- RECEITAS, de medicamentos.
- RECIBOS, de pagamento de carregação; de compra e venda de animais; de sela, gêneros, fazenda, escravos; obrigações; conta de escritura, dinheiro descontado, créditos de avenças, créditos de herança, dízimos, aluguel de casas, riscos, jornais de escravos e cárcere de 02 negros; de compra de cobres; compra e alforria de escravos; causas judiciais; aluguéis e foros devidos ao Senado da Câmara; dívida de herança; recebimento de escravos; documentos de contratos; créditos e clareza; rol e uma precatória para serem cobradas no Serro Frio; recebimento de ouro vindo de Diamantina e Rio das Mortes e de ouro remetido para o Rio de Janeiro, Bahia e Lisboa, para o risco do Convento; de penhora e pertencentes ao Capitão Domingos Alves Braga, cobrados pelo Capitão José Gomes da Rocha.
- RELÍQUIA.
-REQUERIMENTOS, solicitando diligências, mandado para execução, certidões de inventário de bens; para construção de casa e demanda de caminho e para passar para o posto de Capitão.
- ROL, de pagamentos; de bens de José Gomes da Rocha e de diligências requeridas pelo mesmo e de despesas.
- SENTENÇA CÍVEL DE DESAGRAVO, na causa de agravo para instrumento de Bento de Oliveira Lima contra Manoel Gomes Baptista.
- TESTAMENTO, de João Martins.
- VERBAS TESTAMENTÁRIAS.

*Impressos:*

- MENSAGEIRO DA FÉ, redação Convento São Francisco da Bahia. 1913, 1915 e 1917.

*Livros:*

- BAPTISTÉRIO E CEREMONIAL DOS SACRAMENTOS DA SANCTA MADRE IGREJA ROMANA, emendado e acrescentado em muitas cousas nesta última impressão, conforme o Cathecismo, &c Ritual Romano. Officina de Luis Seco Ferreyra, familiar do S. Officio à sua culta, Coimbra, 1730.
- EPISTOLAE ET EVANGELIA TOTIUS ANNI, EX PRAESCRIPTO MISSALES ROMANI, SACROSANCTI Concilii Tridentini Decreto Restituti, S. PII V Pontificis Maximi, Jussu Editi, et Clementis VIII, Primum, nunc Denuo Urbani, Papae Octavi Auctoritate Recogniti Ad majorem Ecclesiarum Comoditatem. Antverpiae Ex Architypographia Plantiniana, 1761.
- FLOS SANCTORUM, sem data, Iª parte.
- FLOS SANCTORUM, sem data, 2ª parte.
- MISSALE ROMANI (sem folha de rosto), 1663.

### Irmandade de São Francisco de Paula

*Avulsos:*

- CONVITES, recebidos e remetidos.
- ÓBITOS, certidões.

- RECEITA E DESPESA, da Irmandade.

**Irmandade de São José**

*Avulsos:*

- RECEITA, da Irmandade.

*Impressos:*

- CONVITE, para sepultamento de irmãos, 1942.

**Irmandade do Senhor Bom Jesus de Matozinhos**

*Códices:*

- ENTRADA E PROFISSÃO, de irmãos e dois sermões do Pe. Camilo.

*Avulsos:*

- ÓBITO, atestado para sepultamento.

**Associação de São Luiz Gonzaga**

*Códices:*

- ATAS, das sessões.

**Congregação de Marianos**

*Avulsos:*

- ROL, dos congregados.

**Sociedade Beneficente**

*Códices:*

- CONTA-CORRENTE, de sócios.

**Sociedade Beneficente Nossa Senhora da Conceição**

*Códices:*

- ESTATUTO, da Sociedade.

**Sociedade Musical Nossa Senhora da Conceição**

*Avulsos:*

- ATAS, de reuniões.
- ATESTADO, de residência.
- CONTA-CORRENTE, referente aos toques da Bahia.
- CONTRATO, de compra e venda de casas.
- CORRESPONDÊNCIAS, recebidas e remetidas.
- CRÉDITO, de mensalidades de sócios.
- DECLARAÇÃO, de instrumento pertencente à Sociedade.
- ELOGIO À MÚSICA.
- ORÇAMENTO, para reforma de instrumentos.
- PAUTA DE ELEIÇÃO, dos membros da diretoria.
- PONTO, dos participantes aos ensaios e toques.
- POSSE, do regente da Banda.
- RECEITA E DESPESA, da Sociedade.
- ROL, de uniformes para músicos e de músicas.
- TERMO DE COMPROMISSO, para ingressar na Sociedade.

*Impressos:*

- ROL, de preços de instrumentos musicais. São Paulo e Rio de Janeiro, Pedro Wungrill & Filhos, Verdi Gomes e J. Santos. 1925.

**Sociedade Operária Beneficente São José**

*Avulsos:*

- ATAS, de reunião.
- DIPLOMA, concedido a sócio.
- MEMORANDUM, referente à seção solene.

*Impressos:*

- ESTATUTO, da Sociedade. Ouro Preto, Livraria Mineira, 1935.

**Sociedade São Vicente de Paula**

*Avulsos:*

- RECEITA, da Sociedade.

*Impressos:*

- CARTA DE AGREGAÇÃO À SOCIEDADE. Paris, Imprensa J. Dumoulin, 1911.

**União Beneficente Operária de Ouro Preto**

*Avulsos:*

- CONVITES, remetidos.
- CORRESPONDÊNCIA, remetida.

***Documentos Diversos e Registros Paroquiais***

***Códices:***

- BATIZADOS, de brancos, livres e escravos.
- CÂNTICOS, diversos.
- CAPÍTULOS, EDITAIS E PROVISÕES, do Bispado de Mariana.
- CASAMENTOS, realizados na freguesia de Nossa Senhora da Conceição.
- GÊNEROS, registros de fornecimento.
- INVENTÁRIO, de bens da Matriz de Nossa Senhora da Conceição.
- LEMBRANÇA, do dinheiro que recebeu a conta dos créditos do Capitão Bartolomeu Rodrigues.
- LIBER FAMILIARUM.
- ÓBITOS, de brancos, livres e escravos.
- PARTITURAS, das principais festas anuais.
- PROTOCOLO, de empréstimos de dinheiro.
- RECEITA E DESPESA, CAPÍTULO DE VISITA E INVENTÁRIO DE BENS, da fábrica da Capela de Rio de Pedras e Matriz de Nossa Senhora da Conceição.
- STATUS ANIMARUM.

*Avulsos:*

- AÇÃO DE LIBELO CÍVEL, autores: Feliz de Gusmão Mendonça e Bueno e réus: Nicolao Henriques e Francisco de Almeida.
- ATAS, de reuniões dos diretores e zeladores dos Asilos de Santa Isabel e Santo Antonio da Paróquia de Nossa Senhora do Pilar.
- AUTORIZAÇÃO, para exercer a profissão de advogado.
- AUTOS DE CASAMENTOS, de Matheus Francisco Lisboa com Hilária Maria Pinheiro e Francisco Xavier da Silva com Luíza Francisca Romana.
- CERTIDÕES, de batismo; de enfermidade; extraídas dos autos de apelação cível entre Antonio Gomes da Silva e Antonio A. Lima; de autos de execução entre Antonio Gomes Barros e José Gonçalves de Castro; de nascimento e de casamento.
- CERTIFICADO, de remessa de cartas.
- COBRANÇA, de impostos de água.
- COMPRA E VENDA DE CASAS, de papel de venda, escritura e recibo de pagamento.

- CORRESPONDÊNCIAS, diversas.
- CRÉDITOS, diversos.
- DEFERIMENTO, de emprego do Palácio de Ouro Preto.
- DOAÇÃO, de parte de casa e móveis, sita no Largo da Matriz de Antonio Dias.
- EDITAL DE NOTIFICAÇÃO, aos criadores de gados para corte.
- FATO, ocorrido na Matriz de Nossa Senhora da Conceição.
- FEITO CÍVEL DE AÇÃO DE CRÉDITO, de Bento de Oliveira Braga contra Antonio Dutra e Eugênio Ferreira de Abreu contra Manoel Caldeira Castelo Branco.
- GUARDA NACIONAL, folha de pagamento por ocasião da rebelião de 1841; boletim de ocorrência e conta-corrente do Sargento Francisco de Souza Lima.
- HINOS RELIGIOSOS, diversos.
- INDULGÊNCIAS, em dia da Assumpção de Nossa Senhora e em outros dias.
- INVENTÁRIOS, de bens de Antonio Tavares do Couto.
- JUSTIFICAÇÃO, para julgar por sentença uma moratória de Carlos Gonçalves.
- MAPA, de falhas das alunas da Escola Pública na freguesia de Ouro Preto.
- NOTIFICAÇÃO, de matrimônio.
- ÓBITOS, atestados, certidões e guias.
- ORAÇÃO, a J. M. J.
- ORÇAMENTOS, de calhas e condutores para a Matriz de Antonio Dias.
- PAPEL DE VENDA, de material.
- PROCLAMAS, para casamento na Paróquia de Antonio Dias.
- PROCURAÇÃO, para representar em cerimônia de batizados.
- QUITAÇÃO, de dívida de Bernardo Gomes com José Marques da Silva.
- RECEITA E DESPESA, referente a diversas festividades realizadas na Paróquia e obras na Matriz de Antonio Dias.
- RECIBO, de pagamento referente a construção de chafariz.
- REQUERIMENTO, solicitando citação de testamenteiro dativo da defunta Maria Francisca da Gama.
- ROL, de documentos pertencentes ao Ten. José Dias dos Santos; de sorteio de mesários para festa do Divino Espírito Santo e Santa Cruz; dos casamentos e batizados em Santa Rita e Lavras Novas.
- TERMO DE COMPROMISSO, para providenciar documentos referentes ao estado civil.
- TESTAMENTOS E PARTILHAS, de Caetano Nonato Machado e Bernardo Moreira da Silva.

***Impressos:***

- BOLETIM, para os católicos que ajudaram na festa de Santa Cruz. Ouro Preto e Mariana, 1925.
- CONVITES, recebidos e remetidos. Ouro Preto. 1924 a 1953.
-DECRETO N ° 760, do Vice Presidente da República, aprovando as instruções para execução dos artigos 59 e 60 da lei n ° 35 de 26-01-1892. Rio de Janeiro. Imprensa Nacional.
- FOLHINHA NACIONAL. Rio de Janeiro, Antonio Glz. Guimarães & Cia., 1858.
- HINOS RELIGIOSOS E SONETO, sem data.
- MANIFESTO AOS MINEIROS. Barbacena, Typografia da Sociedade Typografica, 1842.
- ORAÇÕES, consagração do Brasil ao Coração Eucarístico de Jesus e a São Vicente de Áquila. Sem data.
- SUMÁRIO DA BULA DA SANTA CRUZADA. Sem data.
- TÍTULO HONORÍFICO, Gard d'Honneur du Sacré-Coeur. Lith Carasant & Cie. Sem data.

*Livros:*

- ARTE POÉTICA de Q. Horácio Flacco. Traduzida e ilustrada em Portugues por Cândido Lusitano. Segunda edição correcta e emendada, Lisboa, Officina Rollandiana, 1778. Edição bilingüe. Pertenceu a Antonio Moreira Ribeiro com adenda. Regras de versificação Portugueza, por um anônimo. E catálogo à custa de Francisco Rolland, impressos – livreiro em Lisboa, na esquina da Rua do Norte.
- RECUEIL DAS ORAISONS FUNEBRES prononcées por Messire Esprit Flechier, Evêgue de nîmes. Nouvelle Édition, dans laquelle on a ajouté un Précis de la vie de l'Anteur. A Paris, chez Jean Desaint. Libraire, rue Saint Jean de Beauvais, vis-à-vis le college – 1761 – Avec Aprovations e privilege du Roi.
- TROFEO EVANGELICO, exposto em quinze Sermoens Históricos, Moraes e Panegyricos, que....rissimo, e excelentissimo Senhor Veríssimo e Lancastro, Arcebispo Inquiridor Geral nestes Reynos, e Senhorios de Portugal, do Conselho d'Estado do Serenissimo Rey D. Pedro II e seu sumillher da Cartina: ec Dedica o P. M. Diogo D'Annunciaçam, conego secular da Congregação de S. Joam Evangelista, Doutor da Sagrada Theologia pela Universidade de Coimbra ec Lisboa, Officina de Miguel Deslandes. Anno 1685. A custa de Antônio Correa da Fonseca, Mercador de Livros na Rua Nova com todas as licenças necessárias.

## 2 Descrição dos grupos: séries e sub-séries

Irmandade das Almas

*Avulsos*

RECIBO

Local: Vila Rica

Período: 1734 — 001 — 001/0001-0014

Irmandade de Nossa Senhora do Carmo

*Avulsos*

PATENTE

S/grupo: Mesa Administrativa

Local: Ouro Preto

Período: 1832 — 002 — 001/0015-0022

RECEITA E DESPESA

S/Grupo: Secretaria

Local: Ouro Preto

Período: 1926 — 003 — 00I/0023-0027

Irmandade de Nossa Senhora da Conceição de Antônio Dias

*Códices:*

ATAS E DELIBERAÇÕES

S/grupo: Consistório da Matriz

Local: Ouro Preto

Período: 1935 a 1969 — 004 — 047/0001-0082

**ÓBITOS E TESTAMENTOS**

Local: Vila Rica

| | | |
|---|---|---|
| Períodos: 1727 a 1753 | 005 | 047/0083-0300 |
| 1753 a 1764 | 006 | 047/0301-0554 |
| 1770 a 1796 | 007 | 047/0555-0577 |
| 1770 a 1796 | 007 | 048/0001-0339 |

**RECEITA E DESPESA**

S/grupo: Mesa Administrativa, Consistório e Ouvidoria.

Local: Vila Rica

| | | |
|---|---|---|
| Período: 1726 a 1805 | 433 | 068/0683-0864 |
| 1726 a 1805 | 433 | 069/0001-0135 |

*Avulsos:*

**COMUNICADO**

S/grupo: Mesa Administrativa

Local: Ouro Preto

| | | |
|---|---|---|
| Período: 1960 | 008 | 001/0028-0148 |

**CORRESPONDÊNCIAS**

S/grupo: Câmara Municipal e Consistório

Locais: Vila Rica e Ouro Preto

| | | |
|---|---|---|
| Períodos: 1743-19950 a 1960 | 009 | 001/0149-0169 |

**LICENÇA**

S/grupo: Arcebispado de Mariana.

Local: Mariana

| | | |
|---|---|---|
| Período: 1953 | 010 | 001/0170-0174 |

**PAUTA**

S/grupo: Secretaria

Local: Ouro Preto

| | | |
|---|---|---|
| Período: 1947 a 1959 | 011 | 001/0175-0184 |

**POSSE**

Local: Ouro Preto

| | | |
|---|---|---|
| Período: 1957 | 012 | 001/0185-0190 |

**RELATÓRIO**

S/grupo: Secretaria

Local: Ouro Preto

| | | |
|---|---|---|
| Período: 1948 | 013 | 001/0191-0195 |

**RECEITA E DESPESA**

Locais: Vila Rica e Ouro Preto

| | | |
|---|---|---|
| Período: 1844 a 1963 | 014 | 001/0196-0766 |

**ROL**

Local: Ouro Preto

| | | |
|---|---|---|
| Período: 1927 a 1960 | 015 | 001/0767-0826 |

TERMO DE PRESENÇA
S/grupo: Consistório
Local: Ouro Preto
Períodos: 1950 e 1955 016 001/0827-0835

Irmandade de Nossa Senhora das Dores

*Códices*

CONTA-CORRENTE
S/grupo: Mesa Administrativa.
Local: Ouro Preto
Período: 1862 a 1904 017 048/0340-0615

*Avulsos*

INSTRUMENTOS DE PÚBLICA FORMA DE PETIÇÃO E REAL BENEPLÁCITO
S/grupo: Cartório Eclesiástico.
Local: Mariana
Período: 1800 018 001/0836-852

PROVISÃO
Locais: Lisboa, Vila Rica e Queluz
Período: 1801 a 1805 019 001/0853-0864

RECEITA E DESPESA
S/grupo: Secretaria
Local: Ouro Preto
Períodos: 1870 a 1878 e 1906 020 001/0865-0904

ROL
S/grupo: Secretaria
Local: Ouro Preto
Período: 1921 021 001/0905-0910

*Impressos*

*Livros*

SEPTENÁRIO DAS DORES DE NOSSA SENHORA.
Sem data. 434 037/0420-0445

Irmandade de Nossa Senhora das Mercês e Misericórdia

*Avulsos*

ÓBITOS
S/grupo: Sacristia
Local: Ouro Preto
Período: 1930 022 001/0911-0917

Irmandade de Nossa Senhora das Mercês e Perdões

*Códices*

ATAS
S/grupo: Consistório
Local: Ouro Preto

| | | |
|---|---|---|
| Períodos: 1907 a 1943 | 023 | 048/0616-0781 |
| 1907 a 1943 | 023 | 049/0001-0083 |

CATACUMBAS
S/grupo: Sacristia
Local: Ouro Preto

| | | |
|---|---|---|
| Períodos: 1871 a 1895 | 024 | 049/0084-0180 |
| 1905 a 1926 | 063 | 049/0181-0219 |
| 1918 a 1976 | 025 | 049/0220-0311 |
| 1930 a 1949 | 026 | 049/0312-0351 |

CERTIDÕES
S/grupo: Consistório
Local: Ouro Preto

| | | |
|---|---|---|
| Período: 1808 a 1816 | 027 | 049/0352-0374 |

COMPROMISSOS
S/grupo: Consistório
Local: Vila Rica

| | | |
|---|---|---|
| Períodos: 1818 a 1820 | 028 | 049/0375-0408 |
| 1818 a 1828 | 029 | 049/0409-0430 |

CONTA-CORRENTE
S/grupo: Secretaria.
Local: Ouro Preto.

| | | |
|---|---|---|
| Período: 1922 a 1940 | 030 | 049/0431-0509 |

DELIBERAÇÕES
S/grupo: Consistório
Locais: Vila Rica e Ouro Preto.

| | | |
|---|---|---|
| Períodos: 1764 a 1815 | 031 | 049/0510-0852 |
| 1764 a 1815 | 031 | 050/0001-0090 |
| 1847 a 1888 | 032 | 050/0091-0299 |

ENTRADAS, PROFISSÕES, CONTA-CORRENTE, PATENTES E BREVES
S/grupos: Consistório e Secretaria.
Locais: Vila Rica e Ouro Preto.

| | | |
|---|---|---|
| Períodos: 1759 a 1789 | 504 | 074/0706-0738 |
| 1759 a 1789 | 504 | 075/0001-0448 |
| 1769 a 1817 | 505 | 075/0449-0815 |
| 1769 a 1817 | 505 | 076/0001-0055 |
| 1780 a 1802 | 033 | 050/0300-0805 |
| 1780 a 1802 | 033 | 051/0001-0031 |

| | | |
|---|---|---|
| 1802 a 1820 | 034 | 051/0032-0376 |
| 1820 a 1834 | 035 | 051/0377-0632 |
| 1832 | 036 | 051/0633-0657 |
| 1832 a 1842 | 037 | 051/0658-0889 |
| 1842 a 1847 | 038 | 052/0001-0251 |
| 1847 a 1851 | 039 | 052/0252-0404 |
| 1851 a 1855 | 040 | 052/0405-0647 |
| 1857 a 1862 | 041 | 052/0648-0778 |
| 1862 a 1867 | 042 | 052/0779-0809 |
| 1862 a 1867 | 042 | 053/0001-0243 |
| 1867 a 1877 | 043 | 053/0244-0654 |
| 1877 a 1881 | 044 | 053/0655-0905 |
| 1877 a 1881 | 044 | 054/0001-0030 |
| 1881 a 1885 | 045 | 054/0031-0265 |
| 1885 a 1890 | 046 | 054/0266-0606 |
| 1890 a 1893 | 047 | 054/0607-0860 |
| 1893 a 1897 | 048 | 055/0001-0346 |
| 1897 a 1908 | 049 | 055/0347-0558 |
| 1902 a 1946 | 050 | 055/0559-0726 |

**ESTATUTOS**

S/grupo: Secretaria.
Local: Ouro Preto

| | | |
|---|---|---|
| Período: 1837 | 051 | 055/0727-0742 |

**INVENTÁRIO**

S/grupos: Provedoria das Capelas e Resíduos e Consistório.
Locais: Vila Rica e Ouro Preto.

| | | |
|---|---|---|
| Períodos: 1812 a 1823 | 052 | 055/0743-0757 |
| 1823 a 1840 | 053 | 055/0758-0781 |
| 1860 a 1902 | 054 | 056/0001-0037 |
| 1881 | 055 | 056/0038-0048 |

**PAUTA**

S/grupo: Consistório
Local: Ouro Preto

| | | |
|---|---|---|
| Períodos: 1882 a 1883 | 056 | 056/0049-0062 |
| 1918 | 057 | 056/0063-0069 |

**RECEITA E DESPESA**

S/grupos: Consistório da Matriz de Antonio Dias e Capela do Senhor Bom Jesus dos Perdões.
Locais: Vila Rica e Ouro Preto.

| | | |
|---|---|---|
| Períodos: 1759 a 1815 | 058 | 056/0070-0452 |
| 1762 a 1816 | 059 | 056/0453-0580 |
| 1813 a 1823 | 060 | 056/0581-0648 |
| 1829 a 1836 | 061 | 056/0649-0689 |
| 1834 a 1856 | 062 | 056/0690-0740 |
| 1859 | 063 | 056/0741-0757 |
| 1863 a 1876 | 064 | 056/0758-0833 |

| | | |
|---|---|---|
| 1863 a 1876 | 064 | 057/0001-0090 |
| 1874 a 1875 | 065 | 057/0091-0497 |
| 1876 | 066 | 057/0498-0817 |
| 1877 a 1879 | 067 | 057/0818-1138 |
| 1877 a 1879 | 067 | 058/0001-0140 |
| 1880 a 1882 | 068 | 058/0141-0590 |
| 1883 a 1920 | 069 | 058/0591-0734 |
| 1939 a 1941 | 070 | 058/0735-0748 |

ROL

| | | |
|---|---|---|
| Local: Ouro Preto | | |
| Períodos: 1878 a 1883 | 071 | 058/0749-0787 |
| S/ data | 072 | 058/0788-0817 |

*Avulsos*

ANÚNCIOS

| | | |
|---|---|---|
| S/grupo: Consistório | | |
| Local: Ouro Preto | | |
| Período: 1881 e 1882 | 073 | 001/0918-0936 |

ATAS

| | | |
|---|---|---|
| S/grupo: Consistório | | |
| Local: Ouro Preto | | |
| Período: 1924 a 1944 | 074 | 001/0937-0978 |
| 1924 a 1944 | 074 | 002/0001-0030 |

ATESTADO

| | | |
|---|---|---|
| Local: Ouro Preto | | |
| Período: 1856 | 075 | 002/0031-0035 |

CATACUMBAS

| | | |
|---|---|---|
| S/grupo: Consistório | | |
| Local: Ouro Preto | | |
| Período: 1922 a 1935 | 076 | 002/0036-0071 |

CAUSAS JUDICIAIS

S/grupo: Cartório Episcopal, Consistório e Provedoria.
Locais: Vila Rica, Mariana, São João Del Rey e Ouro Preto

| | | |
|---|---|---|
| Período: 1761 a 1845 | 077 | 002/0072-0305 |

CERTIDÕES

S/grupos: Irmandade e Cartório
Locais: Espera, Catas Altas, Vila Rica, Vila de São José e Ouro Preto

| | | |
|---|---|---|
| Período: 1810 a 1925 | 078 | 002/0306-0455 |

CIRCULAR

| | | |
|---|---|---|
| S/grupo: Diretoria | | |
| Local: Ouro Preto. | | |
| Período: 1866 | 079 | 002/0456-0462 |

**COMPRA E VENDA**
Local: Ouro Preto
Período: s/data | 080 | 002/0463-0472

**COMPROMISSO**
Local: Ouro Preto
Período: 1782 | 081 | 002/0473-0484

**COMUNICADOS**
S/grupos: Secretaria, Drumond Mourthé.
Locais: Ouro Preto e Belo Horizonte.
Períodos: 1876 e 1937 | 082 | 002/0485-0490

**CONSULTA**
Local: Mariana
Período: 1837 | 083 | 002/0491-0495

**CONTA-CORRENTE**
S/grupos: Secretaria e Consistório
Local: Ouro Preto
Período: 1835 a 1961 | 084 | 002/0496-0515

**CONVITES**
S/grupos: Paço da Câmara, Capela de Nossa Senhora do Carmo, Mesa Administrativa do Santíssimo Sacramento, Diretoria, Secretaria, Prefeitura, Mesa Administrativa de Nossa Senhora das Mercês e Consistório.
Local: Ouro Peto
Período: 1829 a 1962 | 085 | 002/0516-0599

**CORRESPONDÊNCIAS**
S/grupos: Paço da Câmara, Consistório, Mesa Administrativa e outros.
Locais: Piedade, Vila Rica, Congonhas do Campo, Mariana, Vila de São José, Mercês do Pomba, Ouro Preto, São Caetano, São João Del Rey, Rio de Pedras, Rio de Janeiro, Belo Horizonte, Niterói, Saramenha, Taubaté, Itabirito e Santa Bárbara.
Períodos: 1788 a 1960 | 086 | 002/0600-1032
1788 a 1960 | 086 | 003/0001-0076

**CRÉDITOS**
S/grupos: Secretaria e Cartório
Locais: Vila Rica e Ouro Preto.
Período: 1807 a 1873 | 087 | 003/0077-0105

**DELIBERAÇÕES**
S/grupo: Consistório
Local: Ouro Preto
Período: 1935 | 088 | 003/0106-0113

**DISCURSO**
Local: Ouro Preto
Período: 1839 | 089 | 003/0114-0122

| | | |
|---|---|---|
| **DOAÇÕES** | | |
| Local: Ouro Preto | | |
| Período: 1827 a 1929 | 090 | 003/0123-0158 |
| **EDITAL** | | |
| S/grupo: Mesa Administrativa. | | |
| Local: Ouro Preto | | |
| Período: 1844 | 091 | 003/0159-0164 |
| **ENTRADA E PROFISSÕES** | | |
| S/grupo: Consistório | | |
| Local: Ouro Preto | | |
| Períodos: 1862 a 1896 e 1937 | 092 | 003/0165-0191 |
| **EXÉQUIAS** | | |
| S/grupo: Secretaria | | |
| Local: Ouro Preto | | |
| Período: 1880 | 093 | 003/ 0192-0212 |
| **INVENTÁRIO** | | |
| Local: Ouro Preto | | |
| Período: 1864 a 1939 | 094 | 003/0213-0256 |
| **LICENÇA** | | |
| S/grupo: Conselho Ultramarino. | | |
| Local: Lisboa | | |
| Período: 1805 | 095 | 003/0257-0263 |
| **MANDADOS** | | |
| S/grupo: Cartório | | |
| Locais: Vila Rica e Ouro Preto. | | |
| Período: 1808 a 1880 | 096 | 003/0264-0272 |
| **MATERIAL** | | |
| S/grupo: Igreja | | |
| Local: Ouro Preto | | |
| Período: 1882 | 097 | 003/0273-0277 |
| **NOMEAÇÃO** | | |
| S/grupos: Cartório e Secretaria. | | |
| Local: Ouro Preto | | |
| Períodos: 1838 e 1930 | 098 | 003/0278-0285 |
| **ÓBITOS** | | |
| S/grupos: Cartório, Cadeia, Secretaria da Irmandade e da Santa Casa. | | |
| Locais: Ouro Preto e São Bartolomeu. | | |
| Períodos: 1889 a 1956 | 099 | 003/0286-1029 |
| 1889 a 1956 | 099 | 004/0001-0323 |

| | | |
|---|---|---|
| **ORAÇÕES** | | |
| Local: Ouro Preto | | |
| Períodos: 1873-1882 e 1891 | 100 | 004/0324-0331 |
| **ORÇAMENTOS** | | |
| Local: Ouro Preto | | |
| Período: 11936 a 1941 | 101 | 004/0332-0339 |
| **PATENTES** | | |
| S/grupo: Secretaria | | |
| Locais: Sabará e Ouro Preto | | |
| Período: 1851 a 1894 | 102 | 004/0340-0353 |
| **PAUTA** | | |
| Local: Ouro Preto | | |
| Período: 1839 a 1963 | 103 | 004/0354-0611 |
| **PLANO, ORÇAMENTO E PROPOSTA** | | |
| Local: Ouro Preto | | |
| Período: 1859 e 1891 | 104 | 004/0612-0624 |
| **PREZÍDIAS** | | |
| S/grupos: Consistório | | |
| Local: Vila Rica | | |
| Período: 1759 a 1763 | 105 | 004/0625-0636 |
| **PROCURAÇÕES** | | |
| Locais: Espera, Ouro Preto, Rio de Janeiro e Belo Horizonte. | | |
| Período: 1810 a 1944 | 106 | 004/0637-0661 |
| **PROPOSTA** | | |
| Local: Ouro Preto | | |
| Período: 1880 a 1940 | 107 | 004/0662-0681 |
| **RECEITA E DESPESA** | | |
| S/grupo: Consistório | | |
| Locais: Vila Rica e Ouro Preto | | |
| Períodos: 1761 a 1965 | 108 | 004/-682-1022 |
| 1761 a 1965 | 108 | 005/0001-1030 |
| 1761 a 1965 | 108 | 006/0001-1037 |
| 1761 a 1965 | 108 | 007/0001-1036 |
| 1761 a 1965 | 108 | 008/0001-1019 |
| 1761 a 1965 | 108 | 009/0001-0287 |
| **RENÚNCIAS DE CARGOS** | | |
| Local: Ouro Preto | | |
| Período: 1921 | 109 | 009/0288-0293 |
| **ROL** | | |
| S/grupo: Consistório | | |
| Local: Ouro Preto | | |
| Período: 1876 a 1952 | 110 | 009/0294-0864 |

| | | |
|---|---|---|
| **SOLENIDADE DE TRASLADAÇÃO**<br>Local: Ouro Preto<br>Período: 1856 | 111 | 009/0865-0873 |
| **TABELA**<br>S/grupo: Mesa Administrativa<br>Local: Ouro Preto<br>Período: 1962 | 112 | 009/0874-0878 |
| **TERMO DE REUNIÃO**<br>S/grupo: Consistório<br>Local: Ouro Preto<br>Período: 1879 a 1925 | 113 | 009/08790-0892 |

*Impressos*

| | | |
|---|---|---|
| **BOLETIM**, referente às obras do desabamento do telhado.<br>Ouro Preto, 1899. | 114 | 009/0893-0897 |
| **CEGUEIRA DO QUE DESPREZA A SUA SALVAÇÃO.**<br>Mariana, Typografia Episcopal, 1848. | 440 | 037/0588-0605 |
| **CONVITES**, recebidos e remetidos.<br>Ouro Preto, 1921 a 1964. | 116 | 009/0916-0935 |
| **EXEMPLO DE CRISTO.**<br>Mariana, Typografia Episcopal, 1848. | 441 | 037/0606-0613 |
| **MEDITAÇÃO SOBRE A ETERNIDADE DAS PENAS.**<br>Mariana. Typografia Episcopal, 1848. | 442 | 037/0614-0621 |
| **O PAGEM DE D. DINIZ.**<br>Mariana, Typografia Episcopal, 1849. | 443 | 037/0622-0629 |
| **ORAÇÕES**, à Virgem das Candeias e a São Bernardo. Ouro Preto, Congregação de Marianos, 1942. | 117 | 009/0936-0941 |
| **QUANTO VALE O TEMPO?**<br>Mariana, Typografia Episcopal, 1848. | 444 | 037/0630-0637 |
| **SOBRE A DIGNIDADE E OBRIGAÇÕES DO CRISTÃO.**<br>Mariana, Typografia Episcopal, 1848 | 445 | 037/0638-0645 |
| **SOBRE O FIM DO HOMEM.**<br>Mariana, Typografia Episcopal, 1848. | 446 | 037/0646-0653 |
| **SOBRE O PECADO MORTAL.**<br>Mariana, Typografia Episcopal, 1848. | 447 | 037/0654-0661 |
| **SONETO AO SENHOR CRUCIFICADO.**<br>Mariana, Typografia Episcopal, 1849. | 448 | 037/0662-0669 |

**VIDA DE SANTO ANTONIO DE LISBOA.**
Mariana, Typografia Episcopal, 1848. 449 037/0670-0677

**VIDA DE SÃO LOURENÇO MARTYR.**
Mariana, Typografia Episcopal, 1848. 450 037/0678-0685

**VIDA DE SÃO SEBASTIÃO MARTYR.**
Mariana, Typografia Episcopal, 1848. 451 037/0686-0694

**VIDA DE SÃO VICENTE DIÁCONO.**
Mariana, Typografia Episcopal, 1848. 452 037/0695-0701

*Livros*

**CERIMONIAL PARA PROFISSÃO DOS IRMÃOS DA ORDEM 3ª DE NOSSA SENHORA DAS MERCÊS,** ereta na Capela do Senhor Bom Jesus dos Perdões da freguesia de Nossa Senhora da Conceição da Imperial cidade de Ouro Preto.
Oficina Patrícia Barboza, 1824. 435 037/0446-0458

**MATÉRIA MÉDICA,** distribuída em classes e ordens segundo seus efeitos, em que plenamente se apontam suas virtudes, doses e moléstias a que se fazem aplicáveis. Addicionada com as tábuas da Matéria Médica, methodicamente seguidas de selectas, originais, e copiosas fórmulas, e de hum diccionário nosológico, ou nomenclatura synonômica das moléstias, simptomas, vícios, e afecções da Natureza por Antonio José de Souza Pinto. Nova Edição por Luiz Mª da Silva Pinto. Ouro Preto na Typografia de Silva, 1837. 436 037/0459-0587

**Documentos diversos**

*Avulsos*

**CERTIDÕES**
Local: Ouro Preto
Período: 1881 118 009/0942-0946

**CONVITES**
Local: Ouro Peto
Período: 1935 a 1940 119 009/0947-0956

**ÓBITOS**
S/ grupos: Cartório e Secretaria da Santa Casa.
Local: Ouro Preto
Períodos: 1891 a 1950 120 009/0957-1038
1891 a 1950 120 010/0001-0078

**PRESTAÇÃO DE CONTAS**
Locais: São João Del Rey e Ouro Preto.
Período: 1825 a 1830 121 010/0079-0094

**RECIBOS**
Local: Ouro Preto
Períodos: 1835/1848 a 1853/1907 122 010/00995-0104

*Impressos*

**MISSALE ROMANUM**, Ex Decreto Sacrossancti Concilii Tridentini Restitutum, S. PII V Pontificis Maximi Jussu Editum, Clementis VIII et Urbani VIII. Auctoritate recognitum, in quo Missae novissimae Sanctorum accuratè funt dispositae Venetiis, 1741 (?). Ex Typographia Balleoniana. 439 070/0001-0369

**MISSALE ROMANUM**, Ex Decreto Sacrosancti Concilii Tridentini Restitutum, S. PII Pont Max Jussu Editum, et Clementis VIII. Primum, Nunc Denuo Urbani Papae VIII. Auctoritate. Recognitum, Ex novis Missis ex Indulto Apostolico Hucusque concessis auctum in quo etiam Missae, quae ex concessionibus Pontificiis in Regno Portugalliae celebrantur, suis locis accuraté ponuntur. Ullissipone, Apud Michaelem Manescal da Costa, Sancti Officii Typographum, Anno 1764 Cum facultate Superiorum. 437 069/0136-0640

**MISSAE ROMANUM**, Ex Decreto Sacrossancti Concilii Tridentini Restitutum, S. PII Pont Max Jussu Editum, Clementis VIII. Primum, Nunc Denuo Urbani Papae VIII Auctoritate Recognitum, et novis Missis ex Indulto Apostolico Hucusque concessis auctum, in quo etiam, Missae quae ex Concessionibus Pontificiis in Regno Portugalliae celebrantur, suis locis accuraté ponuntur. Olisipone Typographia Regiae, et Privilegio Ano 1782 cum facultate Regiae Curiae censoriae. 438 069/0641-1150

**Irmandade de Nossa Senhora do Rosário dos Pretos**

*Códices*

**COMPROMISSO**

| | | |
|---|---|---|
| S/grupo: Casa do Despacho ou Consistório. | | |
| Local: Vila Rica | | |
| Períodos: 1733 a 1788 | 123 | 058/0818-0846 |
| 1733 a 1809 | 124 | 058/0847-0871 |

**DELIBERAÇÕES**

| | | |
|---|---|---|
| S/grupo: Mesa Administrativa. | | |
| Local: Ouro Preto | | |
| Período: 1846 a 1881 | 125 | 058/0872-0965 |

**ENTRADA DE IRMÃOS**

| | | |
|---|---|---|
| Locais: Vila Rica e Ouro Preto | | |
| Períodos: 1737 a 1829 | 126 | 058/0966-1011 |
| 1737 a 1829 | 126 | 059/0001-0138 |
| 1762 | 127 | 059/0139-0146 |
| 1794 a 1883 | 128 | 059/0147-0460 |
| 1820 a 1902 | 129 | 059/0461-0635 |
| 1823 a 1885 | 130 | 059/0636-0786 |
| 1872 a 1940 | 131 | 059/0787-0989 |

**RECEITA E DESPESA**

| | | |
|---|---|---|
| Locais: Vila Rica e Ouro Preto | | |
| Períodos: 1723 a 1798 | 132 | 060/0001-0194 |
| 1819 a 1844 | 133 | 060/0195-0311 |

| | | |
|---|---|---|
| **ROL** | | |
| Local: Vila Rica | | |
| Período: 1770 a 1810 | 134 | 060/0312-0381 |
| *Avulsos* | | |
| **CORRESPONDÊNCIAS** | | |
| S/grupo: Consistório | | |
| Local: Ouro Preto | | |
| Período: 1915 a 1917 | 135 | 010/0105-0129 |
| **RECEITA E DESPESA** | | |
| S/grupos: Consistório e Secretaria | | |
| Local: Ouro Preto | | |
| Período: 1865 a 1949 | 136 | 010/0130-0158 |
| **Irmandade do Santíssimo Sacramento** | | |
| *Códices* | | |
| **ATAS E DELIBERAÇÕES** | | |
| S/grupo: Consistório | | |
| Local: Ouro Preto | | |
| Períodos: 1842 a 1875 | 137 | 060/0382-0504 |
| 1875 a 1894 | 138 | 060/0505-0549 |
| **ENTRADAS E PROFISSÕES** | | |
| Local: Ouro Preto | | |
| Período: 1887 a 1901 | 139 | 060/0550-0651 |
| **RECEITA E DESPESA** | | |
| S/grupo: Consistório | | |
| Local: Ouro Preto | | |
| Período: 1896 a 1923 | 140 | 060/0652-0691 |
| *Avulsos* | | |
| **COMISSÃO** | | |
| Local: Ouro Preto | | |
| Período: 1953 | 141 | 010/0159-0177 |
| **CONVITES** | | |
| S/grupo: Consistório | | |
| Local: Ouro Preto | | |
| Período: 1947 a 1957 | 142 | 010/0178-0189 |
| **CORRESPONDÊNCIAS** | | |
| S/grupos: Secretaria da Irmandade e Paróquia do Pilar. | | |
| Locais: Vila Rica, Ouro Preto e Rio de Janeiro. | | |
| Períodos: 1759-1935 a 1953 | 143 | 010/0190-0204 |

| | | |
|---|---|---|
| **INVENTÁRIO** | | |
| S/grupo: Consistório | | |
| Local: Ouro Preto | | |
| Período: 1946 | 144 | 010/0105-0210 |
| **RECEITA E DESPESA** | | |
| Local: Ouro Preto | | |
| Períodos: 1879-1937 a 1957 | 145 | 010/0211-0496 |

*Impressos*

| | | |
|---|---|---|
| **CONVITES**, recebidos e remetidos. | | |
| 1936 a 1953 | 146 | 010/0497-0505 |

**Irmandade de São Francisco de Assis**

*Códices*

| | | |
|---|---|---|
| **ALUGUÉIS** | | |
| Local: Vila Rica | | |
| Período: 1762 a 1807 | 147 | 060/0692-0726 |
| **ATAS** | | |
| S/grupo: Consistório | | |
| Local: Ouro Preto | | |
| Períodos: 1897 a 1921 | 148 | 060/0727-0782 |
| 1911 a 1953 | 149 | 060/0783-0855 |
| 1911 a 1953 | 149 | 061/0001-0052 |
| 1915 a 1922 | 506 | 076/0056-0111 |
| 1931 a 1932 | 150 | 061/0053-0067 |
| **CONTA-CORRENTE** | | |
| S/grupo: Mesa Administrativa | | |
| Locais: Vila Rica e Ouro Preto | | |
| Períodos: 1767 a 1842 | 151 | 061/0068-0120 |
| 1885 a 1887 | 152 | 061/0121-0186 |
| 1945 a 1968 | 153 | 061/0187-0208 |
| **COPIADOR** | | |
| S/grupo: Consistório | | |
| Local: Vila Rica | | |
| Período: 1755 a 1844 | 154 | 061/0209-0389 |

**DELIBERAÇÕES**

S/grupos: Consistório da Igreja de Nossa Senhora da Conceição, Igreja e Consistório de São Francisco de Assis.

Locais: Vila Rica e Ouro Preto.

| | | |
|---|---|---|
| Períodos: 1757 a 1768 | 155 | 061/0390-0552 |
| 1825 a 1844 | 156 | 061/0553-0704 |
| 1825 a 1844 | 157 | 061/0705-0759 |
| 1845 a 1858 | 158 | 061/0760-0796 |
| 1859 a 1896 | 158 | 062/0001-0109 |

## DOCUMENTOS

S/gripo: Sacristia da Capela.
Local: Arraial das Catas Altas da Noruega.

| | | |
|---|---|---|
| Período: 1762 a 1769 | 159 | 062/0110-0138 |

## ELEIÇÕES

S/grupos: Casa do Noviciado da Matriz de Nossa Senhora da Conceição e Secretaria.
Locais: Vila Rica e Ouro Preto.

| | | |
|---|---|---|
| Períodos: 1751 a 1859 | 160 | 062/0139-0375 |
| 1859 a 1919 | 161 | 062/0376-0445 |

## ENTRADAS E PROFISSÕES

S/grupos: Secretaria e Consistório
Locais: Vila Rica e Ouro Preto

| | | |
|---|---|---|
| Períodos: 1746 a 1791 | 162 | 062/0446-0659 |
| 1751 | 163 | 010/0506-0562 |
| 1751 | 164 | 010/0563-0596 |
| 1751 | 165 | 010/0597-0666 |
| 1751 | 166 | 010/0667-0686 |
| 1751 | 167 | 010/0687-0721 |
| 1751 | 168 | 010/0722-0745 |
| 1751 | 169 | 010/0746-0775 |
| 1751 | 170 | 010/0776-0818 |
| 1753 | 171 | 010/0819-0889 |
| 1754 | 172 | 010/0890-0927 |
| 1757 | 173 | 010/0928-0938 |
| 1757 | 174 | 010/0939-0951 |
| 1757 | 175 | 010/0952-1023 |
| 1757 | 176 | 010/1024-1099 |
| 1757 | 177 | 010/1100-1146 |
| 1758 | 178 | 010/1100-1146 |
| 1758 | 178 | 011/0001-0037 |
| 1758 | 179 | 011/0038-0150 |
| 1761 | 180 | 011/0151-0190 |
| 1761 | 181 | 011/0191-0213 |
| 1761 a 1806 | 182 | 062/0660-0795 |
| 1761 a 1806 | 182 | 063/0001-0214 |
| 1776 | 183 | 063/0215-0315 |
| 1780 | 184 | 063/0316-0370 |
| 1781 | 185 | 063/0371-0397 |
| 1782 a 1805 | 186 | 063/0398-0501 |
| 1786 | 187 | 063/0502-0540 |
| 1801 | 188 | 063/0541-0578 |
| 1805 | 189 | 063/0579-0637 |
| 1806 | 190 | 063/0638-0682 |
| 1806 | 191 | 063/0683-0769 |
| 1806 a 1823 | 192 | 063/0770-1132 |
| 1806 a 1823 | 192 | 064/0001-0086 |
| 1813 | 193 | 064/0087-0106 |
| 1816 | 194 | 064/0107-0120 |

| | | |
|---|---|---|
| 1823 a 1887 | 195 | 064/0121-0539 |
| 1828 | 196 | 064/0540-0548 |
| 1830 | 197 | 064/0549-0557 |
| 1887 a 1960 | 198 | 064/0558-0792 |
| 1888 a 1928 | 199 | 064/0793-0833 |
| 1888 a 1935 | 200 | 064/0834-0899 |
| 1888 a 1935 | 200 | 065/0001-0038 |
| 1888 a 1936 | 201 | 065/0039-0069 |
| 1910 a 1956 | 202 | 065/0070-0176 |
| 1911 a 1915 | 203 | 065/0177-0185 |

ESTATUTOS

S/grupos: Consistório da Matriz de Nossa Senhora da Conceição e Convento de São Francisco.

Locais: Vila Rica, Rio de Janeiro, Madrid e Ouro Preto.

| | | |
|---|---|---|
| Períodos: 1754 a 1756 | 204 | 065/0186-0257 |
| 1758 a 1761 | 205 | 065/0258-0289 |
| 1758 a 1761 | 206 | 065/0290-0319 |
| 1820 | 207 | 065/0320-0367 |
| 1910 | 208 | 065/0368-0387 |

INVENTÁRIO

Local: Vila Rica

| | | |
|---|---|---|
| Período: 1751 a 1795 | 209 | 065/0388-0448 |

ÓBITOS E CERTIDÕES DE MISSAS

S/grupo: Consistório

Locais: Vila Rica e Ouro Preto

| | | |
|---|---|---|
| Períodos: 1752 a 1788 | 211 | 065/0472-0782 |
| 1788 a 1819 | 212 | 065/0783-0839 |
| 1788 a 1819 | 212 | 066/0001-0119 |
| 1923 | 152 | 066/0120-0123 |

PATENTES

S/grupos: Convento Santo Antonio e Consistório

Locais: Rio de Janeiro e Vila Rica.

| | | |
|---|---|---|
| Períodos: 1745 a 1788 | 513 | 077/0473-0495 |
| 1758 a 1786 | 213 | 066/0124-0194 |

PREZÍDIAS

Locais: Freguesias de Ouro Preto, Antonio Dias e Catas Altas da Noruega.

| | | |
|---|---|---|
| Período: 1741 a 1823 | 214 | 066/0195-0221 |

RECEITA E DESPESA

S/grupos: Consistório da Igreja de Nossa Senhora da Conceição e Capela São Francisco.

Locais: Vila Rica e Ouro Preto

| | | |
|---|---|---|
| Períodos: 1746 a 1761 | 215 | 066/0222-0726 |
| 1751 a 1812 | 216 | 066/0727-0932 |
| 1751 a 1812 | 216 | 067/0001-0233 |
| 1763 a 1846 | 217 | 067/0234-0298 |

| | | |
|---|---|---|
| 1832 a 1837 | 218 | 067/0299-0339 |
| 1845 a 1855 | 219 | 067/0340-0438 |
| 1859 a 1871 | 220 | 067/0439-0595 |
| 1894 a 1948 | 221 | 011/0214-1336 |
| 1894 a 1948 | 221 | 012/0001-1344 |
| 1894 a 1948 | 221 | 013/0001-0034 |

ROL
Local: Ouro Preto
Período: 1716 a 1873 | 222 | 067/0596-0613

TESTAMENTO E INVENTÁRIOS
Local: Vila Rica
Período: 1751 a 1805 | 223 | 067/0614-0752

VISITAS
S/grupo: Consistório.
Período: 1761 a 1945 | 224 | 068/0001-0199
Avulsos

ALUGUÉIS
Local: Vila Rica
Período: 1768 | 225 | 013/0035-0056

ARREMATAÇÃO
S/grupo: Casa da Irmandade.
Local: Vila Rica
Período: 1766 a 1768 | 226 | 013/0057-0077

ATAS
S/grupo: Consistório
Locais: Vila Rica e Ouro Preto
Período: 1850 a 1953 | 227 | 013/0078-0105

ATESTADO
Local: Fazenda da Onça
Período: 1829 | 228 | 013/0106-0110

AUTORIZAÇÕES
Locais: Petrópolis e Belo Horizonte.
Período: 1901 a 1945 | 229 | 013/0111-0116

AVISO
S/grupos: Secretaria e Mesa Administrativa.
Local: Ouro Preto
Período: 1911 a 1935 | 230 | 013/0117-0122

BREVES
Locais: Roma e Lisboa
Períodos: 1686-1815 e 1820 | 231 | 013/0123-0158

## CARTA DE ARREMATAÇÃO

S/grupo: Provedoria
Local: Vila Rica

| | | |
|---|---|---|
| Período: 1770 | 232 | 013/0159-0181 |

## CAUSAS JUDICIAIS

S/grupos: Paço do Conselho, Ouvidoria, Juízo dos Feitos da Corôa e Escritório de Advocacia.
Locais: Vila Rica, Mariana e Rio de Janeiro.

| | | |
|---|---|---|
| Períodos: 1757 a 1788 | 507 | 076/0112-0204 |
| 1759 a 1822 | 233 | 013/0182-0749 |
| 1769 a 1782 | 516 | 077/0637-0662 |

## CÉDULAS

S/grupo: Consistório
Locais: Vila Rica e Ouro Preto

| | | |
|---|---|---|
| Período: 1798 a 1908 | 234 | 013/0750-1143 |
| 1798 a 1908 | 234 | 014/0001-1350 |
| 1798 a 1908 | 234 | 015/0001-1347 |
| 1798 a 1908 | 234 | 016/0001-0767 |

## CERTIDÕES

Local: Vila Rica

| | | |
|---|---|---|
| Período: 1753 a 1784 | 235 | 016/0768-0865 |

## CERTIDÕES DE MISSAS

Locais: Santo Antonio de Viana, Vila Rica, Lisboa, Santa Marta, São Gonçalo do Rio Abaixo, Suassuí, Paraopeba, São Gonçalo da Ponte, Carijós, Itaverava, Rio de Janeiro, Ouro Fino, Mariana, Taquaral, Piedade do Porto, Soledade, Ouro Branco, Congonhas do Campo, Sumidouro, Santa Bárbara, Sabará, Vila Nova, Minas Novas, Ouro Preto, Catas Altas, Cristais, Santa Quitéria, Água Limpa, Batatal, Cachoeira, Itatiaya, Itaubira, Piranga, São Caetano, Bacalhau, Inficcionado, São João Del Rey, Arraial de São Miguel, Porto, Passagem, Catas Altas da Noruega, Santo Antonio do Monte, Casa Branca, São Miguel do Piracicaba, Boa Morte, Ponte Nova, Maynard, Tapanhuacanga, Brumado, Jequitibá, Guarapiranga, Boa Vista, Conceição de São Bartolomeu, São José da Lagoa, Gualaxo, Bom Jardim, Freguesia da Ayruoca, Caeté, Piedade das Gerais, Rio da Pomba e Peixe, Espera, Engenho D'Água, São Bartolomeu, Rio de Pedras, Empanturrado, Itapecerica, Redondo, Curvelo, Santa Rita, Queluz, Matozinhos, Barra Longa, São Miguel, Antonio Pereira, Gualaxo do Sul, Bom Sucesso, Rio Manso, Itajurú, São Gonçalo do Rio Abaixo, Percicava, Água Clara, Santo Antonio, Matheus Leme, Santo Amaro, Campo Belo, Candeias, Fazenda do Egipto, Tanque, Onça do Pitanguí, Cachoeira do Campo, Morro do Pilar, Macaúbas, Morro do Chapéu, Piedade, Nossa Senhora da Glória, São João Baptista, Curral Del Rey, Poços, Morro da Garça, São Gonçalo do Bação, Santo Antônio da Venda Nova, Engenho do Mato, Remédios, São Domingos, Passa Tempo, Ribeirão Oliveira, Morada Nova da Senhora do Loreto, Camargos, Rio Pardo e Cláudio.

| | | |
|---|---|---|
| Períodos: 1748 a 1929 | 236 | 016/0866-1227 |
| 1748 a 1929 | 236 | 017/0001-1039 |
| 1748 a 1929 | 236 | 018/0001-1031 |
| 1748 a 1929 | 236 | 019/0001-1052 |
| 1748 a 1929 | 236 | 020/0001-0083 |

**CESSÃO E TRESPASSE**
Local: Vila Rica
Período: 1739 237 020/0084-0091

**COBRANÇA**
S/grupo: Mesa Administrativa
Local: Ouro Preto
Períodos: 1882 e 1885 238 020/0092-0100

**COMPRA E VENDA**
Local: Vila Rica
Período: 1758 a 1773 239 020/0101-0111

**COMPROMISSO**
Local: Ouro Preto
Período: 1839 240 020/0112-0118

**COMUNICADOS**
S/grupos: Consistório e Mesa Administrativa
Local: Ouro Preto
Períodos: 1889-1932 a 1933 241 020/0119-0125

**CONDIÇÕES, AJUSTES, ARREMATAÇÕES E DEVERES**
S/grupos: Secretaria, Consistório e Mesa Administrativa.
Locais: Vila Rica e Ouro Preto.
Período: 1766 a 1876 242 020/0126-0195

**CONSULTA**
Local: Ouro Preto
Período: 1864 243 020/0196-0203

**CONTA-CORRENTE**
S/grupo: Secretaria.
Locais: Vila Rica, Itaubira e Ouro Preto.
Período: 1758 a 1897 244 020/0204-0282

**CONTRATO**
S/grupo: Mesa Administrativa
Local: Ouro Preto
Período: 1882 245 020/0283-0290

**CONVITES**
S/Grupos: Mesa Administrativa e Comissão de festa.
Local: Ouro Preto
Período: 1885 a 1964 246 020/0291-0315

**CORRESPONDÊNCIAS**
Locais: Bahia, Vila Rica, Rio de Janeiro, Lisboa, Ouro Branco, Morro Deus Te Livre, Suassuí, Catas Altas, Carijós, Redondo, Paraopeba, Itaverava, São Gonçalo do Tejuco, Bento Rodrigues, Itaubira, Santa Bárbara, Bom Sucesso, Sabará, Antônio Pereira,

Piranguinha, Mariana, Ilha das Cobras, Ouro Preto, Rio de Pedras, Catas Altas de Noruega, São João Del Rey, Roma, Catumbí de Mata Porcos, Campo Belo, Ribeirão do Melo, Espera, Bom Fim, Cristais, Japam, Chapada da Natividade, Jacuí, Porto, Queluz, Mata do Jacaré, Rodeio, Fazenda da Boa Esperança, Rio de Peixe, Engenho do Mato, Belo Horizonte, Uberaba, Leopoldina, São Paulo, Brumado Piedade da Boa Esperança, Campos Gerais e Paraibuna.

| | | |
|---|---|---|
| Períodos: 1741 a 1961 | 247 | 020/0316-1050 |
| 1741 a 1961 | 247 | 021/0001-0415 |

**CRÉDITOS**

Locais: Vila Rica, Mariana, Catas Altas, Morro do Ouro Fino, Congonhas, Ouro Branco e Senhor do Bom Fim.

| | | |
|---|---|---|
| Período: 1746 a 1809 | 248 | 021/0416-0482 |

**DÉBITOS**

Local: Ouro Preto

| | | |
|---|---|---|
| Período: 1787 a 1832 | 249 | 021/0483-0499 |

**DECLARAÇÕES**

Local: Ouro Preto

| | | |
|---|---|---|
| Período: 1888 a 1956 | 250 | 021/0500-0505 |

**DELIBERAÇÕES**

S/grupos: Secretaria e Mesa Administrativa

Locais: Vila Rica e Ouro Preto

| | | |
|---|---|---|
| Períodos: 1768-1839 e 1857 | 251 | 021/0506-0514 |

**DIPLOMA**

S/grupo: Mesa Administrativa

Local: Ouro Preto

| | | |
|---|---|---|
| Período: 1902 | 252 | 021/0515-0520 |

**DOAÇÃO**

| | | |
|---|---|---|
| Período: 1790 | 253 | 021/0521-0527 |

**EDITAL**

S/grupo: Consistório

Local: Ouro Preto

| | | |
|---|---|---|
| Período: 1910 | 254 | 021/0528-0539 |

**ELEIÇÃO, POSSE E PAUTA**

S/grupo: Consistório

Locais: Vila Rica, Ouro Preto e Rio de Janeiro.

| | | |
|---|---|---|
| Período: 1762 a 1957 | 255 | 021/0540-0807 |

**ENTRADAS E PROFISSÕES**

Locais: Paraopeba, Barcelos, Santo Antonio de Itatiaya, Vila Rica, Nossa Senhora da Conceição de Mato Dentro do Serro do Frio, Carijós, Ouro Fino, Ouro Boyno, São Gonçalo, Lavras Novas, Santo Antonio do Ouro Branco, Nossa Senhora da Conceição do Guarapiranga, Suassuí, Congonhas do Campo, Piranga, Freguesia de São José da

Barra, Engenho, Bom Sucesso, Chopotó, Caminho do Rio de Janeiro, Nossa Senhora da Conceição do Rio de Pedras, Maynard, Morro de São Vicente, Venda Nova do Tripuí, Chapada, Serra do Antonio Pereira, Mariana, Pinheiros, Termo de Valença, Catas Altas, Inficcionado, Santa Bárbara, Arcebispado de Braga, Itacolomí, Catas Altas do Mato Dentro, Freguesia de São Sebastião de Darque, Sumidouro, Passagem de Mariana, São Gonçalo do Rio Abaixo, Itaverava, Redondo, Lisboa, Freguesia de São Thiago de Frayão, Santo Antonio de Casa Branca, São Bartolomeu, São José do Rio das Mortes, Catas Altas da Noruega, Cachoeira do Campo, Boa Vista, São Gonçalo da Ponte, Campo Belo, Vila de São José, Formiga, Queluz, Freguesia de Curvelo, Pomba, Ilha da Madureira, Brumado do Campo, Sertão do Curvelo, Itabira do Mato Dentro, Ouro Preto, Simão Pereira, Uberaba e Freguesia de Barbacena.

| | | |
|---|---|---|
| Períodos: 1718 a 1921 | 256 | 021/0808-1040 |
| 1718 a 1921 | 256 | 022/0001-0783 |

ESTATUTOS E FUNDAÇÃO

S/grupo: Consistório

Local: Vila Rica

| | | |
|---|---|---|
| Período: 1765 a 1782 | 258 | 022/0789-0823 |

INDULGÊNCIAS

S/grupo: Secretaria

Local: Convento de Santo Antonio do Rio de Janeiro.

| | | |
|---|---|---|
| Período: 1786 | 256 | 022/0824-0849 |

INVENTÁRIO

Locais: Catas Altas e Ouro Preto.

| | | |
|---|---|---|
| Períodos: 1882-1890 e 1914 | 260 | 022/0850-0871 |

LEMBRANÇA

Local: Vila Rica

| | | |
|---|---|---|
| Período: 1776 | 261 | 022/0872-0877 |

LICENÇA

| | | |
|---|---|---|
| Período: s/data | 262 | 022/0878-0882 |

MANDADO

Local: Vila Rica

| | | |
|---|---|---|
| Período: 1758 a 1797 | 263 | 022/0883-0895 |

MATRÍCULA

Local: Ouro Preto

| | | |
|---|---|---|
| Período: 1864 | 264 | 022/0896-0937 |

MEMORANDUM

S/grupo: Mesa Administrativa

Local: Ouro Preto

| | | |
|---|---|---|
| Período: 1935 | 265 | 022/0938-0942 |

NOMEAÇÃO

Local: Ouro Preto

| | | |
|---|---|---|
| Período: 1844 | 266 | 022/0943-0947 |

**ÓBITOS**

S/Grupos: Cartório, Consistório e santa Casa de Misericórdia de Ouro Preto.
Locais: Rio de Pedras, Arraial de Santo Antonio do Descoberto da Peçanha, Nossa Senhora da Glória, Tejuco, Rio São Francisco, Jacuí, Mariana, Ouro Preto, Leopoldina, Sertão, Congonhas do Campo, Belo Horizonte e Vila do Bom Fim da Paraopeba.

| | | |
|---|---|---|
| Períodos: 1795 a 1937 | 267 | 022/0948-1035 |
| 1795 a 1937 | 267 | 023/0001-0485 |

**OBRIGAÇÕES**

S/grupo: Consistório
Local: Ouro Preto

| | | |
|---|---|---|
| Período: 1864 | 268 | 023/0486-0492 |

**ORÇAMENTOS**

Local: Ouro Preto

| | | |
|---|---|---|
| Período: 1876 | 269 | 023/0493-0500 |

**PATENTES**

S/grupos: Convento de Santo Antonio, Matriz de Nossa Senhora da Conceição do Matadouro e Consistório.
Locais: Rio de Janeiro, Arraial da Conceição do Matadouro do Serro Frio, Mariana, Sabará, Vila Rica, Barcelos e Diamantina.

| | | |
|---|---|---|
| Período: 1734 a 1890 | 270 | 023/0501-0556 |

**PETIÇÕES**

S/grupos: Mesa Administrativa e Consistório.
Locais: Vila Rica e Ouro Preto.

| | | |
|---|---|---|
| Período: 1767 a 1866 | 271 | 023/0557-0596 |

**PORTA**

Local: Ouro Preto

| | | |
|---|---|---|
| Período: 1823 | 272 | 023/0597-0602 |

**PORTARIA**

S/grupo: Consistório
Local: Ouro Preto

| | | |
|---|---|---|
| Período: 1942 | 273 | 023/0603-0607 |

**PROCURAÇÕES**

Locais: Vila Rica, Suassuí, Santa Bárbara, Fazenda do Egito, Congonhas do Campo, Vila de Pitanguí, Catas Altas da Noruega, Ouro Preto, São João do Crasto, Paragem do Ouro Branco, Fazenda de Santa Ana da Providência, Distrito de Madre de Deus, Espera, Rio de Janeiro, cidade de Paraibuna, Piranga, Glória e Itabira.

| | | |
|---|---|---|
| Período: 1782 a 1870 | 274 | 023/0608-0660 |

**PROPOSTA**

Local: Catas Altas de Santo Antonio de Itaverava.

| | | |
|---|---|---|
| Período: s/data | 275 | 023/0661-0666 |

**PROVISÃO**

S/grupo: Mesa Administrativa

Locais: Lisboa e Vila Rica
Período: 1767 a 1787 276 023/0667-0685

**RECEITA E DESPESA**
S/grupos: Colégio Nossa Senhora do Carmo e Consistório.
Locais: Lisboa, Rio de Janeiro, Vila Rica, Vila do Príncipe, Ouro Preto e Uberaba.

| | | |
|---|---|---|
| Períodos: 1738 a 1968 | 277 | 023/0686-1043 |
| 1738 a 1968 | 277 | 024/0001-1049 |
| 1738 a 1968 | 277 | 025/0001-1063 |
| 1738 a 1968 | 277 | 026/0001-1041 |
| 1738 a 1968 | 277 | 027/0001-1047 |
| 1738 a 1968 | 277 | 028/0001-1060 |
| 1738 a 1968 | 277 | 029/0001-1055 |
| 1738 a 1968 | 277 | 030/0001-1058 |
| 1738 a 1968 | 277 | 031/0001-0172 |

**RECIBOS**
Local: Ouro Preto
Períodos: 1877 e 1941 278 031/0173-0179

**RECOMENDAÇÕES**
Local: Vila Rica
Período: 1759 279 031/0180-0187

**REGIMENTO**
Local: Não consta
Período: s/data 280 031/0188-0193

**RELATÓRIOS**
S/grupo: Consistório
Períodos: 1845 e 1877 281 031/0194-0218

**REPAROS**
Local: Ouro Preto
Período: 1946 282 031/0219-0224

**RESPONSÓRIO**
Local: Não consta
Período: s/data 283 031/0225-0230

**RELÍQUIA**
Local: Roma
Período: 1755 a 1756 284 031/0231-0241

**ROL**
S/grupo: Secretaria
Locais: Ouro Preto, Uberaba e São Gonçalo do Rio Abaixo.
Período: 1765 a 1945 285 031/0242-0299

**SOLICITAÇÕES**
S/grupos: Mesa Definitória

Local: Vila Rica
Período: 1786 286 031/0200-0315
1786 517 077/0663-0675

**TESTAMENTOS**
Locais: Carijós, Vila Rica, Rio de Janeiro, São José da Barra e Arraial das Catas Altas.
Período: 1745 a 1758 287 0311/0316-0380

**VERBAS TESTAMENTÁRIAS**
S/grupo: Provedoria dos Ausentes.
Locais: Vila Rica, Lagares de El Rey, Freguesia de São Bartolomeu, Lisboa, Campo Grande e Bahia.
Período: 1753 a 1782 288 031/0381-0513

**VISITA**
S/grupo: Consistório
Período: 1765 289 031/0514-0523

*Impressos*

**CONVITES**, recebidos e remetidos.
Ouro Preto, 1937 a 1962. 294 031/1008-1019

**ESTAMPA**, de São Francisco de Assis.
Paris, s/data. 257 022/0784-0788

**SACRUM CONVIVIUM** (oração). Ouro Preto
Typographia de Soares, 1854. 295 031/1020-1024

*Livros*

**ANA-CHRONOLOGIA DEVOTA** de nove preciosas pedras achadas nas nove letras do nome de Francisco das quais um seu filho lhe formou essa Seráfica, e devota novena que sahio à luz do ano de 1748. 514 077/0496-0548

**ESTATUTO DA ORDEM TERCEIRA DE SÃO FRANCISCO DE ASSIS DE OURO PRETTO**. Ouro Preto, Typografia D'O Regenerador, 1911. 290 031/0524-0549

**HOMENAGEM AO Pe. PEDRO ARBUES DAS CHAGAS CONCEIÇÃO.**
Ouro Preto, 1901. 291 031/0550-0558

**MANUALE SERAPHICUM, ET ROMANUM**, Ad usum praecipuè Fratrum Minorum, ac Monialium ejufdem Ordinis, in alma Provin... Algarbioum S.P.N. FRANCISCI. Includens omnia portinentia ad receptionem habitus Noviciorum, tam Fratu, quam Monialium, nec ou Ritus ad Exequias Defunctorium, & c. PARS SECUNDA. PER FR. EMMANUELEM A' CONCEPTIONE, Divi Francisci Xabreguensi vicarium Chori jubilatum. ULYSSIPONE OCCIDENTALI, Ex Typographia MUSICAE. 1732.
Cum facultate Superiorum. 292 031/0559-0735

**MANUALE ROMANO SERAPHICUM**, Ad usum Fratrum Minorum Almae Provinciae Aalgarbiorum Ordinis Sancti Francisci, perutile etiam Parochis, et aliis Sacerdotibus

Saecularibus. Ubi plurima, inventiur ad Divinum cultum spectantia: praecipue Processiones, Preces rogative, Comemorationes, Orationes, Litaniae, Officium defunctorum, Ritus administrandi Sacramenta Baptismi parvulis, & adultis, Eucharistiae, Extramaeque Unctionis: ordo Sepeliendi Religiosos, & Saeculares: modus conferendi habitum Fratribus, Monialibus, & Tertiariis: Exorcismi varii; necnon selectissimae Beneditiones juxta Ritum S. R. Ecclesiae. Pars I et II P. Fr. Ammanuelem A Conceptione, Vicarium chori Jubilatum, & Ex-Guardianum Coenobii S. Mariae à Jesu de Xabregas. Editio tertia correctior, & aucta per quemdam Religiosum ejusdem Coebonii, & Provinciae, Ulyssipone, Ex Praelo Michaelis Manescal da Costa, Sancti Officii Typographi. Ano 1758. Superiorum permissu. À custa de Francisco Gonçalves Marques, Mercador de Livros. 293 031/0736-1007

**Documentos diversos**

*Avulsos*

**AÇÃO DE COBRANÇA**

S/grupo: Ouvidoria

Locais: Vila Rica e Vila de Nossa Senhora do Carmo.

| | | |
|---|---|---|
| Períodos: 1728 a 1754 | 296 | 031/1025-1048 |
| 1728 a 1754 | 296 | 032/0001-0057 |

**ACÓRDÃO**

S/grupo: Ouvidoria

Local: Bahia

| | | |
|---|---|---|
| Período: 1750 | 297 | 032/0058-0063 |

**AUDIÊNCIA**

Local: Vila Rica

| | | |
|---|---|---|
| Período: 1789 | 298 | 032/0064-0069 |

**AVALIAÇÃO**

Local: Mariana

| | | |
|---|---|---|
| Período: 1746 | 518 | 077/0676-0681 |

**CARTA DE ARREMATAÇÃO**

S/grupo: Ouvidoria

Local: Vila Rica

| | | |
|---|---|---|
| Período: 1739 | 299 | 032/0070-0110 |

**CARTA EXECUTÓRIA DE DILIGÊNCIA**

S/grupo: Intendência

Local: Tejuco

| | | |
|---|---|---|
| Período: 1776 a 1778 | 519 | 077/0682-0695 |

**CARTA DE SENTENÇA CÍVEL**

S/grupo: Ouvidoria

Local: Vila Rica

| | | |
|---|---|---|
| Período: 1727 a 1729 | 300 | 032/0111-0152 |

**CERTIDÕES**

S/Grupos: Auditório Eclesiástico, Cartório, Provedoria, Paço do Conselho, Senado da Câmara, Ouvidoria e Casa de Fundição.

Locais: Vila Rica, Bahia, Meixedo temo da Vila de Viana, Mariana, Vila do Príncipe, Rio de Janeiro Fortaleza de Jesus Maria José do Rio Pardo.

| | | |
|---|---|---|
| Períodos: 1728 a 1759 | 301 | 032/0153-0230 |
| 1767 | 520 | 077/0696-0700 |

COMPRAS

Local: n/consta

| | | |
|---|---|---|
| Período: 1741 | 302 | 032/0231-0236 |

CONCESSÃO

S/grupo: Guardamoria

Locais: Itatiaya e Mata Cães.

| | | |
|---|---|---|
| Períodos: 1740 e 1756 | 303 | 032/0237-0252 |

CONCORDATA

| | | |
|---|---|---|
| Períodos: 1750 e 1754 | 304 | 032/0253-0263 |

CONTA-CORRENTE

Locais: Vila Rica, Bahia e Mariana.

| | | |
|---|---|---|
| Período: 1729 a 1765 | 305 | 032/0264-0329 |

CORRESPONDÊNCIAS

Locais: Vila Rica, Rio de Janeiro, Vila do Carmo, Contagem, Rio de Santo Antônio, Bahia, Itatiaya, São João Del Rey, Sítio de Manoel Dias, Lisboa, Santa Quitéria, Vila de São José, Arraial de São Luiz e Santa Ana, Tejuco, Retiro do Curimatahy, Santa Rita, Cata Preta, Marzagão, Vila do Bom Sucesso, Ouro Preto e Itaverava.

| | | |
|---|---|---|
| Períodos: 1724 a 1774 e 1967 | 306 | 032/0330-0556 |
| 1778 | 521 | 077/0701-0706 |

CRÉDITOS

Locais: Vila Rica, Passagem do Ribeirão, Vila do Carmo, Rio de Janeiro, Ouro Preto, Arraial de Bento Rodrigues, Santo Antonio do Campo da Casa Branca, Ouro Podre, Rio de Pedras, Itabira, Itatiaya, Brumado, Santo Antonio, Ribeirão Abaixo, Palmital, Campos da cachoeira, Carijós, Barra dos Diamantes, Morro da Pedra Branca e Guarapiranga.

| | | |
|---|---|---|
| Períodos: 1716 a 1783 | 307 | 032/0567-0740 |
| 1718 | 522 | 077/0707-0712 |

DECLARAÇÃO

Locais: Vila Rica, Bahia e Paraopeba.

| | | |
|---|---|---|
| Período: 1743 a 1750 | 308 | 032/0741-0757 |

DENÚNCIA

Locais: Vila Rica, Venda Nova e Catas Altas do Mato Dentro.

| | | |
|---|---|---|
| Período: 1742 a 1759 | 309 | 032/0758-0765 |

DIPLOMA

Local: Ouro Preto

| | | |
|---|---|---|
| Período: 1914 | 310 | 032/076-0770 |

DITOS DE TESTEMUNHAS

S/grupo: Cartório

| | | |
|---|---|---|
| Locais: Fazenda do Pilar e Distrito de Papagaio. | | |
| Período: 1750 | 311 | 032/0771-0782 |

**DOAÇÃO**

| | | |
|---|---|---|
| Local: n/consta | | |
| Período: 11748 | 312 | 032/0783-0788 |

**ESCRITURAS**

| | | |
|---|---|---|
| Locais: Vila Rica e Ouro Preto | | |
| Períodos: 1734 e 1840 | 313 | 032/0789-0804 |

**EXECUÇÃO**

| | | |
|---|---|---|
| Local: n/consta | | |
| Período: s/data | 314 | 032/0805-0810 |

**GUARNIÇÃO**

| | | |
|---|---|---|
| Local: n/consta | | |
| Período: s/data | 315 | 032/0811-0818 |

**INQUIRIÇÃO**

| | | |
|---|---|---|
| S/grupo: Ouvidoria | | |
| Local: Vila Rica | | |
| Período: 1755 | 316 | 032/0819-0846 |

**INVENTÁRIO**

| | | |
|---|---|---|
| Local: n/consta | | |
| Período: s/data | 317 | 032/0847-0859 |

**JUSTIFICAÇÃO**

| | | |
|---|---|---|
| Local: Vila Rica | | |
| Período: 1742 a 1746 | 318 | 032/0860-0883 |

**LEMBRANÇA**

| | | |
|---|---|---|
| Local: Vila Rica | | |
| Períodos: 1731 a 1752 | 319 | 032/0884-0933 |
| 1731 a 1752 | 319 | 033/0001-0029 |

**LISTA**

| | | |
|---|---|---|
| S/grupo: Tipografia da Casa Malta. | | |
| Local: Ouro Preto | | |
| Período: 1946 | 320 | 033/0030-0050 |

**MANDADOS DE PENHORA, PRECEITO E SOLVENDO**

| | | |
|---|---|---|
| Local: Vila Rica | | |
| Período: 1742 a 1781 | 321 | 033/0051-0065 |

**MATRÍCULA**

| | | |
|---|---|---|
| Local: Morro Grande | | |
| Período: 1750 | 322 | 033/0066-0070 |

**OBRIGAÇÕES**
Local: Vila do Carmo
Período: 1738 | 323 | 033/0071-0076

**PAPEL DE SOCIEDADE**
Local: Córrego da Onça
Período: 1744 | 324 | 033/0077-0089

**PARECER**
Local: n/consta
Período: s/data | 325 | 033/0084-0095

**PENHORA**
Local: Freguesia da Itatiaya
Período: 1743 | 326 | 033/0096-0100

**PETIÇÃO**
Local: Vila Rica
Período: 1730 a 1759 | 327 | 033/0101-0113

**PRESTAÇÃO DE CONTAS**
Local: n/consta
Período: s/data | 328 | 033/0114-0118

**PROCURAÇÕES**
S/grupo: Tabelionato
Locais: Vila Rica, Rio de Janeiro e São Paulo.
Períodos: 1732 a 1750 e 1934 | 329 | 033/0119-0144

**QUITAÇÃO**
S/grupo: Auditório Eclesiástico.
Local: Vila Rica
Período: 1749 | 330 | 033/0145-0153

**RECEITAS**
Local: Rio de Janeiro
Período: 1759 | 331 | 033/0154-0160

**RECIBOS**
S/grupo: Senado da Câmara
Locais: Vila Rica, Bahia, Ouro Branco, Rio de Janeiro, Catas Altas, Vila do Tapera, Itatiaya e Vila do Príncipe.
Períodos: 1709 a 1774 | 332 | 033/0161-0834
1757 a 1758 | 523 | 077/0713-0721

**RELÍQUIA**
Local: n/consta
Período: 1746 | 333 | 033/0835-0839

**REQUERIMENTOS**
S/grupo: Provedoria
Locais: Vila Rica e Vila Real de Sabará.
Período: 1732 a 1793 | 334 | 033/0840-0855

**ROL**
Local: Vila Rica
Período: 1744 a 1746 | 335 | 033/0856-0866

**SENTENÇA CÍVEL DE DESAGRAVO**
S/grupo: Ouvidoria
Local: Vila Rica
Período: 1737 a 1738 | 336 | 033/0867-0941

**TESTAMENTO**
Local: Vila Rica
Período: 1752 | 524 | 077/0722-0738

**VERBAS TESTAMENTÁRIAS**
Locais: Vila Rica e Campo Grande.
Períodos: 1748 e 1758 | 337 | 033/0942-0984

*Impressos*

**MENSAGEIRO DA FÉ**, redação Convento São Francisco da Bahia, Bahia.

| | | |
|---|---|---|
| 1913 | 508 | 076/0205-0297 |
| 1915 | 509 | 076/0298-0387 |
| 1917 | 510 | 076/0388-0491 |

*Livros*

**BAPTISTÉRIO E CERIMONIAL DOS SACRAMENTOS DA SANCTA MADRE IGREJA ROMANA** emendado e acrescentado em muitas cousas nesta última impressão, conforme o cathecismo, &c Ritual Romano. Officina de Luis Seco Ferreyra, familiar do S. Officio à sua culta. Coimbra, 1730. | 515 | 077/0549-0636

**EPISTOLAE ET EVANGELIA TOTIUS ANNI, EX PRAESCRRIPTO MISSALIS ROMANI SACROSANCTI,** Concilii Tridentini decreto Restituti, S. PII V Pontificis Maximi, Jussu Editi, et Clementis VIII, Primum, nunc Denuo Urbani, Papae Octavi Auctoritate Recogniti Ad majorem Ecclesiarum Comoditatem. Antverpiae Ex Architypographia Plantiniana, 1761. | 512 | 077/0282-0472

**FLOS SANCTORUM**
sem data, 1ª parte. | 453 | 070/0370-0701

**FLOS SANCTORUM**
sem data, 2ª parte. | 454 | 070/0702-0943

**MISSALI ROMANI (sem folha de rosto)**

| | | |
|---|---|---|
| 1663 | 511 | 076/0492-0688 |
| 1663 | 511 | 077/0001-0281 |

**Irmandade de São Francisco de Paula**

*Avulsos*

**CONVITES**

| | | |
|---|---|---|
| S/grupo: Mesa Administrativa<br>Período: 1956 e 1957 | 338 | 033/0985-0999 |

**ÓBITOS**

| | | |
|---|---|---|
| S/grupo: Cartório<br>Local: Ouro Preto<br>Período: 1900 | 339 | 034/0001-0014 |

**RECEITA E DESPESA**

| | | |
|---|---|---|
| S/grupo: Secretaria<br>Local: Ouro Preto<br>Período: 1932 a 1947 | 340 | 034/0015-0038 |

**Irmandade de São José**

*Avulsos*

**RECEITA**

| | | |
|---|---|---|
| S/grupo: Tesouraria<br>Local: Ouro Preto<br>Período: 1898 | 341 | 034/0039-0047 |

*Impressos*

| | | |
|---|---|---|
| **CONVITE**, para sepultamento de irmãos<br>1942. | 342 | 034/0048-0052 |

**Irmandade do Senhor Bom Jesus de Matozinhos**

*Códices*

**ENTRADAS E PROFISSÕES**

| | | |
|---|---|---|
| S/grupo: Secretaria<br>Local: Ouro Preto<br>Período: 1879 | 343 | 034/0053-0085 |

*Avulsos*

**ÓBITO**

| | | |
|---|---|---|
| Local: Ouro Preto<br>Período: 1924 | 344 | 034/0086-0091 |

Documentos de Associações e Sociedades Beneficentes
Associação de São Luiz Gonzaga

*Códices*

**ATAS**

S/grupo: Sacristia da Matriz
Local: Ouro Preto

| | | |
|---|---|---|
| Período: 1896 a 1899 | 345 | 034/0092-0149 |
| 1903 a 1911 | 346 | 034/0150-0513 |

**Congregação de Marianos**

*Avulsos*

ROL

Local: Ouro Preto

| | | |
|---|---|---|
| Período: 1936 a 1937 | 347 | 034/0514-0519 |

Sociedade Beneficente

*Códices*

CONTA-CORRENTE

| | | |
|---|---|---|
| Período: 1922 a 1944 | 348 | 034/0520-0921 |

**Sociedade Beneficente Nossa Senhora da Conceição**

*Códice*

ESTATUTO

S/grupo: Sala da Escola Primária da Freguesia de Antonio Dias.

Local: Ouro Preto

| | | |
|---|---|---|
| Período: 1912 | 349 | 034/0922-0975 |

**Sociedade Musical Nossa Senhora da Conceição**

*Avulsos*

ATAS

S/grupo: Sala Dr. Henrique de Santana.

Local: Ouro Preto

| | | |
|---|---|---|
| Períodos: 1917-1929 e 1952 | 350 | 034/0976-0986 |

ATESTADO

S/grupo: Cartório

Local: Ouro Preto

| | | |
|---|---|---|
| Período: s/data | 351 | 034/0987-0991 |

CONTA-CORRENTE

Local: Ouro Preto

| | | |
|---|---|---|
| Período: 1921 a 1922 | 352 | 034/0992-0997 |

CONTRATO

Local: Ouro Preto

| | | |
|---|---|---|
| Período: 1921 | 353 | 034/0998-1009 |

CORRESPONDÊNCIA

S/grupos: Secretaria do Clube XV de Novembro, Fábrica de Instrumentos Musicais, Secretaria e Mesa Administrativa da Sociedade e Centro Cívico de Rodrigo Silva.

Locais: Queluz, Antonio Pereira, Rodrigo Silva, Ouro Preto, Itabira do Campo, Passagem de Mariana, São João Del Rey, São Paulo, Palmira, Vila Paraopeba,

Divinópolis, São Gonçalo, Furquim, Belo Horizonte, São Gonçalo do Acaiaca e Rio de Janeiro.
Período: 1920 a 1954 354 035/0001-0171

**CRÉDITO**
Local: Ouro Preto
Período: 1921 355 035/0172-0176

**DECLARAÇÃO**
Local: Ouro Preto
Período: 1925 356 035/0177-0181

**ELOGIO Á MÚSICA**
Local: n/consta
Período: s/data 357 035/0182-0189

**ORÇAMENTO**
Local: São Paulo
Período: 1925 358 035/0190-0200

**PAUTA DE ELEIÇÃO**
S/grupo: Mesa Administrativa
Local: Ouro Preto
Período: 1919 a 1928 359 035/0201-0214

**PONTO**
Local: Ouro Preto
Período: 1921 a 1931 360 035/0215-0265

**POSSE**
Local: Ouro Preto
Período: 1925 361 035/0266-0270

**RECEITA E DESPESA**
S/grupo: Mesa Administrativa
Local: Ouro Preto
Período: 1920 a 1930 362 035/0271-0587

**ROL**
Local: Ouro Preto
Período: 1924 363 035/0588-06618

**TERMO DE COMPROMISSO**
Local: n/consta
Período: 1921 364 035/0619-0623

**Impresso**

**ROL**, de preços de instrumentos musicais. São Paulo e Rio de Janeiro, Pedro Wungrill & Filhos, Verdi Gomes e J. Santos
1925. 365 035/0624-0647

**Sociedade Operária Beneficente São José**

*Avulsos*

**ATA**
Local: Ouro Preto
Período: 1928 366 035/0648-0656

**DIPLOMA**
S/grupo: Secretaria
Local: Ouro Preto
Período: 1935 367 035/0657-0661

**MEMORANDUM**
Local: Ouro Preto
Período: 1930 368 035/0662-0667

*Impresso*

**ESTATUTO, da Sociedade.**
Ouro Preto, Livraria Mineira, 1935. 369 035/0668-0681

**Sociedade São Vicente de Paula**

*Avulso*

**RECEITA**
Local: n/consta
Período: 1889 370 035/0682-0686

*Impresso*

**CARTA DE AGREGAÇÃO À SOCIEDADE.**
Paris, Imprensa J. Dumoulin, 1911. 455 037/0702-0719

**União Beneficente Operária de Ouro Preto**

*Avulsos*

**CONVITE**
S/grupo: Secretaria
Local: Ouro Preto
Período: 1927 a 1938 371 035/0687-0694

**CORRESPONDÊNCIA**
Local: Ouro Preto
Período: 1929 372 035/0695-0700

**Documentos diversos e registros paroquiais**

*Códices*

**BATIZADOS**
S/grupos: Igreja Matriz de Nossa Senhora da Conceição e Capelas da Freguesia.
Locais: Vila Rica e Ouro Preto.

| | | |
|---|---|---|
| Períodos: 1707 a 1739 | 456 | 037/0720-0972 |
| 1727 a 1740 | 457 | 037/0973-0994 |
| 1727 a 1740 | 457 | 038/0001-0390 |
| 1740 a 1773 | 458 | 070/0944-1008 |
| 1740 a 1773 | 458 | 071/0001-0493 |
| 1773 a 1780 | 459 | 038/0391-0719 |
| 1780 a 1792 | 460 | 038/0720-1010 |
| 1780 a 1792 | 460 | 039/0001-0224 |
| 1793 a 1798 | 461 | 039/0225-0389 |
| 1796 a 1859 | 491 | 039/0390-0424 |
| 1798 a 1818 | 462 | 071/0494-0521 |
| 1798 a 1818 | 462 | 072/0001-0326 |
| 1819 a 1833 | 463 | 039/0425-0729 |
| 1829 a 1836 | 464 | 039/0730-0874 |
| 1837 a 1846 | 465 | 039/0875-0999 |
| 1837 a 1846 | 465 | 040/0001-0104 |
| 1844 a 1872 | 466 | 040/0105-0207 |
| 1846 a 1851 | 467 | 040/0208-0425 |
| 1853 a 1855 | 468 | 040/0426-0533 |
| 1855 a 1861 | 469 | 040/0534-0735 |
| 1862 a 1873 | 470 | 040/0736-0947 |
| 1869 a 1873 | 471 | 040/0948-1008 |
| 1869 a 1873 | 471 | 041/0001-0064 |
| 1872 a 1880 | 472 | 041/0065-0274 |
| 1880 a 1886 | 473 | 041/0275-0598 |
| 1890 a 1904 | 474 | 041/0599-0766 |
| 1893 a 1903 | 475 | 041/0767-0901 |
| 1893 a 1903 | 475 | 042/0001-0087 |
| 1904 a 1910 | 497 | 042/0088-0379 |
| 1910 a 1916 | 476 | 042/0380-0695 |
| 1916 a 1918 | 477 | 042/0696-0796 |
| 1918 a 1925 | 478 | 072/0327-0539 |
| 1925 a 1929 | 479 | 042/0797-0863 |
| 1925 a 1929 | 479 | 043/0001-0171 |
| 1928 a 1931 | 480 | 072/0540-0648 |
| 1932 a 1936 | 481 | 072/0649-0766 |

**CÂNTICOS**

Local: Ouro Preto

| | | |
|---|---|---|
| Período: s/data | 374 | 035/0763-0827 |

**CAPÍTULOS, EDITAIS E PROVISÕES**

Locais: Vila do Carmo e Vila Rica

| | | |
|---|---|---|
| Período: 1743 a 1757 | 373 | 035/0701-0762 |

**CASAMENTOS**

S/grupos: Igreja Matriz e Capelas da Freguesia.

Locais: Vila Rica e Ouro Preto

| | | |
|---|---|---|
| Períodos: 1727 a 1782 | 503 | 074/0407-0705 |
| 1782 a 1827 | 482 | 043/0172-0548 |

| | | |
|---|---|---|
| 1827 a 1843 | 483 | 043/0549-0611 |
| 1827 a 1848 | 484 | 043/0612-0714 |
| 1848 a 1875 | 485 | 043/0715-1032 |
| 1848 a 1875 | 485 | 044/0001-0103 |
| 1855 a 1856 | 491 | 044/0104-0110 |
| 1875 a 1889 | 486 | 044/0111-0226 |
| 1887 a 1904 | 487 | 044/0227-0356 |
| 1904 a 1920 | 488 | 044/0357-0562 |
| 1921 a 1944 | 489 | 073/0001-0214 |
| 1944 a 1947 | 490 | 044/0563-0783 |

**GÊNEROS**
Local: n/ consta

| | | |
|---|---|---|
| Período: 1879 a 1881 | 375 | 035/0828-0956 |

**INVENTÁRIOS**
S/grupo: Igreja
Local: Ouro Preto

| | | |
|---|---|---|
| Períodos: 1925 e 1937 | 376 | 036/0001-0028 |

**LEMBRANÇA**
Local: n/consta

| | | |
|---|---|---|
| Período: 1731 a 1732 | 377 | 036/0029-0039 |

**LIBER FAAMILIARUM**
Local: n/consta

| | | |
|---|---|---|
| Período: 1830 a 1916 | 378 | 036/0040-0126 |

**ÓBITOS**
S/grupos: Igreja Matriz de Antonio Dias e Secretaria do Governo.
Locais: Vila Rica e Ouro Preto

| | | |
|---|---|---|
| Períodos: 1713 a 1849 | 491 | 044/0784-0890 |
| 1741 a 1770 | 500 | 073/0215-0676 |
| 1796 a 1821 | 501 | 073/0677-0730 |
| 1796 a 1821 | 501 | 074/0001-0301 |
| 1821 a 1836 | 492 | 044/0891-1002 |
| 1821 a 1836 | 402 | 045/0001-0168 |
| 1837 a 1846 | 493 | 045/0169-0326 |
| 1846 a 1853 | 502 | 074/-302-0406 |
| 1846 a 1873 | 494 | 045/0327-0453 |
| 1853 a 1856 | 495 | 045/0454-0557 |
| 1856 a 1881 e 1900 | 496 | 045/0558-0778 |
| 1865 a 1881 e 1900 | 496-A | 046/0001-0218 |
| 1873 a 1881 | 497 | 046/0219-0225 |
| 1881 a 1919 | 498 | 046/0226-0383 |
| 1890 a 1899 | 499 | 046/0384-0426 |

**PARTITURAS**
Local: Ouro Preto

| | | |
|---|---|---|
| Períodos: 1894 | 379 | 068/0200-0285 |
| S/data | 380 | 036/0127-0178 |

| | | |
|---|---|---|
| **PROTOCOLO** | | |
| Local: n/consta | | |
| Período: 1866 | 381 | 036/0179-0195 |
| **RECEITA E DESPESA, CAPÍTULO DE VISITA E INVENTÁRIO DE BENS** | | |
| Locais: Rio de Pedras e Ouro Preto. | | |
| Períodos: 1738 a 1800 | 382 | 068/0286-0426 |
| 1933 | 383 | 068/0427-0444 |
| **STATUS ANIMARUM** | | |
| Local: Ouro Preto | | |
| Períodos: 1824 a 1917 | 384 | 068/0445-0500 |
| 1906 a 1907 | 385 | 068/0501-0682 |

*Avulsos*

| | | |
|---|---|---|
| **AÇÃO DE LIBELO CÍVEL** | | |
| S/grupo: Cartório | | |
| Local: Vila Rica | | |
| Período: 1713 | 386 | 036/0196-0229 |
| **ATAS** | | |
| S/grupo: Consistório da Matriz de Ouro Preto. | | |
| Local: Ouro Preto | | |
| Período: 1912 | 387 | 036/0230-0243 |
| **AUTORIZAÇÃO** | | |
| S/grupo: Secretaria da Relação | | |
| Local: Ouro Preto | | |
| Período: 1888 | 388 | 036/0244-0248 |
| **AUTOS DE CASAMENTO** | | |
| S/grupo: Cartório Eclesiástico | | |
| Local: Ouro Preto | | |
| Período: 1812 e 1824 | 389 | 036/0249-0279 |
| **CERTIDÕES** | | |
| S/grupos: Cartório e Diocese de Niterói. | | |
| Locais: Vila Rica, Ouro Preto, Rio de Janeiro e Niterói. | | |
| Período: 1718 a 1958 | 390 | 036/0280-0300 |
| **CERTIFICADO** | | |
| S/grupo: Agência de Correio. | | |
| Local: Ouro Preto | | |
| Período: 1890 a 1891 | 391 | 036/0301-0305 |
| **COBRANÇA** | | |
| S/grupo: Prefeitura Municipal. | | |
| Local: Ouro Preto | | |
| Período: 1948 | 392 | 036/0306-0311 |

| | | |
|---|---|---|
| **COMPRA E VENDA DE CASAS** | | |
| Locais: Vila Rica e Ouro Preto | | |
| Períodos: 1785-1852 e 1881 | 393 | 036/0312-0334 |
| **CORRESPONDÊNCIAS** | | |
| Locais: Rio de Janeiro, Belo Horizonte e Ouro Preto | | |
| Períodos: 1835e 1953 | 394 | 036/0335-0347 |
| **CRÉDITOS** | | |
| Locais: Vila Rica, Ouro Preto e Itaubira. | | |
| Períodos: 1743 e 1866 | 395 | 036/0348-0357 |
| **DEFERIMENTO** | | |
| S/grupo: Palácio do Governo | | |
| Local: Ouro Preto | | |
| Período: 1885 | 396 | 036/0358-0363 |
| **DOAÇÃO** | | |
| Local: Ouro Preto | | |
| Período: 1862 | 397 | 036/0364-0368 |
| **EDITAL DE NOTIFICAÇÃO** | | |
| S/grupo: Câmara | | |
| Local: Vila Rica | | |
| Período: 1744 | 398 | 036/0369-0374 |
| **FATO** | | |
| Local: Vila Rica | | |
| Período: 1741 | 399 | 036/0375-0379 |
| **FEITO CÍVEL DE AÇÃO DE CRRÉDITO** | | |
| S/grupo: Cartório | | |
| Local: Vila Rica | | |
| Período: 1728 a 1729 | 400 | 036/0380-0409 |
| **GUARDA NACIONAL** | | |
| Locais: Diamantina e Ouro Preto | | |
| Períodos: 1842-1873 a 1874 | 401 | 036/0410-0422 |
| **HINOS RELIGIOSOS** | | |
| Local: n/consta | | |
| Período: s/data | 402 | 036/0423-0434 |
| **INDULGÊNCIAS** | | |
| Local: n/consta | | |
| Período: 1755 | 403 | 036/0435-0440 |
| **INVENTÁRIO** | | |
| S/grupo: Cartório | | |
| Local: Vila Rica | | |
| Período: 1738 | 404 | 036/0441-0446 |

**JUSTIFICAÇÃO**
Local: Ilegível
Período: 1740 405 036/0447-0451

**MAPA**
Local: Ouro Preto
Período: 1854 406 036/0452-0457

**NOTIFICAÇÃO**
S/grupos: Arquidiocese de Belo Horizonte e de Tamboara.
Locais: Belo Horizonte, Ouro Preto e Tamboara.
Períodos: 1933 e 1991 407 036/0458-0465

**ÓBITOS**
S/grupos: Cartório de Paz e Registro Civil de Antonio Dias e Santa Casa de Misericórdia.
Local: Ouro Preto
Período: 1893 a 1943 408 036/0466-0547

**ORAÇÃO**
Local: n/consta
Período: s/data 409 036/0548-0552

**ORÇAMENTO**
S/grupo: Oficina Vulcano
Local: Ouro Preto
Período: 1937 410 036/0553-0557

**PAPEL DE VENDA**
Local: n/consta
Período: 1765 411 036/0558-0562

**PROCLAMAS**
Local: Ouro Preto
Período: 1919 a 1944 412 036/0563-0581

**PROCURAÇÃO**
S/grupo: Cartório
Local: Rio de Janeiro
Período: 1941 e 1943 413 036/0582-0590

**QUITAÇÃO**
S/grupo: Cartório
Local: Vila Rica
Período: 1743 414 036/0591-0595

**RECEITA E DESPESA**
Local: Ouro Preto
Período: 1911 a 1963 415 036/0596-0701

| | | |
|---|---|---|
| **RECIBO** | | |
| Local: Chapada | | |
| Período: 1890 | 416 | 036/0702-0706 |
| **REQUERIMENTO** | | |
| S/grupo: Cartório | | |
| Local: Vila Rica | | |
| Período: 1792 | 417 | 036/0707-0712 |
| **ROL** | | |
| Locais: Ouro Preto, Santa Rita e Lavras Novas. | | |
| Período: 1869 a 1960 | 418 | 036/0713-0811 |
| **TERMO DE COMPOMISSO** | | |
| Local: Ouro Preto | | |
| Período: 1935 | 419 | 036/0812-0816 |
| **TESTAMENTOS E PARTILHAS** | | |
| S/grupo: Cartório | | |
| Local: Ouro Preto | | |
| Períodos: 1822 e 1879 | 420 | 036/0817-0844 |

*Impressos*

| | | |
|---|---|---|
| **BOLETIM**, para os católicos que ajudaram na festa de Santa Cruz. | | |
| Ouro Preto e Mariana, 1925. | 424 | 037/0357-0362 |
| **CONVITES**, recebidos e remetidos. | | |
| Ouro Preto. 1924 a 1953. | 425 | 037/0363-0373 |
| **DECRETO N° 760**, do Vice Presidente da República, aprovando as instruções para execução dos artigos 59 e 60 da lei N° 35 de 26-01-1892. Rio de Janeiro. Imprensa Nacional. | 426 | 037/0374-0379 |
| **FOLHINHA NACIONAL**, Rio de Janeiro, Antonio Glz. Guimarães & Cia. | | |
| 1858. | 427 | 037/0380-0385 |
| **HINOS RELIGIOSOS E SONETO.** | | |
| Sem data. | 428 | 037/0386-0393 |
| **MANIFESTO AOS MINEIROS**. Barbacena, Typografia da Sociedade Typográfica, 1842. | | |
| 429 | 037/0394-0403 | |
| **ORAÇÕES**, consagração do Brasil ao Coração Eucarístico de Jesus e a São Vicente de Áquila. Sem data. | 430 | 037/0404-0408 |
| **SUMÁRIO DA BULA DA SANTA CRUZADA.** | | |
| Sem data. | 431 | 037/0409-0414 |
| **TÍTULO HONORÍFICO**, Gard d'Honneur du Sacré-Couer. Lith. Carasant & Cie. | | |
| Sem data. | 432 | 037/0415-0419 |

*Livros*

**ARTE POÉTICA** de Q. Horácio Flacco. Traduzida e ilustrada em Portugues por Cândido Lusitano. Segundo edição correcta e emendada, Lisboa, Officina Rollandiana, 1778. Edição bilingüe. Pertenceu a Antonio Moreira Ribeiro com adenda. Regras de versificação Portugueza, por um anônimo. E catálogo à custa de Francisco Rolland, impressor – livreiro em Lisboa, na esquina da Rua do Norte. 421 036/0845-1003

**RECUEIL DAS ORAAISONS FUNEBRES** prononcées por Messire Esprit Flecihier, Evêgue de Nîmes. Nouvelle Édition, dans laquelle on a ajouté un Précis de la vie de l'Anteur. A Paris, chez Jean Desaaint. Libreire, rue Saint Jean de Beauvais, vis-à-vis le colle – 1761 – Avec Aprovations e privilege du Roi. 422 037/0001-0122

**TROFEO EVANGELICO**, exposto em quinze Sermoens Históricos, Moraes e Penegyricos, que...rissimo, e excelentissimo Senhor Veríssimo e Lancastro, Arcebispo Inquiridor Geral nestes Reynos, e Senhorios de Portugal, do Conselho d'Estado do Serenissimo Rey D. Pedro II e seu sumillher da Cartina: ec Dedica o P. M. Diogo D'Annunciaçam, conego secular da Congregação de S. Joam Evangelista, Doutor da Sagrada Theologia pela Universidade de Coimbra ec Lisboa, Officina de Miguel Deslandes. Anno 1685. A custa de Antônio Correa da Fonseca, Mercador de Livros na Rua Nova com todas as licenças necessárias. 423 037/0123-0356

# 3 Documentos transcritos

**Volume: 132**

**Rolo: 060**

**Fotogramas: 001/194**

**Livro de Receita e Despesa**

Este Livro há de Servir pª Lançar a Receyta, e despeza, e mais Couzas pertencentes è irmandade de N.Sra do Rozario, dos Pretos do Arrayal do Padre Faria desta Vª, o qual vay todo numerado e Rubricado com a minha Rubrica = Payva de que uso, e pª que se lhe de inteiro Credito em Juizo, e fora della interponho minha Authorid.e delegada, e decreto Judicial, de q. fis este termo Vª Rica 26 dde Janrº de 1723

Felix Simões de Payva

Anno de 1742 pª 1743

Despeza que fes a Irmandade de Nossa Senhora do Rozº dos pretos este anno de 1742 pª o anno de 1743.

| | 8as |
|---|---|
| Por ouro, que se deu ao Rdº Vigº da sua asistencia | 034 |
| P. ouro que se deu ao Rdº Coadiutor | 016 |
| P. ouro que se deu de esmolla de oito Sermoins | 128 |
| P. ouro que se deu ao S. Cristão | 008 |
| P. ouro que se deu das provisoins pª a Festa | 005:1/4 |

P. ouro, q. se deu ao Rd° Capellão assim da sua porção como Missas que dice pelos Irmãos defunctos ........................................................................................211 ¼-4

P. ouro, que se deu aos choromeleyros ..............................................................020

P. ouro, que se deu da Armação da capella pª as dª festas ...............................034

P. ouro que se deu à Musica pª as dª festas .......................................................086

P. ouro, que se deu a Mel Francisco Lxª, e a Anto da Sª à conta do ajuste que com elles se fez das obras da Capella ......................................................................300

P. ouro, e. se deu por 25 tochas, q. se fizerão pª as festas ..................................036

P. ouro, que se deu de cera pª as dª festas, e pª o que se gastou pelo discurso, e Semana Sta e outra do tempo do Reverendo Bernardo Madra que se devia 246 ½-4

P. ouro, que se deu por coatrocentos, e corenta duzias de Rozos, q. se comprarão no Rio de Janr.° por varios preços e carretos ..................................................149 3/4-5

P. ouro, que se deu de 96 C.os de Sacta branca a m.ª pataca e tres vintens outros a dous tostoins de q. se fizerão 31 oppas pª os Irmãos, e feitio cada oppa 4 e Retros tudo ......................................................................................................................040

P. ouro que se deu aos homens da Barra de madeyras, q. se Comprarão pª o soalho da capella ..........................................................................................................280

P. ouro, que se deu a Roque Pinto, que se lhe devia de hu'a conta antiga de tijollo pª as torres ..............................................................................................................021.6

P. ouro, que se deu de custo de hu'a cruz de prata e hum calix da d.ª dourado, q. se fizerão no Rio de Janr.° e seis pelles p.ª os tambores ....................................122 ½-3

Soma salvo erro ........................................................................................1638 ¾ 6

**Volume: 398**
**Rolo: 036**
**Fotogramas: 369/374**
**Edital de Notificação**

O Juiz vereadores e Procurador do senado da Camara que servimos o presente anno por eleição. Fazemos saber, a todas as pessoas que tem lotes de gados comprados, assim no certam como nas demarcações do termo desta villa, pastando nos pastos realengos delle, sem quererem trazellos, aos cortes para cujo fim os conduzirão, e comprarão, havendose com este procedimento em notório prejuízo de toda de toda, esta República, pella falta que tem havido deste genero de mantimento cauzado dudo das emprudentes teimas destes negociantes, o que tudo por obrigação de nossos cargos devemos acodir com Remedio que nos parecer conveniente, de que por bem da nossa administração acordamos, e por este nosso edital mandamos, que todas as pesoas de qualquer grão, ou condição que sejam, que se acharem com gado dentro dos limites e termo desta Villa Rica nos campos realengos della, que logo emcontinente o fasam despejar, os ditos gados para fora deste termo, mais não se estende esta nossa detreminasão, com as pessoas ou pessoa que foram creadores dentro neste mesmo termo, e que as cabessas que tiverem, sejam nelle mesmo criados, porque a estes selhe faculta o poderem ter, e crear, e dispor como entenderem, e só ficará sugeito a esta pena se constar compra algum, de fora para negócio, porque a nossa tenção he destinguir e desterrar, as impertinentes teimas com que de prezente se tem havido estes negociantes ou atravessadores de gados, que como pertinazes neste procedimento, fazem com que os creadores e lavradores de duas fazendas, não metão gados nesta villa e seu termo, o que logo com pena de prizão e de se lhe mandarem tomar os ditos gados e cortaremse ao povo a sua custa, e condenação a nosso Arbitrio, e executem dentro do termo de tres dias que lha asignamos e correram do dia em que este for publicado em diante, e mandamos a todos os offeciais da vintena do termo desta villa, que logo que este lhe for aprezentado, o façam publicar nas partes publicas desta villa, e Arrayaes deste termo passando disto certidão, em que nella tambem declarem, as Boyadas que em seus direitos se acham, e os nomes de seus donos cuja averiguaçam faram com toda a emdividuaçam e clareza, tam somente com os gados que constar serem metidos de fora e não com os que se acharem ser criados neste termo de que passados os ditos tres dias que lhe asignamos, e não os tendo despejado, como se lhe manda; mandamos aos ditos officiaes da vintena cada hum em seu destrito o façam conduzir a esta villa a custa dos mesmos donos para nella serem cortados e vendidos ao povô, pela postura de quarenta livras por huma oitava como athé aquy se praticou, o que tudo observarão os ditos officiaes com pena de suspensão de seus officios e prezão, e as mais a nosso arbitrio, de que tudo passaram certidão com a clareza mencionada e a remeterão ao poder do escrivão deste Senado; e para que chegue a noticia de todos e sinão possam em tempo algum alegar ignorancia, mandamos apregoar e fixar varios deste theor nas partes publicas desta villa e seu termo, dado em câmera de villa Rica aos vinte e oyto de Novembro de mil sete centos e quarenta e coatro eu Manoel Pinto de Queiroz escrivão da Camara que o subscrevi "Ferreira" Vasconcellos "Correa" Pereira "Ferreira"

**Volume: 005**

**Rolo: 047**

**Fotogramas: 83/0300**

**Livro de Registro de Óbitos e Testamentos**

Cópia do testamento com q.e falleseu

Maria de Jezuz preta forra

Em nome da Santissima Trindade Padre Filho e Ezperito Santo trez pessoaz destintas e hum Só Deus verdadeiro // Saibam quantoz este publico extromento do testamento virem que sendo no anno do nasimento de nosso Senhor Jezuz Christo de mil e sete sentos e corenta e coatro annoz, aos catorze diaz do mez de outubro do dito anno nesta villa Rica de Nossa Senhora do Pillar do ouro preto nas casaz de minha morada ahonde eu Maria de Jezuz estava doente em hu'a cama maiz em meu perfeito Juizo e entendimento que Deoz Nosso Senhor foi servido darme, e por me temer da Morte por não Saber o dia ou a hora em que o mesmo Senhor Sera cervido de me lhevar pera Si fasso este Tes tamento na forma Seguinte – Primeiramente emcomendo a minha alma a Santiçima Trindade que a criou, e Rogo ao Padre Eterno a queira receber assim como recebeu a Sua estando pera Morrer na arvore da Bella Cruz e o meu Senhor Jezuz Christo pesso pellas suaz divinaz chagaz que já que nesta vida me fez mersse dar o seu perciozo Sangue em merecimento dos seus trabalhos me fassa tambem merse na vida que esperamoz dar o premio della que hé a gloria pesso e Rogo a bem aventurada virgem Maria Nossa Senhora Madre de Deoz e a todoz os Santoz e Santaz da Corte dos Seos queiram por mim emterceder e Rogar a meu Senhor Jezuz Christo agora e quando minha alma deste corpo sahir – principalmente a mezma Senhora donde se deriba o meu nome e ao Hanjo da minha goarda e a glorioza Santa Anna pera que Roguem a Deoz Nosso Senhor por mim porque como verdadeira christam portesta viver e morrer na Santa fê Catollica Romana e querer tudo o que ella tem e cre em cuja feê espero salvar minha alma não por meuz merecimentos maiz pelloz da Sacraticima Morte paixam de meu Senhor Jezuz Christo = declaro que sou natural de Costa da mina Bauthizada na freguezia de nossa Senhora da Conceisam de Antonio Diaz. Em que de prezente asisto = declaro que irmam de Jeruzalem e de nossa Senhora do Rozario dos pretoz desta dita freguezia = e quero que meu corpo seja sepultado na sua Capella levado na tumba da mezma Irmandade emvolto em abito de Sam Francisco acompanhado ao Reverendo Vigario e Capellam da dita Irmandadee e maiz doiz Sacerdotez que diram missa de corpo prezente por minha alma e de tudo se dara a esmolla costumada = pesso e Rogo em primeiro Lugar ao Senhor Luiz Pereira da Silva e em Segundo ao Senhor Manoel da Silva Heitam e em terceiro ao Senhor Antonio Teixr.ª da Costa que por cervisso de Deoz e por me fazerem mersse queiram ser meuz Testamenteiroz bem feitorez Procuradorez, administradorez pera de meuz benz tomarem e venderem o que necessario for p.ª meu emterramento pagamento de minhaz dividaz satisfasam de meuz Legados sem pera hiso darem dianssa no Juizo dos defuntoz e auzentez nem em outro coalquer Juizo pelloz haver por xãos e abonadoz não só pera esaz coantias maiz para outraz maiorez se nesecario for = declaro que os benz que possuo sam os seguintez = A saber huma negra por nome Antonia nasam Coirana = e hum crioullo filho da mesma por nome Clemente = e uma crioulla por nome Juliana = e huma negra por nome Ellena Mina que ahinda devo = suposto não estou serta do nome do credor parese se chama Francisco Pereira – e também o preso me parese sam sento e sincoenta outavas de que lhe pacey credito que se acha abonado que hé fiador Francisco da Roca – e assim maiz os trastez de caza roupa de meu uso traztez de hûa venda hûa caixa grande huma Frasqueira vazia hum taixo de cobre outro dito maiz piqueno hum horatorio com huma Nossa Senhora da Conceissam e me deve Andre Teixer.ª da Costa des oitavaz e hum cruzado – E com Manoel da Costa Coelho tenho contaz de deve e hade haver – a minha hé a que consta de meia folha de papel que se acha dentro no meu roll declaro que devo alem do presso da dita negra a Joseph da Rocha Ferr.ª e Companhia vinte e seiz oitavaz e trez vinteiz por hum credito na botica de Joseph da Cunha de massedo o que se virificar pellaz Receitaz e na do Lencessiado Antonio Pirez o que tambem constar das receitaz do Sirurgião o lenceciado Bento da Cunha do Morro de coatro ou sinco vezitaz ou o que elle diser a Francisco de faria cheixas vinte e huma oitavaz trez coartoz por credito a Francisco Machado Luiz trez oitavas e meya e hum vintem por credito a Manoel Martinz Gomes oitava e meya ou o que na verdade constar no Corte de Manoel Antunes doze vinteiz e declaro que estez os paguei neste mesmo ao dito – devo no Corte de Manoel Marques trez oitavaz e trez coartoz e seiz vinteiz ou o que na verdade constar e suposto me não ocorre que deva maiz couza alguma contudo como minha enfirmidade me aflige mto me não dá ocazião a descorrer com quem tenho tido contaz maiz aperesendo alguma que seja da verdade justo parese se lhe satisfassa eu convenho a que emthe sinco oitavaz de ouro se lhe satisfassa sem contenda de justisa = declaro que sou solteira e que houve huma filha por nome Anna crioulla que foi pera Lisboa pera caza di meu Senhor que foi Manoel Francisco de quem hé cativa e porque em termoz taiz não hé pessoa capaz de poder herdar sua Legitima parese empocivel chegue pera a tirar do cativeiro pera herdar em este cazo fico antam seu herdeiro forssado se deve antam seguir o herdeiro sediario que hé o dito meu patrono Manoel Francisco poriso o hinstituo por herdeira a dita minha filha nas duaz partez de meuz benz e apuradoz estez sabendosse o liquido se fara haviso e convindo o dito meu patrono em lhe dar Lebardade pera e lá Livre de cativeiro pera ser avil pera herdar sede ao dito meu patrono Senhor della o que for justo pella sua Libardade e o resto deicho a dita minha minha no cazo de ser avel pera isso procurandose primeiro venser esta deficuldade e não se vensendo como prezumo por não chegar a erensa nessa cazo hinstituo ao dito meu patrono na terssa parte de meuz benz e neste das duaz por minha alma e naquella da tersa para a mesma por forma que sendo a dita minha filha já forra ou forrandosse com o que for justo da dita eransa e duaz partez della fica ella erdeira do resto das ditaz duaz partez e a terssa por minha alma e não supondo ella avel pera herdar antam se despuram duaz partez por minha alma e instituo nella ao dito meu herdeiro sussediario que hé o dito meu patrono cem coal quer dos cazoz a que tocar a minha alma quero que se distribua em missaz porella ditaz nestaz minaz e emleisam de meuz testamenteiroz declaro que nomeio qualquer dos meuz testamenteiros pera tutorez da dita minha filha e dentro em duaz frotaz dipoiz de meuz benz apuradoz mostraram se com ifeito a dita minha filha se tire do cativeiro e seponz avel para hir dar ou não contez digo se comçerve a heransa thé aver modo de partilha por sser diversa a forma que se deve seguir e para dar comprimento ao que neste meu Testamento tenho disposto torno a pedir e Rogar ao Senhor Luiz Pr.ª da Silva e ao Senhor Manoel da Silva Heitam e ao Senhor Antonio Teixer.ª da Costa queiram ser meuz testamenteiroz como ao prencipio lhe pesso e de maiz pesso tambem ao Senhor Manoel da Costa Coelho e ao Senhor Andre Teixr.ª da Costa queiram aceitar os empregos asima ditoz dos cuais poderam usar todoz juntos e cada hum de persi emcolidam por si ou o seu procurador aos coaiz senão tomaram contaz se não passadoz coatro annos depoiz de meu falecimento por forma que sempre possam ficar Livres trez frotaz pera se avirigoar a deligencia que se hade fazer no Reino naz duaz que asima digo – e assim pesso as justisaz de sua Magestade que Deoz goarde assim icleziasticaz como sicularez fassam em tudo comprir e goardar tudo o que aqui tenho disposto neste meu Testamento pello coal deRogo outro coalquer ou o desi digo ou o cudisillio que antez deste haja feito quer porescrito quer por palavra por que Só este quero que valha e tenha ifeito e senão valler como Testamento vallera como cudisillio manda ou dispuzição a dita cauza Mortiz ou a d.ª cauza piiz ou finalmente pella milhor forma de direito por istar em tudo comforme a minha ultima e derradeira vontade de modo que tenho dito e por não saber ller nem escrever pedi e Roguey a Visente Moreyra de Oliveyra que este escrevese a meu Rogo e como testemunha asinase e eu asiney com hûa cruz dipoiz de elle mo ller e o achar comforme ao que tinha mandado escrever e ditado palavra por palavra pella minha bouca nesta dita villa dia era o de supra = e so declaro que se conforme o direyto fica sendo Licito comvenho e hé minha vontade de que a minha escrava Antonio mina porssi e seu filho Clemente e sua filha Juliana servindome em minha vida e dando depoiz de minha Morte no espasso de trez annoz duzentaz e vinte e coatro outavaz de ouro fiquem todoz forroz e Izentos de cativeiro de que fiz este declarasam dia o de supra = De Maria de Jezuz huma cruz = Como Testemunha que fiz a Rogo da sobredita Visente Moreira de Oliveyra =

**Volume: 209**
**Rolo: 065**
**Fotogramas: 388/448**
**Livro de Inventários**

Inventário da Fabrica desta Veneravel Ordem 3ª de N.Seraphico Pe S. Fran.co Instetuhida nesta V.ª Rica, de q'. tomou entrega o Irmão vigrº do Culto Devino, Pedro Glz. Lamaz, e os Irmãos Sachristãez, Ignácio da Costa Chavez, João da Silva Ferrª, Jozê Roi'z Duarte, e João de Amorim Perª.

Em 18 de Julho de 1751

Huma Imagem de christo, Grande, crusceficado, com Sua Diadema de prata, p.ª Porcisão ........ "

1" Imagem de N. Sra da Conc.am q' vay na Porcisão ........ "

I0" Imagenz de Stos da ordem q' vão na Porcisão ........ "

1" Imagem do Pontifeçe q'. vay na Porcisão ........ "

2" Imagenz de Cardeaes q'. vão na porcisão ........ "

11" Andores em q'. vão as d.as Imagenz na Porcisão ........ "

32" Forguilhas com seus Recontros de ferro p.ª os Andorez ........ "

36" Almofadinhas de Ruão preto p.ª os d.os Andorez ........ "

1" Trempe de ferro com sua tarraxas, e parafusos, do Andor do S.r ........ "

1" Pallio de çeda Roxa com Ramos de ouro, Goarneçido de Gallão, e franja do mesmo ........ "

8" Borlas de fio de ouro p.ª o mesmo Pallio ........ "

8" varas de pau preto, Goarneçidas de prata do d.º Pallio ........ "

1" Capa de Aspergez, com sua estola tudo na mesma seda do Pallio, e Goarnição "

3" Retalhos da mesma Çeda, q'. terão 2 C.os pouco maiz, ou menoz ........ "

2" Manga de Damasco Roxo Goarneçida de franja de retros da mesma cor, q'. hé da crus de acompanhar aos irmãos defuntos ........ "

2" Parez de cortinas, ou Çetia'ez de Damasco Carmezim, com suas Sanefaz tudo Goarneçido de gallão, e franja de ouro e São p.ª os Nixos do Altar Mor ................. "

2" Pares de cortinas de p.º de L.º com suas Sanafaz e franja do mesmo p.ª os d.os Nixos ........................................................................................................ "

4" Hábitos de çeda parda q'. são das S.tas q' vão na Porçisão .............................. "

4" Capellas de q. Levão os S.tos na Porçisão ........................................................ "

2" Tunicas, e de xamalote carmezim p.ª os dous Cardeaez .................................. "

2" Barretes Emcarnados q. Levão os d.os Cardeae'z ............................................ "

3" Cabellr.as Huma do pontifeçe, e 2 dos Cardeaez ............................................ "

1" d.ta de S. Luiz ....................................................................................................... "

1" Tiára do Pontifeçe ................................................................................................ "

3" Cruzes de Lotão, Huma do Pontifeçe, e 2 dos Cardeaez .................................. "

1" d.ta de Lotão do Pontifeçe .................................................................................. "

16" C.os de Xamalóte verde, p.ª O Monte do Andor da Ordem ............................. "

21e1/2" C.osde Ruão azul q'. Serve p.ª a Nuve do Andor da Ordem ....................... "

10" Bandeyraz q'. Levão os Anjos, com Seuz Letreyroz ........................................ "

5" Toálhaz de Panico q'. servem p.ª o Lavapéz em 5.ª Fr.ª S.ta ............................. "

2" Hábitos de Camellão p.ª os bem Cazados ......................................................... "

2" Resplandorez de cobre pratiados dos d.os bem Cazados ................................. "

6" Cordões q'. Servem p.ª os S.tos da Porçisão ..................................................... "

1" d.º de S.tos Izabel, q'. Se acha no Altar Mor ..................................................... "

1" Hábito com Seu cordão da Imagem de S. Fran.co q'. está no Altar Mor ............ "

1" Deçeplina de Arame, da mesma Imagem ............................................................ "

1" d.ta de Linha, com pernaz de couro Danta ........................................................ "

4" Arandelas de Estanho q'. Estão em os Nixos do Altar Mór ................................ "

2" Çellos de prata em Granzadoz, q'. São de S.ta Izabel ........................................ "

12" Hábitos de Estamenha p.ª os Ignoçentez, com seus cordões, de corda .......... "

12" Cruzes de pau, pretos p" os d.tos Ignoçentez ................................................... "

11" Certelhos de folha de flandez q'. Levão na Cabessa os d.os Ignoçentez .......... "

1" Corrente de ferro, com 12 Collares q'. Levão os d.os Martirez .......................... "

1" Chapeo branco de S. Roque ................................................................................. "

1" Bordão do mesmo S.to com sua Cabaçinha ........................................................ "

1" Menino do d.º S.to E hum Caxorrinho ................................................................. "

38" Tunicas de Ruão, p.ª a Penitençia ...................................................................... "

1" Tapete q'. Serve em o Altar, em os áctos das Profisso'ez ................................. "

2" Estólas, Huma de velludo Lavrado, outra branca e emcarnada .......................... "

2" vázos de Estanho, Hum novo, outro uzado ......................................................... "

1" C.º de tafetá preto ........ "
2" Retalhos d.º Roxo, com 3e1/2 C.os ........ "
3" pares de Alpercátaz, 2 Roxas, e 1 Emcarnado ........ "
1" Lança do Anjo defensor ........ "
1" Cruz das Armas ........ "
1" d.ta de Jacarandá p.ª aCompanhar os irmãos defuntos ........ "
4" Ceriãez do mesmo pau, torniados ........ "
6" Alenternaz de folha de flandez, douradas ........ "
1" Correão forrado de tafetá ........ "
1" Cóbra Grande verde, q'. vay no Andor de N. Sr.ª da Conc.am ........ "
1" d.ª maiz piquena, q'. vay na Arvore da penitençia ........ "
2" Coroaz, e 2 Çetros das 2 Imáge´nz de S.ta Izabel ........ "
2" Cruzes de pau pratiadas ........ "
1" Hábito de S. Luiz ........ "
1" Coroa, e Çetro do mesmo S.to ........ "
3" Voltas do Pescosso, 1 de S. Luiz, outra de S. Roque, outra do bem Cazado ........ "
9" banquos de Madr.ª branca p.ª o Santos ........ "
1" Caxa grande com Sua Gaveta, Goarneçida de Jacarandá, Com Sua ferraje de Lotão, em q'. Se goardão variaz Couzas ........ "
1" banquo Grande q'. Serve de Caxão, em q'. Se goarda Sera ........ "
1" Meza Comprida, q'. Serve p.ª az Juntaz da Ordem ........ "

E de Como o d.º Irmão Vigr.º do Culto devino e mais Irmaão Sam Crystais Receberão a d.ª fabrica asignou Comigo Franc.co Barboza de Fig.do Secretaria da ordem que o fiz escrever e asignei.

Francisco Barboza de Figueiredo
Pedro Glz. Lamaz

**Volume: 210**
**Rolo: 065**
**Fotogramas: 449/471**
**Livro de Legados**

Este livro dos Legados, que se deixarem a esta Ven.L ordem 3.ª da Penitencia de S. Fran.co desta villa: e Com especialid.es p.ª se passarem as certidoens da Missa Annual q. deixou o Irmão Ex Ministro o Capitam Joze Gomes da Rocha: vay por mim numerado, e Rubricado coma minha Rubrica que diz – Pinto –, e para que se lhe de inteira Fe, e credito entreponho a minha authoridade como commissario visitador da mesma Ordem V.ª Rica 20 de Ag.to de 1761 ans.

O Pe. Manoel Pinto Freyre

Comm.º Viz.or

Não era o Comissario Visitador Authoridade competente para rubricar os Livros desta Confraria poes que tal prerogativa pertence pela Lei aos Provedores da Comarca. Vai poes por mim novamente Rubricado, e leva no fim termo de enserramento. Imp.al cidade Ouro Preto 17 de Janeiro. Em Corr.ao de 1825.

Francisco Garcia Adjuto

I.M.I.

pág. 02

1760 – Luiz deAlmeyda Villanova, Presbitero Secular,Certifico, q' Sendo Comissario da Ven.el Ordem 3.ª da Penitencia disse huâ Missa, em dia da Porciuncula do anno de 1760. Pela tenção, Com q' a dispôz em Seu tt.º o Ir. Capitão José Gomes da Rocha; Cuja esmola de huma 8.ª de ouro Recebi do S. Vig.rodo Culto Divino Nato Esteves Teyxeyra, q' actualm.e Servi e por verdade passay esta, q' juro = In verbo Sacerdotis. Villa Rica, de Janeyro 18, de 1762 a

Luiz de Almeyda Villanova

1761 – Antonio Freyre da Costa Vigr.º. Encomendado desta Freguezia de Nossa Senhora da Conceyção da Villa Rica = Certefico, q. o R. Manoel Moreyra da Sylva meo Coadjutor, q. foy dise hua missa esmola de huma 8.ª dia da pouciuncula a dous de Agosto do anno de 1761. Pella alma do Defunto Capitão Joze da Rocha, Conforme a verba de Seo Testamento, Cuja 8.ª Recebi da mão do Vigr.º do Culto Devino da mesma ordé 3.ª e por me Constar q. o ditto Manoel Moreyra já Defunto dise na verd.e a ditta missa, passo esta q. sendo necessr.º Afirmo in

Villa Rica, e de Janr.º 18 de 1762

Ant.º Ferr.ª da Costa

Pág. 22

Certifico, e juro sendo necessario aos Santos Evangelhos que dice hoje Missa por alma do finado Irm.º José Gomes da Rocha na Capella da Veneravel Ordem 3.ª da Penitencia de São Francisco d'Assis, em satisfação ao legado a que a mesma Ordem he obrigada.

Ouro Preto 2 de Agosto de 1848

Fernando Augusto de Figueiredo

Com.rio Viz.or

Certifico, e juro sendo necessario que dice Missa p.ª alma do referido irmão hoje 2 de Agosto de 1849.

Fernando Augusto de Figueiredo

Com.rio Viz.or

Certifico e juro sendo necessario que disse Missa p.ª alma do irmão referido hoje 2 de Agosto de 1850.

Fernando Augusto de Figueiredo

Com.rio Viz.or

**Volume: 321**

**Rolo: 33**

**Fotogramas: 051/065**

**Mandado de Penhora, Preceito e Solvendo**

Mandado de preceito a requerimento de Gabriel da Sylva contra Manoel de Araújo

Principal – 95$2122 ½

Custas – 3$411

O Dr. Cláudio Manoel da Costa Juiz Ordinário por eleyção na forma da Ley, com alçada no Civel e crime nesta Villa Rica de Nossa Senhora do Pillar de Ouro Preto, e seu termo.

Mando a qualquer official de Justiça, que sendo lhe este apresentado, indo por mim assignado, em seu Cumprimento, e a Requerimento do Author Gabriel da Silva Requeirão ao Reo Manoel de Araujo digo ao Reo condennado Manoel de Araujo para que dentro do termo de vinte e quatro horas da Ley primeyras seguintes depois que Requerido for, dê e pague ao ditto Autor, ou a seu bastante Procurador a quantia de noventa e sinco mil duzentos e doze reis e meio de Principal do credito ajuizado, em que foy condennado de preceyto na forma da configição que fez por seu procurador em Audiencia, e nas custas dos autos, que sendo contadas e somadas pelo Contador do Juizo declarou importarem a quantia de tres mil quatrocentos e onze reis – E sendo por tudo requerido, e não pagando dentro do referido termo, findo elle, o penhorarão na forma da Ley, de que se farão os termos percizos e necessarios nas costas deste, o que assim cumprão, e.fação.

Vila Rica a 18 de Mayo de 1781.

**Volume: 277**

**Rolo: 023**

**Fotogramas: 686/1043**

**Receita e Despesa**

R.e do Cindico da Ordem 3r.ª de S. Fran.co de V.ª Rica por mão do Sr. Tene. Franco. Domes. de Carv.º Sincoenta oytavas de ouro a conta da Obra que estou fazendo do Retablo e por verdade faço este de m.ª Letra e Sinal hoje Espera 11 de 7br.º DE 1791.

An.º Franco. Lx.ª (Antonio Francisco Lixboa)

**Volume: 277**

**Rolos: 24 a 29**

**Receita e Despesa**

A Imagem do Snr.e Crucificado, Encarnado, e os Sangues de Carmim com pingos, Coroa de espinhos – os Cravos doirados – e as Azas .................................... 6/8 ¾ "

2 varas e 12 palmos de Rendas p.ª a. do m.mo S.r. ........................................... ¾. "

A Imagem de S. Roque, a Vara dom.mo envernizada e doirada, e o seu Caxorinho ........................................................................................ 2/8 ½. "

A Imagem de S. Ivo. 1/8 " " A de S. Francisco recebendo as Chagas .............. 1/8 " "

A do Pontífice ........................................................................................ ¾ "

A dos dous Cardiaes. a ¾ cada hua ............................................................ 1/8 ½ "

A de S. Luiz ........................................................................................ 2/8 ¾ "

O criado do d.º s.to. " ½ "

A Crus da Penitencia com as Suas Armas, tudo devoto exceto os Raios ........3/8 " "

Os 3 Cravos pratiados, e Coroa de espinhos de S. Luiz ...................................." ½ "

12 Serafins ........................................................................................ 1/8 ¼ "

27 Siprestes de Verde envernizado, a 2 v.es cada hum ................................1/8 ½ 6

Soma: ........................................................................................23/8 3/4 6

11 Alfanges ........................................................................................grátis

3 Braços Retocados ........................................................................................grat.

O Carneirinho doirado ........................................................................................grat.

A Vestimenta e Vara da morte ........................................................................................grat.

As Letras doiradas da regra ........................................................................................grat.

A tinta p.ª O Sangue dos Fradinhos ........................................................................................gratis

R.bi do Procurador actual da Veneravel Ordem 3.ª de S. Francisco desta Villa o Snr. e Cap.m Frz. da S.ª vinte oitavas de Ouro Empagam.to das Obras q.e fis Asima de Claradas, ficando pago e Saptisfeito, por deixar aom.mo S.to de esmolla as – 3/8 e ¾ e 6 vin.tes deresto e p.ª Clareza passo oprez.e dem.ª Letra e Signal.

V.ª R.ª 10 de M.ço de 1805.

Manoel da Costa Athaide

**Volume: 125**

**Rolo: 058**

**Fotogramas: 872/965**

**Livro de Termo de Deliberações da Mesa**

Termo de deliberação sobre o direito que tem aos signaes ou dóbres no sino grande os Irmãos que servirem de Juizes, Escrivães, Thezoureiros e Procuradores, da Irmandade de N.S. do Rozario e os Juizes de Santa Efigenia.

Aos dezenove dias do mez de Novembro de mil oitocentos e setenta e um em o Consistório da capella de Nossa Senhora do Rozario do Alto da Cruz, reunida a Meza administrativa e mais Irmãos da Irmandade tomou-se a deliberação de estabelecer como regra invariável a respeito do dóbres no sino grande de o seguinte

I.º Pelos Irmãos que tiverem servido de Juizes e de Escrivães, Thexoureiros e Procuradores se farão no sino grande todos os signaes do estylo desde o momento em que fallecerem até a hora do enterro.

2.º Por aquelles individuos, sejão ou não Irmãos, que servirem de Juízes de Santa Efigenia e derem de joia de deseseis mil reis (16.000) para cima tambem se farão os mesmos signaes no sino grande.

3.º Finalmente: aquelles individuos que forem eleitos Juizes e não concorrerem com as respectivas joias não terão direito algum ao signal ou dóbre no sino grande, não assistindo aos seus herdeiros ou representantes o direito de fazer reclamação alguma por semelhante falta, visto como esta regalia ou distincção só deverá ser conferida à aquelles que tiverem satisfeito as suas joias e aos Excrivães, Thezoureiros e Procuradores, os quaes não são sujeitos pelo Compromisso ao pagamento de joias. E para constar se lavra o presente Termo O Juiz Florencio Fernandes de Jezus

No impedimento do Escrivão

Antonio Pinheiro d'Ulhoa Cintra

Antonio Dias Ribeiro

Vicente Ferñz. Vieira

**Volume: 346**
**Rolo: 034**
**Fotogramas: 150/513**
**Livro de Atas da Associação de São Luiz Gonzaga**

Associação de S. Luiz Gonzaga

Ata de Sessão

Viva Jesus

Acta do dia 14 de Outubro de 1906

Aos quatorze dias do mez de outubro de mil novecentos e seis (1906) sob a presidência do Snr.Marcos Murta de Figueiredo, achavam-se presentes os Snr.es Luduvico Lisboa, Pedro Dias de Oliveira, Alberto Barbosa, Heraclides José Antunes, Luiz Moreira. A leitura foi feita pelo Snr. Presidente. Foi lida e approvada a acta anterior. Estado da caixa é de 21:720, pago as despesas dos mezes de Agosto e Setembro. Passando-se aos estados das famílias o socio Alberto Barbosaa pede a palavra, dizendo que não fez a visita da pobre Rita, devido achar-se doente. O Socio Luduvico Lisboa da o estado da pobre Fermina a que vae sem novidade. O Socio Luiz Moreira pede a palavra dizendo que na Rua do Barão d'esta Cidade mora uma mulher que precisa da caridade publica. O Snr. Presidente toma em consideração e nomêa uma comissão composta dos socios Luduvico Lisboa, José Antunes e Alberto Barbosa, para fazerem a Sindicancia afim de verem se a mulher é necessitada. Vetou-se a importancia de um mil reis para a sindicancia. O socio Luiz Moreira de novo pede a palavra dizendo que morreu o nosso ex-Diretor Rmo Frei Frederico, e por este motivo propõe que seje lançado na acta um voto de pesar pelo fallecimento delle, e ao mesmo tempo que a sociedade mande celebrar uma missa por sua alma. O Snr. Presidente tomando em consideração, põe em approvação, tendo approvado por todos os socios presentes. Entrou de mensalidades 5:000 sendo; do socio Alberto Barbosa 2:000 do socio Luduvico 1:000 do socio Jorge Pedro Ferreira 2:000. Entrou de collecta 420. Não havendo mais nada a tratar foi encerrada a sessão com as orações de costume.

O Presidente Marcos M. de Figueiredo

O Secretario Luiz Moreira da Cruz

O Thezoureiro Luduvico da Silva Lisboa

# ANEXO C - Inventário analítico do arquivo eclesiástico da Matriz de Santo Antonio de Casa Branca

## 1 Apresentação

Este Inventário Analítico é resultado da análise, classificação e microfilmagem da documentação pertencente a Igreja Matriz de Santo Antonio de Casa Branca (Glaura). Foram trabalhados um total de 196 volumes perfazendo um total de 09 rolos de 35mm o que corresponde a 7875 fotogramas, compreendendo códices e avulso.

As datas balizas são de 1723 a 1984, sendo que em sua maioria os documentos são do século XX.

*Administradora da Casa dos Contos*

Ouro Preto/MG

## 2 Procedimento metodológico

Separação do Fundo em Grupos, entendidos como o organismo subordinado imediata ao Fundo e que gerou a documentação. Salientamos que um Fundo pode, às vezes, fazer o papel de Grupo. O Fundo Arquivo Eclesiástico da Igreja Matriz de Santo Antonio da Casa Branca (GLAURA) é constituído das irmandades da igreja e associação de damas e dos registros paroquiais.

A documentação foi separada em Códices, Avulsos e Impressos.

Os grupos foram separados em Séries e Sub-séries. Entende-se por série a tipologia ou assunto do documento.

A documentação manuscrita e impressa foi quase totalmente microfilmada, com exceção de alguns, com perda total de suas informações, devido a manchas e umidade.

## ATAS

S/Séries: Das sessões da diretoria das Sociedades do Apostolado da Oração e Sagrado Coração de Jesus; Passamento das Damas do Sagrado Coração de Jesus; De reuniões das Damas e zeladoras; das reuniões dos irmãos do Santíssimo Sacramento.
Fundo/Grupo: Matriz de Santo Antonio
Local: Santo Antonio da Casa Branca

| | | |
|---|---|---|
| Períodos: 1900 a 1914 | 001 | 001-0001/0063 |
| 1903 a 1932 | 002 | 001-0064/0072 |
| 1912 a 1915 | 003 | 001-0073/0090 |
| 1914 a 1924 | 004 | 001-0091/0127 |
| 1919 a 1928 | 005 | 001-0128/0180 |
| 1920 a 1927 | 006 | 001-0181/0287 |
| 1928 a 1941 | 007 | 001-0288/0295 |
| 1965 a 1969 | 008 | 001-0296/0313 |
| 1969 a 1979 | 009 | 001-0314/0338 |
| N/C | 010 | N/m |

## BATIZADOS

S/Série: Registro Paroquial
Fundo/Grupo: Matriz de Santo Antonio
Local: Santo Antonio da Casa Branca

| | | |
|---|---|---|
| Períodos: 1740 a 1749 | 011 | 001-0339/0360 |
| 1848 a 1876 | 012 | 001-0361/0458 |
| 1858 | 013 | 001-0459/0462 |
| 1876 a 1925 | 014 | 001-0463/0476 |
| 1882 a 1894 | 015 | 001-0477/0527 |
| 1895 a 1896 | 016 | 001-0528/0530 |
| 1898 a 1910 | 017 | 001-0531/0558 |
| 1909 | 018 | 001-0559/0560 |

## CASAMENTOS

S/Série: Registro Paroquial
Fundo/Grupo: Matriz de Santo Antonio
Local: Santo Antonio da Casa Branca

| | | |
|---|---|---|
| Períodos: 1750 a 1819 | 019 | 001-0561/0659 |
| 1921 a 1945 | 020 | 001-0660/0712 |
| 1923 a 1929 | 021 | 001-0713/0723 |
| 1945 a 1946 | 077 | 003-0600/0604 |

## CERTIDÕES DE MISSA PARA IRMÃOS FALECIDOS

S/Serie: Registro do Tesoureiro da Irmandade das Almas.
Fundo/Grupo: Matriz de Santo Antonio
Local: Santo Antonio de Casa Branca

| | | |
|---|---|---|
| Período: 1723 a 1762 | 022 | 001-0724/0776 |

## COMPROMISSO

S/Série: da Irmandade de Santo Antonio e da Irmandade das Almas.
Fundo: Matriz de Santo Antonio
S/Grupo: Provedoria
Local: Santo Antonio da Casa Branca

| | | |
|---|---|---|
| Períodos: 1724 | 192 | 009-0818/0831 |
| 1724 a 1784 | 023 | 002-0001/0033 |
| 1724 a 1784 | 024 | 002-0034/0047 |

**CONTA CORRENTE DE IRMÃOS**
S/Série: Registro
Fundo/Grupo: Matriz de Santo Antonio
Local: Santo Antonio da Casa Branca

| | | |
|---|---|---|
| Período: 1739 - 1784 a 1785 | 025 | 002-0048/0054 |

**ELEIÇÕES E TERMOS DE DELIBERAÇÃO DE MESA**
S/Série: Registro
Fundo/Grupo: Matriz de Santo Antonio
Local: Santo Antonio da Casa Branca

| | | |
|---|---|---|
| Período: 1725 a 1782 | 026 | 002-0055/0147 |

**ENTRADA**
S/Série: de Irmãos da Irmandade de Nossa Senhora da Conceição e de Damas do Sagrado Coração de Jesus.
Fundo/Grupo: Matriz de Santo Antonio
Local: Santo Antonio da Casa Branca

| | | |
|---|---|---|
| Períodos: 1816 a 1850 | 027 | 002-0148/0161 |
| 1903 a 1946 | 028 | 002-0162/0168 |

**ESMOLAS**
S/Série: recolhimento para celebração das Missões
Fundo/Grupo: Matriz de Santo Antonio
Local: Santo Antonio da Casa Branca

| | | |
|---|---|---|
| Períodos: 1935 | 029 | 002-0169/0174 |
| 1936 a 1944 | 030 | 002-0175/0192 |

**INVENTÁRIO**
S/Série: da Fábrica; de bens móveis da Capella de São Vicente Ferrer e dos bens móveis da Matriz de Santo Antonio.
Fundo/Grupo: Matriz de Santo Antonio
Local: Santo Antonio da Casa Branca

| | | |
|---|---|---|
| Períodos: 1723 a 1752 | 031 | 002-0193/0197 |
| 1827 a 1875 | 032 | 002-0198/0205 |
| N/C | 033 | 002-0206/0208 |

**LEMBRANÇAS**
S/Série: Do Tesoureiro da Igreja
Fundo: Matriz de Santo Antonio
S/Grupo: Cpela
Local: Morro de São Vicente

| | | |
|---|---|---|
| Períodos: 1823 a 1878 | 034 | 002-0209/0216 |
| 1823 a 1878 | 101 | 005-0541/0547 |

**LISTAS**
S/Série: de presença de irmãs do Apostolado da Oração e da Liga do Sagrado Coração de Jesus; de nomes de associadas Damas do Santíssimo Coração de Jesus.

Fundo/Grupo: Matriz de Santo Antonio
Local: Santo Antonio da Casa Branca

| | | |
|---|---|---|
| Períodos: 1915 a 1916 | 035 | 002-0217/0222 |
| 1937 | 036 | 002-0223/0227 |
| 1953 a 1992 | 037 | 002-0228/0314 |
| 1966 a 1969 | 038 | 002-0315/0320 |

### MAPAS PAROQUIAIS

S/Série: Referente ao Movimento Religioso
Fundo: Matriz de Santo Antonio
S/Grupo: Paróquias
Locais: Mariana, Casa Branca, São Bartolomeu e Rio de Pedras.

| | | |
|---|---|---|
| Períodos: 1937 | 039 | 002-0321/0374 |
| 1939 a 1942 | 040 | 002-0375/0428 |
| 1942 a 1944 | 041 | 002-0429/0460 |

### MENSALIDADES DE IRMÃOS

S/Série: Registro
Fundo/Grupo: Matriz de Santo Antonio
Local: n/c

| | | |
|---|---|---|
| Período: 1969 a 1977 | 042 | 002-0461/0493 |

### MISSAS E TERÇOS

S/Série: Agendamento
Fundo/Grupo: Matriz de Santo Antonio
Locais: Subdistritos de Santo Antonio da Casa Branca

| | | |
|---|---|---|
| Períodos: 1943 a 1945 | 043 | 002-0494/0498 |
| 1944 a 1945 | 044 | 002-0499/0511 |
| 1944 a 1945 | 045 | 002-0512/0516 |

### ÓBITOS E TESTAMENTOS

S/Série: Registro
Fundo/Grupo: Matriz de Santo Antonio
Local: Santo Antonio da Casa Branca

| | | |
|---|---|---|
| Períodos: 1734 a 1755 | 046 | 002-0517/0595 |
| 1817 a 1878 | 047 | 002-0596/0695 |
| 1840 | 048 | 002-0696/0698 |
| 1875 a 1878 | 102 | 005-0548/0552 |
| 1888 a 1921 | 049 | 002-0699/0706 |
| 1898 a 1920 | 050 | 002-0707/0763 |
| 1945 | 051 | 002-0764/0773 |
| 1945 | 052 | 002-0774/0777 |
| 1955 a 1983 | 193 | 009-0832/0870 |

### QUITAÇÃO

S/Série: do Tesoureiro da Irmandade de Nossa Senhora do Rosário.
Fundo/Grupo: Matriz de Santo Antonio
Local: Santo Antonio da Casa Branca

| | | |
|---|---|---|
| Período: 1807 a1848 | 053 | 002-0778/0792 |

**PROVISÕES E ORDENS**

S/Série: Registro
Fundo: Matriz de Santo Antonio
Locais: Vila Rica e Mariana

| | | |
|---|---|---|
| Períodos: 1726 a 1734 | 054 | 002-0793/0798 |
| 1741 a 1794 e 1795 | 057-A | N/m |

**RECEITA**

S/Série: Do Tesoureiro da Irmandade de Santo Antonio; da Associação das Damas do Sagrado Coração de Jesus e do Tesoureiro da Igreja.
Fundo/Grupo: Matriz de Santo Antonio
Local: Santo Antonio da Casa Branca

| | | |
|---|---|---|
| Períodos: 1722 | 055 | 002-0799/0802 |
| 1906 a 1907 | 056 | 002-0803/0807 |
| 1930 a 1943 | 058 | 003-0001/0041 |
| 1930 a 1944 | 057 | 002-0808/0844 |

**RECEITA E DESPESA**

S/Séries: da Fábrica da Matriz de Santo Antonio; da Irmandade do SS Sacramento; do Tesoureiro da Irmandade de Nossa Senhora do Rosário; da Irmandade de Nossa Senhora da Conceição; do Tesoureiro da Igreja para refazer as obras do Cemitério; da Associação do Apostolado da Oração e do Sagrado Coração de Jesus, referente ao movimento da restauração da Igreja e da Associação das Damas do Sagrado Coração de Jesus.
Fundo/Grupo: Matriz de Santo Antonio
Local: Santo Antonio da Casa Branca

| | | |
|---|---|---|
| Período: 1724 a 1762 | 059 | 003-0042/0167 |
| 1750 a 1765 | 103 | 005-0553/0558 |
| 1781 a 1794 | 060 | 003-0168/0187 |
| 1808 a 1835[2] | 061 | 003-0188/0214 |
| 1809 a 1828 | 062 | 003-0215/0283 |
| 1900 a 1913 | 063 | 003-0284/0332 |
| 1900 a 1930 | 064 | 003-0333/0370 |
| 1908 a 1911 | 065 | 003-0371/0375 |
| 1908 a 1952 | 071 | 003-0536/0551 |
| 1911 a 1921 | 066 | 003-0376/0393 |
| 1919 a 1947 | 067 | 003-0394/0429 |
| 1921 a 1954 | 068 | 003-0430/0466 |
| 1951 a 1959 | 069 | 003-0467/0479 |
| 1955 a 1983 | 193 | 003-0480/0535 |
| 1959 a 1967 | 070 | 003-0480/0535 |
| 1968 a 1977 | 072 | 003-0552/0568 |

**RETIRO ESPIRITUAL PARA VICENTINOS**

S/Série: Resumo das meditações de 3 dias.
Fundo/Grupo: Matriz de Santo Antonio
Local: N/C

| | | |
|---|---|---|
| Período: N/C | 073 | 003-0569/0580 |

**TERMO DE ACEITAÇÃO E PROMESSA**

S/Série: da realização de uma nova eleição de mesários da Irmandade de Santo Antonio
Fundo/Grupo: Igreja Matriz
Local: N/C
Período: 1723 a 1725 — 074 — 003-0581-0586

**VISITAS PASTORAIS**

Registro de Capítulos
Fundo/Grupo: Matriz
Local: Santo Antonio da Casa Branca

| | | |
|---|---|---|
| Períodos: 1746 a 1819 | 075 | 003-0587/0595 |
| 1750 a 1765 | 104 | 005-0559/0886 |
| 1823 | 076 | 003-0596/0599 |

*Avulsos*

**BATIZADOS**

S/Séries: Registro, Certidões e declarações
Fundo: Matriz de Santo Antonio
S/Grupos: Paróquias e Freguesias de: Nossa Senhora do Pilar; São Gonçalo; Nossa Senhora da Conceição; Santo Antonio, Nossa Senhora de Nazareth, São José; São Braz e São Bartolomeu, Cúria Metropolitana.
Locais: Santo Antonio da Casa Branca, Belo Horizonte, Cachoeira do Campo, Ribeirão do Carmo, Rio Acima, São Bartolomeu, Itabira, Catas Altas da Noruega, Acuruí, Itabirito, Santo Antonio do Rio Abaixo de Diamantina, Ouro Preto, Caeté, Piraguara, Rio de Pedras, Usina Nova Lima, Congonhas do Campo e Carmo da Mata.
Período: 1902 a 1938 e 1993 — 078 — 003-0605/0645

**CASAMENTOS**

S/Séries: Processos, Requerimentos, Proclama e Certidões
Fundo/Grupo: Matriz de Santo Antonio
Locais: Casa Branca, São Bartolomeu, Mariana, Rio de Pedras, Cachoeira do Campo, Itabirito, Ouro Preto, São Gonçalo do Amarante, Caeté, Santa Bárbara, Rio Acima, Belo Horizonte, Ouro Branco, Ponte Nova, Taboões, Ubá, Doutor, Nova Lima, Ana de Sá, Serra de Mesquita, Itaúna.

| | | |
|---|---|---|
| Período: 1853 a 1959 | 079 | 003-0646/0884 |
| 1853 a 1959 | 079 | 004-0001/0815 |
| 1853 a 1959 | 079 | 005-0001/0049 |

**CERTIDÃO DE MISSA**

S/série: celebradas para irmãos falecidos.
F/Grupo: Matriz de Santo Antonio
Locais: Santo Antonio de Casa Branca e Rio de Janeiro
Período: 1756 e 1758 — 080 — 005-0050/0052

**CERTIDÃO DE DISTRIBUIÇÃO DOS SANTOS ÓLEOS**

S/Série: Registro
Fundo: Matriz de Santo Antonio
S/Grupo: Catedral da Sé

Local: Mariana
Período: 1940 082 005-0057/0059

**CERTIDÃO DE NASCIMENTO**
S/Série: Registro
Fundo: Matriz de Santo Antonio
Grupo: Cartório de Paz
Local: São Bartolomeu
Período: 1902-1913 e 1925 081 005-0053/0056

**COMUNICADO**
S/Série: Para a Presidente da Associação de Damas do Sagrado Coração de Jesus.
Fundo/Grupo: Matriz de Santo Antonio
Local: Santo Antonio da Casa Branca
Período: 1925 083 005-0060/0062

**COMPROMISSO**
S/Série: da Liga Eleitoral Catholica
Fundo/Grupo
Local: Rio de Pedras, Santo Antonio da Casa Branca
Período: 1933 084 005-0063/0088

**CORRESPONDÊNCIA**
S/Séries: Diversas
Fundo: Matriz de Santo Antonio
S/Grupos: Diretoria Geral de Estatística, Cúria Metropolitana, Casa SuGena, Casa Rudolf Opusiky, Theodor, Wille & Cia Ltda. E A União.
Locais: Casa Branca, Mariana, Roma, Rio de Janeiro, Belo Horizonte, Ouro Preto, Acuruí, Alvinópolis, Cachoeira do Campo e Rio Preto.
Período: 1779 a 1944 085 005-0089/0114

**CRÉDITO**
S/Série: Referente a anuais da Irmandade de N. Sra. do Rosário
Fundo/Grupo: Matriz de Santo Antonio
Local: Santo Antonio da Casa Branca
Período: 1809 086 005-0115/0118

**DECLARAÇAO**
S/Séries: Dos irmãos da Irmandade de Nossa Senhora do Rosário; de bens móveis.
Fundo/Grupo: Igreja Matriz de Santo Antonio
Local: Santo Antonio da Casa Branca
Período: 1856 087 005-0119/0122

**ESTATUTO**
S/Série: da Irmandade do Santíssimo Sacramento
Fundo/Grupo: Matriz de Santo Antonio
Local: Glaura
Período: 1966 088 005-0123/0125

**HOMILIA**
S/Série: de Casamento

Fundo/Grupo: Matriz de Santo Antonio
Local: N/C
Período: N/C 089 005-0126/0130

INVENTÁRIO

S/Séries: Dos trastes pertencentes a Irmandade do Santíssimo Sacramento, de objetos da Igreja de Rio de Pedras.
Fundo/Grupo: Matriz de Santo Antonio
Locais: Santo Antonio da Casa Branca e Rio de Pedras
Período: 1794 090 005-0131/0136

MAPAS PAROQUIAIS

S/Série: Do Movimento Religioso
Fundo/Grupo: Matriz de Santo Antonio
Locais: Rio de Pedras, São Bartolomeu, Santo Antonio da Casa Branca
Período: 1928 a 1936 091 005-00137/0179

NOTAS DE COMPRA

S/Série: Para a Igreja de Santo Antonio
Fundo/: Matriz de Santo Antonio
S/Grupos: Diversos
Locais: Santo Antonio da Casa Branca, Rio de Janeiro, Belo Horizonte, Cachoeira de Campo e Ouro Preto.
Período: 1899 a 1984 092 005-0180/0191

ÓBITOS

S/Séries: Certidões, Atas de Passamento, Lista, Guia de Sepultamento e atestados.
Fundo: Matriz de Santo Antonio
S/Grupo: Cartório
Período: 1899 a 1984 093 005-0192/0441
1968 a1991 194 009-0871/0876

PETIÇÃO

S/séries: Para mudança no compromisso da Confraria de Santo Antonio; dos oficiais e irmãos do SS. Sacramento; para dividir gastos de festividades.
Grupo: Matriz de Santo Antonio
Local: Santo Antonio da Casa Branca.
Período: 1749-1750 – 1900 094 005-0442/0447

PROCURAÇÃO

S/série: Para representar paraninfo e Padrinho de batismo.
S/Grupo: Cartório
Local: Vila Nova de Lima
Período: 1887 e 1903 095 005-0448/0452

PROVISÃO

S/série: Para o cargo de Vigário Paroquial.
S/Grupo: Câmara Eclesiástica
Local: Mariana
Período: 1929 a 1940 96 005-0453/0479

**RECEITA E DESPESA**
S/série: da Igreja
S/Grupos: diversos
Local: Santo Antonio da Casa Branca
Período: 1896 a 1978 097 005-0480/0511

**ROL**
S/série: Diversas
S/Grupos: N/C
Local: Santo Antonio da Casa Branca
Período: 1905 a 1970 098 005-0512/0530

**RECIBOS**
S/séries: Referente a missas para vivos e defuntos; pagamento de livro da fábrica e transferência de esmolas.
S/grupo: N/C
Locais: Santo Antonio da Casa Branca, Ouro Preto e Mariana.
Período: 1746 a 1978 099 005-0531/0537

**TABELA DE PREÇO**
S/série: de Missa
Grupo: N/C
Local: N/C
Período: N/C 100 005-00538/0540

*Impressos*

**ACTA ET DECRETA CONCILII PLENARII AMERICAE LATINAE, IN URBE CELEBRATI. Anno Domini MDCCCXCIX. Romae, Typis Vaticani. 1902**
VOLUME 105 005-0559/0886

**APPENDIX AD CONCILIUM PLENARIUM AMERICAE LATINAE. Remai Celebratium. Anno Domini MDCCCXCIX. Romae Typis Vaticanis. 1901 ***
VOLUME 105-A 006-0001/0372
*Livro incompleto falta cadernos

**BOLETIM ECLESIÁSTICO. Organ Official da Archidiocese de Marianna. Anno XVI, Mariana, 1917**
VOLUME 106 006-0273/0393

**BOLETIM ECLESIÁSTICO. Organ official da Archidiocese de Mariana. Anno XXVII, Julho –1929**
VOLUME 107 006-0394/0409

**BOLETIM ECLESIÁSTICO. Organ Official da Archidiocese de Mariana Anno XXVII, Novembro e Dezembro-1929**
VOLUME 108 006-0410/0430

**BOLETIM ECLESIÁSTICO. Organ official da Archidiocese de Mariana. Anno XXVII, Janeiro-1930**
VOLUME 109 006-0431/0543

**BOLETIM ECLESIÁSTICO. Organ Official da Archidiocese de Mariana. Anno XXVIII, Julho-1932**
VOLUME 110 006-0454/0469

BOLETIM ECLESIÁSTICO. Organ Official da Archidiocese de Mariana. Anno XXVIII, Novembro-1939
VOLUME 111 006-0470/0485

BREVE LEMBRANÇA DAS HOMENAGENS PRESTADAS A S.EXCIA. RVMA. D. HELVÉCIO GOMES DE OLIVEIRA. Typ. A "Folhinha" de Agripino C. dos Santos. 1938
VOLUME 112 006-0486/0512

BREVIARIUM ROMANUM EX DECRETO SS.CONCILII TRIDENTINI RETITUTUM S. PII V. PONTIFICIS MAXIMI JUSSUM EDITUM CLEMENTIS VIII E URBANI VIII. 1879
VOLUME 113 006-0513/0519
007-0001/0075

CÂNTICOS SAGRADOS. S/D.
VOLUME 114 N/m

* Volume 115 não foi microfilmado por falta de informações.

CARTA PASTORAL E MANDAMENTO DO EPISCOPADO BRASILEIRO SOBRE O COMUNISMO ATHEU. Tipografia do Patrionato, Rio de Janeiro –1937.
VOLUME 116 007-0256/0268

OS CATHOLICOS E O INTEGRALISMO – Manifesto, programa da Ação Integralista Brasileira
VOLUME 117 007-0269/0288

COMPÊNDIO DE THEOLOGIA MORAL. Tomo II. Typographia de Santos & Cia. 1837
VOLUME 118 007-0289/0478

DIRETÓRIO LITÚRGICO DESTINADO AO USO DO CLERO DE TODO O BRASIL. Conferência Nacional dos Bispos. Rio de Janeiro, 1974.
VOLUME 119 N/m

DIRETORIO LITÚRGICO DESTINADO AO USO DO CLERO DE TODO O BRASIL. 1975
VOLUME 120 N/m

DIRETÓRIO LITÚRGICO DESTINADO AO USO DO CLERO DE TODO O BRASIL. 1977
VOLUME 121 N/m

ESCRÍNIO DAS DAMAS DO SAGRADO CORAÇÃO DE JESUS. Ano II, Mariana, 1908.
VOLUME 122 N/m

ESCRÍNIO DAS DAMAS DO SAGRADO CORAÇÃO DE JESUS. Ano II, Mariana, 1908.
VOLUME 123 N/m

ESCRÍNIO DAS DAMAS DO SAGRADO CORAÇÃO DE JESUS. Ano II, Mariana, 1908.
VOLUME 124 N/m

ESCRINIO DAS DAMAS DO SAGRADO CORAÇÃO DE JESUS. Ano II, Mariana, 1908
VOLUME 125 N/m

ESCRINIO DAS DAMAS DO SAGRADO CORAÇÃO DE JESUS. Ano II, Mariana, 1908.
VOLUME 126 N/m

ESCRINIO DAS DAMAS DO SAGRADO CORAÇÃO DE JESUS. Ano II, Mariana, 1908.
VOLUME 127 N/m

EXTRACTUM RITUALIS ROMANI. S/R
VOLUME 128 N/m

INSTRUCÇÃO ECLESIÁSTICA e Modo prático das Cerimônias da Missa, assim Rezada como Cantada. Lisboa, 1760.
VOLUME 129 007-0479/0615

LITURGIA DA SANTA MISSA. Missa do Coração de Jesus. Ratisbonae. 1929
VOLUME 130 007-0616/0623

LITURGIA DA SANTA MISSA. Subsídio Pastoral para o Sacerdote Celebrante. Edições Paulinas. 1967
VOLUME 131 007-0624/0656

LITURGIA DA SANTA MISSA. Celebração da Primeira Comunhão. Glaura, 1988.
VOLUME 132 007-0657/0668

MISSALE ROMANUM EX DECRETO SACROSANCTI CONCILII TRIDENTINI RESTITUTUM S.PII V. PONTIFICIS MAXIMI JUSSU EDITUM CLEMENTIS VIII, URBANI VIII ET LEONIS VIII. Auctoritate Recognitum. Editio Septima juxta editionem. Tipicam, 1836.
VOLUME 133 N/m

MISSALE ROMANUM EX-DECRETO SACROSANCTI CONCILII TRIDENTINI RESTITUTUM S. PII V. PONTIFICIS MAXIMI JUSSU EDITUM CLEMENTIS VIII, URBANI VIII ET LEONIS VIII. Auctoritate Recognitum. Editio Septima juxta editionem. Tipicam, 1842.
VOLUME 134 N/m

MISSALE ROMANUM EX-DECRETO SACROSANCTI CONCILII TRIDENTINI RESTITUTUM S. PII V. PONTIFICIS MAXIMI JUSSU EDITUM CLEMENTIS VIII, URBANI VIII ET LEONIS VIII. Auctoritate Recognitum. Editio Septima juxta editionem. Tipicam, 1844.
VOLUME 135 N/m

MISSALE ROMANUM EX-DECRETO SACROSANCTI CONCILII TRIDENTINI RESTITUTUM S. PII V. PONTIFICIS MAXIMI JUSSU EDITUM CLEMENTIS VIII, URBANI VIII ET LEONIS VIII. Auctoritate Recognitum. Editio Septima juxta editionem. Tipicam, 1869.
VOLUME 136 N/m

MISSALE ROMANUM EX-DECRETO SACROSANCTI CONCILII TRIDENTINI RESTITUTUM S. PII V. PONTIFICIS MAXIMI JUSSU EDITUM CLEMENTIS VIII, URBANI VIII ET LEONIS VIII. Auctoritate Recognitum. Editio Septima juxta editionem. Tipicam, 1886.
VOLUME 137 N/m

NOVENA DE NATAL – fumarc. 1985
VOLUME 192 N/m

ORAÇÃO EUCARÍSTICA
VOLUME 193 N/m

ORDINÁRIO DA MISSA. Editora Vozes Ltda. Petrópolis, 1965.
VOLUME 138 N/m

ORDO DIVINO OFFICII RECITANDE. SACRIQUE PERAGEN. Typ. Henrique M. Sondermann. Rio de Janeiro, 1930.
VOLUME 139 N/m

ORDO DIVINO OFFICII RECITANDE. SACRIQUE PERAGEN. Typ. Henrique M. Sondermann. Rio de Janeiro, 1944.
VOLUME 140 N/m

ORDO DIVINO OFFICII RECITANDE. SACRIQUE PERAGEN. Typ. Henrique M. Sondermann. Rio de Janeiro, 1947.
VOLUME 141 N/m

ORDO DIVINO OFFICII RECITANDE. SACRIQUE PERAGEN. Typ. Henrique M. Sondermann. Rio de Janeiro, 1960.
VOLUME 142 N/m

ORDO DIVINO OFFICII RECITANDE. SACRIQUE PERAGEN. Typ. Henrique M. Sondermann. Rio de Janeiro, 1961.
VOLUME 143 N/m

ORDO DIVINO OFFICII RECITANDE. SACRIQUE PERAGEN. Typ. Henrique M. Sondermann. Rio de Janeiro, 1962.
VOLUME 144 N/m

PROCESSO MATRIMONIAL
VOLUME 197 N/m

PROMPTUÁRIO DE LA THEOLOGIA MORAL, COMPUESTO PRIMEIRAMENTE POR EL P.M. FRE. FRANCISCO LARRAGA, DEL SAGRADO ORDEN DE PREDICADORA. Tomo II. Madri e Lisboa. 1788.
VOLUME 145 007-0669/0872

PROSPECTO DA IRMANDADE DA TERRA SANTA, Officinas Graphicas. Typ. Santiago. Rio de Janeiro, 1928.
VOLUME 146 007-0873/0893

REGIMENTO DE CUSTAS E EMOLUMENTOS PAROCHIAES, para o Arcebispado de Mariana. Typ. d'A Folhinha de Agripino C. dos Santos. 1937
VOLUME 194 N/m

REGULAMENTAÇÃO DO CASAMENTO RELIGIOSO para os effeitos civis. Belo Horizonte
VOLUME 195 N/m

RELATÓRIO da Obra Pontifica da Programação da Fé na Archidiocese de Mariana Anno de 1936
VOLUME 196 N/m

RITUALE ROMANUM. Pauli V. Pontificio Maximi Jussu Editum et a Benedicto XIV. Uctum et Castigatum. Mechilinae H. Dessain. 1876
VOLUME 147 008-0001/0295

RITUALE ROMANUM Pauli V. Pontificio Maximi Jussu Editum et a Benedicto XIV et a Pio X. Rastibanae et Romae Sumptibus et Typis Friderici Pustet. 1916.
VOLUME 148 008-0296/0679

RITUALE ROMANUM Pauli V. Pontificio Maximi Jussu Editum et a Benedicto XIV et a Pio X. Rastibanae et Romae Sumptibus et Typis Friderici Pustet. S/d
VOLUME 149 N/m

LA SAINT BIBLE EN LATIN ET EN FRANCAIS Avec les Commentaires de Menochius et des notes Historiques et Theologiques. Tome VIII. Paris, Beriche et Tralin, Libraires-editeurs. 1884.
VOLUME 150 N/m

LA SAINT BIBLE EN LATIN ET EN FRANCAIS Avec les Commentaires de Menochius et des notes Historiques et Theologiques. Tome II. Paris, Beriche et Tralin, Libraires-editeurs. 1884.
VOLUME 151 N/m

LA SAINT BIBLE EN LATIN ET EN FRANCAIS Avec les Commentaires de Menochius et des notes Historiques et Theologigues: Tome IV. Paris, Beriche et Tralin, Libraires –editeurs. 1884.
VOLUME 152 N/m

LA SAINT BIBLE EN LATIN ET EN FRANCAIS Avec les Commentaires de Menochius et des notes Historiques et Theologiques. Tome V. Paris, Beriche et Tralin, Libraires-editeurs. 1884.
VOLUME 153 N/m

LA SAINT BIBLE EN LATIN ET EN FRANCAIS Avec les Commentaires de Menochius et des notes Historiques et Theologiques. Tome VI. Paris, Beriche et Tralin, Libraires-editeurs. 1884.
VOLUME 154 N/m

LA SAINT BIBLE EN LATIN ET EN FRANCAIS Avec les Commentaires de Menochius et des notes Historiques et Theologiques. Tome VII. Paris, Beriche et Tralin, Libraires-editeurs. 1884.
VOLUME 155 N/m

LA SAINT BIBLE EN LATIN ET EN FRANCAIS Avec les Commentaires de Menochius et des notes Historiques et Theologiques. Tome VIII. Paris, Beriche et Tralin, Libraires-editeurs. 1884.
VOLUME 156 N/m

SERMOENS DO PE. MANOEL DOS REIS da Companhia de Jesus, Lente de escritura muitos anos em o Collegio de Coimbra. Primeira Parte em que se contêm muitos Sermoens pertencentes ao Advento e Quaresma com outros adjuntos. Évora, com todas as licenças necessárias, na Officina da Universidade. 172.
VOLUME 157 008-0688/0915
009-0001/0043

SERMOENS DA CINZAS, QUARESMA , PAIXÃO E RESSUREIÇÃO DE CRISTO. Medalha Evangélica, aberta com o Benil da Penna que nella escreveu os sermoens de quatro domingas do Advento e outros de Cristo e vários Santos. Medalha VII. Lisboa Ocidental na Oficina de Antonio Pedrozo Galram. 1724
VOLUME 158 009-0044/0448

SERMOENS DA GLORIOSA VIRGEM, NASCIMENTO DE CRISTO E VÁRIOS SANTOS. S/ referencias e data.
VOLUME 159 009-0449/0584

TRABALHOS DE JESUS – Composto pelo venerável Pe. Fr. Thomé de Jesus. Lisboa Em casa do editor A J. Fernandes Lopes. 1865.
VOLUME 198 N/m

*Avulsos*

AVISOS da Câmara Eclesiástica do Arcebispado de Mariana. Mariana. 1910 a 1942
VOLUME 160 009-0585/0609

A BENÇÃO do Santo Padre Papa Pio XII. Roma 1942.
VOLUME 161 009-0610/0612

BOLETIM SALESIANO. Suplemento Ano VII. São Paulo. Abril, 1946
VOLUME 162 009-0613/0623

CALENDÁRIO do Apostolado da Oração.
VOLUME 163 N/m

CELEBRAÇÃO da Palavra de Deus. Arquidiocese de Mariana
VOLUME 165 009-0624/0626

CIRCULARES Da Archidiocese de Mariana. 1917 a 1941
VOLUME 166 009-0627/0653

CONTAS DA CEMIG.
VOLUME 167 N/m

COLLECTAS – Determinações da Pastoral Collectiva dos Exmos. Srs. Arcebispos e Bispos do Brasil. Transcripção da Pastoral Colletiva, ed. 1915.
VOLUME 168 009-0654/0658

CORRESPONDÊNCIAS da Arquidiocese de Mariana. 1931 a 1944.
VOLUME 169 009-0659/0706

DECRETO do Arcebispo de Mariana1935
VOLUME 170 009-0707/0729

DESCRIÇÃO e Solicitação de Contribuição para o Seminário "São José".
VOLUME 171 N/m

ENTRONIZAÇÃO do Sagrado Coração de Jesus nas Famílias e na Sociedade. Centro de Entronização. Belo Horizonte- MG.
VOLUME 173 009-0736/0739

O EXMO SR. ARCEBISPO DE MARIANA e a Calunnia. Explicações necessárias. Typ. Do Boletim Eclesiástico de Mariana. 1910
VOLUME 172 009-0730/0735

GINÁSIO ARCHIDIOCESANO de Ouro Preto. Sociedade Liceu de Ouro Preto 1936.
VOLUME 174 009-0740/0748

FESTAS JUBILARES a D. Helvécio Gomes de Oliveira. Mariana. 1943
VOLUME 175 009-0749/0755

MISSAS DOMINICAIS pró Seminário Brasileiro em Roma e Missas dos Dias Santos actuaes e Supressos pró Seminários Archidiocesanos. Mariana 1937 a 1946.
VOLUME 176 009-0756/0761

MISSA DA MISERICÓRDIA e do 70º aniversário de Neusa Silveira Gomes.
VOLUME 177 N/m

OBRA PONTIFICIA DA PROPAGAÇÃO DA FÉ. Appelo para o dia Missionário Mariana Typ. Da "a Folhinha" de Agripino C. dos Santos.
VOLUME 178 009-0762/0772

ORAÇÕES Diversas
VOLUME 179 N/m

PATENTE de Admissão no Apostolado da Oração no Brasil.1937.
VOLUME 182 009-0773/0782

PROGRAMA CONVITE para visitas paroquiais, Centenário de D. Silvério Gomes Pimenta e do Bicentenário da Cidade de Mariana. 1933-1940- 1941 e 1945
VOLUME 183 009-0783/0791

PROMULGAÇÃO do Jubileu Universal e extraordinário no XIX Centenário da Redempção do Gênero Humano. Arquidiocese de Mariana. 1933
VOLUME 184 009-0792/0796

RECOMENDAÇÕES particulares ao Clero. Congonhas do Campo 1943
VOLUME 185 009-0797/0800

RELAÇÃO de collectas, do 1° Semestre de 1938 da Arquidiocese de Mariana. Cúria Metropolitana. Mariana, 1938
VOLUME 186 009-0801/0805

RETIRO ESPIRITUAL Do Clero Marianense. 1939 e 1943
VOLUME 187 009-0806/0814

REUNIÃO MENSAL do Padre Pedro Gilberto Gomes, S.J. A Invasão do Espírito de Deus.
VOLUME 190 009-0815/0817

SENHOR BOM JESUS – Periódico. Congonhas do Campo. 1946
VOLUME191 N/m

*Obs.: Aqueles documentos que não foram microfilmados seja devido ao estado precário em que se encontram, ou seja, uma duplicata.*

**ANEXO D - Documentos do Século XIX, pertencentes ao Museu do Tropeiro de Itabira**

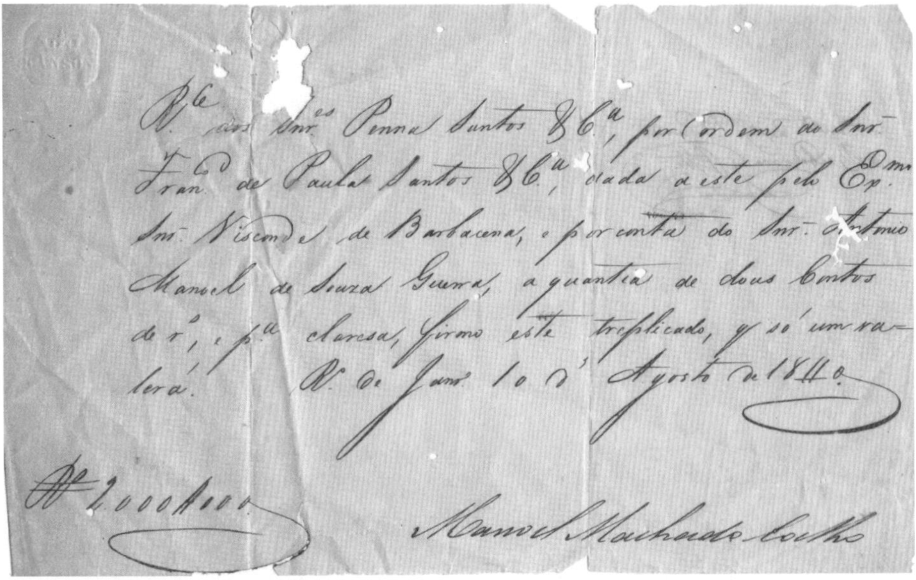

Rc. dos Snrs. Penna Santos & Ca., por Ordem do Snr.
Franco. de Paula Santos & Ca. dada a este pelo Exmo.
Snr. Visconde de Barbacena, e por conta do Snr. Antonio
Manoel de Souza Guerra, a quantia de dous Contos
de rs., e pa. clareza, firmo este treplicado, q só um va-
lerá. Ro. de Janro. 10 de Agosto de 1811.

Rs 2:000$000

Manoel Machado Coelho

Recibo de 2.000$ (dois contos de Reis) assinado por MANOEL MACHADO COELHO, pagadores PENNA SANTOS e Cia, por ordem de FRANCISCO DE PAULA SANTOS e Cia dada este pelo Visconde de Barbacena e por conta de ANTONIO MANUEL DE SOUZA GUERRA (10/08/1811).

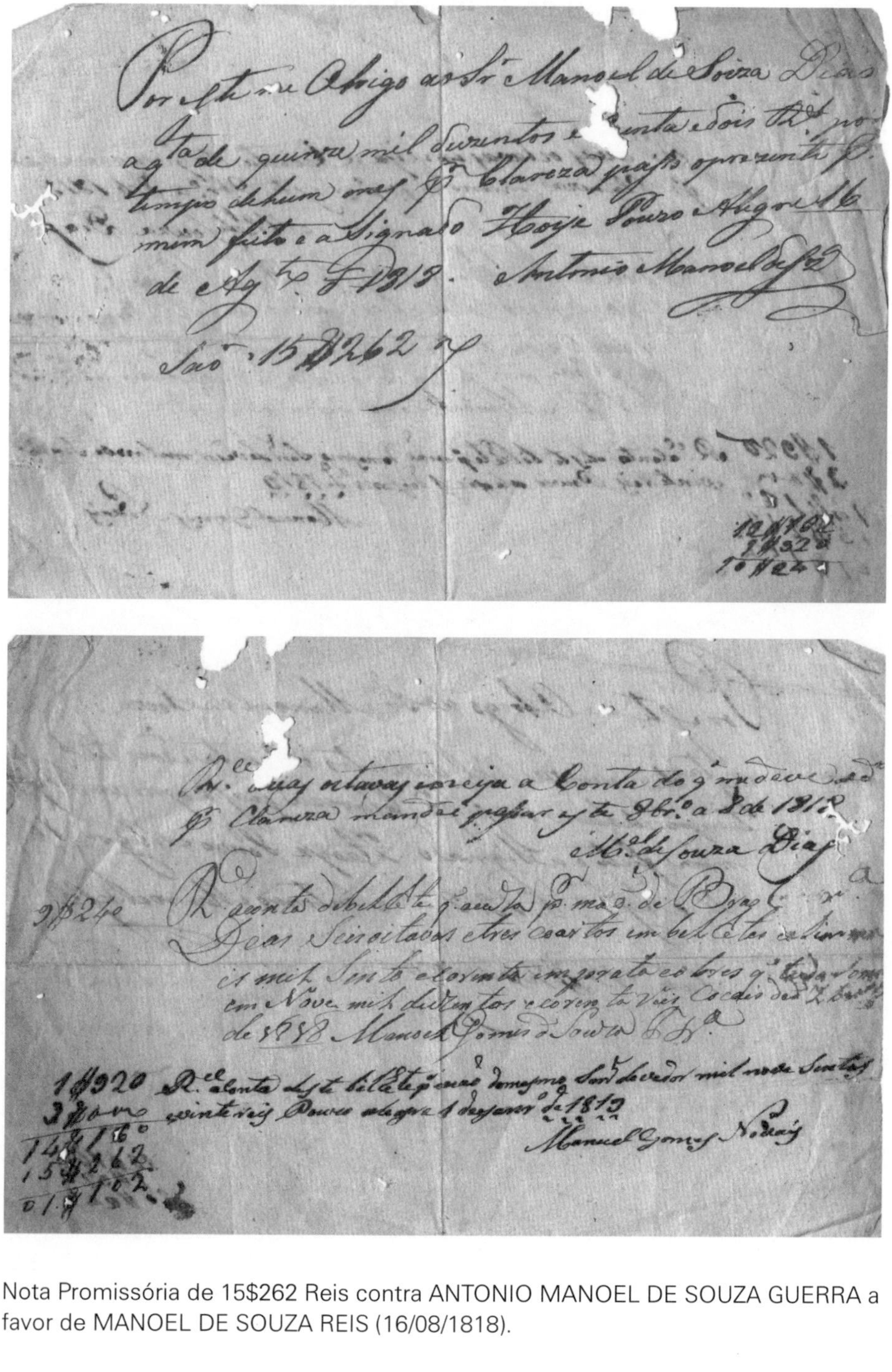

Nota Promissória de 15$262 Reis contra ANTONIO MANOEL DE SOUZA GUERRA a favor de MANOEL DE SOUZA REIS (16/08/1818).

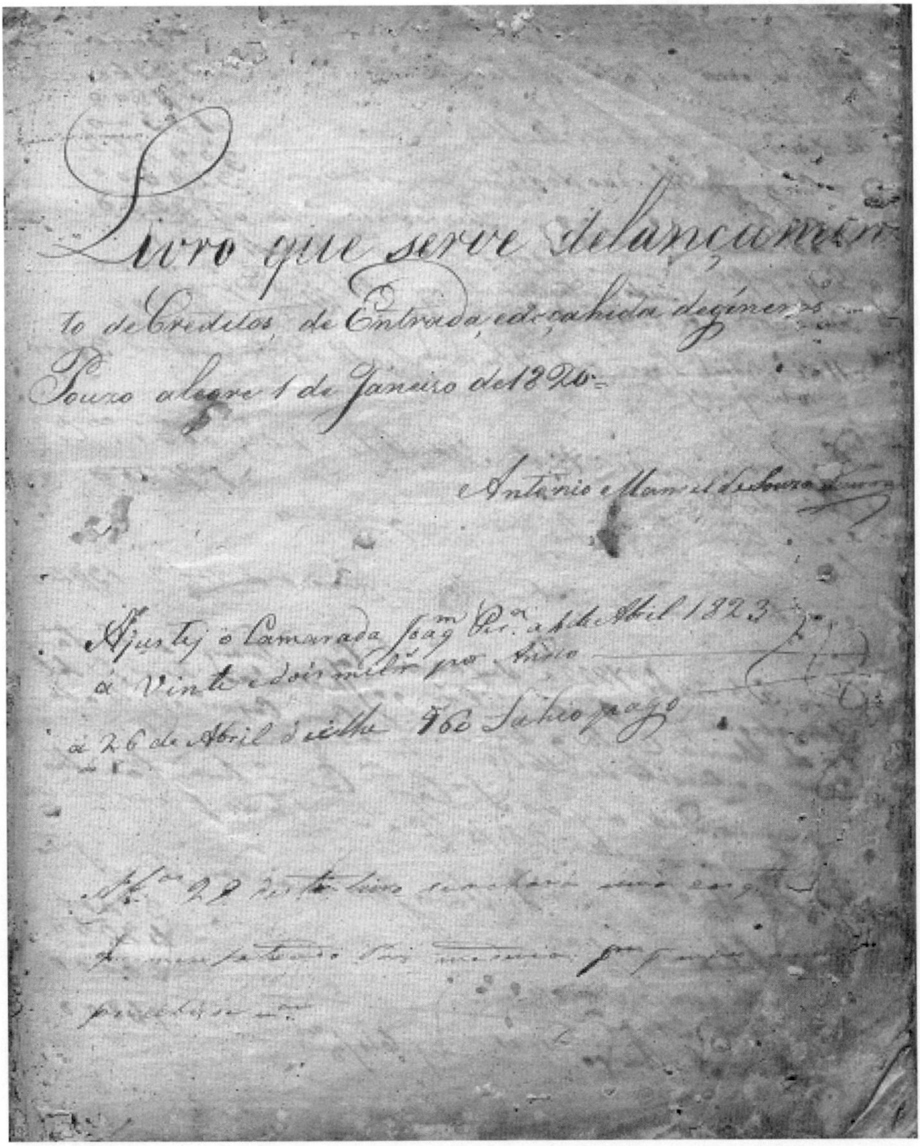

Livro que serve de lançamen
to de Creditos, de Entrada, e de sahida de generos
Pouzo alegre 1 de Janeiro de 1820

Antonio Manuel de Souza Guerra

Livro de lançamentos de Créditos, de entradas e saídas de gêneros, de ANTONIO MANUEL DE SOUZA GUERRA.

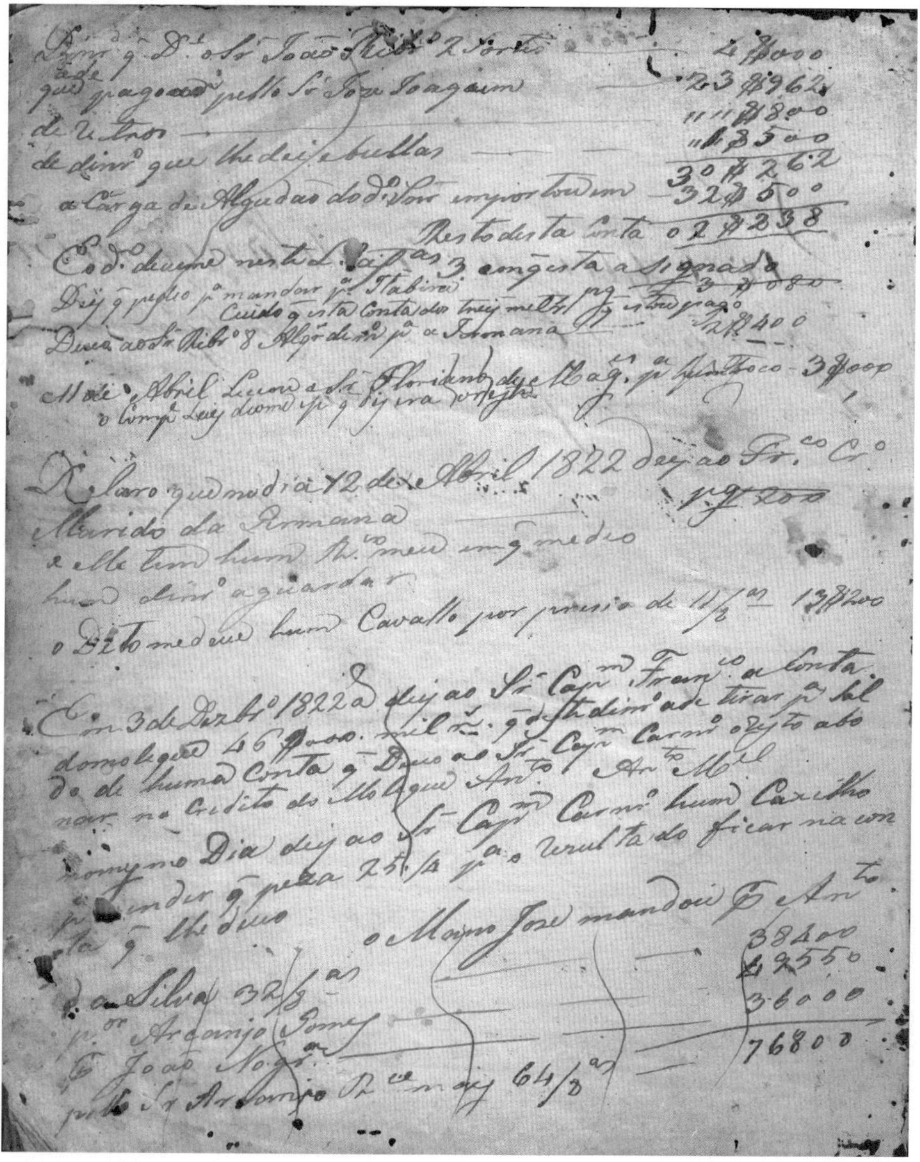

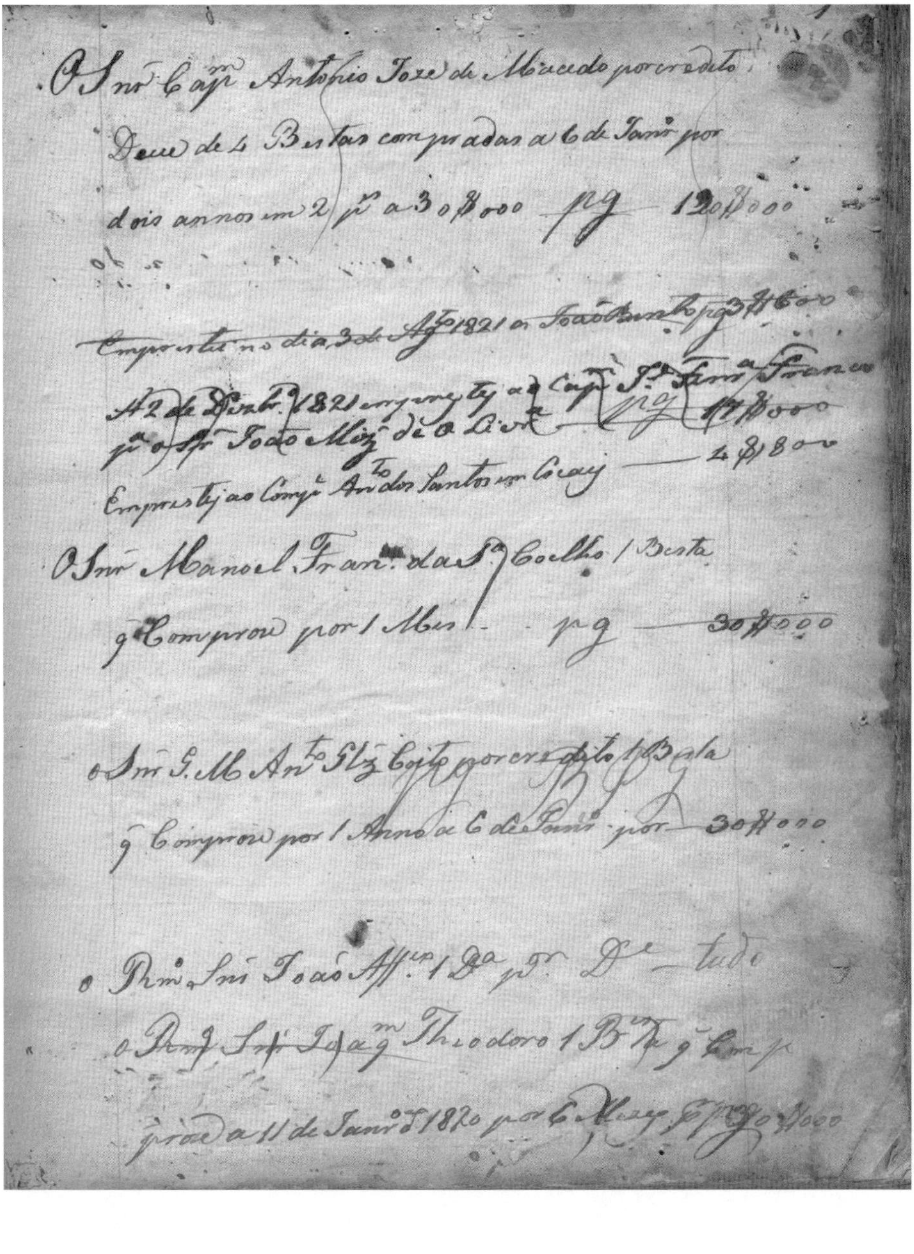
O Snr Capm Antonio Joze de Macedo por credito
Deve de 4 Bestas compradas a 6 de Janro por
dois annos em 2 pes a 30$000 pg 120$000
~~Emprestei no dia 3 de Agto 1821 a João Santos pg 3$600~~
A 2 de Dezbro 1821 emprestey ao Capm Sr Fermo Franco
pa o Sr João Mz de O Livr pg 17$000
Emprestey ao Compe Anto dos Santos em Cobre 4$800
O Snr Manoel Franco da Sa Coelho 1 Besta
q comprou por 1 Mes pg 30$000
o Snr G. M. Anto Glz Coito por credito 1 Besta
q comprou por 1 Anno a 6 de Janro por 30$000
o Rmo Snr João Affo 1 Da pr De tudo
o Rmo Snr Joaqm Theodoro 1 Besta q com
prou a 11 de Janro de 1820 por 6 Mezes pg 30$000

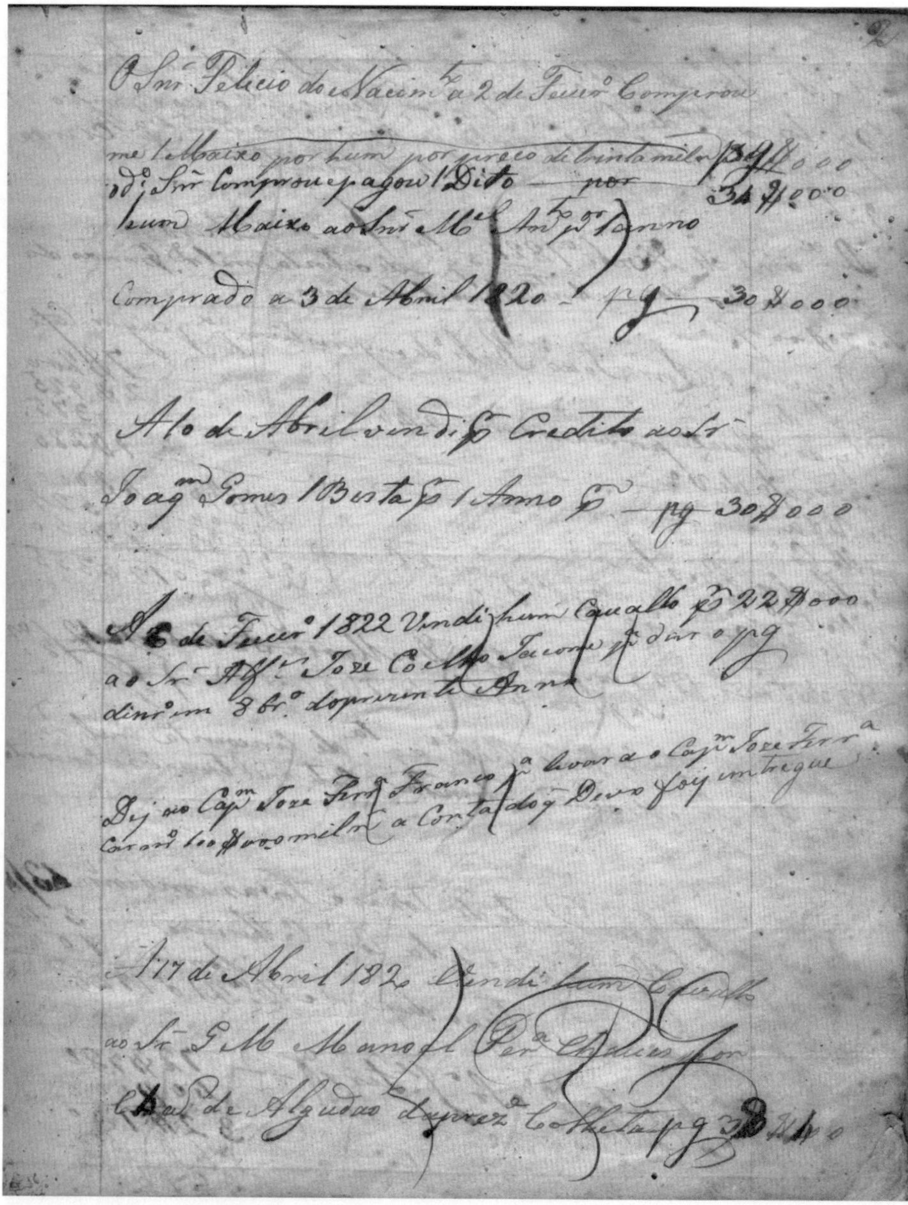
O Snr. Felicio do Nacim.to a 2 de Fever.o comprou
me 1 Macho por hum por preço de trinta mil r.s 30$000
o d.o Snr. comprou e pagou 1 Dito — por 34$000
hum Macho ao Snr. M.el Ant.o Per.a Tanno
Comprado a 3 de Abril 1820 — pg 30$000

A 10 de Abril vendi p. Credito ao Sr.
Joaq.m Gomes 1 Besta p. 1 Anno — pg 30$000

A 6 de Fever.o 1822 Vendi hum Cavallo p. 22$000
ao Sr. Alf.s Joze Coelho Jacome p.a dar o pg
dinr.o em 8br.o do prezente Anno

Dei ao Cap.m Joze Ferr.a Franco a levar ao Cap.m Joze Ferr.a
a Conta do q. Devo foi entregue
Carav.o 100$000 mil r.s

A 17 de Abril 1820 Vendi hum Cavallo
ao Sr. G. M. Manoel Per.a Chaves por
[illegible] de Algudão [illegible] Colheita pg 30$400

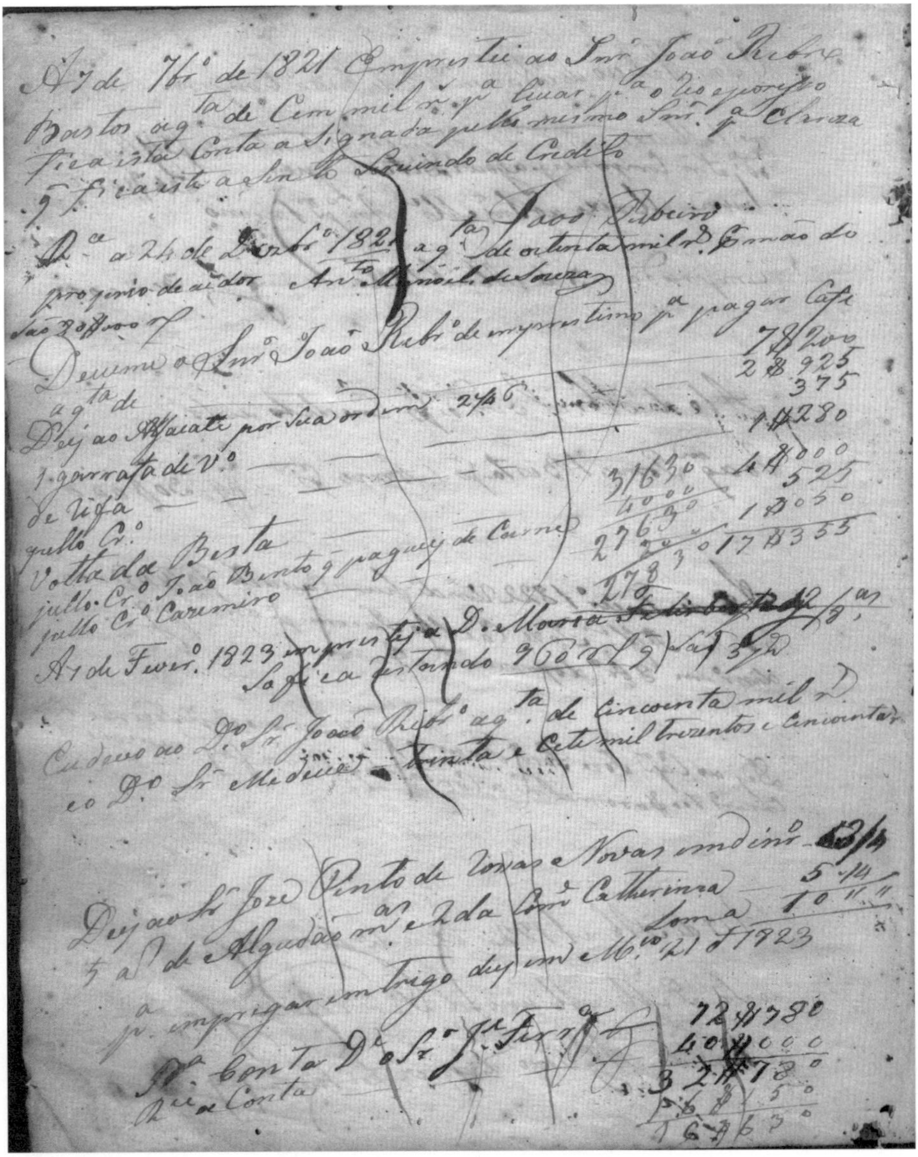

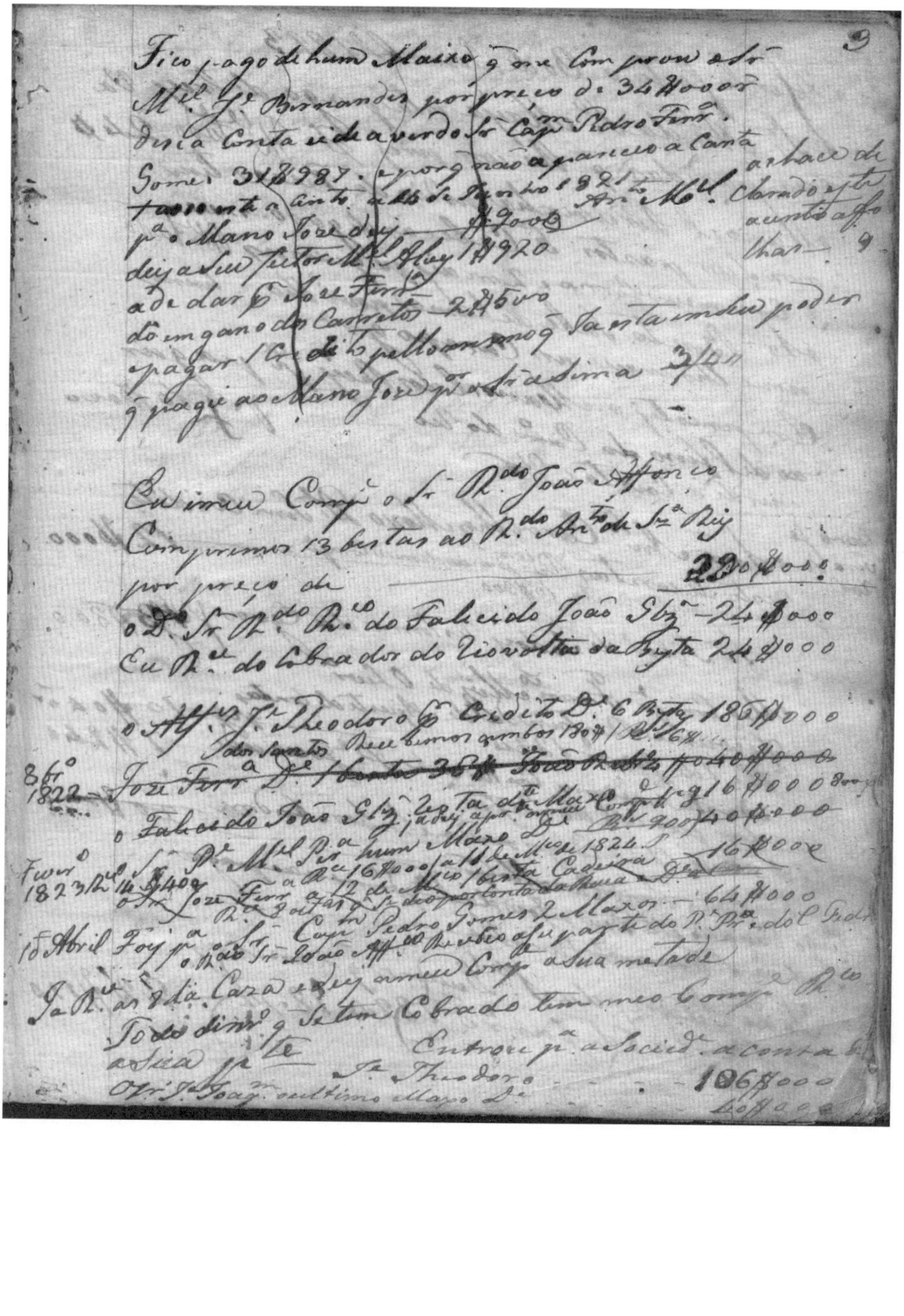
Fico pago de hum Macho q me Comprou o Sr.
Mel. Je. Fernandes por preço de 34$000
desta Conta e de aver do Sr. Capm. Pedro Ferra.
Some 31$987 — e porq não apareceo a Conta
… o Anto. … de Junho 1821 … Ant. Mel. …
pa o Mano Joze deix … $900
deixa Seu feitor Mel. Alvz 1$920
a de dar Sr. Joze Ferra …
do emgano dos Carretos 2$500
pagar … dito pello … q la esta em meu poder
q pague ao Mano Joze … a Sima 3/411

Eu e meu Compe. o Sr. Pe. João Afonço
Compremos 13 bestas ao Pe. Anto. de Sza. Reiz
por preço de 220$000
o Dr. Sr. Pe. Pe. do Falecido João Glz. — 24$000
Eu Pe. do Cobrador do Ricovolta da Besta 24$000
o Alfs. J. Theodoro Sr. Credito D. 6 Bestas 186$000
… Recebemos ambos 180$ …
8 fro 1822 Joze Ferra D. … 40$000
o Falecido João Glz … 16$000
o Sr. P. Mel. Pera hum Macho … 1824 … 16$000
Fevro 1823 … o Sr Joze Ferra … 64$000
1º Abril Foy pa o Sr. Capm. Pedro Gomes 2 Machos … [illegible]
Ja Rec. … da Caza e deix a meu Compe. a Sua metade
Todo dinhro q Se tem Cobrado tem meu Compe. Pe.
a Sua pte Entrou pa a Socied. a conta
o Sr. J. Theodoro 106$000
o Sr J. Joaqm. no ultimo Mayo D. 60$000

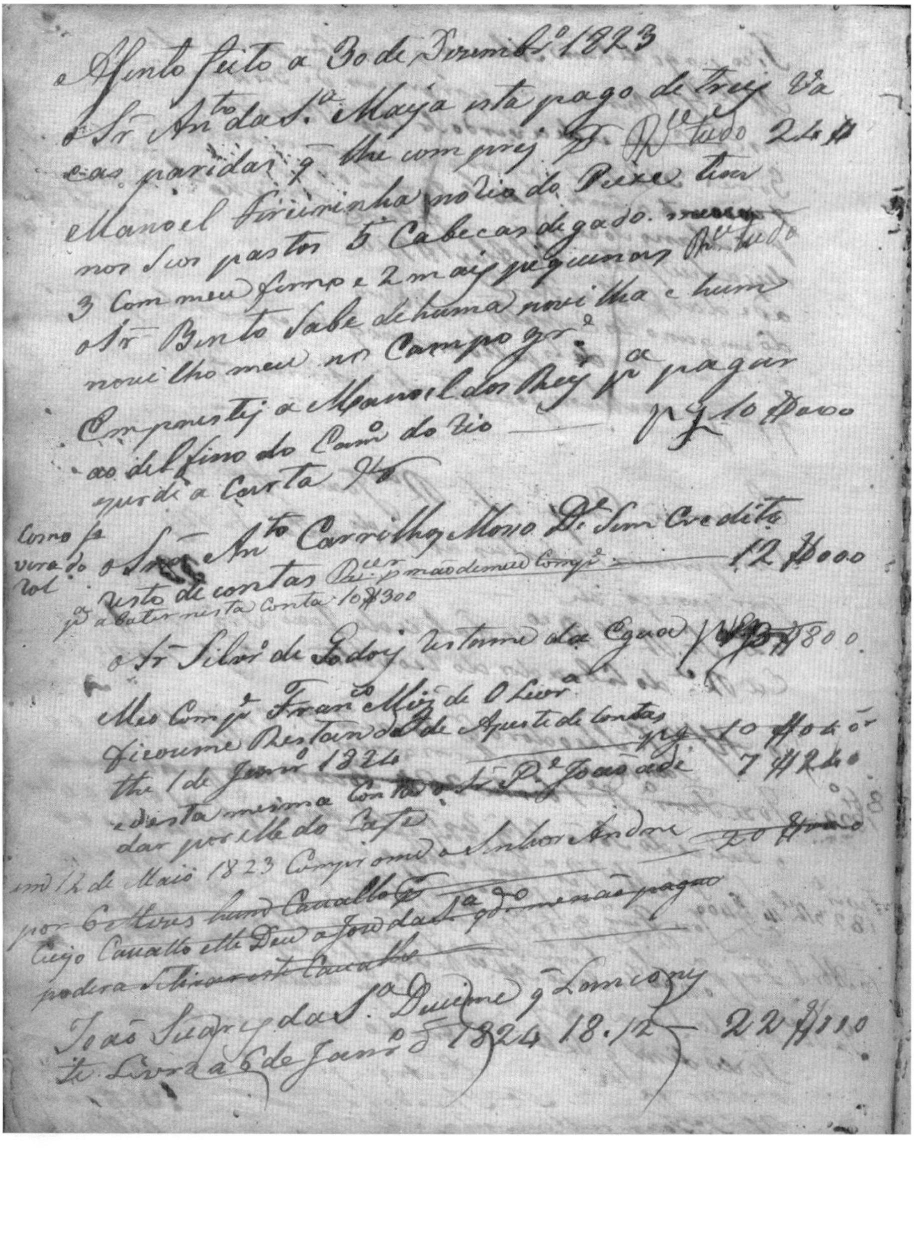

Assento feito a 30 de Dezembro 1823
o Sr Antonio da Silva Maya esta pago de treys va
cas paridas q lhe comprey p. Rs tudo 24$
Manoel Ferreirinha no Rio do Peixe tem
nos seus pastos 5 Cabeças de gado. [illegible]
3 com meu ferro e 2 mais pequenas Rs tudo
o Sr Bento Sabe de huma novilha e hum
novilho meu no Campo gr.e
Comprestey a Manoel dos Reys va pagar
ao [illegible] do Camo do rio — Rs 10$000
perdi a Carta [illegible]
Como se vera do rol — o Snr Antonio Carrilho Moro Dr Sem Credito
resto de contas [illegible] — 12$000
p a bater nesta Conta 10$300
o Sr Silvério de Godoy [illegible] 800
Meo Compe Franco Miz de Oliveira
ficoume Restando de Ajuste de contas 10$000
the 1 de Janro 1824 [illegible] 7$420
e desta mesma conta [illegible]
dar por elle do Cafe
em 12 de Maio 1823 Comprei [illegible] Snr Andre 20$000
por 6 oitavas hum Cavallo [illegible]
cujo Cavallo elle Deu a [illegible]
podera [illegible]
João Soares da Silva [illegible]
te Livra a 6 de Janro de 1824 18.12 22$110

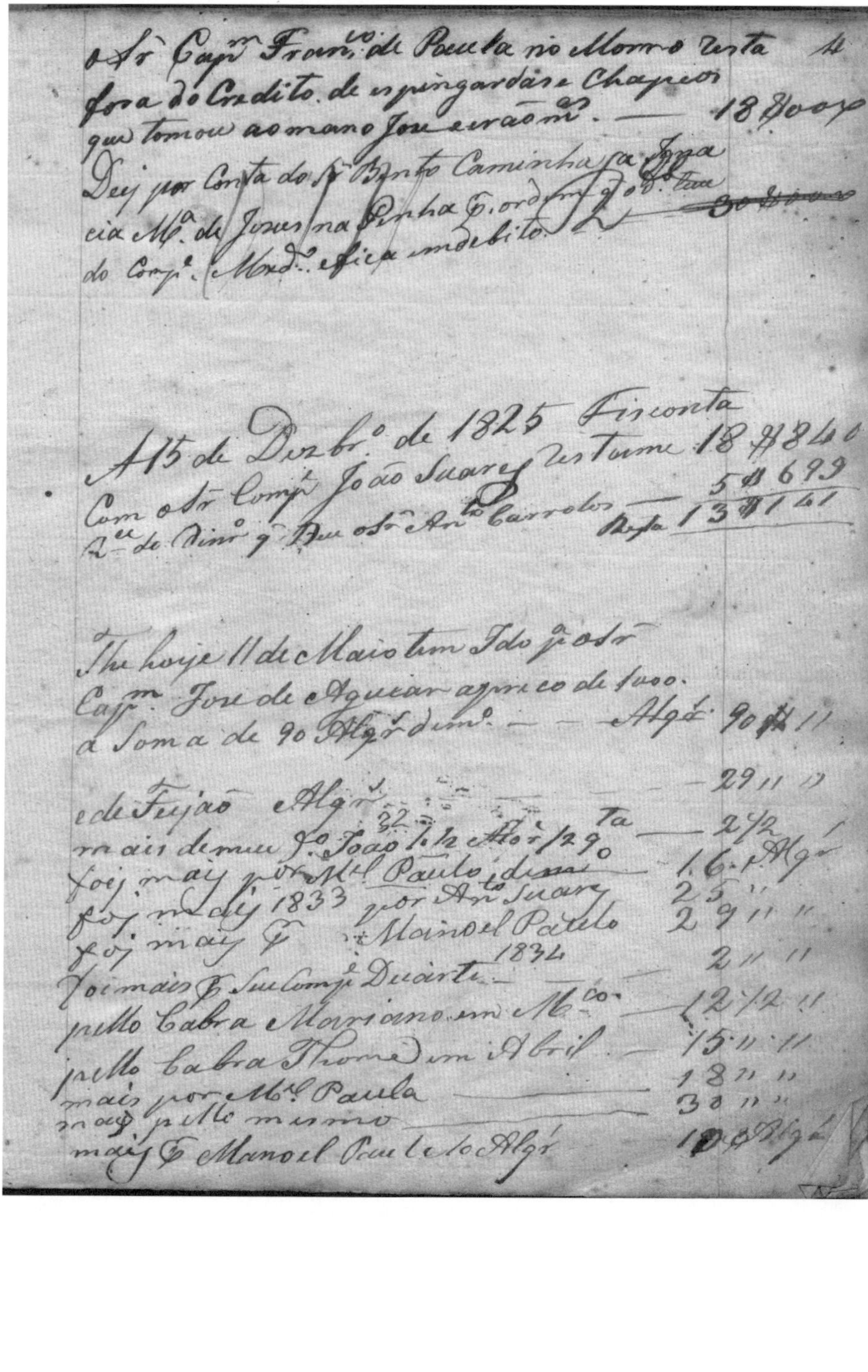
o Sr. Capm. Franco. de Paula no Morro resta 4
fora do Credito de espingardas e Chapeos
que tomou ao mano Jose e erão m.as — 18$000
Dei por Conta do Sr. Bento Caminha sa. Ignacia Ma. de Jezes na Pinha p. ordem do Sr. tua do Compe. Mand.. e fica em debito 12 ~~30$000~~

A 15 de Dezbro. de 1825 Fis conta 18$840
Com o Sr. Compe. João Suares resta me 5$699
Rs. de Dinro. q. deu o Sr. Anto. Carrolos Resta 13$141

Athe hoje 11 de Maio tem Ido q. o Sr.
Capm. Jose de Aguiar a preco de 1000.
a Soma de 90 Algs. dinro. — Algs. 90 " "
— 29 " "
e de Feijão Algs.
mais de meu Fo. João 1/2 Algr 1/2 9ta — 2 1/2
foi mais por Mel. Paulo dinro. — 1.6 Algs.
foi mais 1833 por Anto. Suares 25 "
foi mais Fo. Manoel Patelo 29 " "
1834 21 " "
Foi mais p. seu Compe. Duarte
pello Cabra Mariano em Mco. 12 1/2 "
pello cabra Thome em Abril 15 " "
mais por Mel. Paula 18 " "
mais pello mesmo 30 " "
mais Fo. Manoel Paulo Algs. 10 Algs.

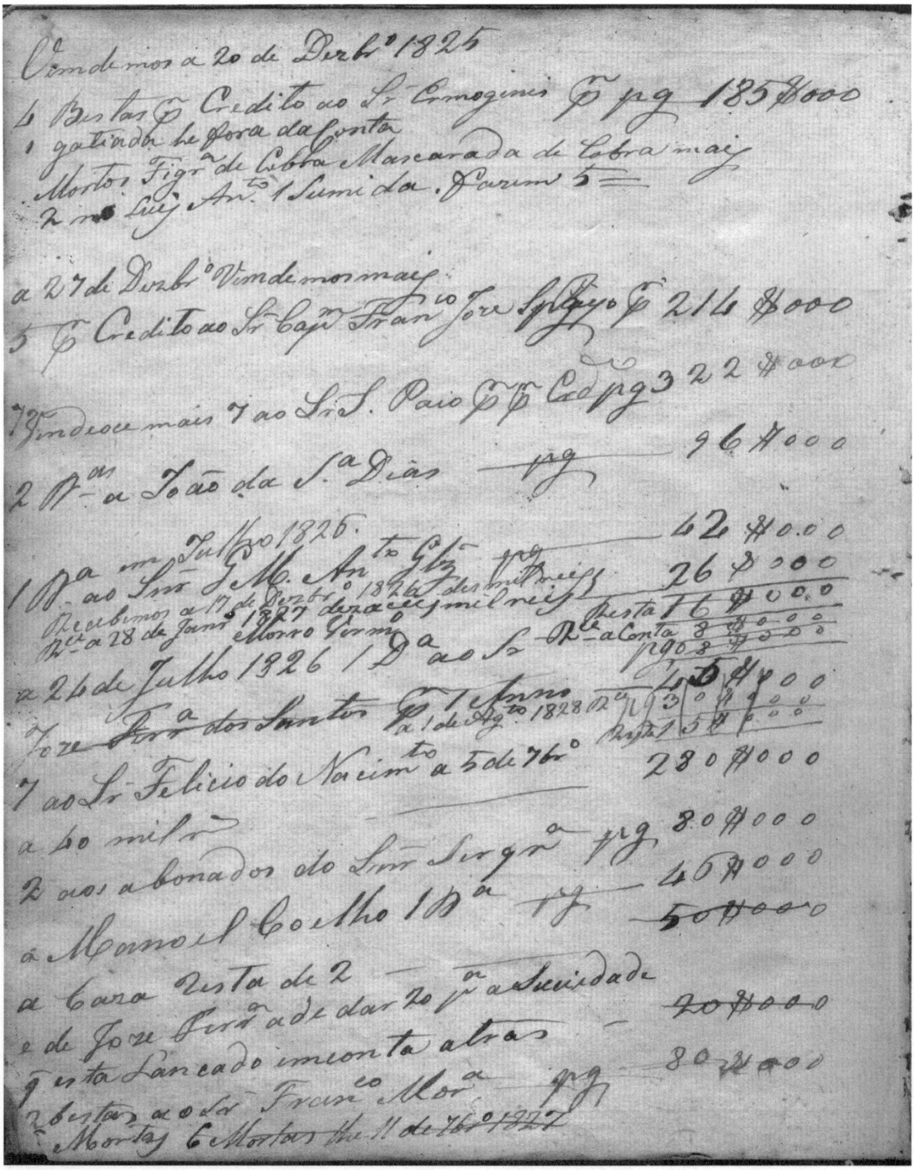

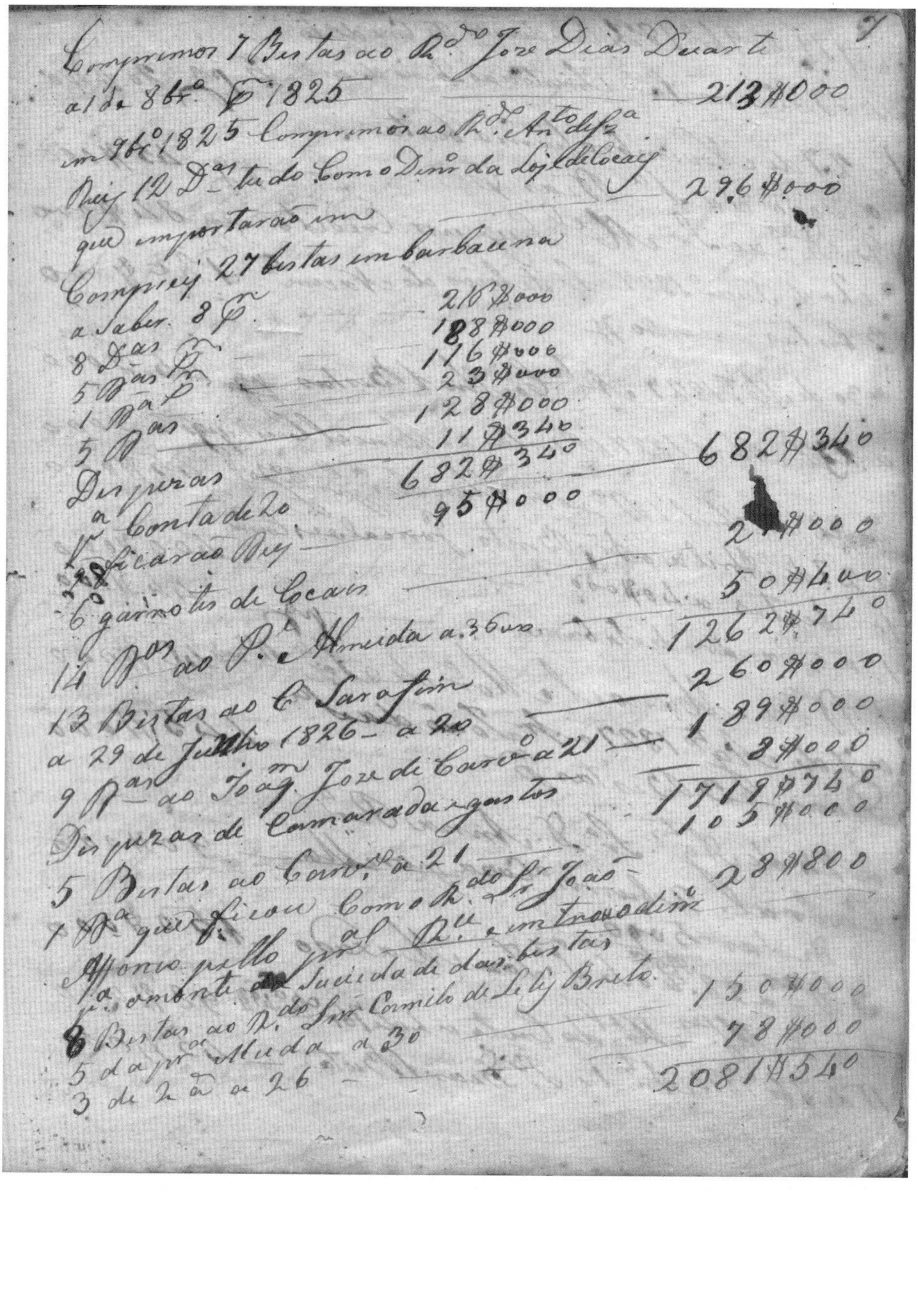
Compramos 7 Bestas ao Rdo Joze Dias Duarte
a 1 de 8bro 1825 — 213$000
em 9bro 1825 compramos ao Rdo Anto [illegible]
Rey 12 Bestas tudo com o Dinro da Loja de [illegible]
que importarão em — 296$000
Compramos 27 bestas em barbacena
a saber 8 — 216$000
8 Bestas — 188$000
5 Bestas — 176$000
1 Besta — 23$000
5 Bestas — 128$000
119$340
Dispezas — 682$340 — 682$340
a Conta de [illegible] — 95$000
ficarão Rey — 2$000
6 garrotes de [illegible] — 50$400
1262$740
14 Bestas ao P.e Almeida a 36$000
13 Bestas ao C. Sarafim — 260$000
a 29 de Julho 1826 a 20 — 189$000
9 Bestas ao Joaqm Joze de Carvo a 21 — 3$000
Dispezas de Camaradas gastos — 1719$740
105$000
5 Bestas ao Carvo a 21 — 28$800
1 Besta que ficou com o Rdo Sr João
Affonso pello [illegible] em troca dim
[illegible] Sociedade das bestas
8 Bestas ao Rdo Snr Camilo de [illegible] Brito — 150$000
5 da [illegible] Muda a 30 — 78$000
3 de 2a a 26 — 2081$540

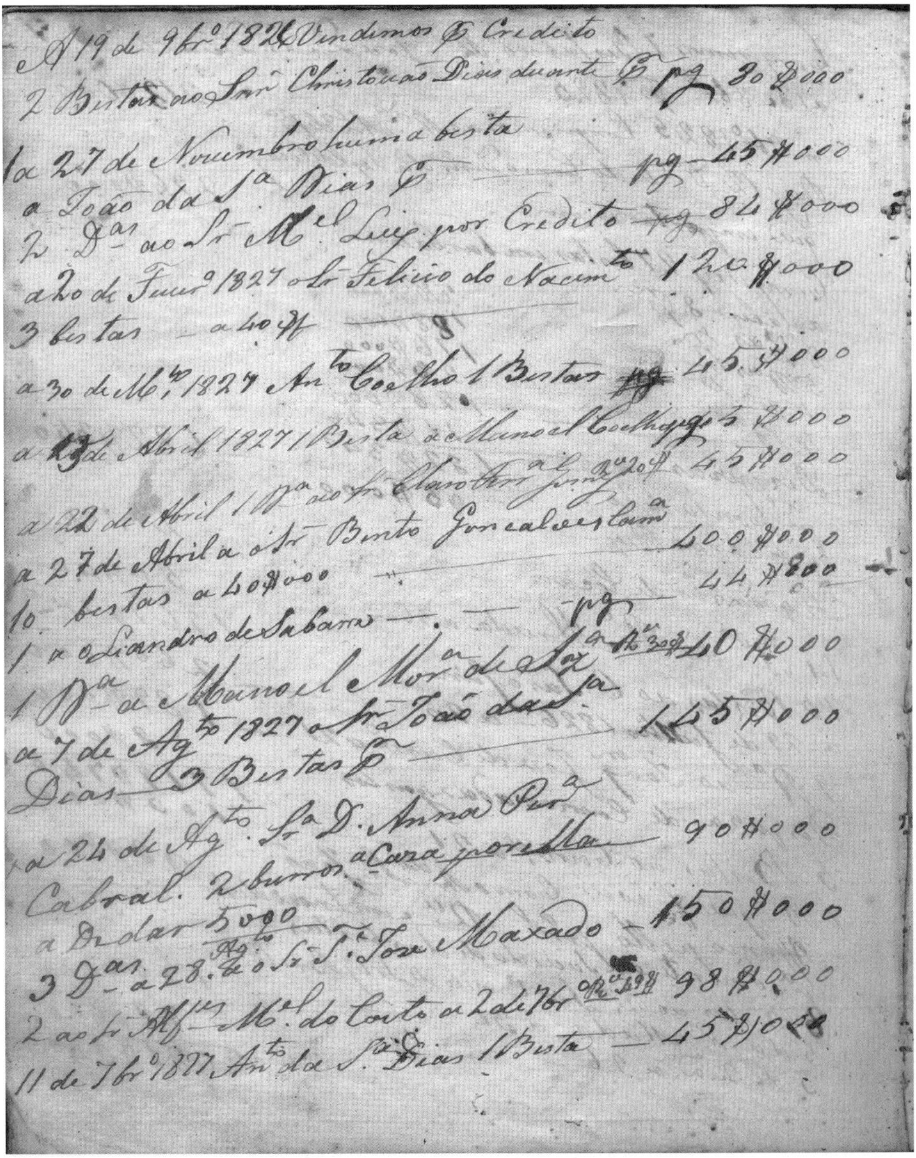
A 19 de 9bro 1826 Vendemos p. Credito
2 Bestas ao Snr Christovão Dias durante p. pg 30$000
a 27 de Novembro huma besta
a João da Sa Dias p. —— pg 45$000
2 Das ao Sr Mel Luiz por Credito pg 84$000
a 20 de Frevo 1827 o Sr Felicio do Nascimto 120$000
3 bestas — a 40$
a 30 de Mço 1827 Anto Coelho 1 Bestas pg 45$000
a 13 de Abril 1827 1 Besta a Manoel Coelho pg 45$000
a 22 de Abril 1 Ba ao Sr Claro [illegible] 45$000
a 27 de Abril a o Sr Bento Gonçalves Lama 400$000
10 bestas a 40$000 44$800
1 a o Leandro de Sabará — pg
1 Ba a Manoel Mora de Souza [illegible] 40$000
a 7 de Agto 1827 o Sr João da Sa 145$000
Dias 3 Bestas p.
a 24 de Agto Sra D. Anna Pera 90$000
Cabral. 2 burros a Casa por ella
a Dr dar 5000 150$000
3 Das a 28 de Agto o Sr J. Jose Maxado
2 ao Sr Alfes Mel do Couto a 2 de 7br [illegible] 98$000
11 de 7bro 1827 Anto da Sa Dias 1 Besta 45$000

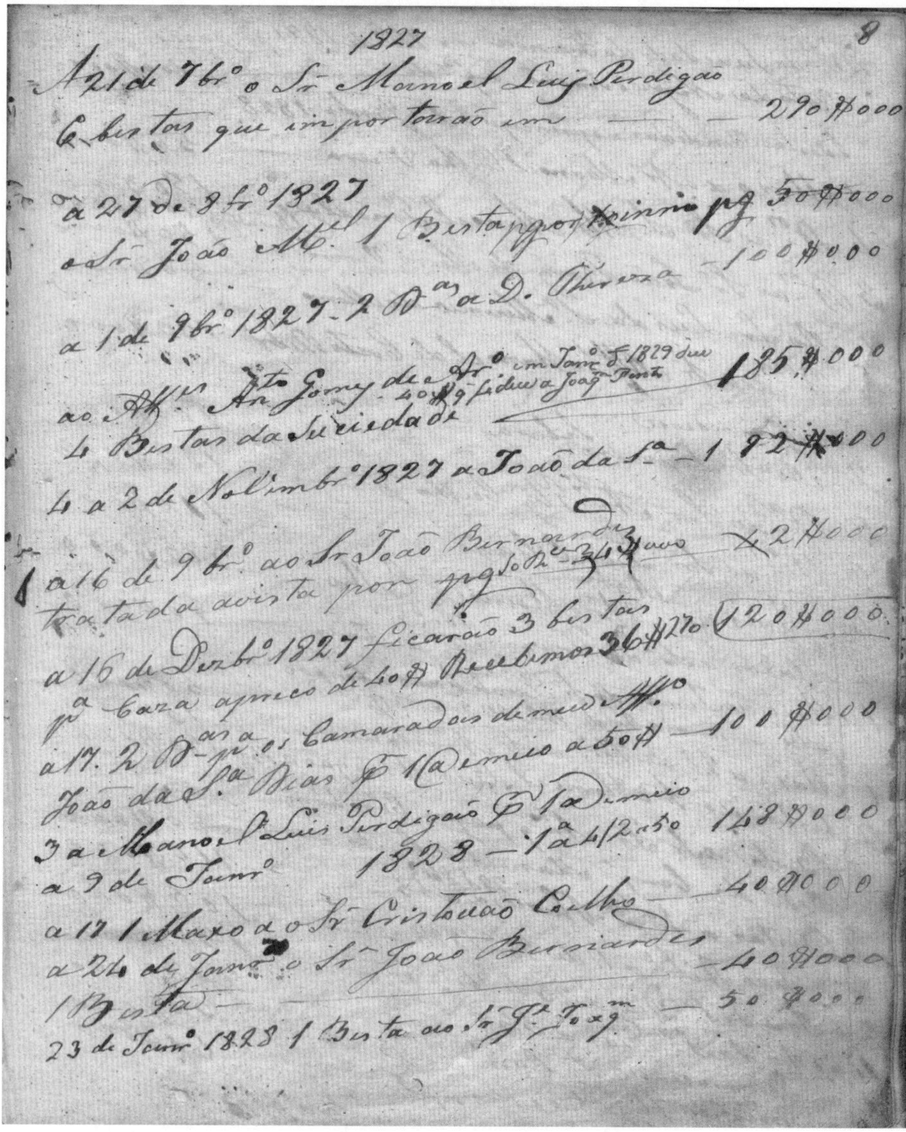

1827 8

A 21 de 7br.o o Sr. Manoel Luiz Perdigão
6 bestas que importarão em — 290$000

a 27 de 8br.o 1827
o Sr. João Mel. 1 Besta pg. por ... pg 50$000
— 100$000
a 1 de 9br.o 1827 - 2 B.as a D. Thereza

ao Alf.es Ant.o Gomes de Ar.o em Jan.o de 1829 deu 40$ ficou a João Pinto 185$000
4 Bestas da Sociedade — 192$000
4 a 2 de Novembro 1827 a João da S.a

a 16 de 9br.o ao Sr. João Bernardes 24$ ... — 42$000
tratada avista por pg.

a 16 de Dezbro 1827 ficarão 3 bestas 36$270 120$000
p.a Caza apreço de 40$ Recebemos
a 17. 2 B.as p.a os Camaradas de meu Alf.o — 100$000
João da S.a Dias c. 1 a 50$
3 a Manoel Luis Perdigão c. 1 ... 148$000
a 9 de Jan.ro 1828 — 1 a 41$250 — 40$000
a 17 1 Maxo ao Sr. Cristovão Coelho
a 24 de Jan.o o Sr. João Bernardes — 40$000
1 Besta — 50$000
23 de Jan.ro 1828 1 Besta ao Sr. J.e Tox.a

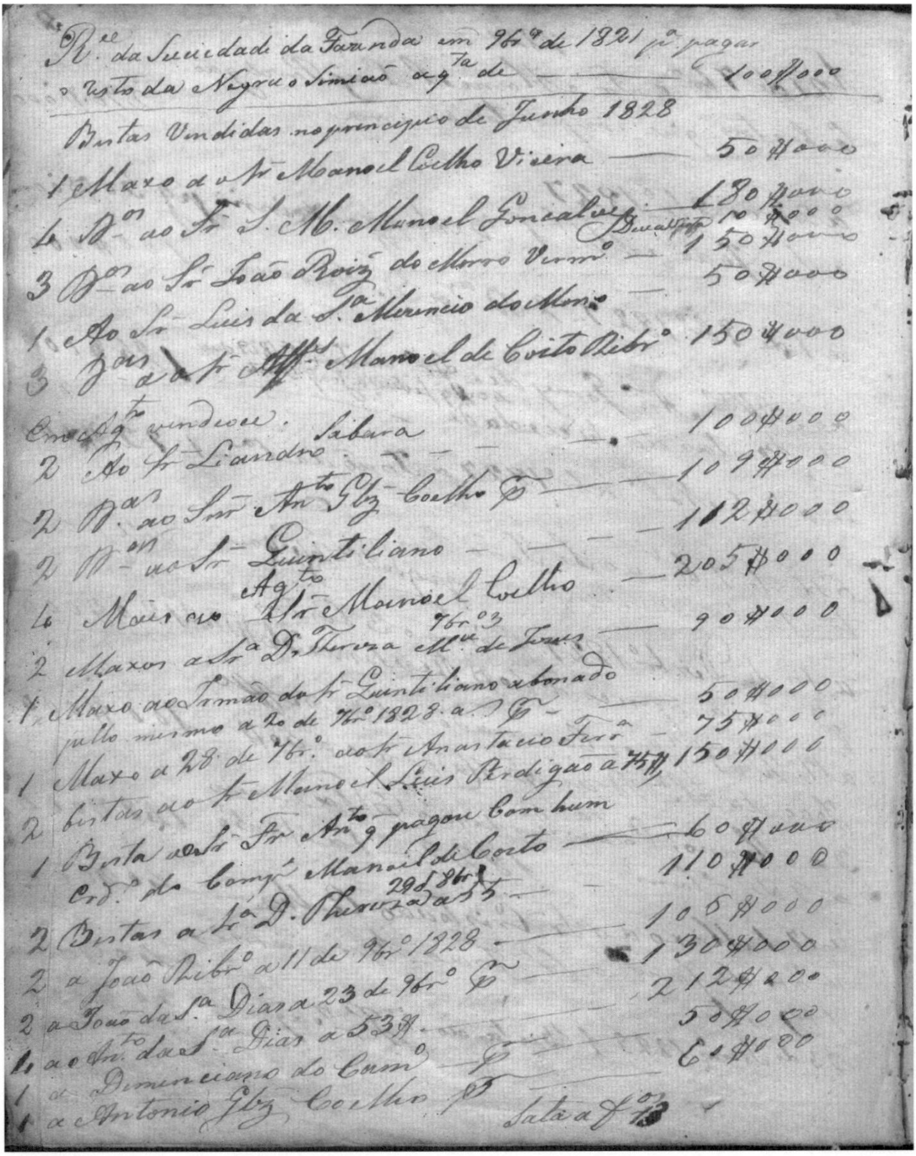
Rol da Sociedade da Fazenda em 9bro de 1821 p.a pagar
o resto da Negra Simião a 9 7ta de — 100$000

Bestas Vendidas no principio de Junho 1828

| | | |
|---|---|---|
| 1 | Macho ao Sr Manoel Coelho Vieira | 50$000 |
| 4 | Bestas ao Sr S. M. Manoel Gonçalves Duarte | 180$000 |
| | | 10$000 |
| | | 150$000 |
| 3 | Bestas ao Sr João Roiz do Morro Verm.o | 50$000 |
| 1 | Ao Sr Luis da S.ta Mauricio do Morro | |
| 3 | Bestas ao Sr Aff.s Manoel de Couto Ribr.o | 150$000 |
| | Em Ag.to vendeu-se: Sabará | 100$000 |
| 2 | Ao Sr Liandro | 109$000 |
| 2 | Bestas ao Snr An.to Glz Coelho | 112$000 |
| 2 | Bestas ao Sr Quintiliano | 205$000 |
| 4 | Machos Ag.to Sr Manoel Coelho | 90$000 |
| 2 | Machos a Sr.a D. Theresa M.a de Jesus 9bro 3 | |
| 1 | Macho ao Irmão do Sr Quintiliano abonado | 50$000 |
| | pello mesmo a 20 de 9bro 1828 | 75$000 |
| 1 | Macho a 28 de 9bro ao Sr Anastacio Ferr.a | 150$000 |
| 2 | bestas ao Sr Manoel Luis Perdigão a 75$ | |
| | pagou com hum | |
| 1 | Besta ao Sr Fr. An.to 9 | 60$000 |
| | Crd.o do Comp.e Manoel de Couto | 110$000 |
| 2 | Bestas a Sr.a D. Thereza a 29 de 9bro | 105$000 |
| 2 | a João Ribr.o a 11 de 9bro 1828 | 130$000 |
| 2 | a João da S.a Dias a 23 de 9bro | 212$000 |
| 2 | a An.to da S.a Dias a 53$ | 50$000 |
| 1 | a Domenciano do Cam.o | 61$000 |
| 1 | a Antonio Glz Coelho | |
| | Falta a ... | |

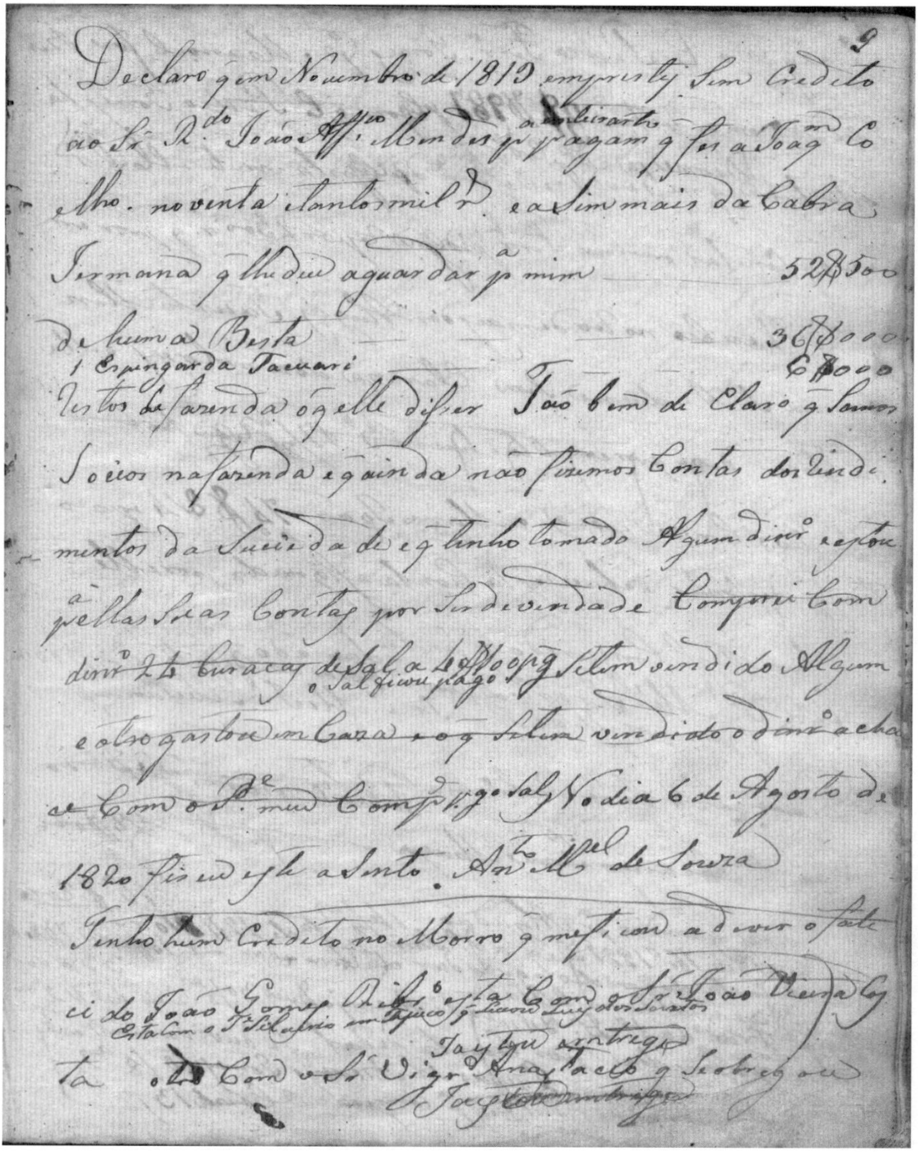
9

Declaro q em Novembro de 1819 emprestei sem Credito ao Sr. R.do João Affo. Mendes p. pagam. q fes a Joaq.m Coelho noventa e tantos mil r.s e asim mais da Cabra Jermana q lhe deu a guardar p. mim — 52$500

de huma Besta — 36$000

1 Espingarda Tacuari — 6$000

Restos de fazenda o q elle dizer Tão bem declaro q Somos Socios na fazenda e ainda nao fizemos Contas dos rendimentos da Sociedade e q tinho tomado Algum dinr.o e estou a pellas suas Contas por ser di vindade Comprei Com dinr.o 22 buracas de Sal a 2$400 q selhem vendido Algum e otros gastos em Caza e o q selhe vendido o dinr.o acha se Com o R.e meu Comp.e ... No dia 6 de Agosto de 1820 fis eu este a Sento. Ant.o M.el de Souza

Tinho hum Credito no Morro q me ficou a dever o fale cido João Gomes ... esta Com o Sr. João Vieira Cota ... Com o Sr. Vigr. Anastacio q Sobrinho ...

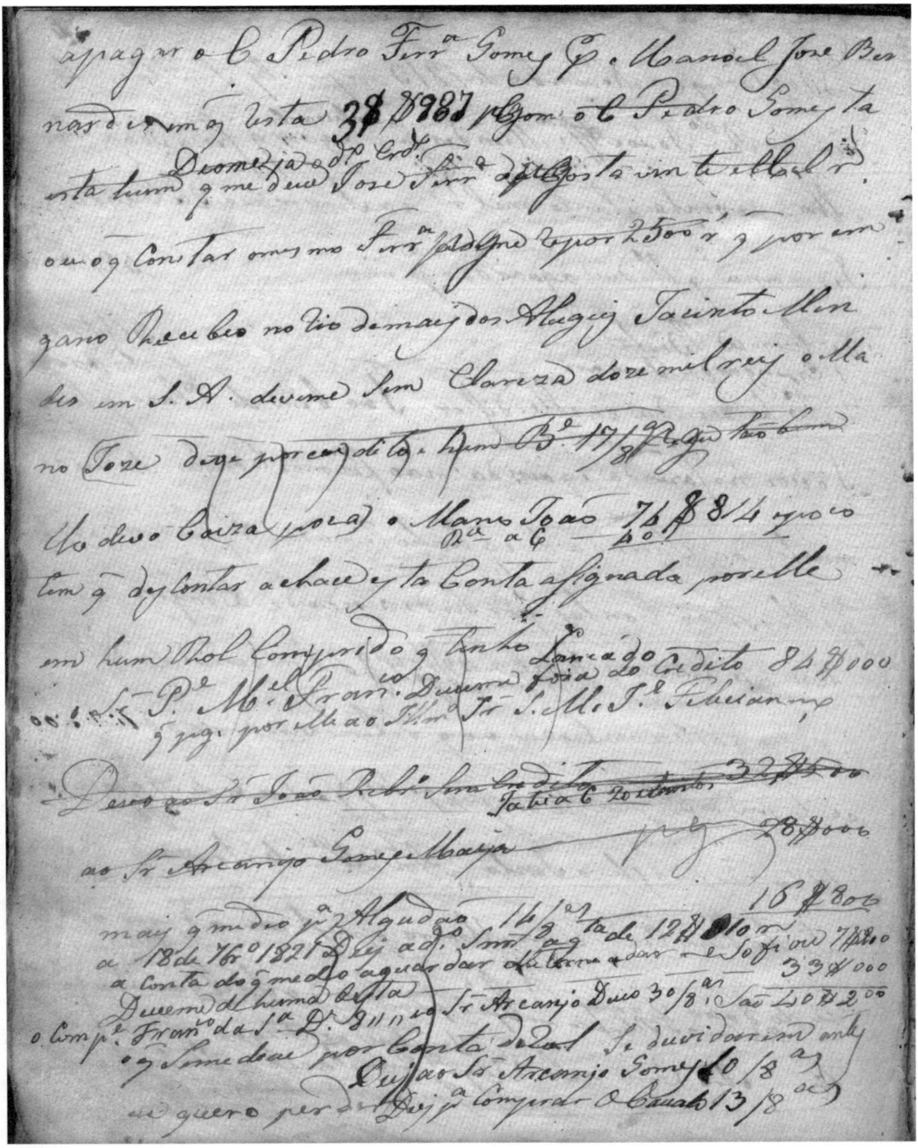
a pagar o C. Pedro Ferr.a Gomes C. Manoel Jose Ber
nardes em huã lista 3$987 [illegible] o C. Pedro Gomes ta
esta huã q me deve Jose Ferr.a [illegible] vinte e [illegible]
ou o q Contar o meu mo Ferr.a [illegible] por 2$500 r q por em
zano Recebeo no Rio de maio dos Alugueis Jacinto Man
bes em S. A. deveme sem Clareza doze mil reis o Ma
no Joze deve por conta [illegible] hum B.e 17/8
Ho devo Caixa [illegible] o Mano João 76$8/4 q pro co
tem q descontar a chave esta Conta assignada por elle
em hum Rol Comprido q tenho Lançado o Credito 84$000
[illegible] P.e M.el Fran.co Duarte [illegible] Ribeira [illegible]
q pg. por elle ao Ill.mo Sr. S. M.e J.e [illegible]
~~Devo ao Sr João Rebo [illegible]~~ 32$000
ao Sr Arcanjo Gomes Maia [illegible] 28$000
16$800
mais q me deve p.a Algudão 14/8 [illegible] 12$010
a 18 de 76º 1821 [illegible] 7$000
a Conta do q me deve [illegible] 33$000
Deveme [illegible] Sr Arcanjo [illegible] 30/8 [illegible] 40$200
o Comp.e Fran.co da S.a D. 811 [illegible] duvidas [illegible]
e q se me deve por Conta [illegible]
Devo ao Sr Arcanjo Gomes 10/8
[illegible] quero [illegible] p.a Comprar o Cavalo 13/8

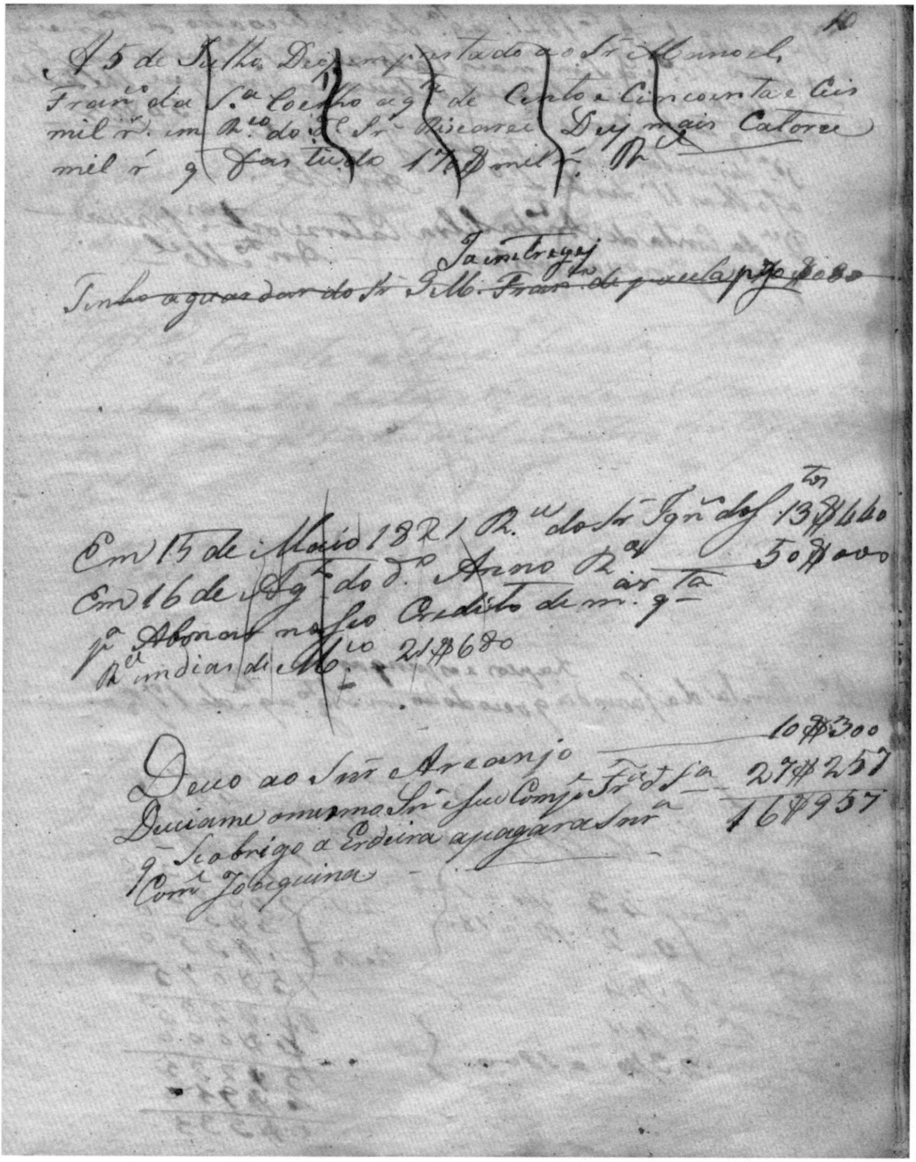

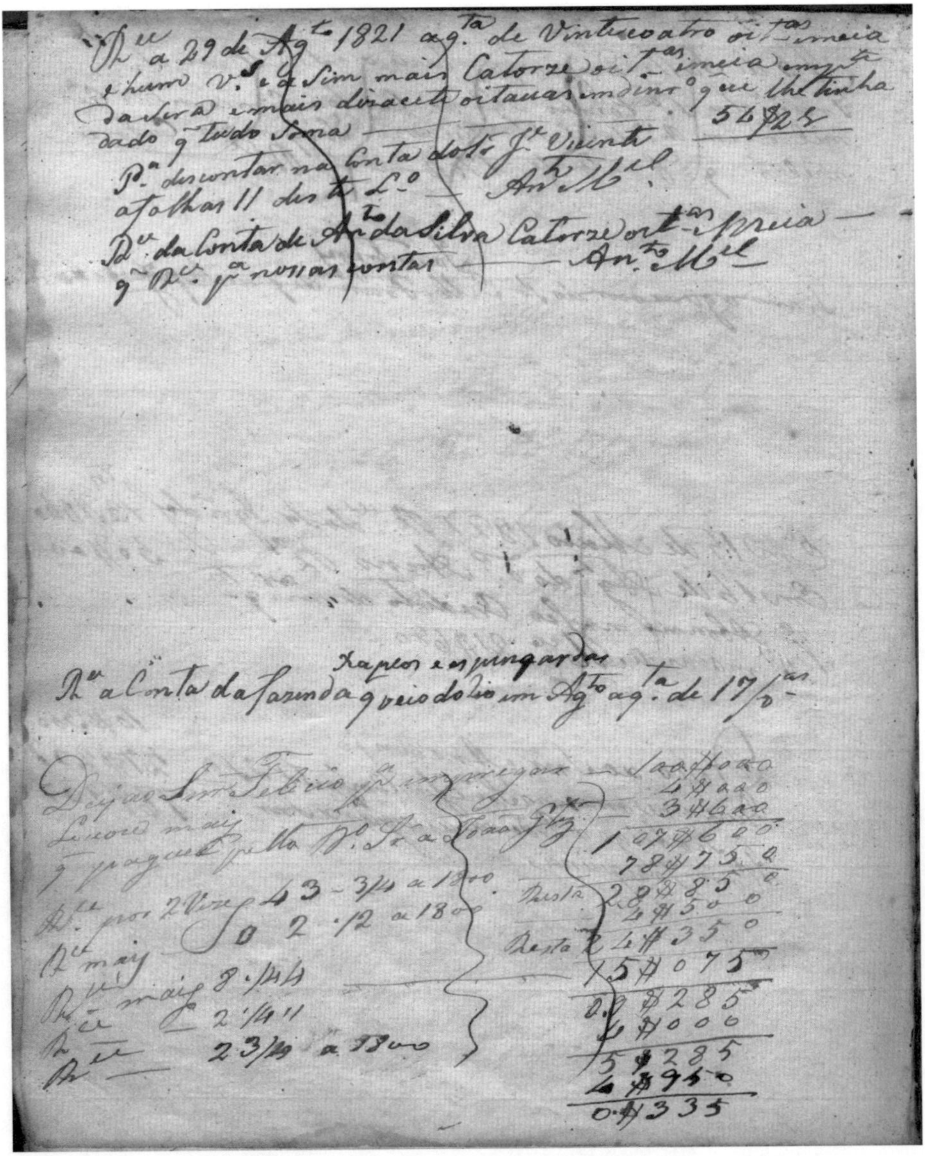

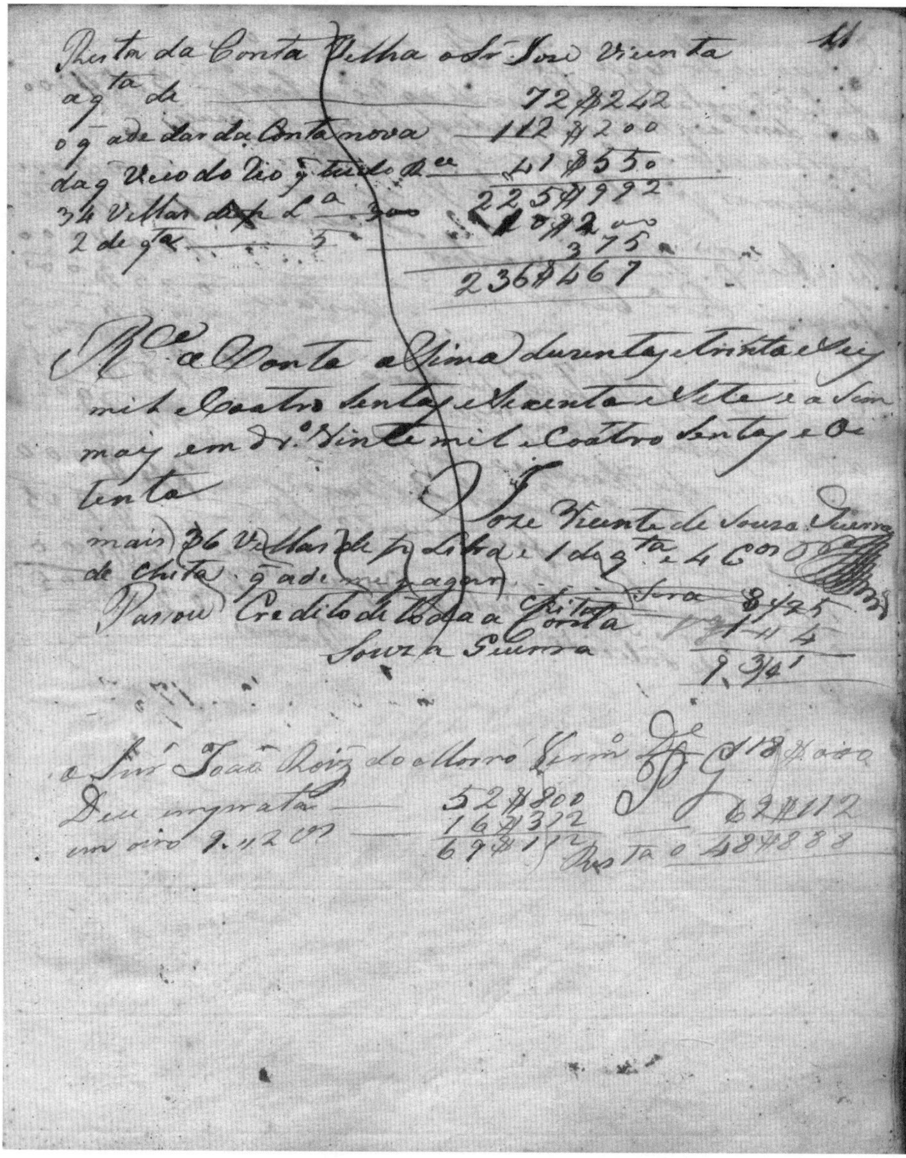

Resto da Conta Velha o Sr. José Vicente

72$242

112$200

41$550

225$992

236$467

José Vicente de Souza Guerra

Souza Guerra

52$800

16$312

69$112

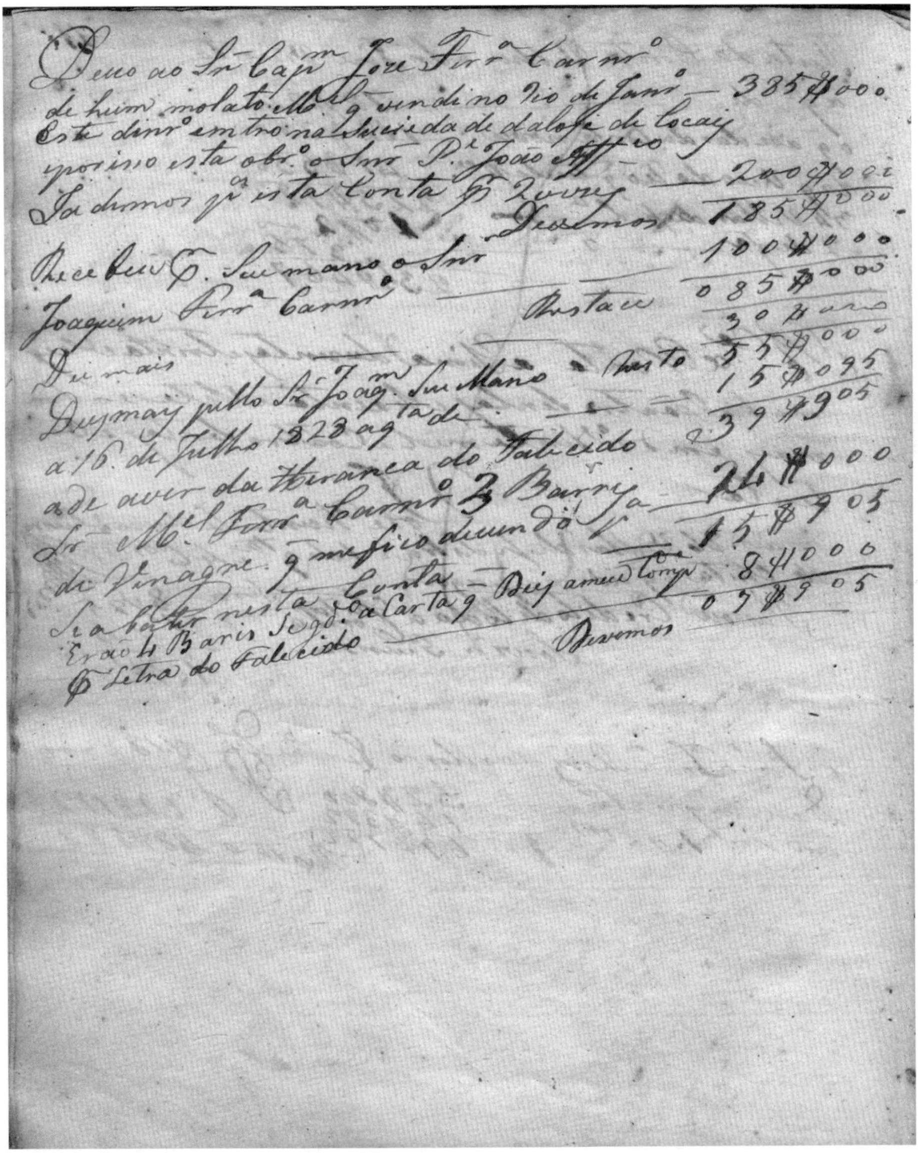
Deve ao Snr Capm Joze Ferra Carnro
de hum molato Mel q vendi no Rio de Janro — 385$000
Este dinro entrou na Sociedade da loja de [illegible]
porisso esta obro o Snr P. João [illegible]
Pagamos pa esta Conta pr 2 vezes — 200$000
Devemos 185$000
Recebeu p. seu mano o Snr 100$000
Joaquim Ferra Carnro — Restão 085$000
30$000
De mais 55$000
Despois pello Sr Joaqm seu Mano resto 15$095
a 16 de Julho 1828 que tade — 39$905
a de aver da Herança do Falecido
Sr Mel Ferra Carnro 3 Barris 24$000
de Vinagre q me fico devendo a — 15$905
Saber nesta Conta — Beijamão [illegible] 8$000
Erão 4 Barris Segdo a Carta q 07$905
p. Letra do Falecido Devemos

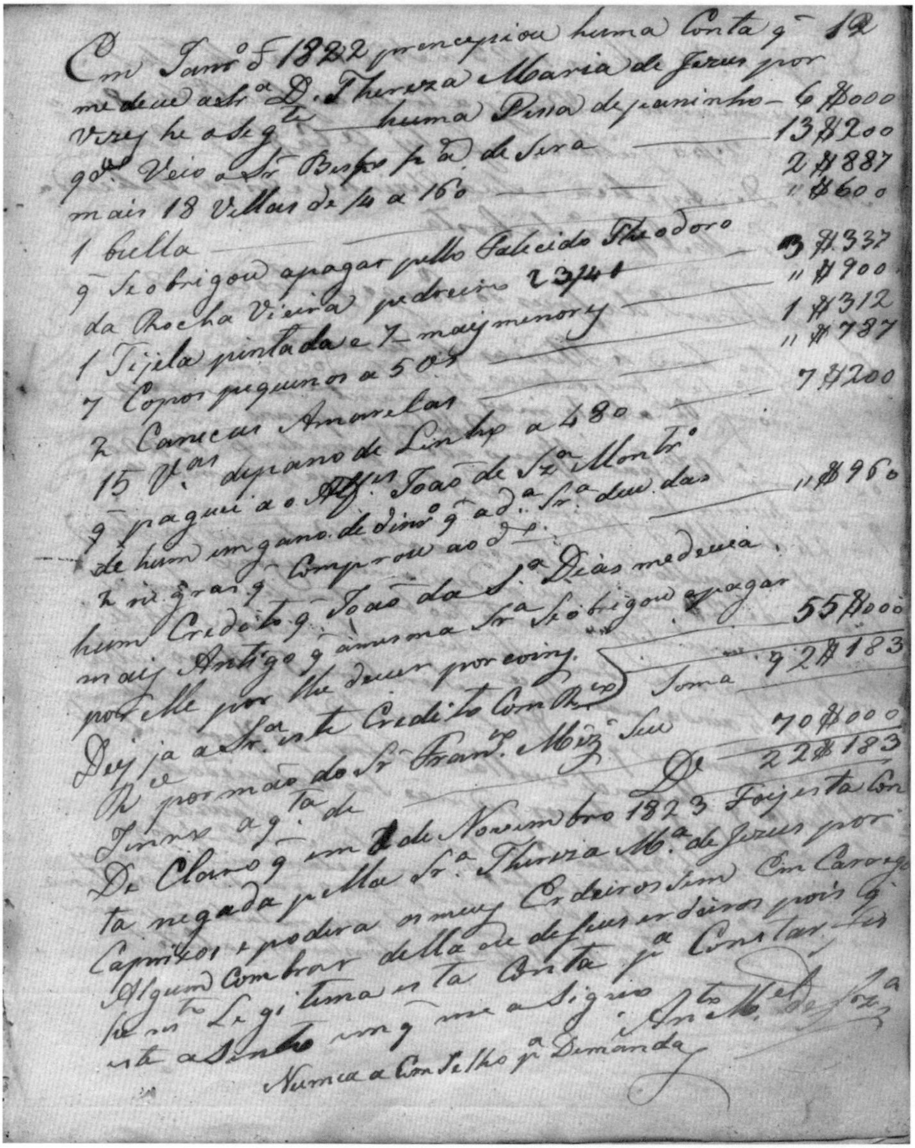

Em Janrº de 1822 principiou huma Conta q̃ 12
me deve a Srª D. Thereza Maria de Jezus por
vezes he a segte — huma Pina de paninho — 6$000
9ºª Veio a Sr Bispo pª de Sera — 13$200
mais 18 Vellas de pª a 160 — 2$887
1 bulla — $600
q̃ se obrigou a pagar pello Felecido Theodoro — 3$337
da Rocha Vieira pedreiro 23$40 — $900
1 Tijela pintada e 7 mais menores — 1$312
7 Copos pequenos a 50 — $787
2 Camizas Amarelas — 7$200
15 Vᵃˢ de pano de Linho a 480
q̃ paguei ao Alfs. João de Szª Montrº
de hum engano de dinrº q̃ a dª Srª deu das — $960
2 ro g ras q̃ Comprou ao dº
hum Credito q̃ João da Sª Dias me deve a
mais Antigo q̃ a mesma Srª se obrigou a pagar — 55$000
por elle por lhe dever por coin — Soma — 92$183
Dei ja a Srª este Credito Com — 70$000
por mão do Sr Franco Miz — 22$183
De Claro q̃ em 2 de Novembro 1823 foi esta Con
ta negada pella Srª Thereza Mª de Jezus por
Capricos e podera o meu Erdeiros sem Carrega
Alguem Cobrar della de seus erdeiros pois q̃
he mto Legitima esta Conta pª Constar
Nunca a Conselho pª Demanda

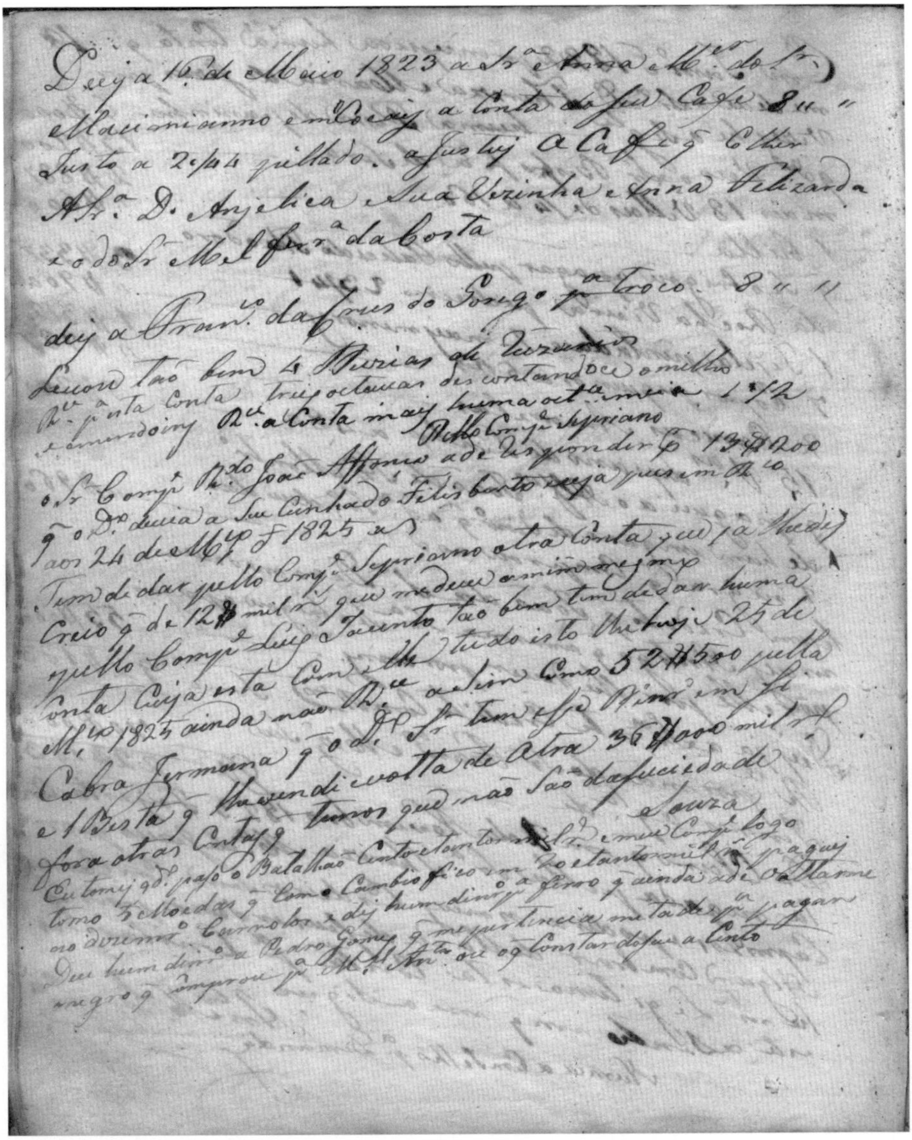

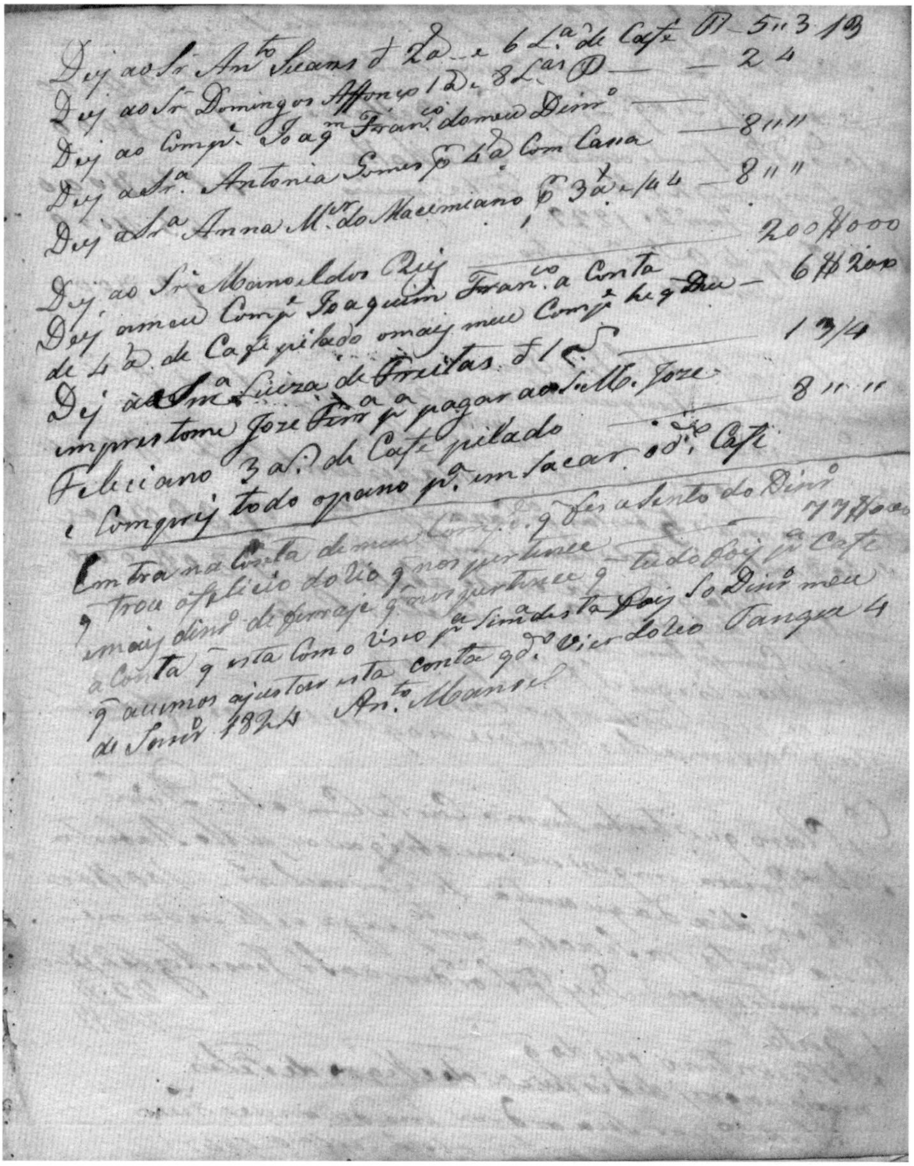
Dey ao Sr. Antº Sicanes 2 a. e 6 L.ª de Café — 5.3.13
Dey ao Sr. Domingos Affonço 1 D. e 8 L.as D — 2 4
Dey ao Compe. Joaqm Franco do meu Dinº
Dey a Srª Antonia Gomes p. 4 a. com Cana — 8 " "
Dey a Srª Anna Mª do Macimiano p. 3 a. e 1/4 — 8 " "
200$000
Dey ao Sr. Manoel dos Reis
Dey o meu Compe Joaquim Franco a Conta — 6$200
de 4 a. de Café pilado o mais meu Compe he q deu
Dey a Sra Luiza de Freitas 1 — 1 3/4
emprestou me Joze Ferrª p. a pagar ao Sr. Mel. Joze — 8 " "
Feliciano 3 a. de Café pilado
e Comprej todo o pano p.ª em sacar o do Café
Contra na Conta de meu Compe. q fez asento do Dinº — 77$000
q trou o officio do Rio q nos pertence — todo o Dej p.ª a Café
e mais dinº de ferrage q nos pertence q ... so Dinº meu
a Conta q esta como visto p.ª a Sinª desta Dej ... Vier do Rio Tangua 4
q avemos ajustar esta conta q.do
de Janrº 1824 Antº Manoel

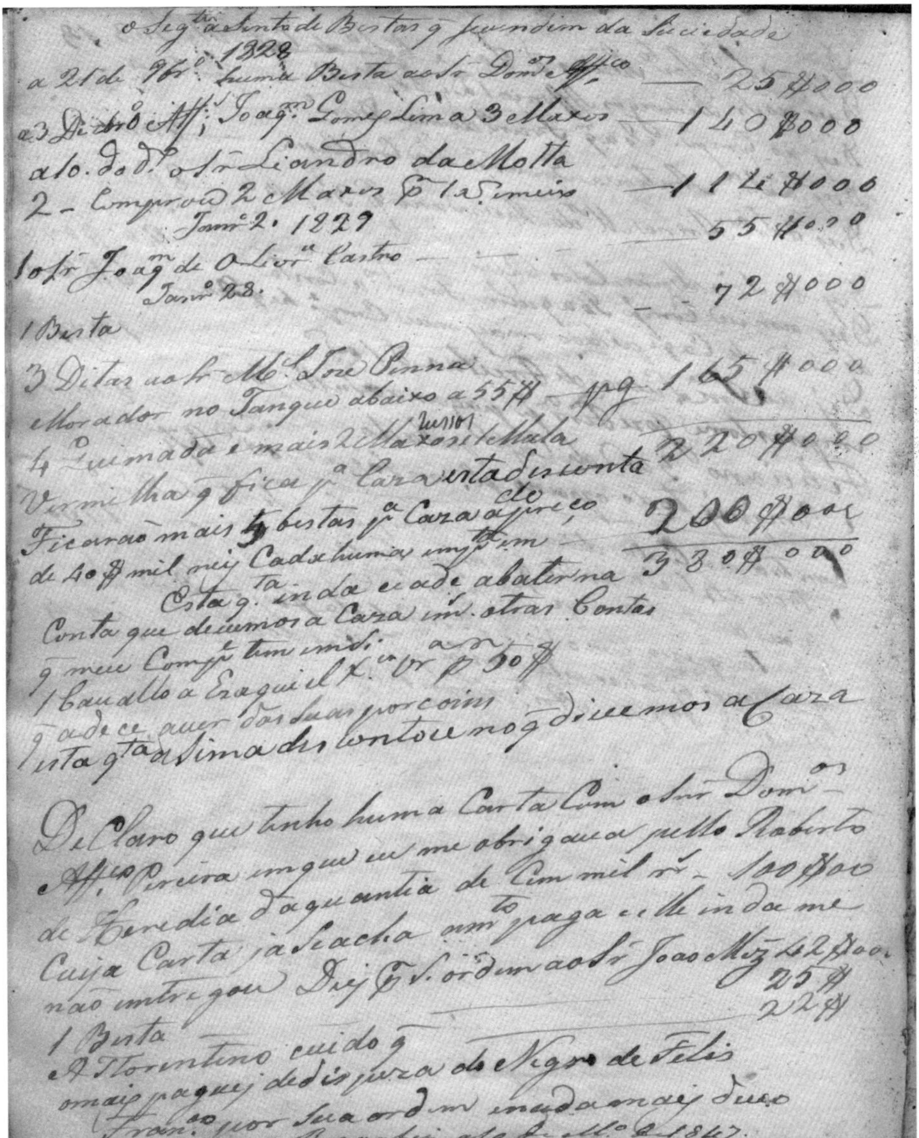
o Segte [illegible] de Bestas q [illegible] da Sociedade
1828
a 21 de 9br.o huma Besta ao Sr Domos Affco — 25$000
a 3 Dizbro Affo Joaqm Gomes Lima 3 Machos — 140$000
a 10 do do o Sr Leandro da Motta
2 - Comprou 2 Machos [illegible] — 112$000
Janro 2. 1829 — 55$000
1 o Sr Joaqm de Olivra Castro
Janro 28 — 72$000
1 Besta
3 Ditas ao Sr Mel José Penna — 165$000
Morador no Tangue abaixo a 55$ pg
4 Queimado e mais 2 Machos e 1 Mula [illegible] — 220$000
Vermelha q fica pa Caza esta descouta
Ficarão mais 5 bestas pa Caza a preço — 200$000
de 40$ mil reis Cada huma importam — 330$000
Esta q ainda e a de abater na
Conta que devemos a Caza [illegible] outras Contas
q meu Compe tem [illegible]
1 Cavallo a Ezaquiel [illegible] p 30$
[illegible] por coim [illegible] devemos a Caza
[illegible] descontou [illegible]

Declaro que tenho huma Carta Com o Snr Domos Affco Pereira em que eu me obrigava pello Roberto de Heredia da quantia de Cem mil rs — 100$000
Cuja Carta ja se acha em pagamento e elle inda me não entregou Dez p S. ordem ao Sr João [illegible] 42$000
25$
22$
1 Besta
A Florentino cuido q [illegible] Negro de Felis
o mais paguei de despeza [illegible]
Franco por Sua ordem [illegible]
Resgatei [illegible] 1847.

A 7 de Novembro 1826 Ficou o Snr Compe 14
Joaqm Franco de Almeida a restarme de Cinco
foi q Comprou me a qta de Vinte nove mil e Seiscento Rs 29$600
São pg

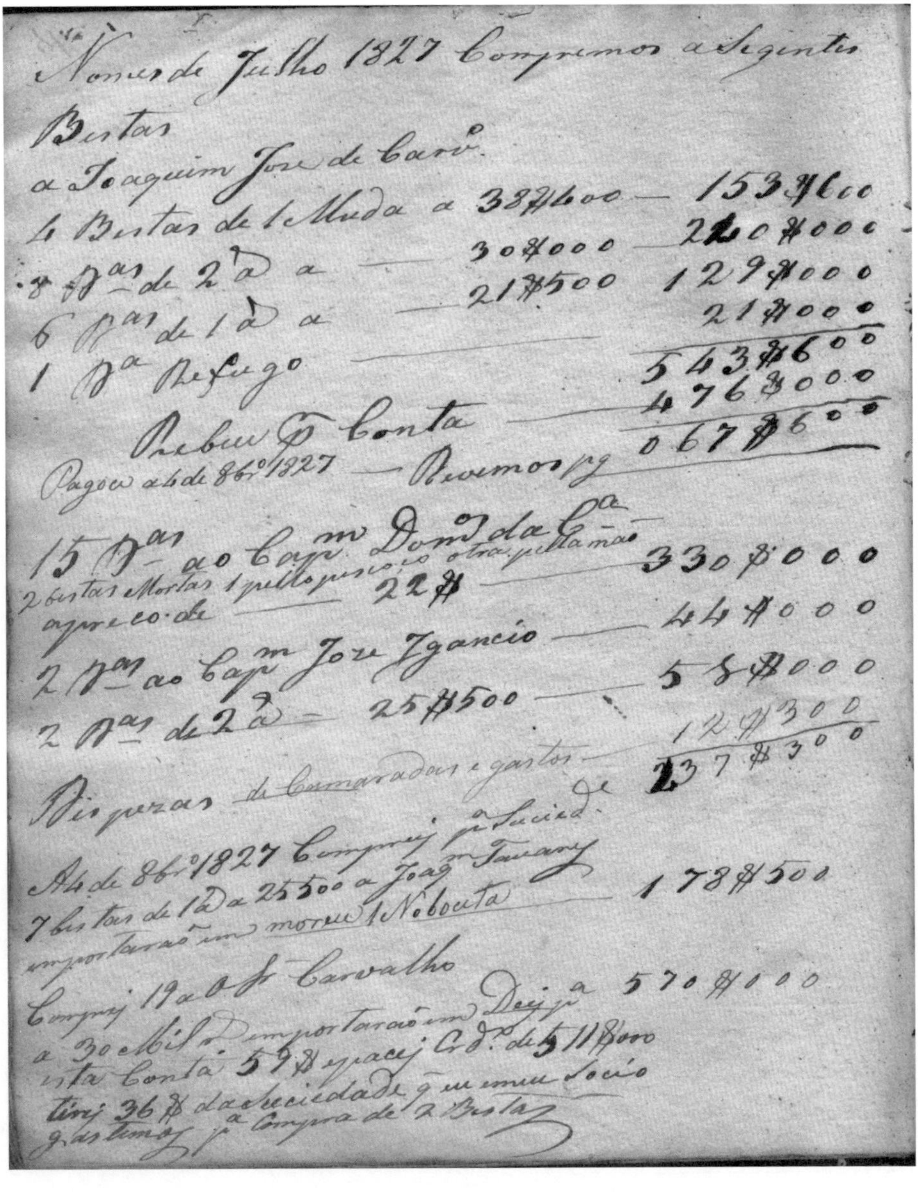

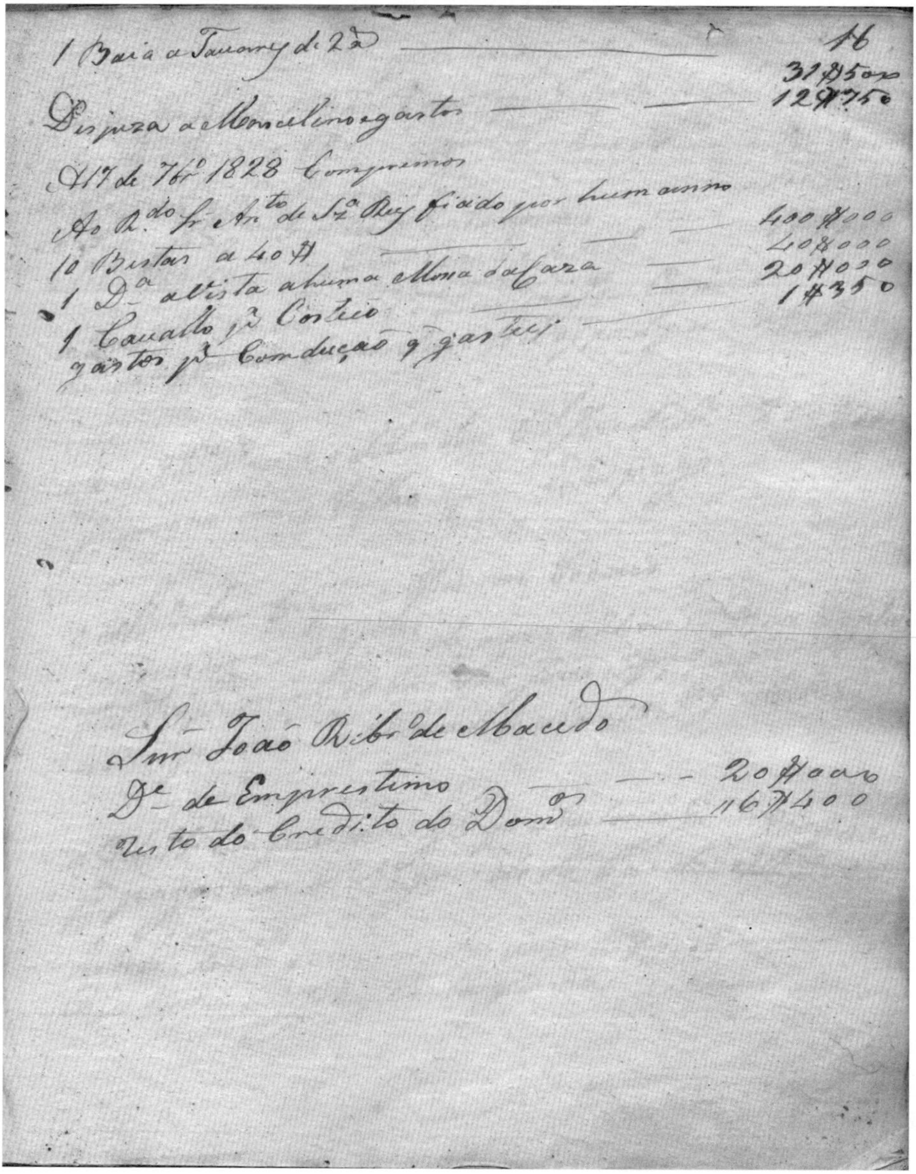

16

1 Baia a Tavarez de 2a — 31$500

Despeza a Marcelino e gastos — 12$750

A 17 de 7bro 1828 Compremos

Ao R.do Fr. Ant.to de S.ta Rey fiado por hum anno — 400$000

10 Bestas a 40$ — 40$000

1 D.a a vista a huma Mora da Caza — 20$000

1 Cavallo p.a Correio — 1$350

gastos p.a Conducção q. gastei

Snr João Rib.ro de Macedo

D.e de Emprestimo — 20$000

resto do Credito do D.os — 116$400

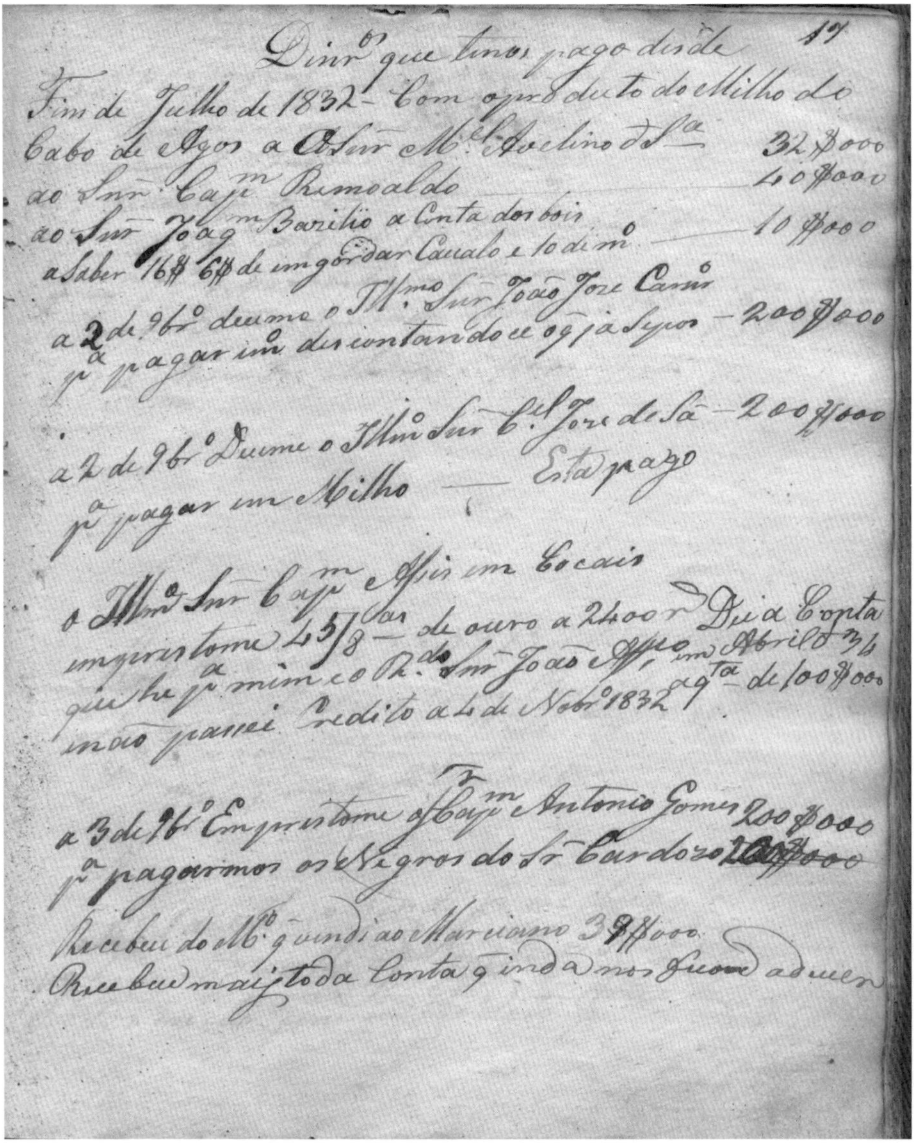

Dinrº que temos pago desde 17

Fim de Julho de 1832 – Com o produto do Milho do
Cabo de Agos a o Snr Mel Avelino da Sa — 32$000
ao Snr Capm Rumoaldo — 40$000
ao Snr Joaqm Barilio a Conta dos bois — 10$000
a Saber 16$ 6$ de imgordar Cavalo e todimº

a 2 de 9bro deume o Illmo Snr João Jose Carnº — 200$000
pª pagar em descontando e 09 já Syos

a 2 de 9bro Deume o Illmo Snr Cel Jose de Sá — 200$000
pª pagar em Milho — Esta pago

o Illmo Snr Capm Assis em Cocais
impriestome 4 5/8 oitavas de ouro a 2400 r Dei a Conta
que he pª mim e o Rdo Snr João Assis em Abril 34
e não passei Credito a 4 de Nobro 1832 a 9ta de 100$000

a 3 de 9bro Empriestome o Capm Antonio Gomes 200$000
pª pagarmos os Negros do Sr Cardozo ~~200$000~~

Recebeu do Mº q vendi ao Marciano 39$000
Recebeu mais toda Conta q inda nos ficou a dever

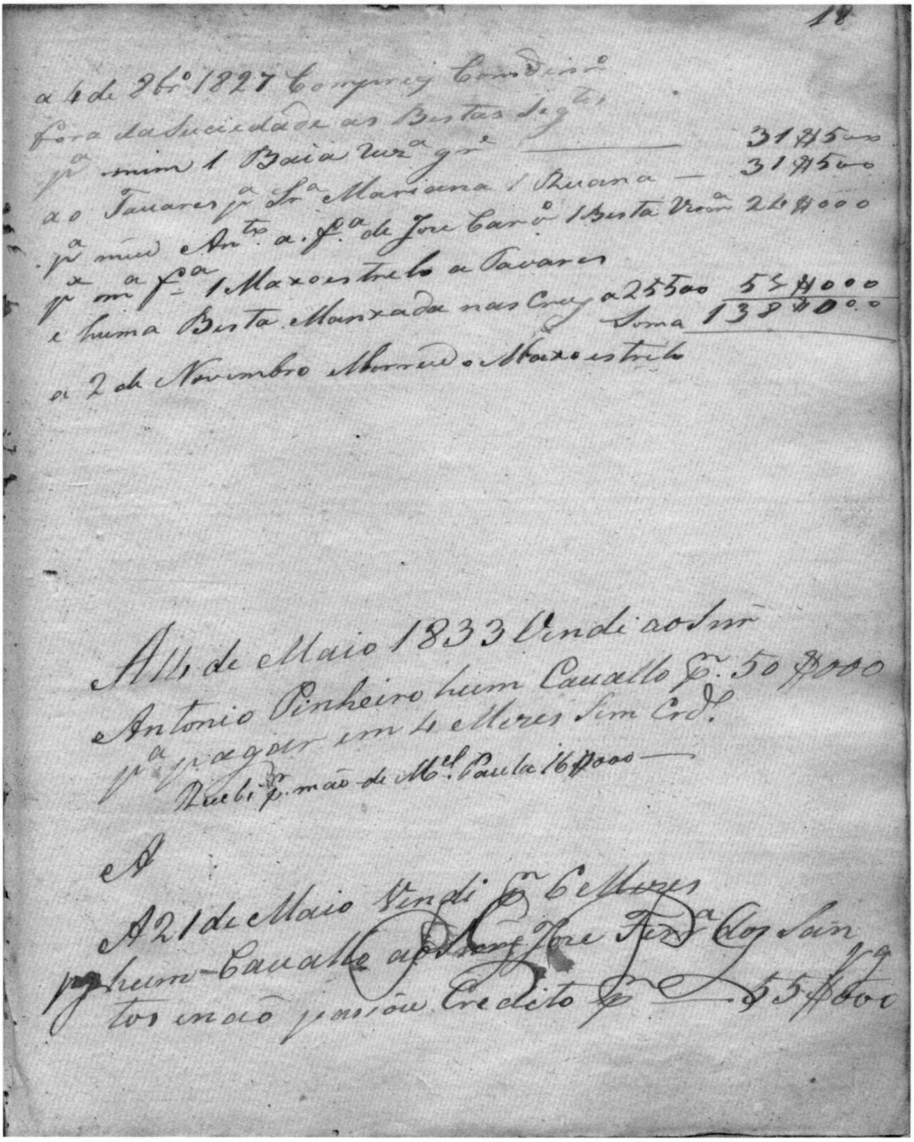
18

a 4 de 8br.º 1827 Comprey Condiçaõ
fora da Sucied.de as Bestas seg.tes
p.a mim 1 Baia urz.a gr.e —— 31$500
ao Tavares p.a Sr.a Mariana 1 Ruana —— 31$500
p.a meu Ant.º a f.a de Jose Carn.º 1 Besta Ven.a 24$000
p.a m.a f.a 1 Macho estrelo a Tavares
e huma Besta Manxada nas Cruz a 27$500 55$000
Soma 138$000
a 2 de Novembro Morreu o Macho estrelo

A 14 de Maio 1833 Vendi ao Snr
Antonio Pinheiro hum Cavallo p.r 50$000
p.a pagar em 4 Mezes Sim Cred.
Recebi p.r maõ de M.el Paula 16$000 —

A

A 21 de Maio Vendi p.r 6 Mezes
pg hum Cavallo ao Snr Jose Fern.des dos San
tos e naõ passou Credicto p.r —— 55$000

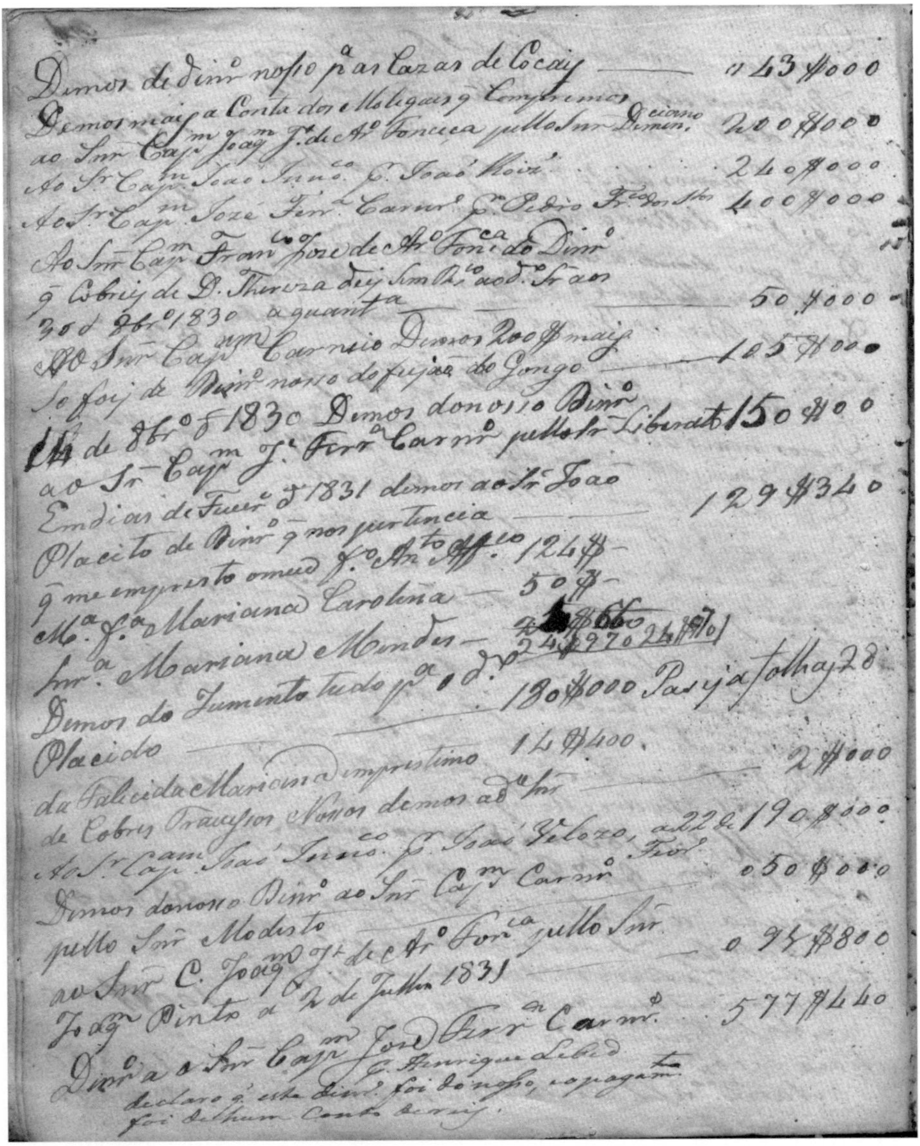

Demos de dinrº nosso pª as Cazas de Cocais — 143$000
Demos mais a Conta dos Meligaes q Compremos
ao Snr Capm Joaqm Jé de Arº Fonceca pello Snr Domingos ciano 200$000
Ao Sr Capm João Innoco G. João Roiz — 240$000
Ao Sr Capm Joze Ferra Carnrº G. Pedro Frco [illegible] — 400$000
Ao Snr Capm Francº Joze de Arº Fonca do Dinrº
q Cobrei de D. Thereza [illegible] aos
30 d 8brº 1830 a quantia — 50$000
Ao Snr Capm Carneiro Demos 200$ mais — 125$000
So foi de Dinrº nosso do feijão do Gongo
14 de 8brº 1830 Demos do nosso Dinrº
ao Sr Capm Jé Ferra Carnrº pello Sr Liberato 150$000
Em dias de Fevrº 1831 demos ao Sr João — 129$340
Placito de Dinrº q nos pertencia
q me emprestou o meu Jº Antº Affº 124$
Mª Jª Mariana Carolina 50$
Snrª Mariana Mendes — 24$970 [illegible]
Demos do Jumento tudo pª o d.º 180$000 Passei a folha 28
Placido 14$400.
da Felicidade Mariana emprestimo — 2$000
de Cobres Transferidos Novos demos ao dº Snr
Ao Sr Capm João Innoco G. João Veloso, a 22 de [illegible] 190$000
Demos do nosso Dinrº ao Snr Capm Carnrº — 050$000
pello Snr Modesto
ao Snr C. Joaqm Jé de Arº Fonca pello Snr — 094$800
Joaqm Pinto a 2 de Julho 1831
Dinrº a o Snr Capm Joze Ferra Carnrº 577$440
C. Henrique Liberato
declaro q este Dinrº foi do nosso, e o pagamto
foi de hum Conto de reis.

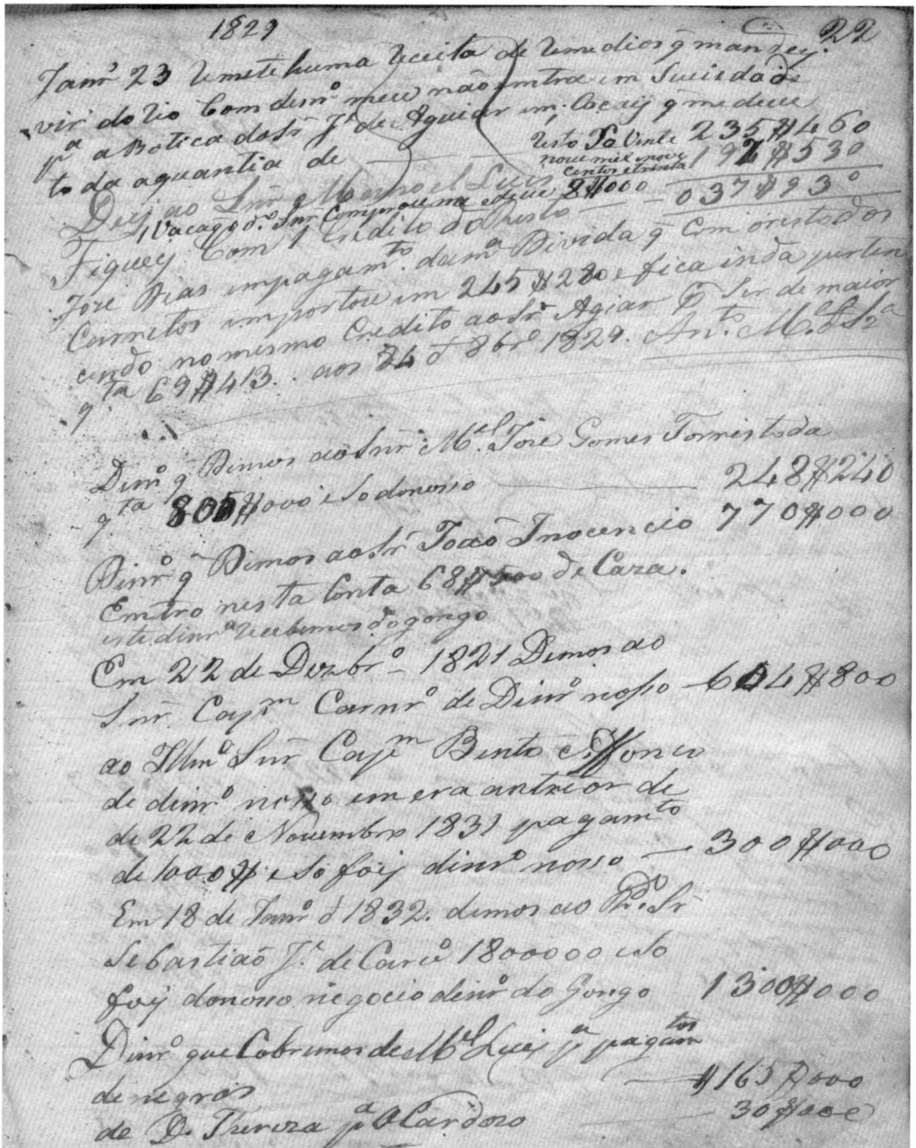
1829 22

Janrº 23 Remeti huma Receita de remedios q mandey vir do Rio Com dinrº meu não entra em Sociedade a Botica do Sr. J.e de Aguiar em Cocaes q me deve to da aquantia de — Resto Reis Vinte 235#460
nove mil nove centos e trinta 197#530
Dey ao Snr. Manoel Luis 8#000 — 037#930
Fiquey Com 1 Credito do Resto
Jose Dias impagamto. da mma Divida q Com o resto dos Carretos importou em 245#280 e fica inda pertencendo no mesmo Credito ao Sr. Agiar Sr. de maior qta 69#413. aos 24 de Dezbrº 1829. Anto. M.el Sa

Dinrº q Dimos ao Snr. M.el Jose Gomes Torres toda qta 800#000 e So do nosso — 248#240
Dinrº q Dimos ao Sr. João Inocencio 770#000
Entro nesta Conta 68#000 de Caza.
esta dinrª recebemos do gongo
Em 22 de Dezbrº 1821 Dimos ao Snr. Capm Carnrº de Dinrº nosso — 624#800
ao Illmº Snr Capm Bento e Affonço de dinrº nosso em era antrior de de 22 de Novembro 1831 pagamto de 1000# e So foy dinrº nosso — 300#000
Em 18 de Janrº de 1832. dimos ao Rdo. Sr. Sebastião J.e de Carvº 1800000 e So foy do nosso negocio dinrº do Gongo 1300#000
Dinrº que Cobrimos de M.el Luis a pagamtos de negros #165#000
de D. Thereza a Cardozo 30#000

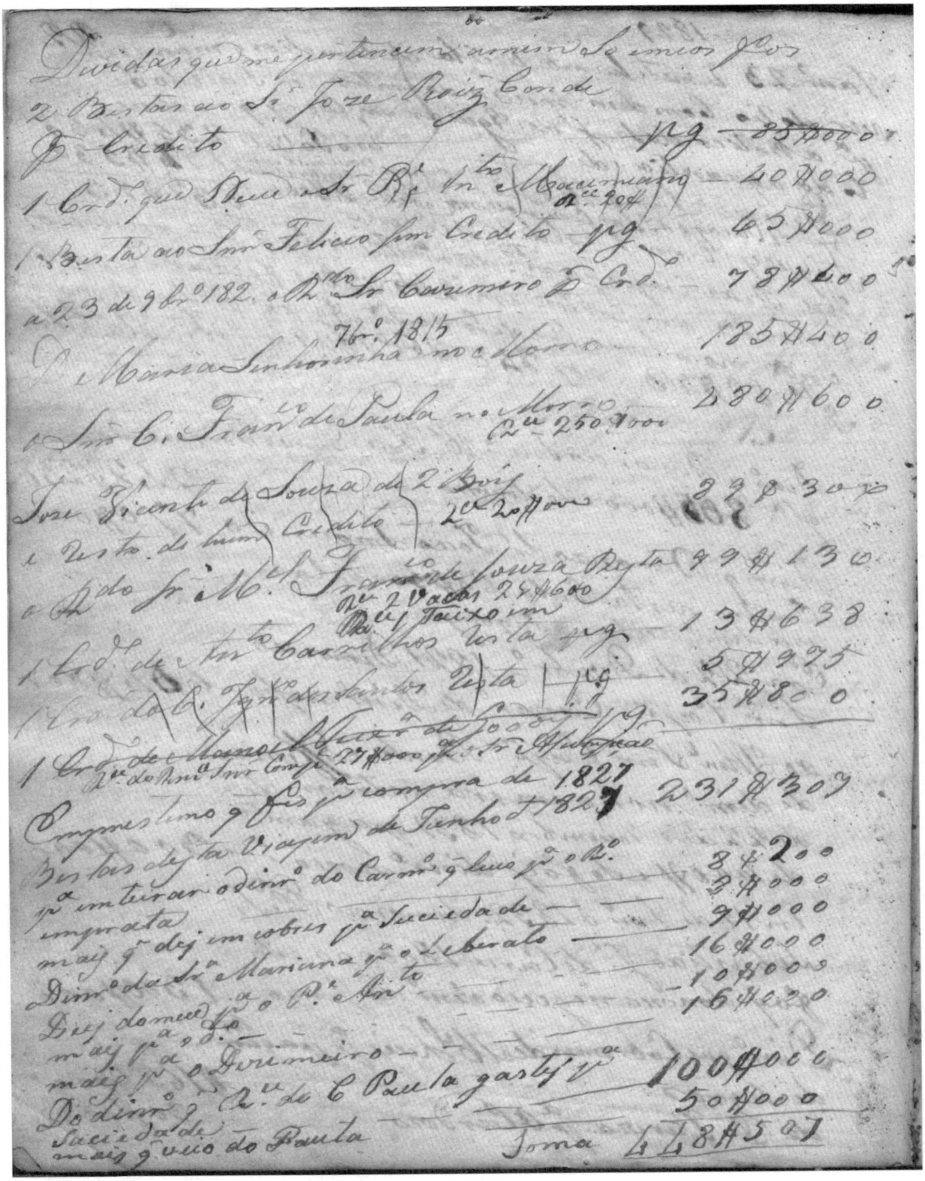

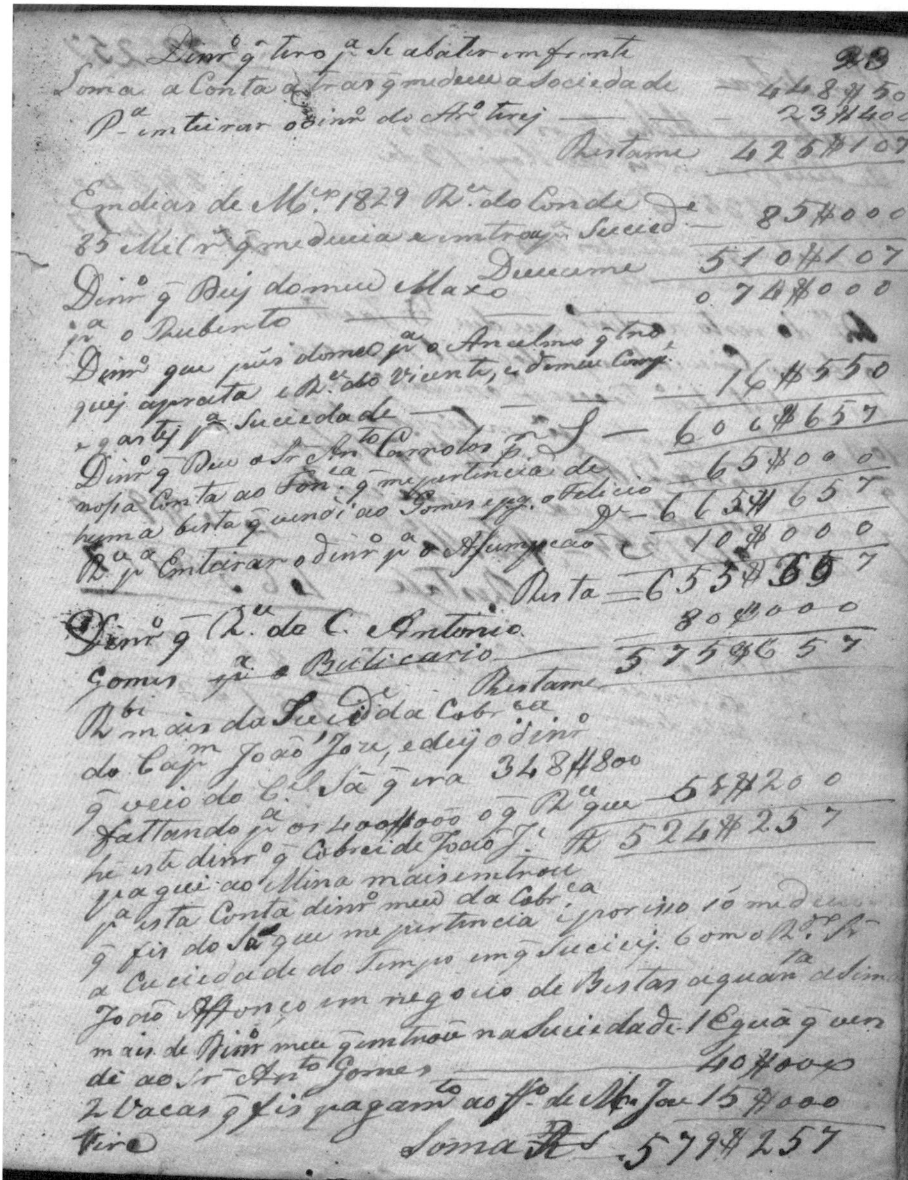

Dinrº q' tiro p.a se abater em frente — 98

Soma a Conta d'tras q' me deve a Sociedade — 448$507

P.a inteirar o dinrº do Antº tirej — 23$400

Restame — 425$107

Em dias de M.co 1829 Rz.e do Conde — 85$000

85 Mil r.s q' me devia e entrou p.a Socied.e — 510$107

Dinrº q' Rcj do meu Maxo — Devemme — 074$000

p.a o Rubento

Dinrº que pus do meu p.a o Ancelmo q' [illegible]

quej a prata e Rz.e do Vicente, e do meu Comp.e — 76$550

e garte p.a Sociedade — 606$657

Dinrº q' deu o Sr. Antº Carrolos p.a [illegible] — 65$000

nossa Conta ao Fon.ca q' me pertencia de — 665$657

huma Besta q' vendi ao Gomes e q. o Felicio — 10$000

P.a Entairar o dinrº p.a o Assumpção — [illegible]

Resta — 655$657

Dinrº q' Rz.e do C. Antonio — 80$000

Gomes p.a o Boticario — Restame — 575$657

Rbi mais da Sociedade da Cobr.ca

do Cap.m João José, e deij o dinrº

q' veio do C.el Sá q' era 348$800

q' faltando p.a os 400$000 o q' Rz.e que — 51$200

he este dinrº q' Cobrei de João J.e — Rs 524$257

p.a aqui ao Mina mais entrou

p.a esta Conta dinrº meu da Cobr.ca

q' fiz do Sá q' me pertencia e por isso só me deve

a Sociedade do Tempo em q' Socie[illegible]. Como Rz.e

João Affonço em negocio de Bestas a quantia de [illegible]

mais de Dinrº meu q' entrou na Sociedade 1 Egua q' ven-

di ao Sr. Antº Gomes — 40$000

2 Vacas q' fis pagamtº ao ff.º de M.el José — 15$000

Vira — Soma Rs — 579$257

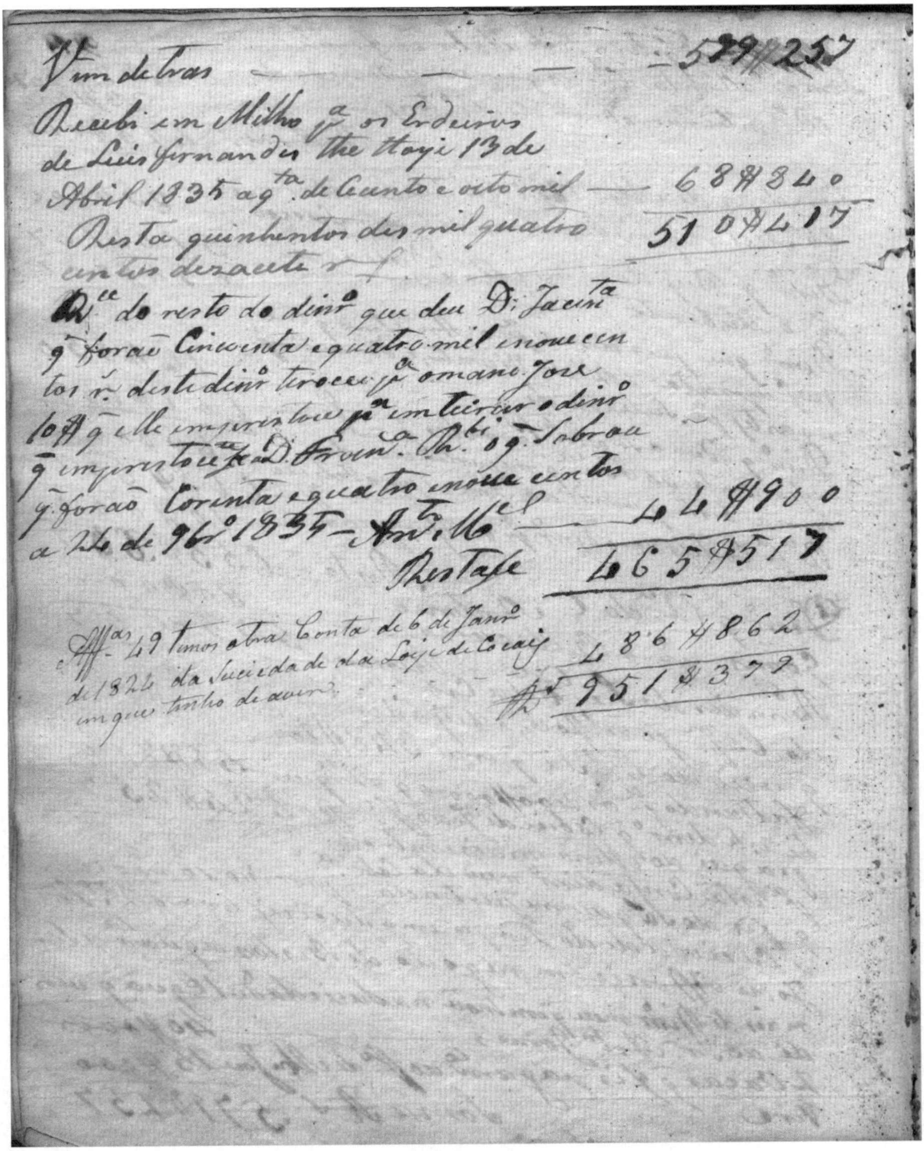
Vem detras — 579$257
Recebi em Milho p.a os Erdeiros de Luis fernandes the hoje 13 de Abril 1835 a q.ta de Cento e oito mil — 68$840
Resta quinhentos des mil quatro centos dezasete r.s — 510$417
R.e do resto do din.o que deu D. Jacin.ta q. forão Cincoenta e quatro mil e nove centos r.s deste din.o tirou p.a o mano Jose 10$ q. elle emprestou p.a enteirar o din.o q. emprestou a D. Fran.ca Rib.o q. sobrou q. forão Corenta e quatro e nove centos a 26 de 9br.o 1834 — Ant.o M.el — 44$900
Resta-se — 465$517
Aff.as 49 tenos atras Conta de 6 de Jan.o de 1824 da Sociedade da Loje de Cocais em que tinho de ouro — 486$862
As 951$379

1831 25

Colhemos no Quilombo 43 Carros de Milho que se gas
tou em Caza. oq Recebemos de Resto que em tiveremos
pa o Contrato do Gongo. tomemos da Caza Algo - 16 // //
em fins de 32 de Abril Recebe a tropa do gongo — 123/2 //
a 8 de Maio outra Carregação - - Algo - - 136 // //
pa o Snr Capm Jr de Aguiar forão Algo - - 34 // //
pa Juros do valintim em Julho — 2 // //
pa pagar ao Remualdo foi a Conta — 11/20

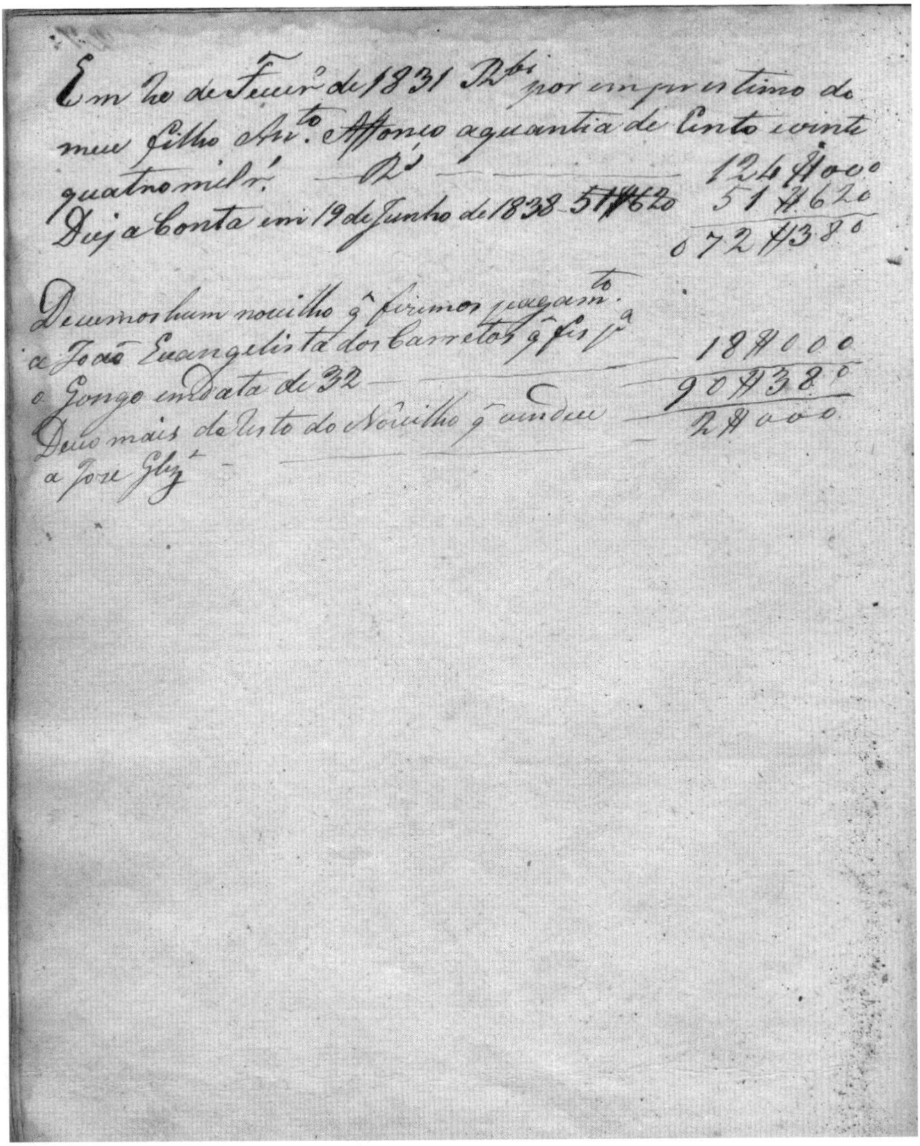
Em 26 de Fever.º de 1831 Rs. por emprestimo do
meu Filho Ant.to Affonço a quantia de Cento vinte
quatro mil r.s — Rs. — 124$000
Deij a Conta em 19 de Junho de 1838 - 51$620 — 51$620
072$380

Devemos hum novilho q. ficemos pagam.to
a João Evangelista dos Carretos q. fis p.a
o Gongo em data de 32 — 18$000
90$380
Deve mais de resto do Novilho q. vendeu — 2$000
a Jose Glz. —

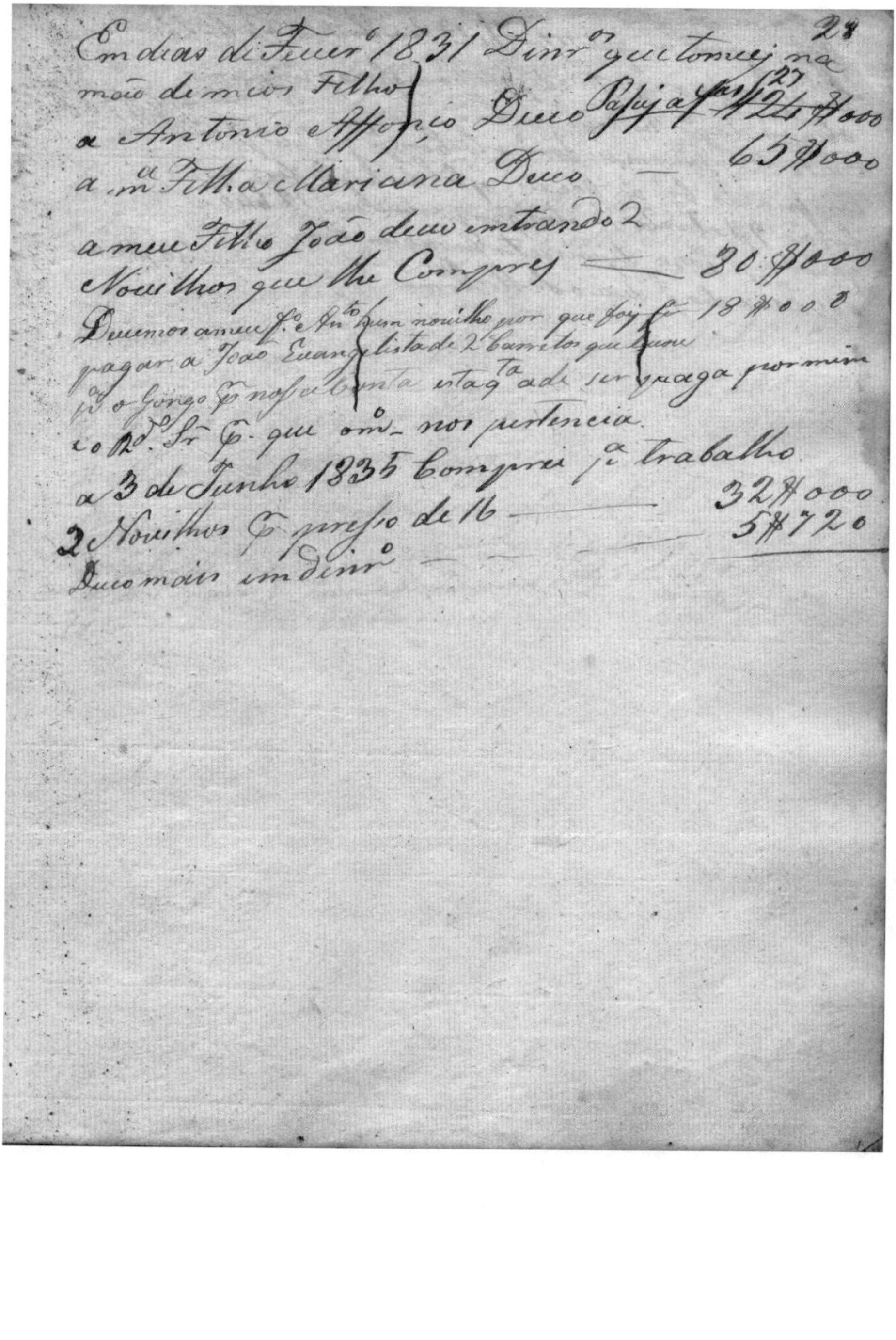

28

Em dias di Fever.º 1831 Dinr.º que tomei na
mão de meios Filhos
a Antonio Affonço Deu Passeja 27 $000
a m.ª Filha Mariana Deu — 65$000
a meu Filho João deu entrando 2
Novilhos que lhe Comprey — 30$000
Deuemos a meu f.º Ant.º hum novilho por que foy p.ª 18$000
pagar a João Evangelista de 2 carretos que leuou
p.ª o Gorgo p.ª nossa conta esta q.ta a de ser paga por mim
e o R.d.º Sr. p.ª que o m.º nos pertencia
a 3 de Junho 1835 Comprei p.ª trabalho
2 Novilhos p.r preso de 16 — 32$000
Deu mais em dinr.º — 5$720

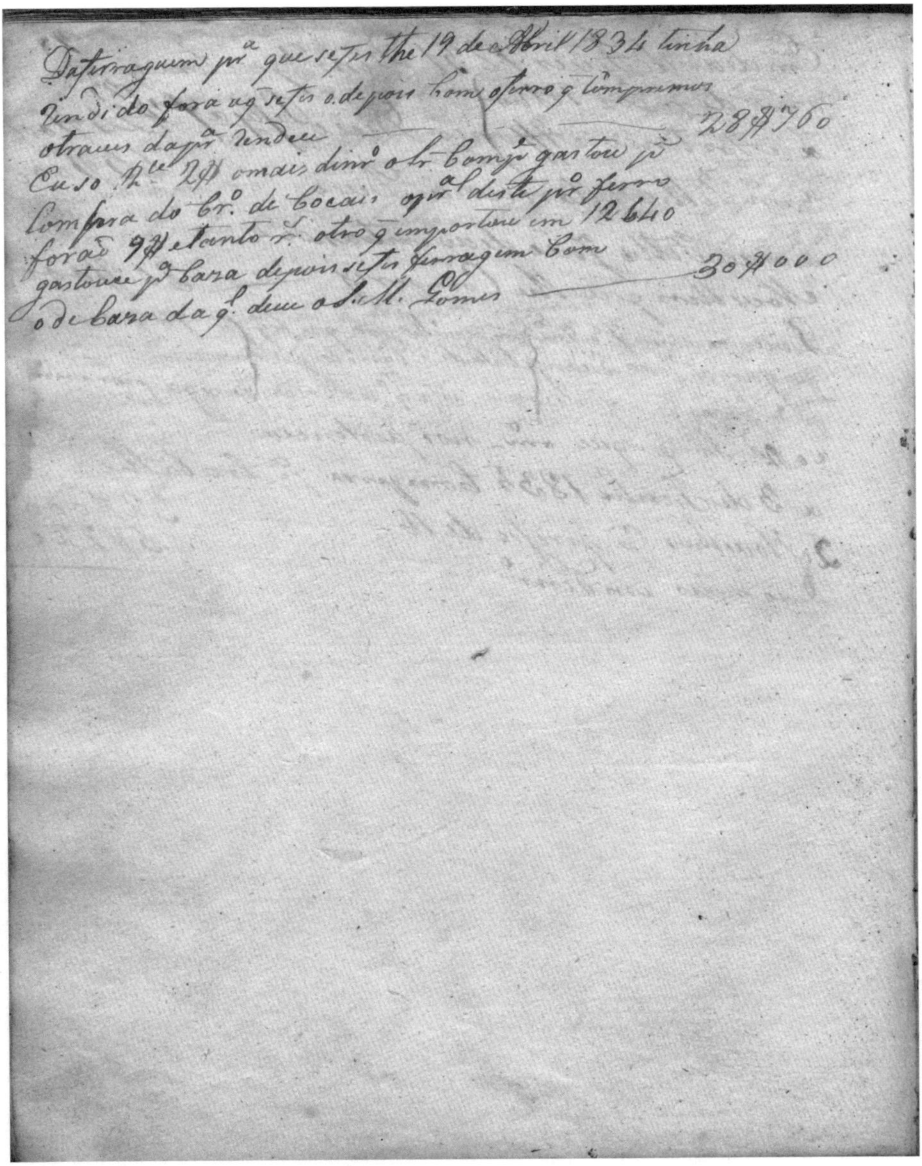

Da ferragem pr.a que se fez the 19 de Abril 1834 tinha
rendido fora as q se fes o depois como ferro q compramos
o trabalho da pr.a rendeu 28$760
Custo ... 2$ o mais dinr.o o Sr. Comp.e gastou p.
Compra do Cr.o de Cocais o q.al deste pr.o ferro
forão 9$ e tanto r.s otro q importou em 12640
gastou-se p.a baza depois se fez ferragem com
o de baza da q.l deu o Sr. M. Gomes 30$000

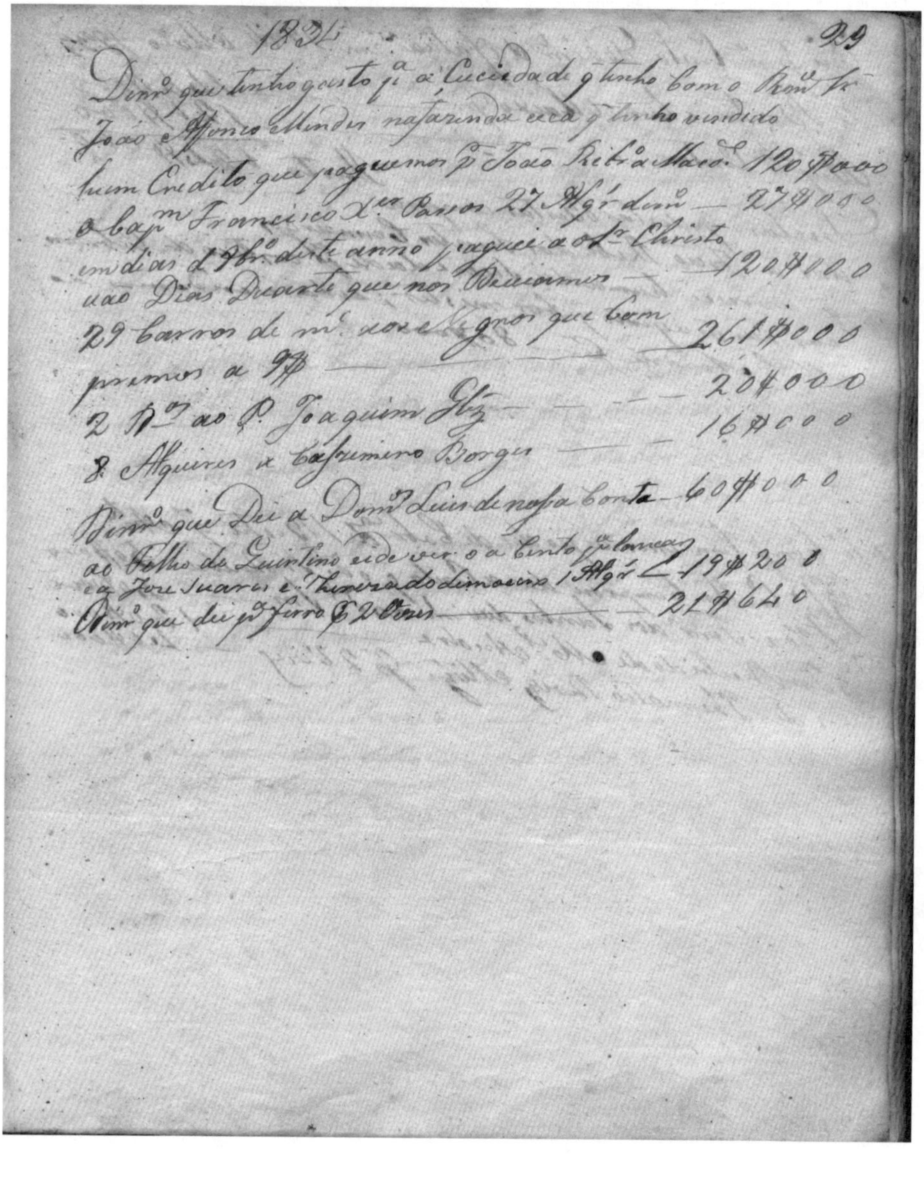
1834 29
Dinr.º que tinho gasto p.ª a Sociedade q̃ tinho com o Rev.do Sr.
João Affonso Mendes na fazenda cea q̃ tinho vendido
hum Credito que paguemos p.º João Ribr.º a Mac.do — 120$000
o Cap.m Francisco X.er Passos 27 Alq.s de dinr.º — 27$000
em dias d Abr.º deste anno q̃ aguei ao Sr. Christo
vao Dias Duarte que nos Deviamos — 120$000
29 barros de m.º [illegible] que com — 261$000
primos a 9$ — 20$000
2 [illegible] ao P.e Joaquim Glz — 16$000
8 Alqueires a Casemiro Borges
Dinr.º que Dei a Dom.os Luis de nossa Conta — 60$000
ao Filho de Quintino [illegible] o a Cinto p.ª lançar
e a Jose Soares e [illegible] 1 Alq.r — 19$200
Dinr.º que dei p.ª ferro [illegible] — 21$640

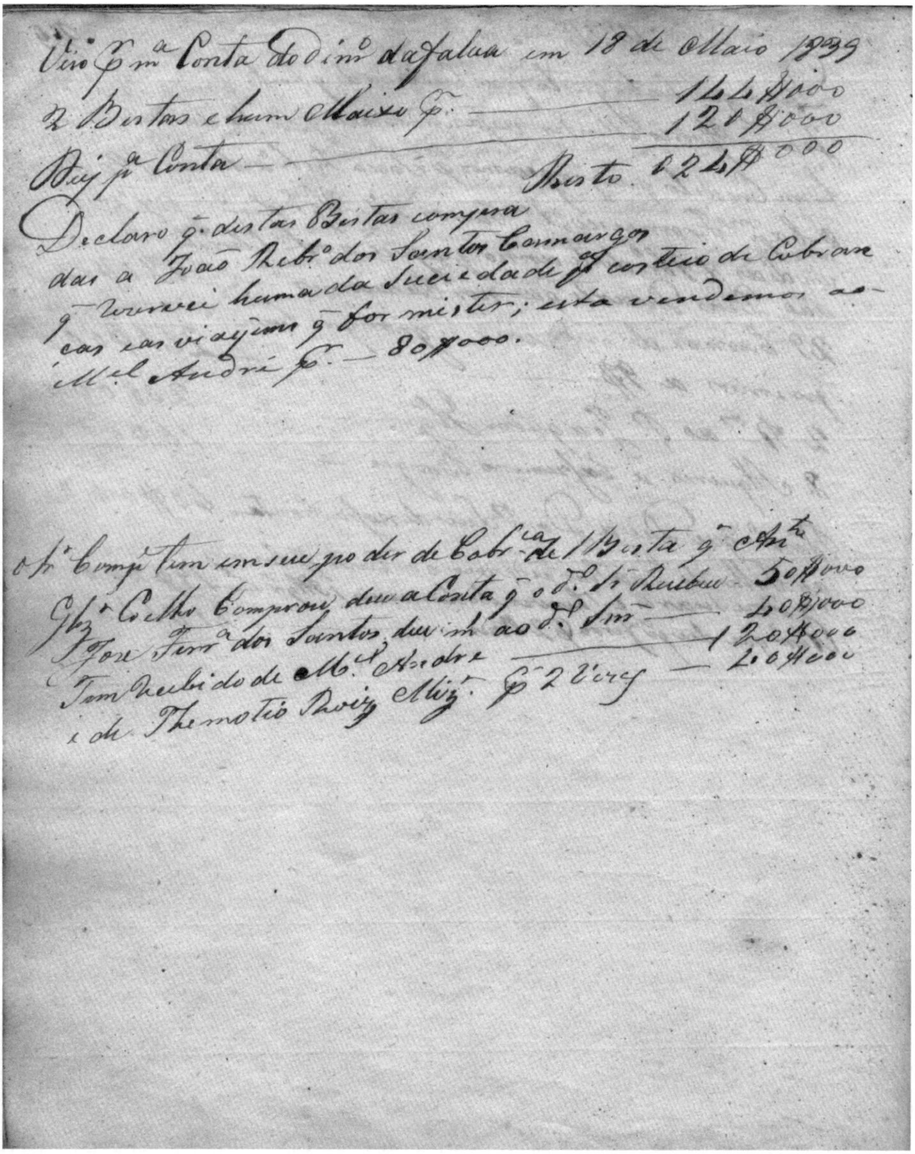

Vão p.ª Conta do din.º da falua em 18 de Maio 1839

2 Bestas e hum Maixo p. —— 144$000
120$000

Baij p.ª Conta —— Resto 024$000

Declaro q. destas Bestas compra-
dar a João Rebº dos Santos Camargos
q. servei huma da Sociedade p.ª os costeio de Cobran-
cas em viagens q. for mister; esta vendemos ao
M.el André p. — 80$000.

o Sr Comp.e tem em seu poder de Cobr.ca de 1 Besta q. Ant.o
Glz Coelho Comprou deu a Conta q. o d.o Sr Recebeu — 50$000
José Ferr.a dos Santos deu m. ao d.o Sm. — 40$000
120$000
Tem recebido de M.el Andre — 20$000
e de Themotio Roiz Miz p. 2 vezes

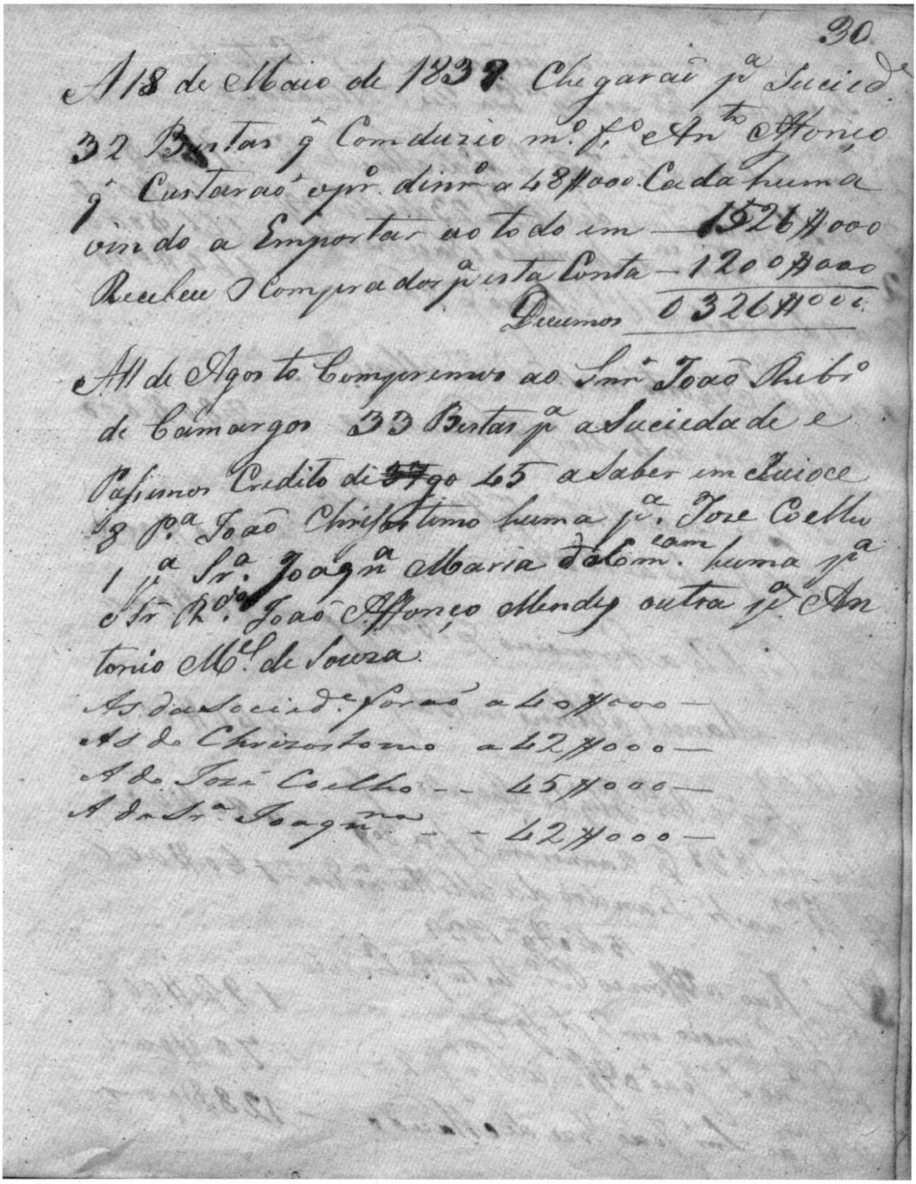

30

A 18 de Maio de 1839 Chegarão pª Sucied.
32 Bestas q̃ Comduzio mᵉ fº e Antº Affonço
q̃ Custarão ẽ q. dinrº a 48$000. Cada huma
vindo a Emportar ao todo em — 1526$000
Recebeu o Comprador pª esta Conta — 1200$000
Devemos 0326$000

A 11 de Agosto Compremos ao Snr João Rubiº
de Camargo 33 Bestas pª a Sucidade e
Passemos Credito de 45 a Saber em Suioce
8 pª João Christostomo huma pª Jose Coelho
1 pª Srª Joaqnª Maria d'alem com huma pª a
o Sr Rdº João Affonço Mendes outra pª An
tonio Mel de Souza.
As da Sucidᵉ forão a 40$000 —
As de Chrizostomo a 42$000 —
A de José Coelho — 45$000 —
A da Srª Joaqnª — 42$000 —

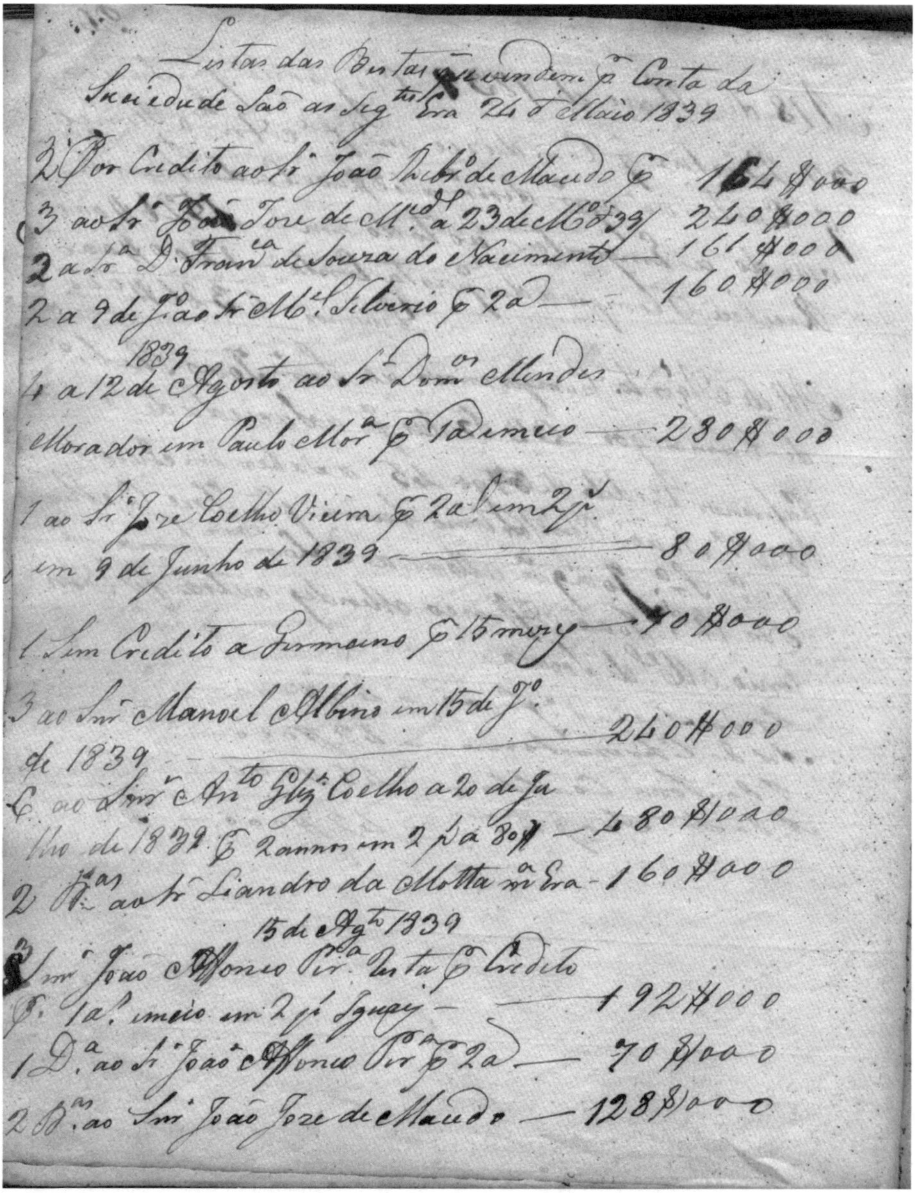
Listas das Bestas que vendem p.a Conta da Sociedade São as Seg.tes Era 24 d Maio 1839

2 Por Credito ao Sr João Pedro de Macedo p. — 164$000
3 ao Sr João Jose de M.dos a 23 de M.co 39 — 240$000
2 a Sra D. Franc.ca de Souza do Nascimento — 161$000
2 a 9 de J.o ao Sr M.el Silverio p. 2a — 160$000
1839
4 a 12 de Agosto ao Sr Domingos Mendes
Morador em Paulo Mor.a p. 1a e meio — 280$000
1 ao Sr José Coelho Vieira p. 2a em 2 p.
em 9 de Junho de 1839 — 80$000
1 sem Credito a Firmino p. 15 mezes — 70$000
3 ao Snr Manoel Albino em 15 de J.o
de 1839 — 240$000
6 ao Snr Ant.o Glz Coelho a 20 de Ju
lho de 1839 p. 2 annos em 2 p. a 80$ — 480$000
2 D.as ao Sr Leandro da Motta m.a Era — 160$000
15 de Ag.to 1839
3 Snr João Affonso Pir.a Dita p. Credito
p. 1a e meio em 2 p. iguaes — 192$000
1 D.a ao Sr João Affonso Pir.a p. 2a — 70$000
2 D.as ao Snr João Jose de Macedo — 128$000

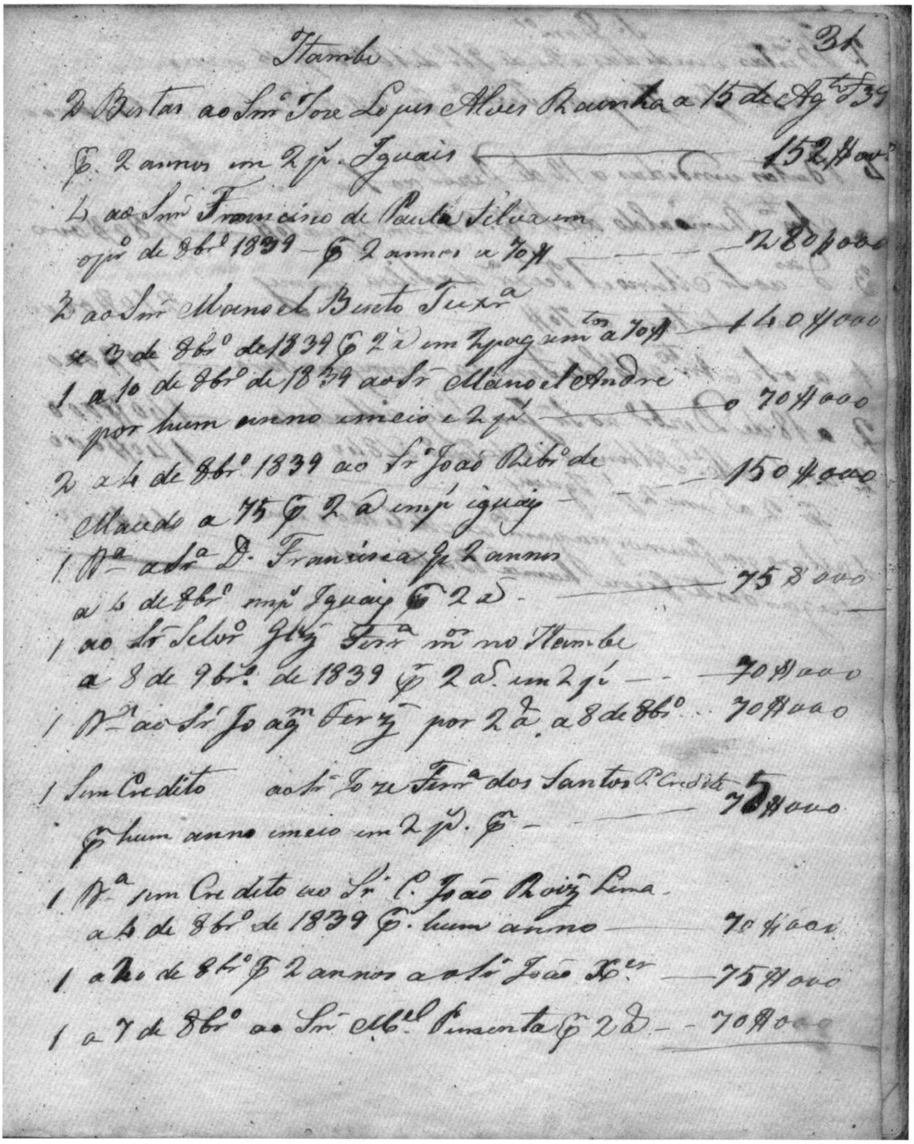

Itambé 31

2 Bestas ao Snr. Jose Lopes Alves Rainha a 15 de Agosto 39
p. 2 annos em 2 pg. Iguais — 152$000
4 ao Snr. Francisco de Paula Silva em
o[ut]ro de 8bro 1839 p. 2 annos a 70$ — 280$000
2 ao Snr. Manoel Bento Teixa
a 3 de 8bro de 1839 p. 2 a. em 2 pagtos a 70$ — 140$000
1 a 10 de 8bro de 1839 ao Sr. Manoel Andre
por hum anno e meio e 2 pg. — 70$000
2 a 4 de 8bro 1839 ao Sr. João Ribro de
Macedo a 75 p. 2 a. empo iguay — 150$000
1 Ba a Sra D. Francisca p. 2 annos
a 6 de 8bro empo Iguay p. 2 a. — 75$000
1 ao Sr. Selvo Glz Ferra mor no Itambé
a 8 de 9bro de 1839 p. 2 a. em 2 p. — 70$000
1 Ba ao Sr. Joaqm Ferz por 2 a. a 8 de 8bro — 70$000
1 Sem Credito ao Sr. Joze Ferra dos Santos P. Credito
p. hum anno e meio em 2 pg. p. — 75$000
1 Ba sem Credito ao Sr. C. João Roiz Lima
a 4 de 8bro de 1839 p. hum anno — 70$000
1 a 20 de 8bro p. 2 annos ao Sr. João Xer — 75$000
1 a 7 de 8bro ao Snr. Mel Pimenta p. 2 a. — 70$000

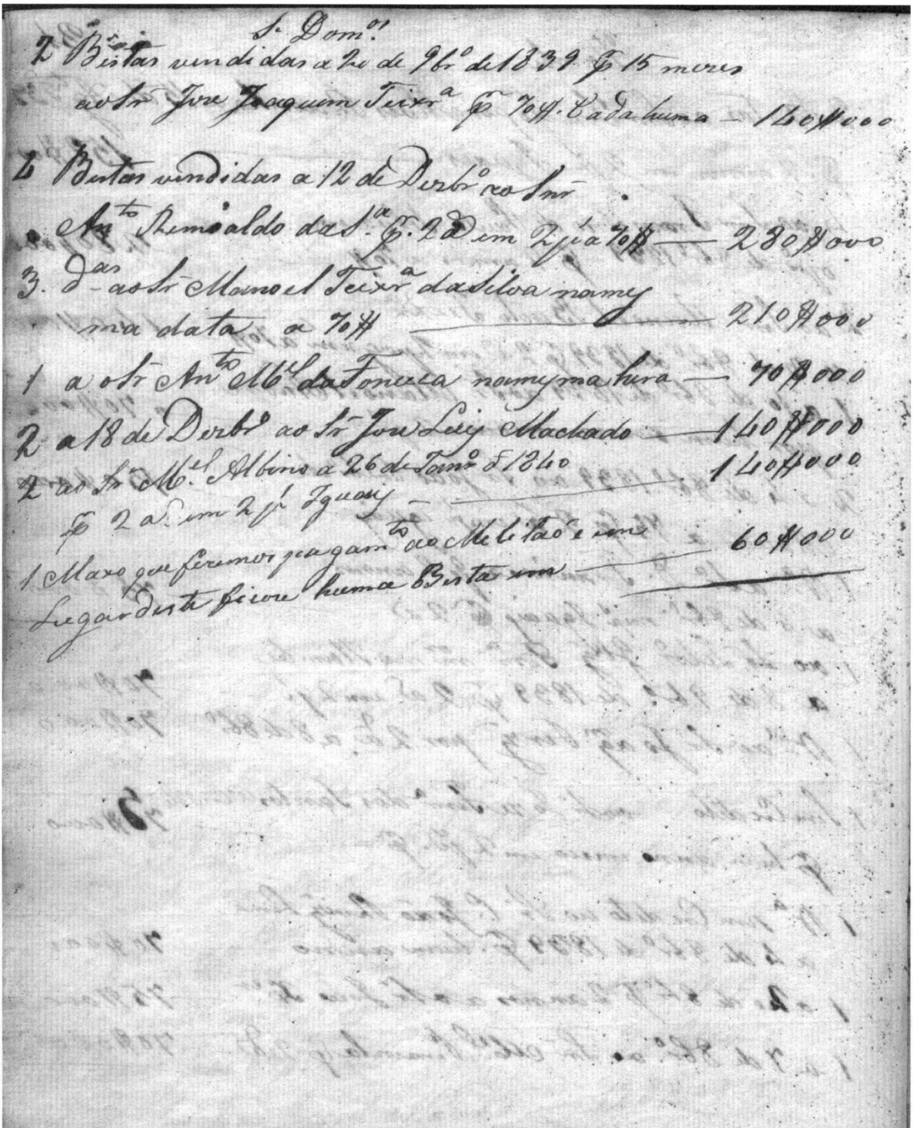
S. Domos

2 Bestas vendidas a 2 de 9bro de 1839 p 15 mezes ao Sr. Joze Joaquim Teixra p 70$ cada huma — 140$000

4 Bestas vendidas a 12 de Dezbro ao Snr Anto Remoaldo da Sa p. 2a em 2 p.a a 70$ — 280$000

3. Idas ao Sr. Manoel Teixra da Silva na mesma data a 70$ — 210$000

1 a o Sr. Anto Mel da Fonceca na mesma hora — 70$000

2 a 18 de Dezbro ao Sr. Joze Luiz Machado — 140$000

2 ao Sr. Mel Albino a 26 de Janro de 1840 p 2 as em 2 p. Iguaes — 140$000

1 Macho que fizemos pagamto ao Mel Leitão e em Lugar desta ficou huma Besta — 60$000

32

A 31 de 7bro 1840 Rbi da Compa do Gongo hum
Conto e duzentos mil rs que entreguei a meu Compe Pe
João, cujo Dinro pertence a meu Sobro João e a Anto
Affonço de Souza Guerra e João Roiz Lima e a Jozé Co
elho Vieira o q Constar desses asentos dinro que os mesmos
tem vendido a Compa,

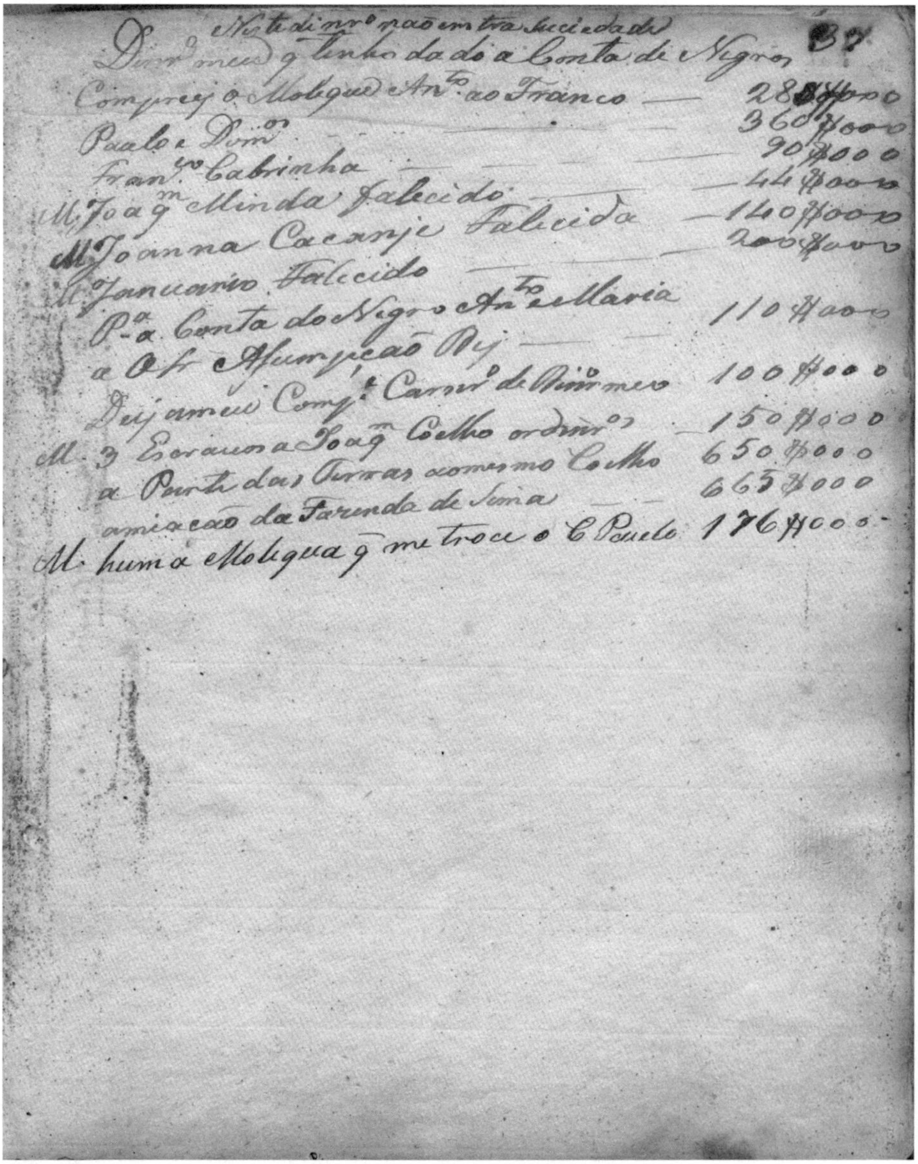
Notedinrº não em tra Sucidade
Dinhrº meu q tenho dado a Conta de Negros 37
Comprey o Moleque Antº. ao Franco — 28[illegible]$000
Paulo e Domos — 360$000
Francº Cabrinha — 90$000
M. Joaqm Minda falecido — 44$000
M. Joanna Cacanje falecida — 140$000
M. Januario falecido — 200$000
Pª a Conta do Negro Antº e Maria 110$000
a Of. Assumpção Rey
Deijameu Compª Carnrº de Rimmero 100$000
M. 3 Escravos a Joaqm Coelho ordinrºs 150$000
a Parte das Terras ao mesmo Coelho 650$000
amiação da Fazenda de Sima 665$000
M. huma Moleque q me troce o C. Paulo 176$000

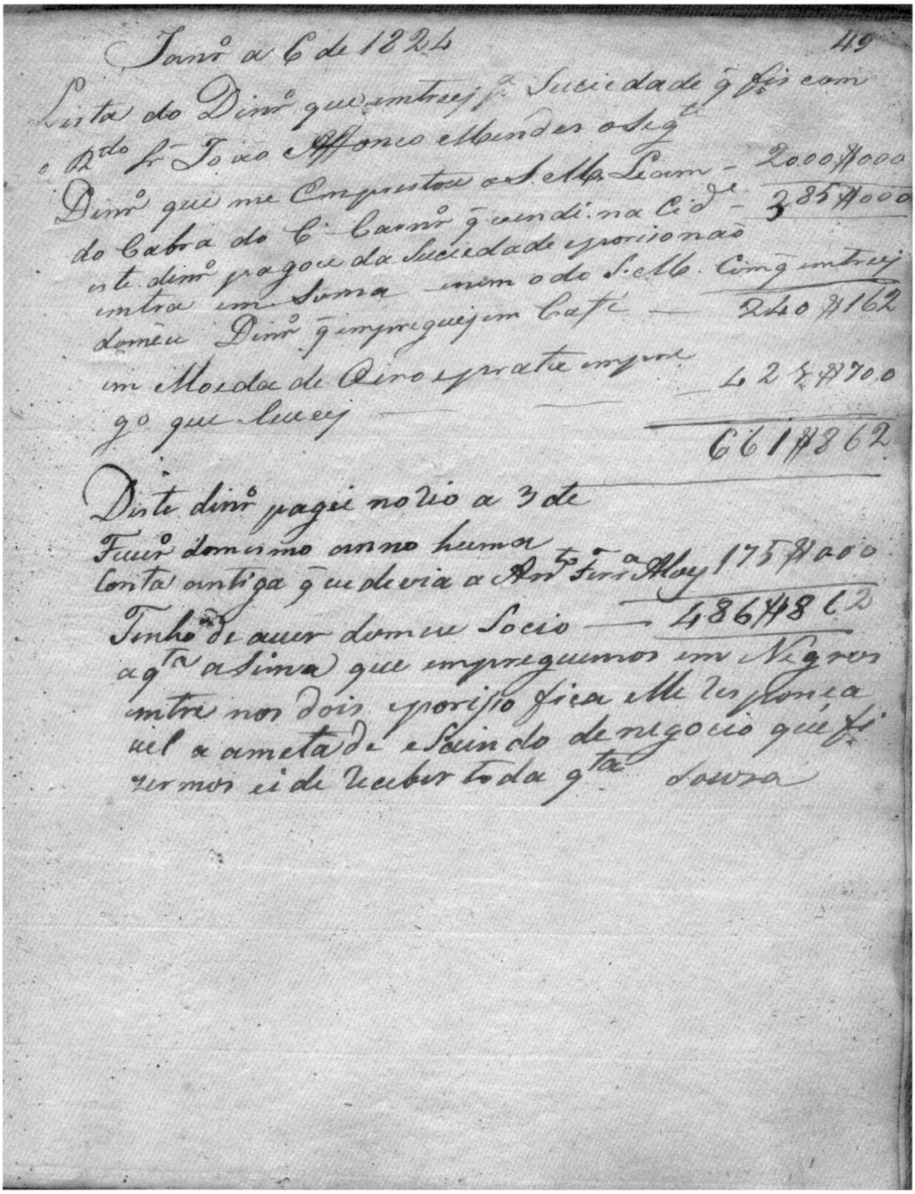

Janrº a 6 de 1824 — 49

Lista do Dinrº que entreej pª Suciedade q fis com
o Rdo Sr João Affonço Mendes o Segte

| | |
|---|---|
| Dinrº que me Emprestou o S. Me. Leam — | 2000$000 |
| do Cabra do C. Carnrº q vendi na Cide — | 385$000 |
| este dinrº pago da Suciedade e porisso não entra em Soma nem o do S. Me. Com q entreej | |
| domeu Dinrº q empreguej em Café — | 240$162 |
| em Moeda de Oiro e prata empore | 4378$700 |
| q o que levej — | |
| | 6618$862 |

Diste dinrº pagei no Rio a 3 de
Fevrº domesmo anno huma
conta antiga q eu devia a Antº Ferrª Alvz 1750$000
Tenho de aver domeu Socio — 4868$862
a qta asima que empreguemos em Negros
entre nos dois e porisso fica Me responça
vel a ametade e Sendo de negocio que fi
zermos ei de Receber toda qta. Souza

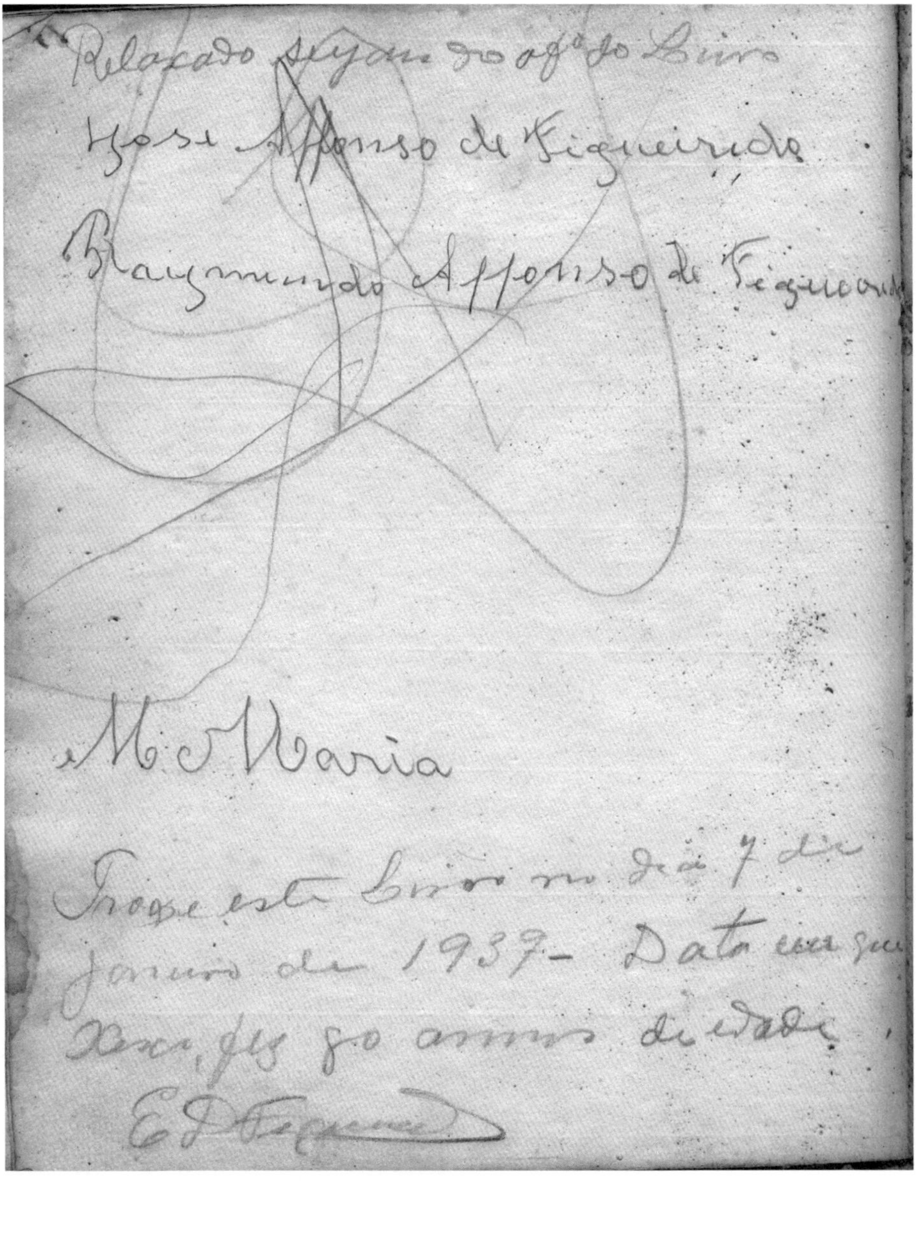
Relaxado segundo do off.º do Livro

Jose Affonso de Figueiredo

Raymundo Affonso de Figueiredo

M. J. Maria

Trouxe este livro no dia 7 de
Janeiro de 1937 - Data em que
fez 80 annos de idade.

E. D. Figueiredo

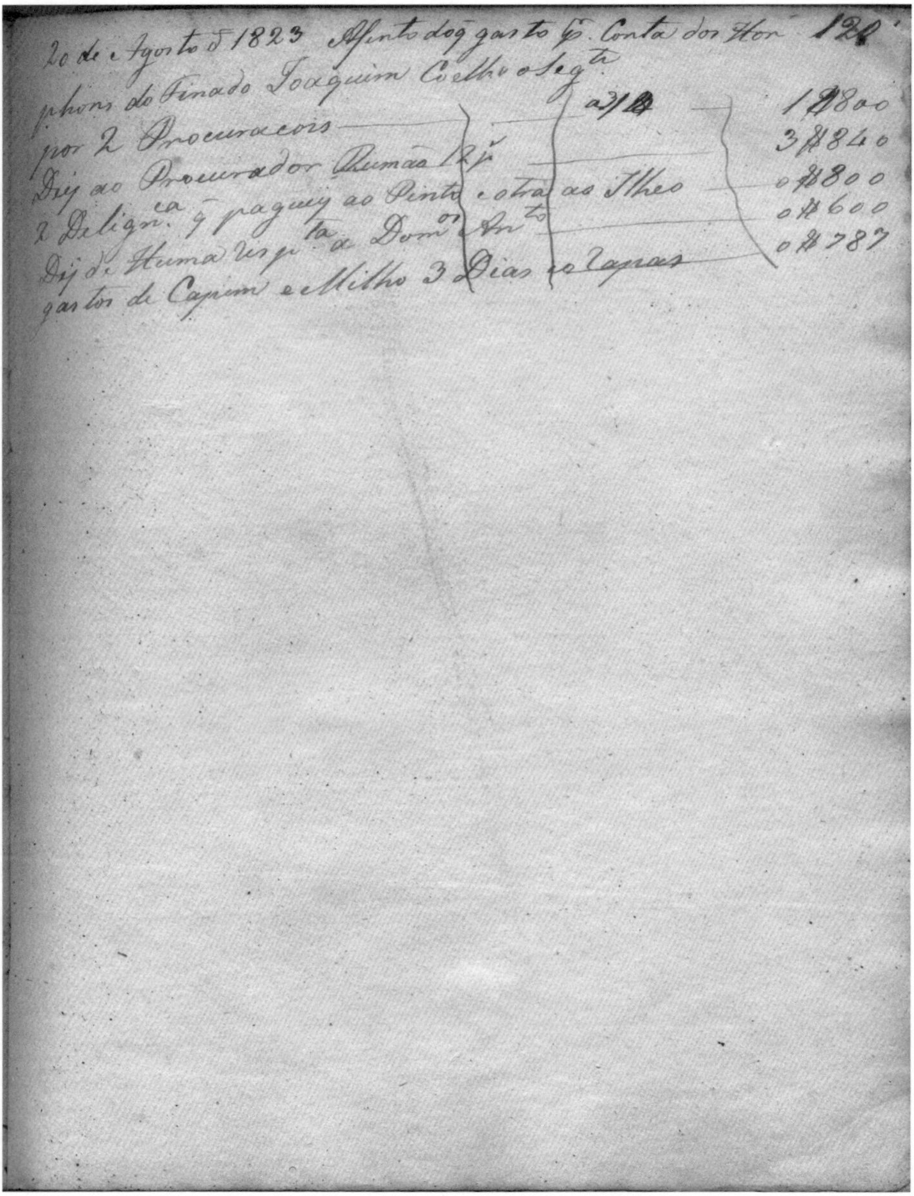

20 de Agosto de 1823 Assento dos gastos p. Conta dos Hor- 122
phons do Finado Joaquim Coelho o segta.
a 3/12 1$800
por 2 Procuracois 3$840
Dij ao Procurador Rumão 12 j. 0$800
2 Diligenca q pagey ao Pinto e otra as Ilheo 0$600
Dij de Huma vespta. a Domor. Anto. 0$787
gastos de Capim e Milho 3 Dias e o lapas

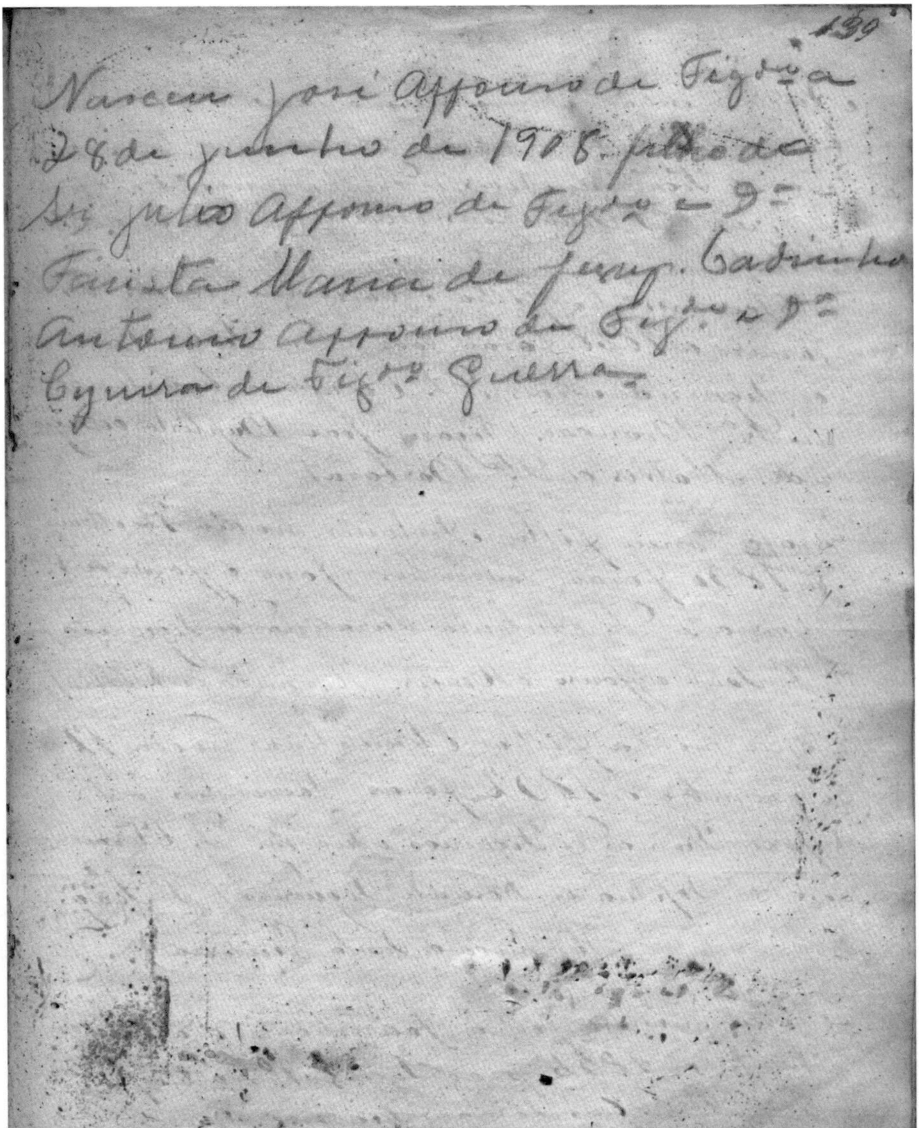

139

Nasceu José Affonso de Figdo a
28 de janeiro de 1908 filho de
Sr. Julio Affonso de Figdo e Dª
Faustina Maria de Jesus. Padrinho
Antonio Affonso de Figdo e Dª
Cyrira de Figdo Guerra.

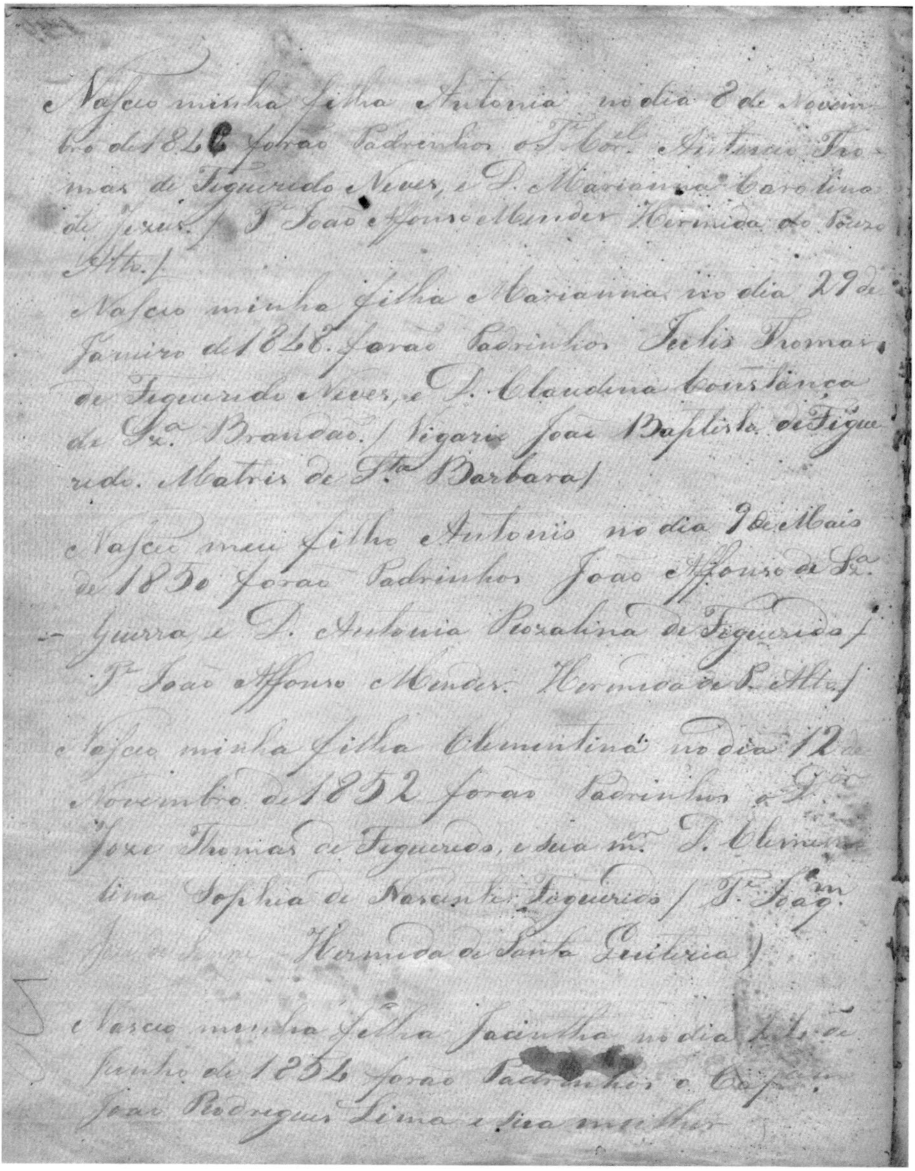

Nasceo minha filha Antonia no dia 8 de Novembro de 1846 forão Padrinhos o T.e Cor.el Antonio Thomas de Figueiredo Neves, e D. Marianna Carolina
de Jezus. (P.e João Affonso Mendes Hermida do Pozo
Alto.)
Nasceo minha filha Marianna no dia 29 de
Janeiro de 1848. forão Padrinhos Felis Thomas
de Figueiredo Neves, e D. Claudina Constança
de Sz.a Brandão. (Vigario João Baptista de Figue-
redo. Matris de S.ta Barbara)
Nasceo meu filho Antonio no dia 9 de Maio
de 1850 forão Padrinhos João Affonso de Sz.a
Guerra e D. Antonia Rozalina de Figueiredo (
P.e João Affonso Mendes. Hermida de P. Alto)
Nasceo minha filha Clementina no dia 12 de
Novembro de 1852 forão Padrinhos o D.or
Joze Thomas de Figueiredo, e sua m.er D. Clemen-
tina Sophia de Nascentes Figueiredo (P.e João
Affonso Mendes Hermida de Santa Quiteria)
Nasceo minha filha Jacintha no dia [illegible] de
Junho de 1854 forão Padrinhos o Cap.m
João Rodrigues Lima e sua mulher

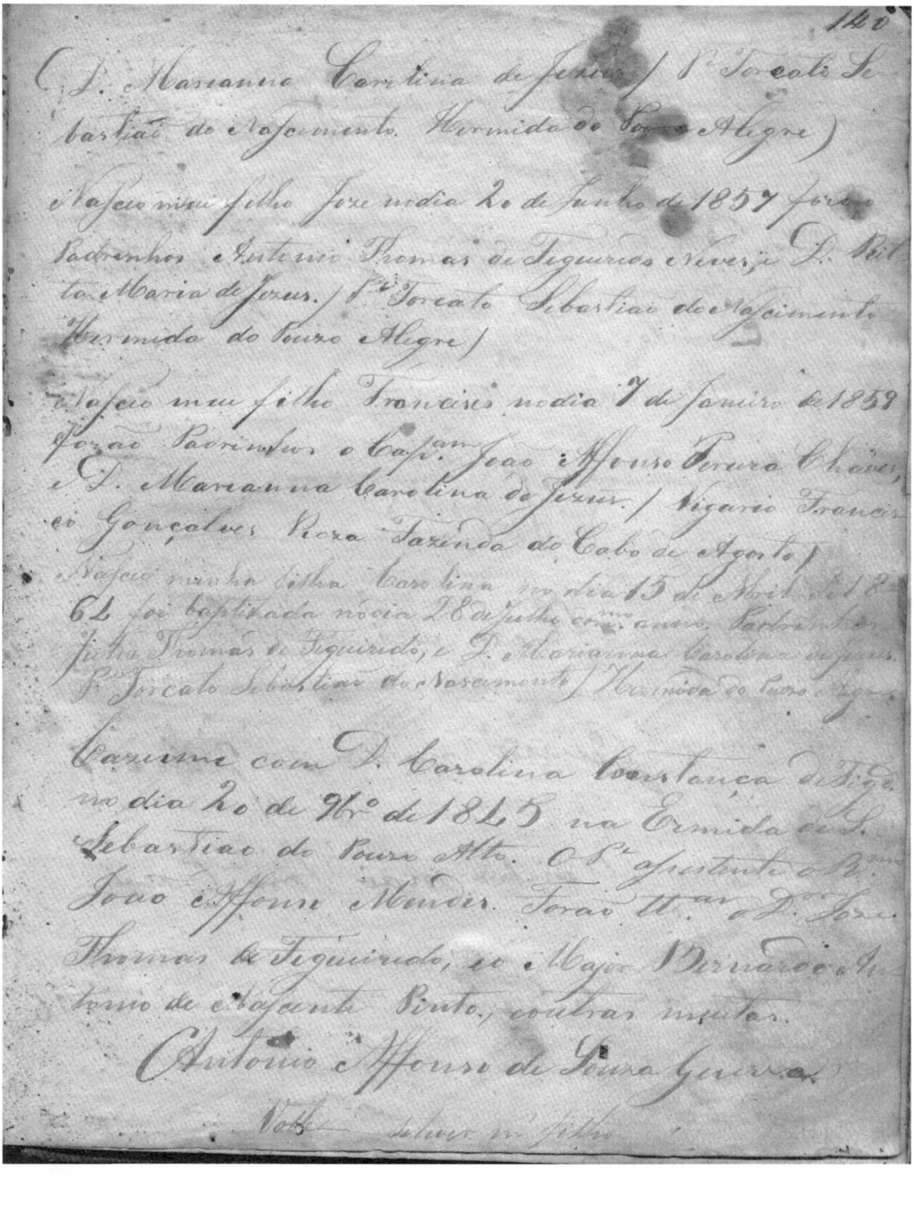
140

(D. Marianna Carolina de Jesus / Pe. Torcato Sebastião do Nascimento. Hermida do Pouso Alegre)

Nasceu meu filho José no dia 20 de Junho de 1857 forão
Padrinhos Antonio Thomas de Figueiredo Neves, e D. Ri-
ta Maria de Jesus. / Pe. Torcato Sebastião do Nascimento
Hermida do Pouso Alegre)

Nasceu meu filho Francisco no dia 7 de Janeiro de 1859
forão Padrinhos o Capm. João Affonso Pereira Chaves,
e D. Marianna Carolina de Jesus. / Vigario Francisco Gonçalves Roza Fazenda do Cabo de Agosto)

Nasceu minha filha Carolina no dia 15 de Abril de 18-
62 foi baptizada no dia 28 de Julho com ... Padrinhos
Julio Thomas de Figueiredo, e D. Marianna Carolina de Jesus.
Pe. Torcato Sebastião do Nascimento / Hermida do Pouso Alegre

Cazei-me com D. Carolina Constança de Fig.
no dia 20 de 9bro de 1845 na Ermida de S.
Sebastião do Pouso Alto. O Pe. apresentante o Revmo.
João Affonso Mendes. Forão testemunhas o Dr. José
Thomas de Figueiredo, e o Major Bernardo An-
tonio de Assumpção Pinto, e outras muitas.

Antonio Affonso de Souza Guerra

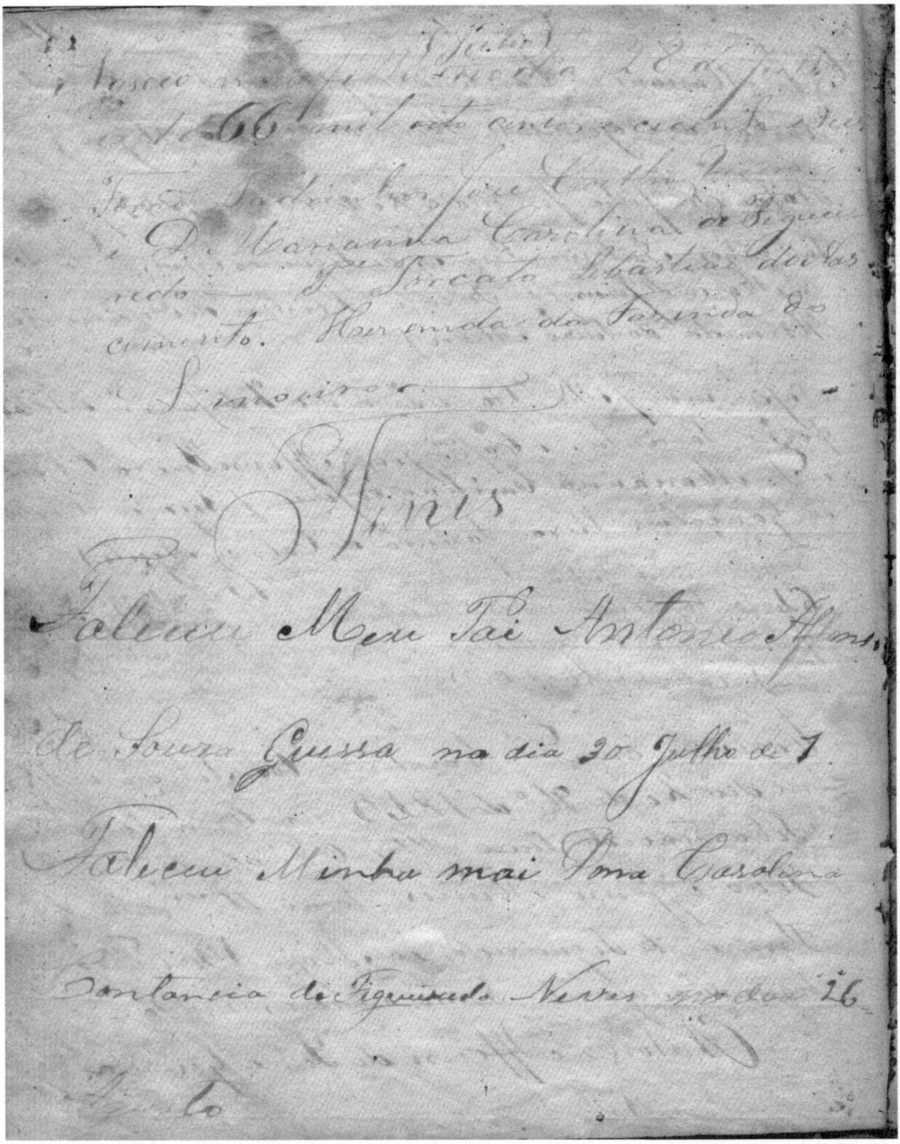
Finis

Faleceu Meu Pai Antonio Affons

de Souza Guerra no dia 20 Julho de 1

Faleceu Minha mai Dona Carolina

Constancia de Figueiredo Neves no dia 26

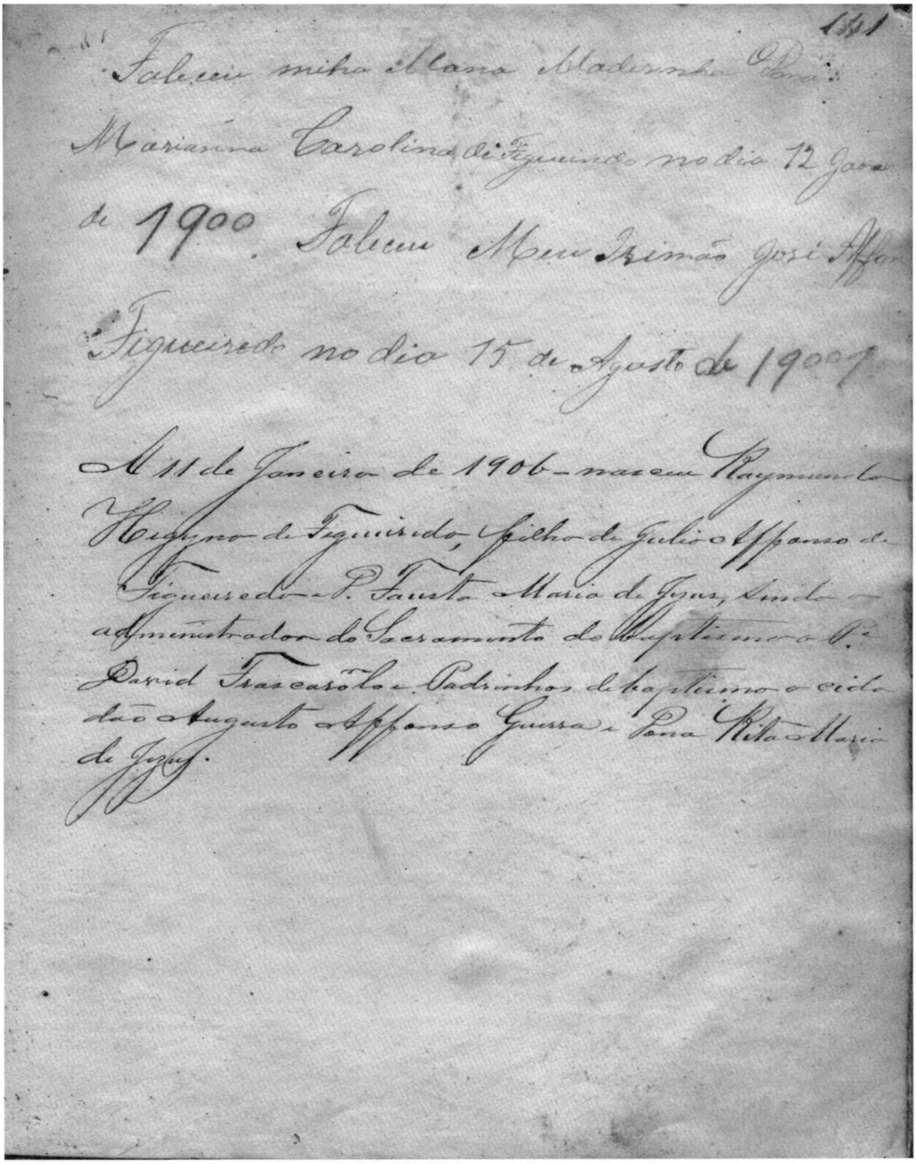
141

Faleceu minha Mana Madrinha Dona
Marianna Carolina de Figueiredo no dia 12 Jan
de 1900. Faleceu Meu Irmão José Affon
Figueiredo no dia 15 de Agosto de 1900.

A 11 de Janeiro de 1906 – naceu Raymundo
Higyno de Figueiredo, filho de Julio Affonso de
Figueiredo e D. Fausta Maria de Jezus, sendo
administrador do Sacramento do Baptismo o P.e
David Trascarôlo e Padrinhos de baptismo o cida
dão Augusto Affonso Guerra e Dona Rita Maria
de Jezus.

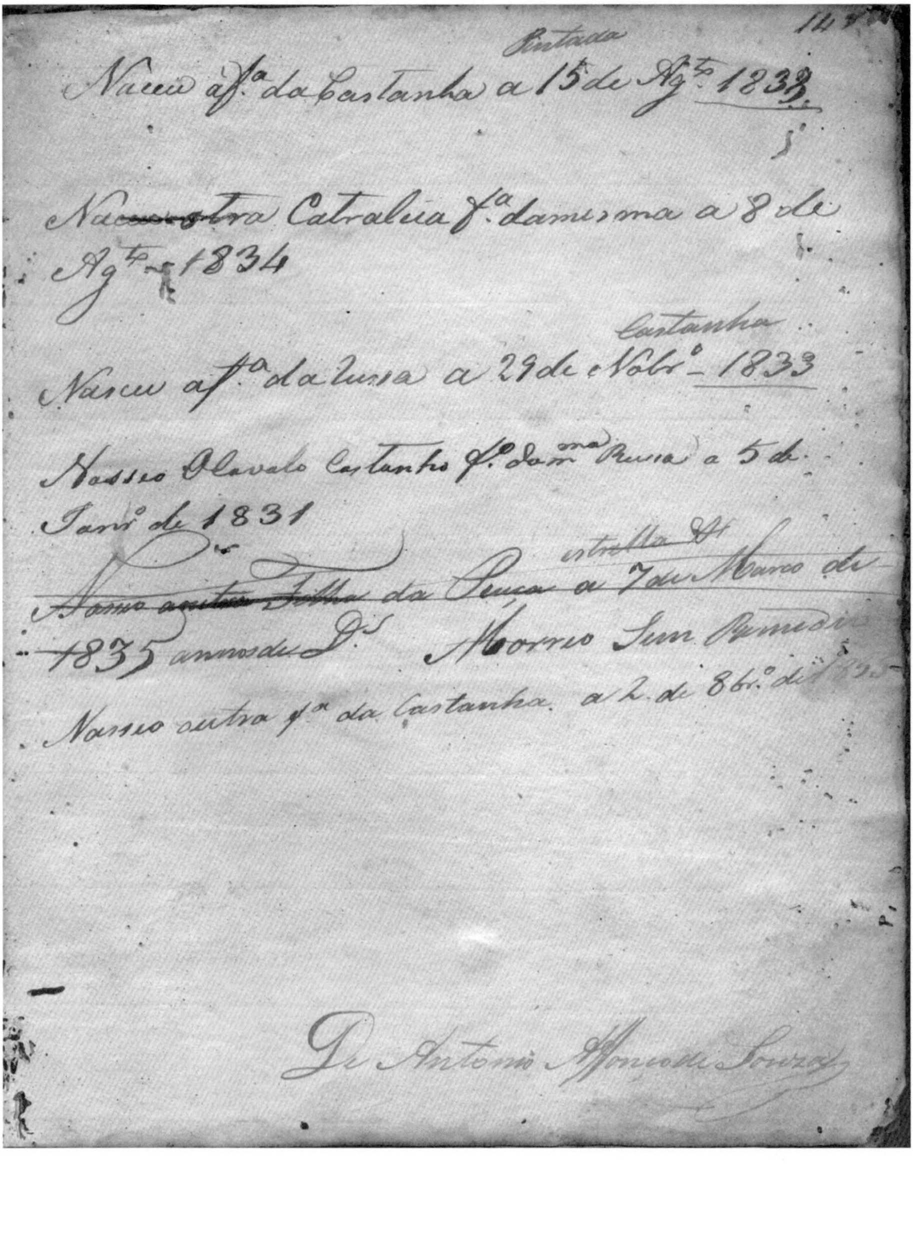

114

Pintada
Naceu a f.ª da Castanha a 15 de Ag.to 1833

Na~~sceu ou~~tra Catralica f.ª da mesma a 8 de Ag.to 1834

Castanha
Nasceu a f.ª da Russa a 29 de Nobr.º 1833

Nasseo Olavalo Castanho f.º da m.ma Russa a 5 de Jan.º de 1831

estrella
~~Nasceu outra Filha da Russa a 7 de Marco de 1835~~ annos de D.s Morreu sem Remedio

Nasseo outra f.ª da Castanha a 2 de 8br.º de 1835

P.e Antonio Affonso de Souza

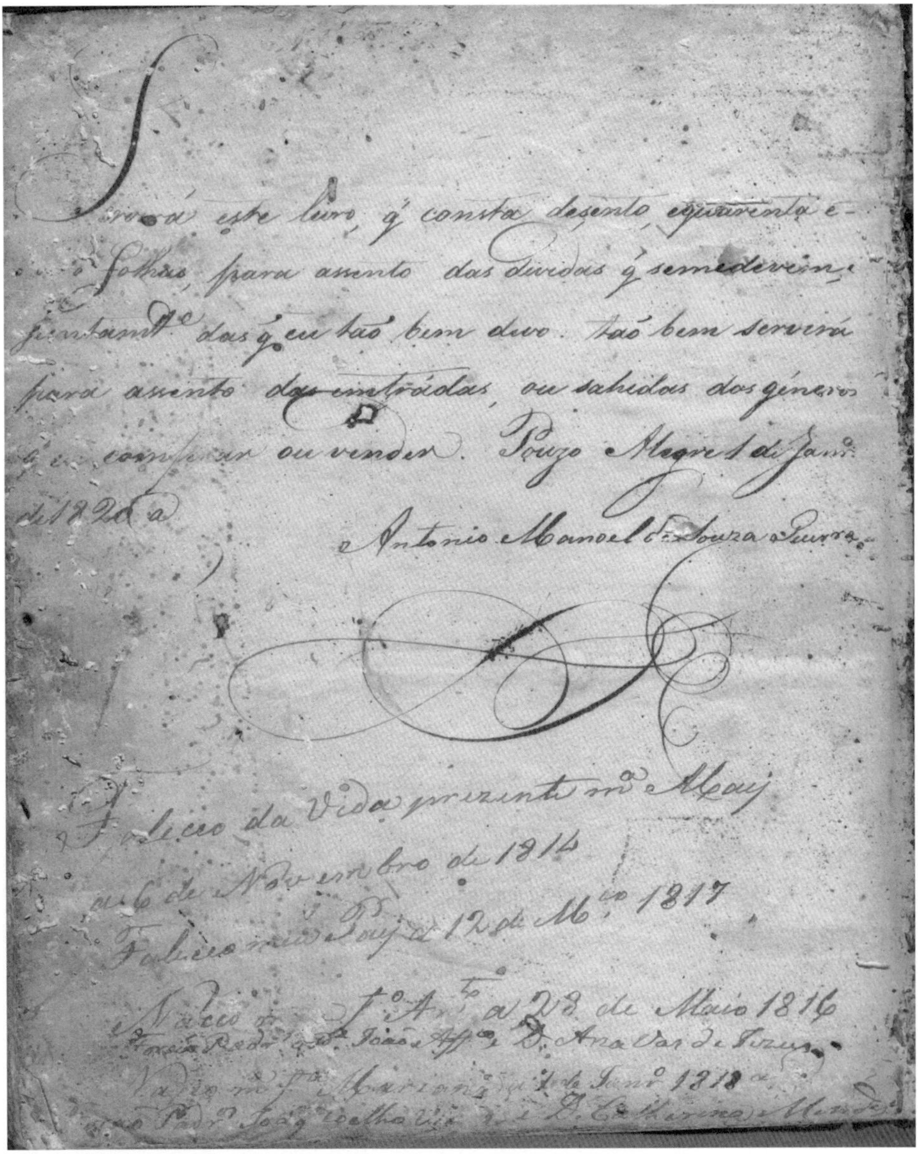

Servirá este livro, q' consta de cento e quarenta e-
folhas, para assento das dividas q' se me deverem, e
juntamente das q' eu tão bem devo. tão bem servirá
para assento das entradas, ou sahidas dos generos
q' eu comprar ou vender. Pouzo Alegre 1 de Janr.º
de 1820 a

Antonio Manoel de Souza Guerra

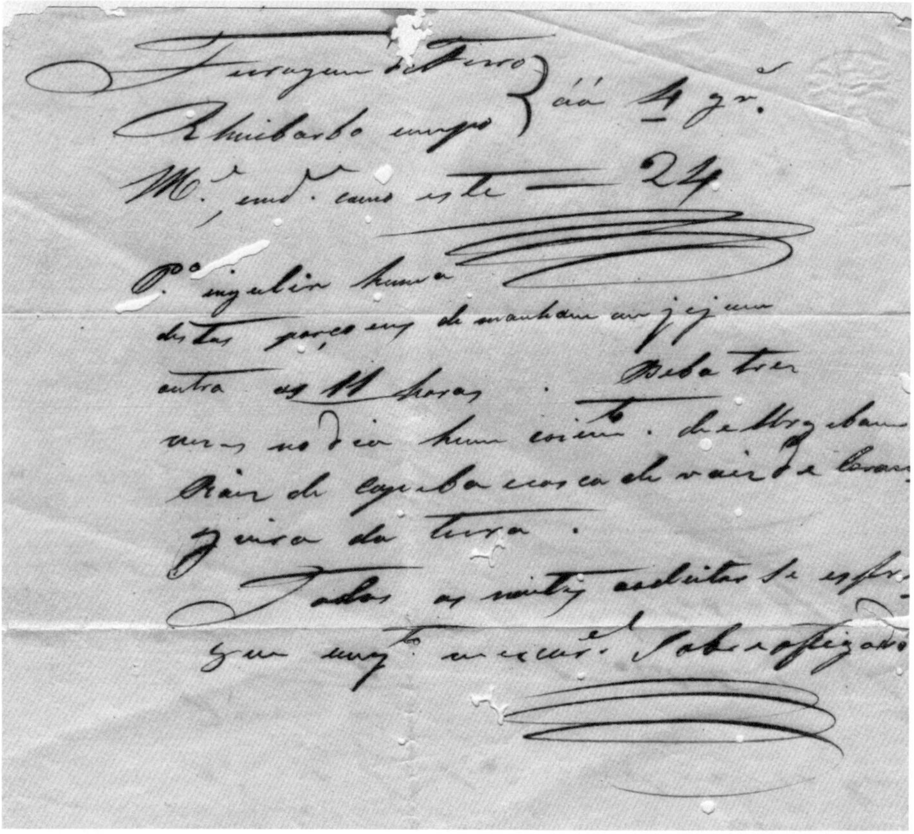

Ferragem de Ferro } àà 4 gr.
Rhuibarbo em pó }
M.e em d.e como este — 24

P.a ingulir huma
destas porçoens de manhãa em jejum
outra ás 11 horas. Beba tres
vezes no dia hum copin.to de [illegible]
Raiz de capeba e casca de raiz de laran-
geira da terra.
Todos os muitos [illegible] se esfre-
guem muito [illegible]. Sabe o afeiçoado

Receituário e posologia (1824?)

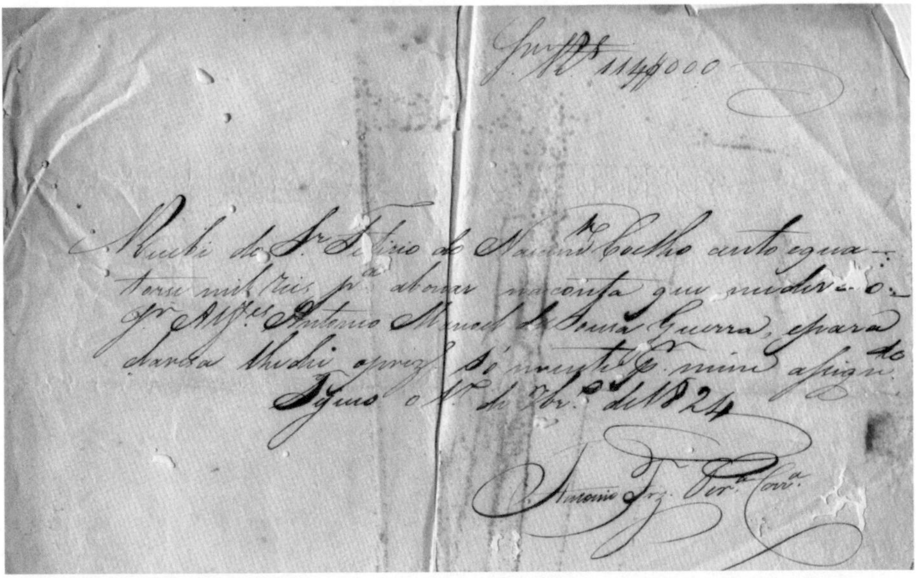

Recibo de quitação de débito de 114$000 (cento e quatorze mil reis) – 17/04/1824

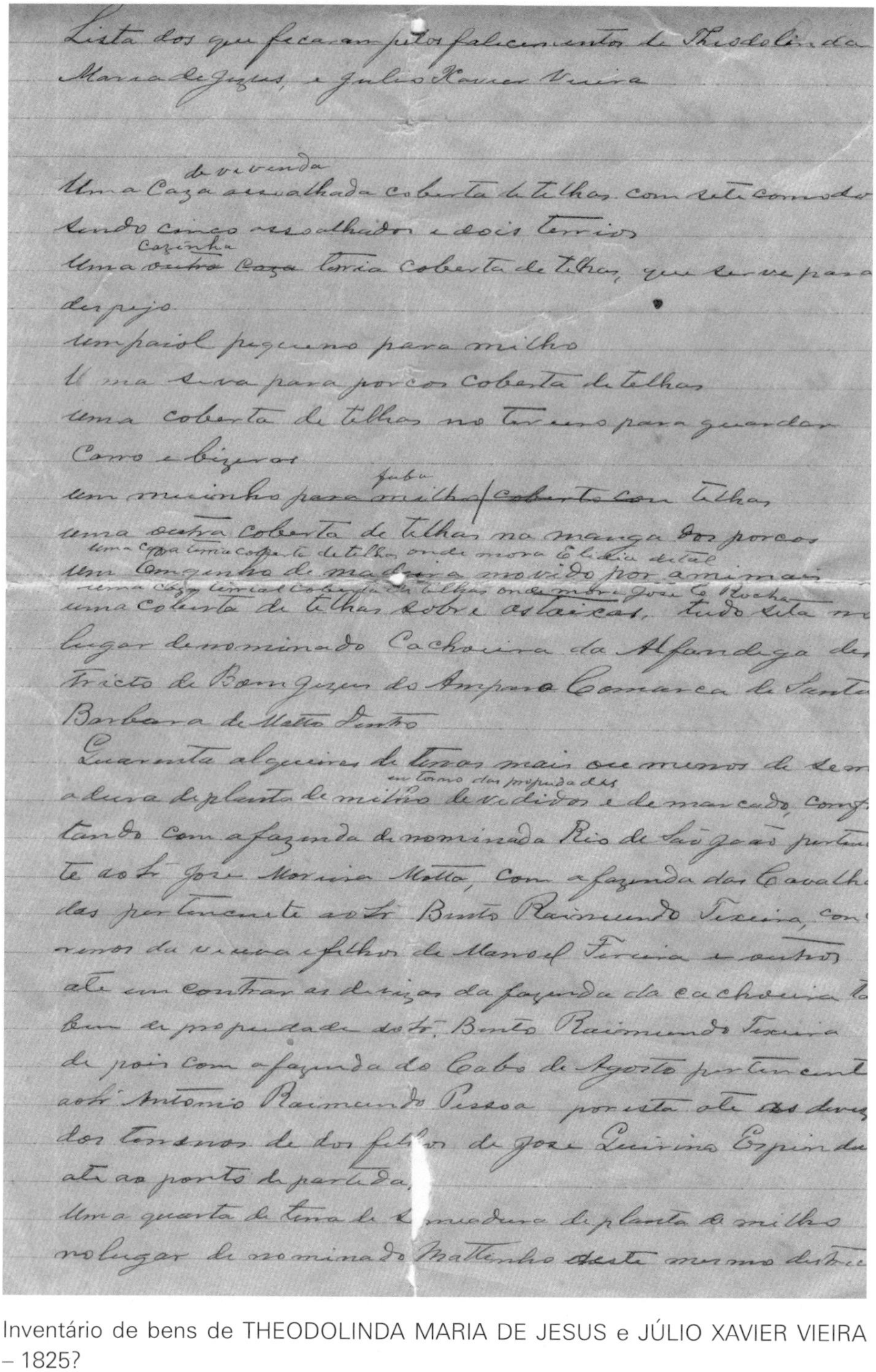
Lista dos que ficaram pelos falecimentos de Theodolinda
Maria de Jezus, e Julio Xavier Vieira

Uma Caza de vivenda assoalhada coberta de telhas com sete comodos
sendo cinco assoalhados e dois terrios
Uma cozinha ~~outra Caza~~ terria coberta de telhas, que serve para
despejo.
Um paiol pequeno para milho
Uma seva para porcos coberta de telhas
uma coberta de telhas no terreiro para guardar
Carro e bizerros
um moinhinho para fubá ~~milho~~ coberto com telhas
uma ~~outra~~ coberta de telhas na manga dos porcos
Uma Caza terria coberta de telhas onde mora Elidiu Vital
Um Engenho de madeira movido por animais
uma Caza terria coberta de telhas onde mora José da Rocha
uma coberta de telhas sobre as taipas, tudo sito no
lugar denominado Cachoeira da Alfandega districto de Bom Jezus do Amparo Comarca de Santa
Barbara de Matto Dentro
Quarenta alqueires de terras mais ou menos de sem-
adura de planta de milho em torno das propriedades devididos e demarcados, confron-
tando com a fazenda denominada Rio de São João pertencen-
te ao Sr. José Moreira Motta, com a fazenda das Cavalha-
das pertencente ao Sr. Bento Raimundo Teixeira, com terrenos da viuva e filhos de Manoel Ferreira e outros
até encontrar as divizas da fazenda da cachoeira tambem de propriedade do Sr. Bento Raimundo Teixeira
depois com a fazenda do Cabo de Agosto pertencente
ao Sr. Antonio Raimundo Pessoa por esta até as divizas dos terrenos de dos filhos de José Quirino Espinda
até ao ponto de partida,
Uma quarta de terra de semeadura de planta de milho
no lugar denominado Mattinho deste mesmo distric-

Inventário de bens de THEODOLINDA MARIA DE JESUS e JÚLIO XAVIER VIEIRA – 1825?

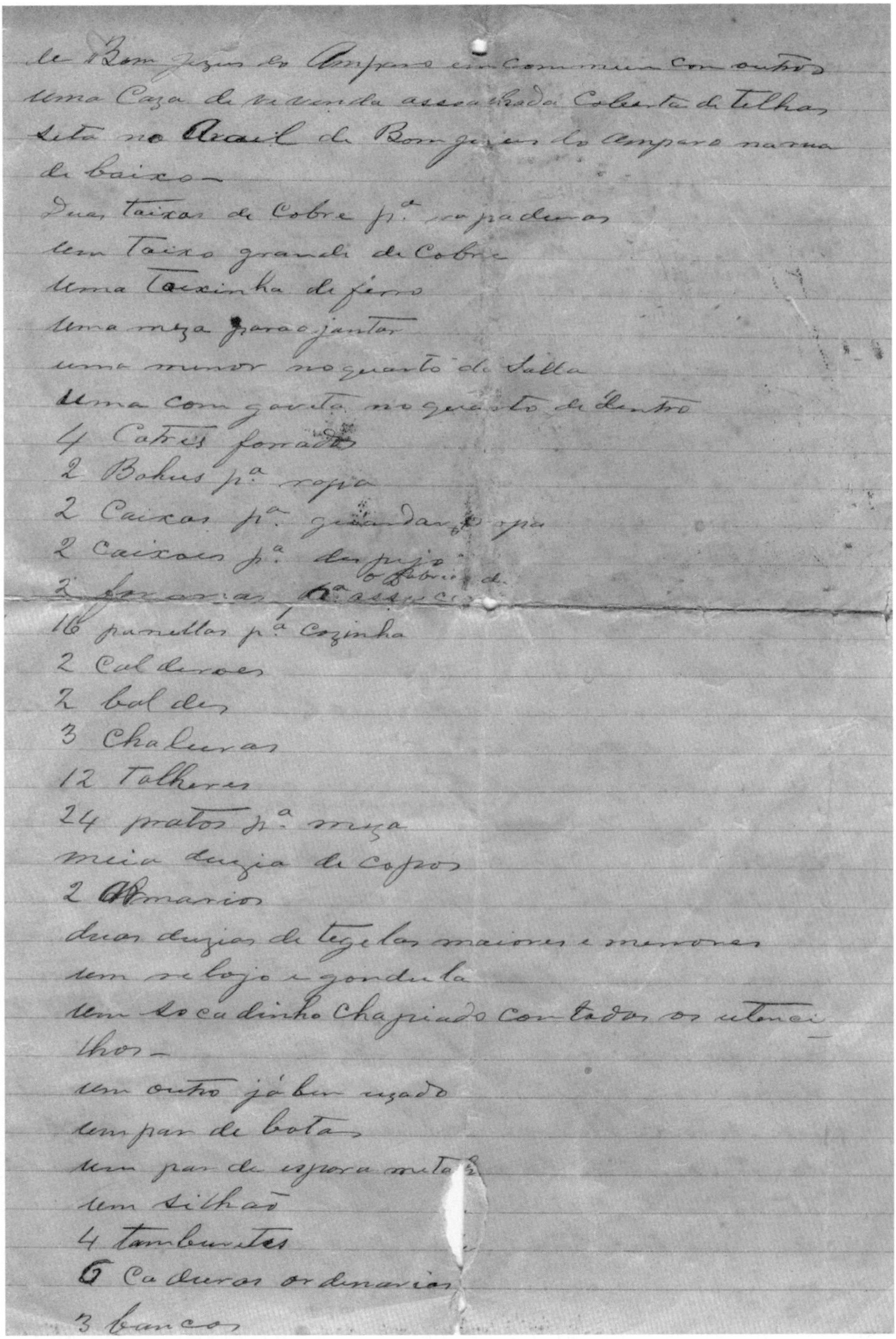

de Bom Jezus do Amparo em commum com outros
uma Caza de vivenda assoalhada Coberta de telhas
sita no Arrail de Bom Jezus do Amparo na rua
de baixo –
Duas taixas de Cobre p.ª rapaduras
um Taixo grande de Cobre
uma Taixinha de ferro
uma meza para o jantar
uma menor no quarto de Salla
uma com gaveta no quarto de dentro
4 Catres forrados
2 Bahus p.ª roupa
2 Caixas p.ª guardar roupa
2 Caixoes p.ª despejo
2 [illegible] [illegible] o fabrico de [illegible]
16 panellas p.ª Cozinha
2 Caldeiroes
2 baldes
3 Chaleiras
12 Talheres
24 pratos p.ª meza
meia duzia de Copos
2 Armarios
duas duzias de tigelas maiores e menores
um relogio e gondula
um Socadinho Chapiado com todos os utencilhos –
um outro já bem uzado
um par de botas
um par de espora meta[illegible]
um Silhão
4 tamboretes
6 Cadeiras ordinarias
3 bancos

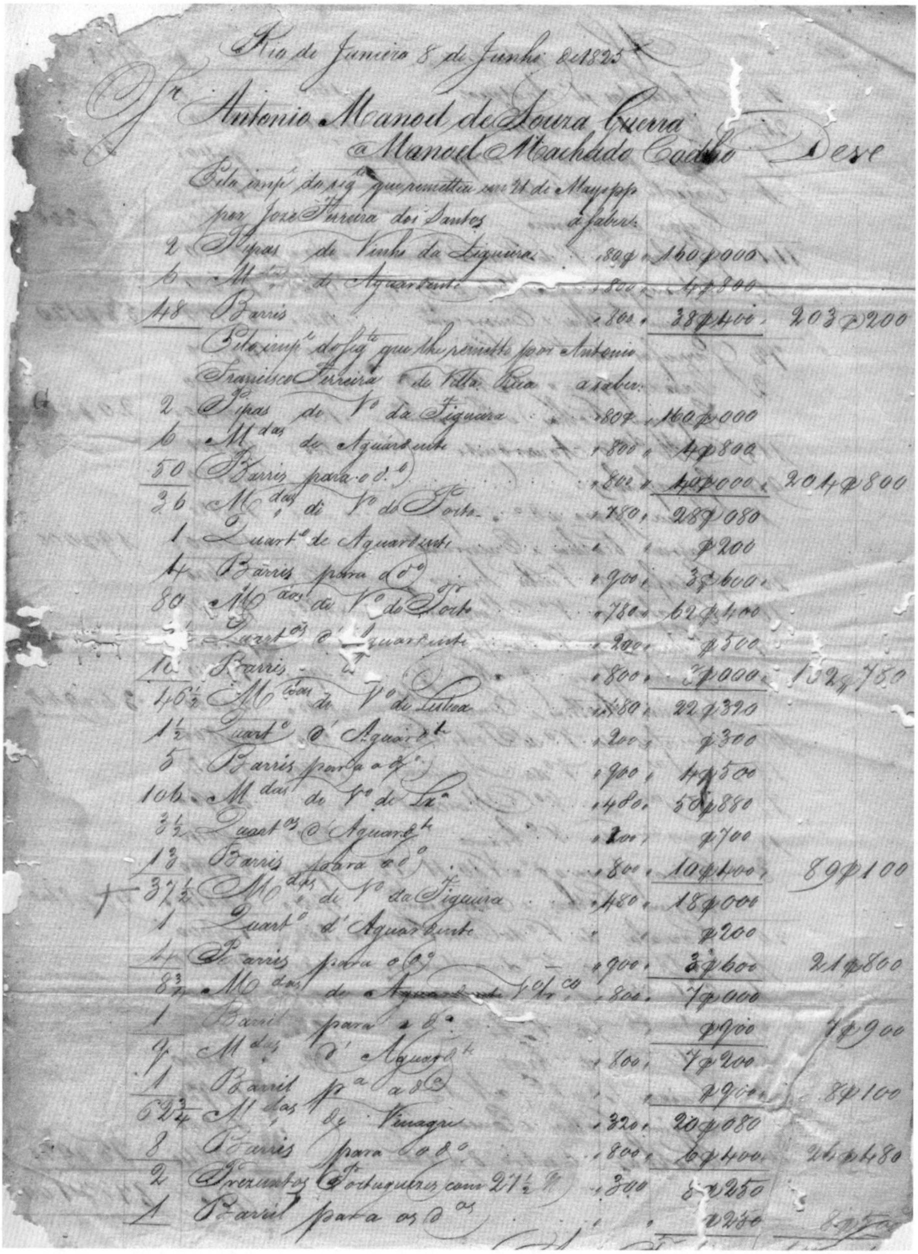

Lista de compras de mercadoria e seu débito, adquirida no Rio de Janeiro por ANTONIO MANUEL DE SOUZA GUERRA e MANOEL MACHADO COELHO, remetidas por JOÃO FERREIRA DOS SANTOS – 08/06/1825

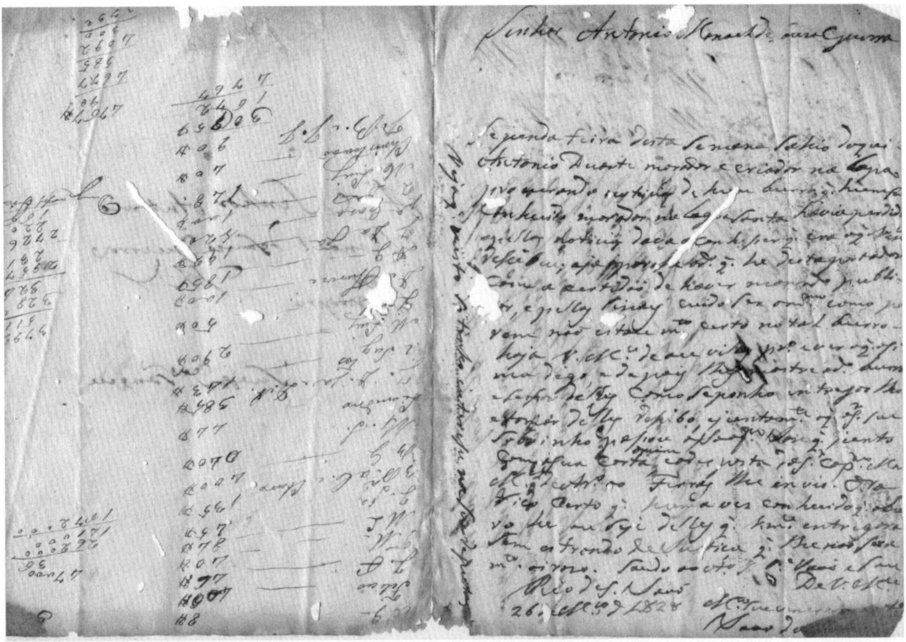

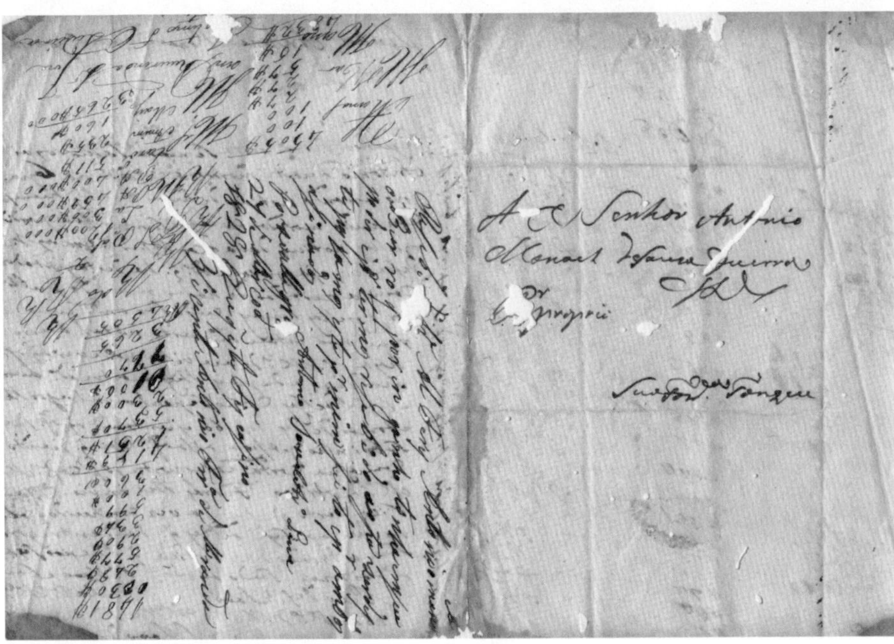

Recibo de venda de um burro – ANTONIO MANUEL VIEIRA GUERRA (26/03/1828)

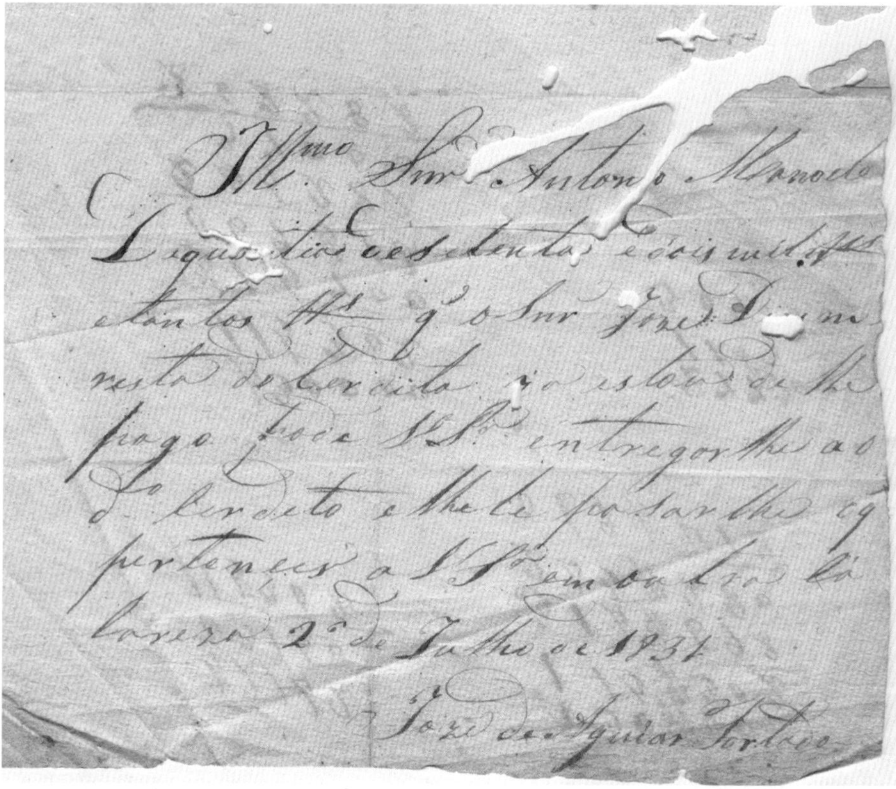

Illmo. Snr. Antonio Manoel
Liquidos [illegible] setenta e dois mil rs
e setenta rs q o Snr. José [illegible]
resto de credito q estou de lhe
pago Voce V. Sa. entregar-lhe ao
dito credito e lhe [illegible] passar-lhe q
pertencer a V. Sa. em outro [illegible]
[illegible] 2 de Julho de 1831
José de Aguiar Furtado

Nota promissória de 72$070 (setenta e dois mil e setenta reis) contra ANTONIO MANUEL, a favor de JOSÉ DE AGUIAR FURTADO (02/07/1831).

Pedido de compra de milho assinado por JOÃO BORGES – Local: Fazenda Cabo de Agosto (15/04/1833).

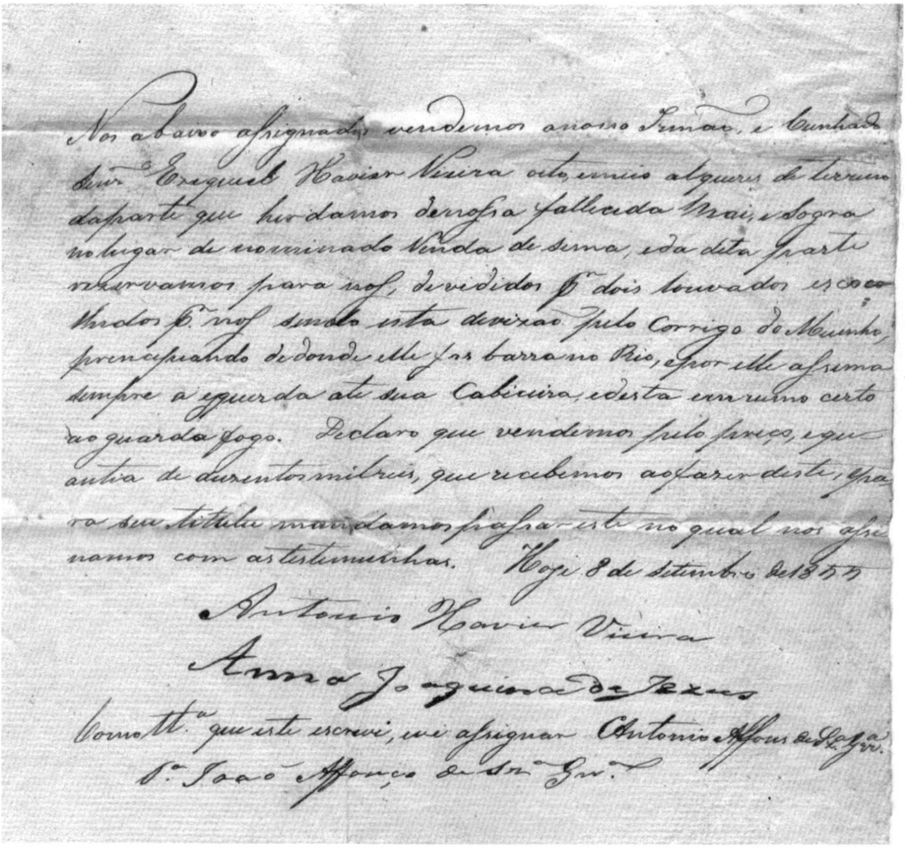

Nos abaixo assignados vendemos ao nosso Irmão, e Cunhado
Senr. Ezequiel Xavier Vieira oito, e meio alqueires de terreno
da parte que herdamos de nossa fallecida Mai, e Sogra
no lugar denominado Venda de sima, e da dita parte
reservamos para nós, devididos pr. dois louvados escolhidos pr. nós sendo esta devizão pelo Corrigo do Moinho,
principiando de donde elle fas barra no Rio, e por elle assima
sempre a esquerda até sua Cabiceira, e desta em rumo certo
ao guarda fogo. Declaro que vendemos pelo preço, e quantia de duzentos mil reis, que recebemos ao fazer deste, e para sua titulo mandamos passar este no qual nos assignamos com as testemunhas. Hoje 8 de setembro de 1857

Antonio Xavier Vieira
Anna Joaquina de Jezus
Como testa. que este escrevi, e vi assignar Antonio Affonso de Sza. Gr.
Tª João Affonço de Sza. Gr.

Recibo de venda de terras – 200$000 – Vendedores ANTONIO XAVIER VIEIRA e A. JOAQUIM DE JESUS, e comprador EZEQUIEL XAVIER PEREIRA.

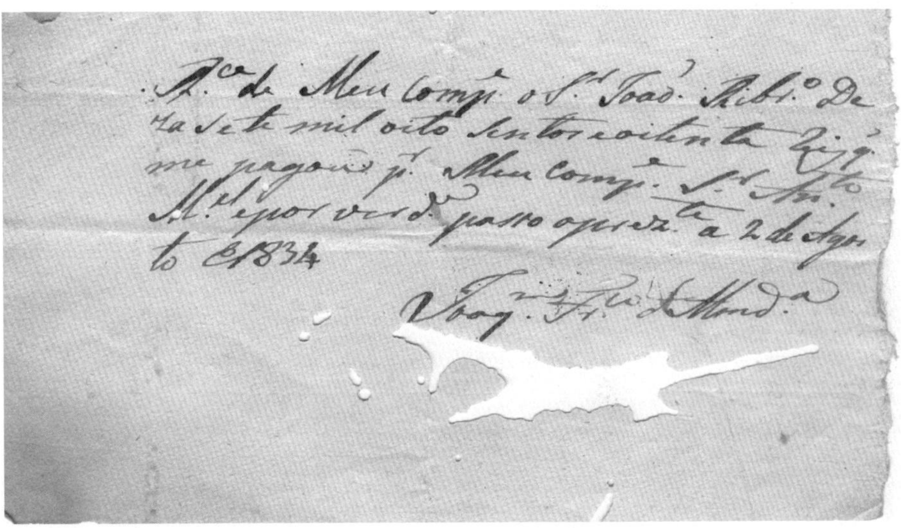

Declaração de débito de JOÃO RIBEIRO no valor de 7$880 a favor de JOAQUIM FRANCISCO DE MENDONÇA (02/08/1834).

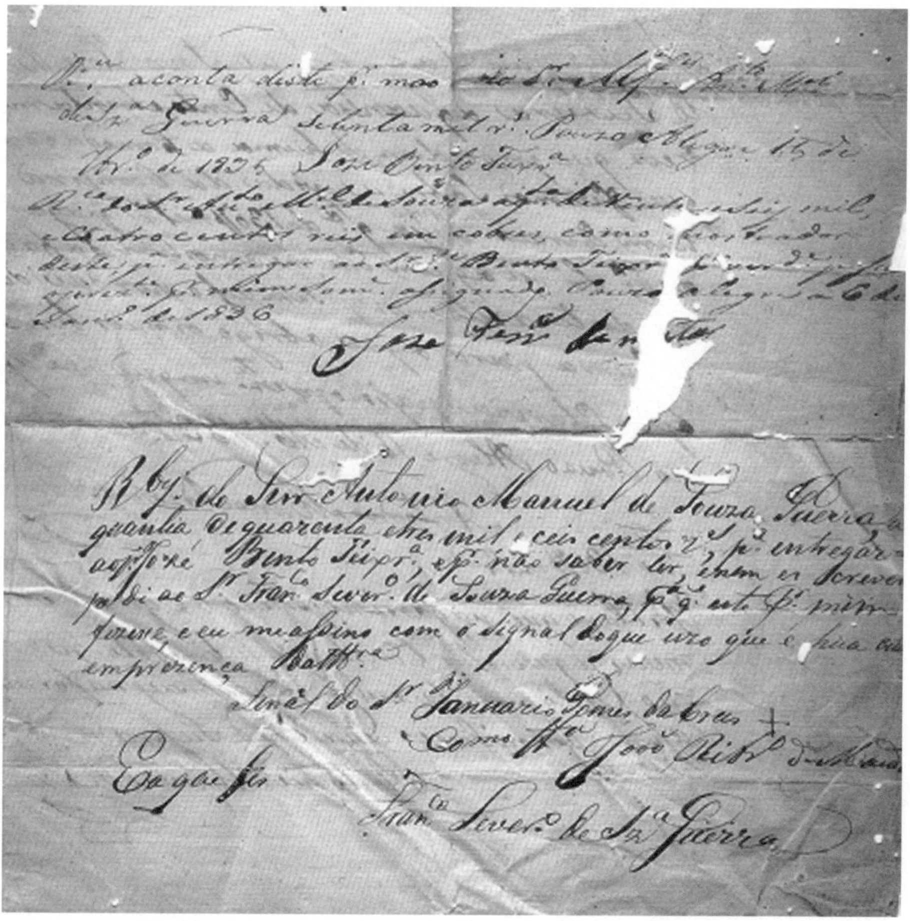

Declaração de débito e recibo de quitação referente à compra de um escravo. Comprador: ANTONIO MANUEL DE SOUZA GUERRA, vendedor JOSÉ BENTO TEIXEIRA (16/03/1835).

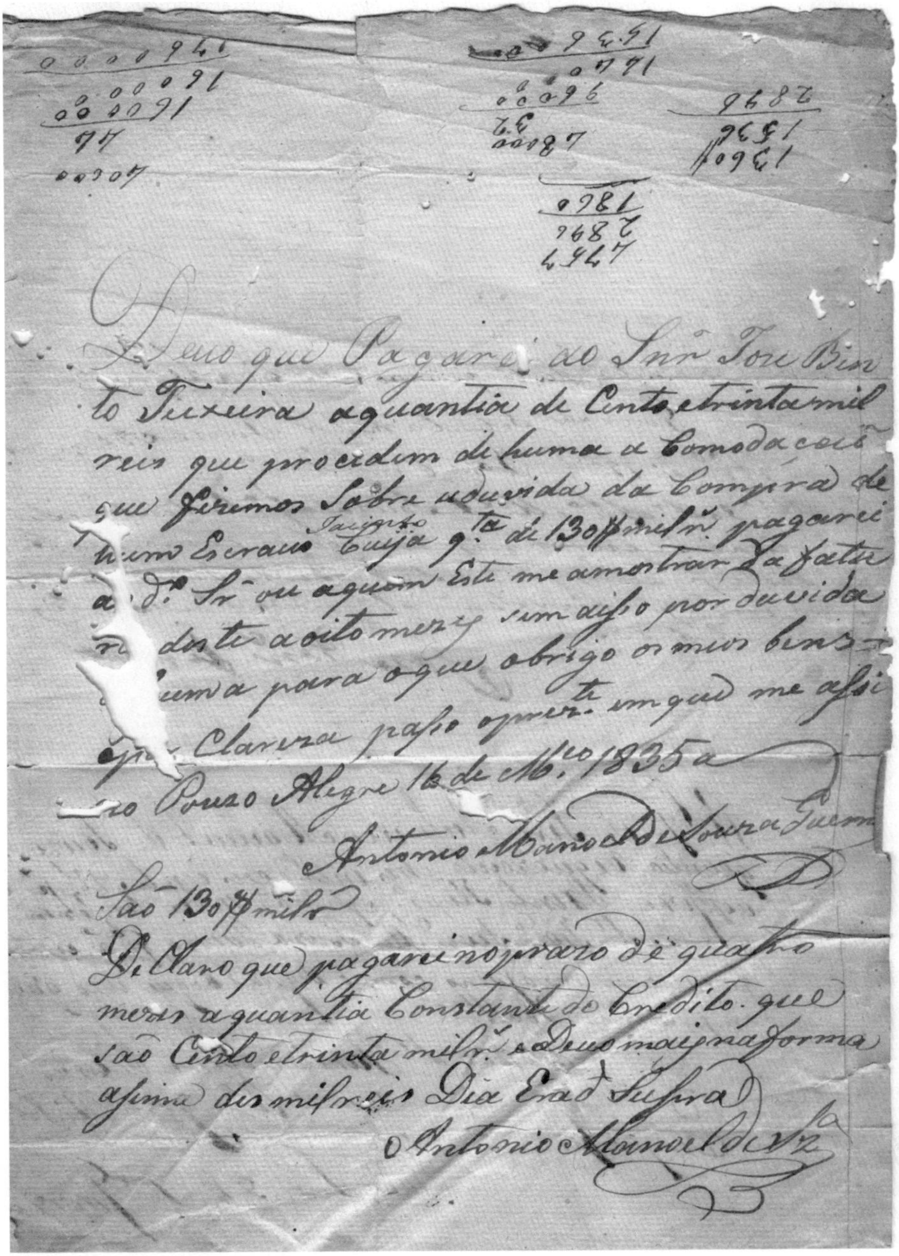
Devo que Pagarei ao Snr. Jose Bento Teixeira a quantia de Cento e trinta mil reis que procedem de huma acomodação que fizemos Sobre a duvida da Compra de hum Escravo Jacinto cuja q.ta de 130$000 mil r.s pagarei ao d.o Sr. ou a quem Este me amostrar a fatura deste a oito mezes sem a isso por duvida alguma para o que obrigo os meus bens para Clareza passo o prezente em que me assigno Pouso Alegre 16 de M.co 1835

Antonio Manoel De Souza Guim

São 130$000 mil r.s

Declaro que pagarei no prazo de quatro mezes a quantia Constante do Credito que são Cento e trinta mil r.s e Deus mais na forma a sima dos mil reis Dia Era ut Supra

Antonio Manoel de Sz.a

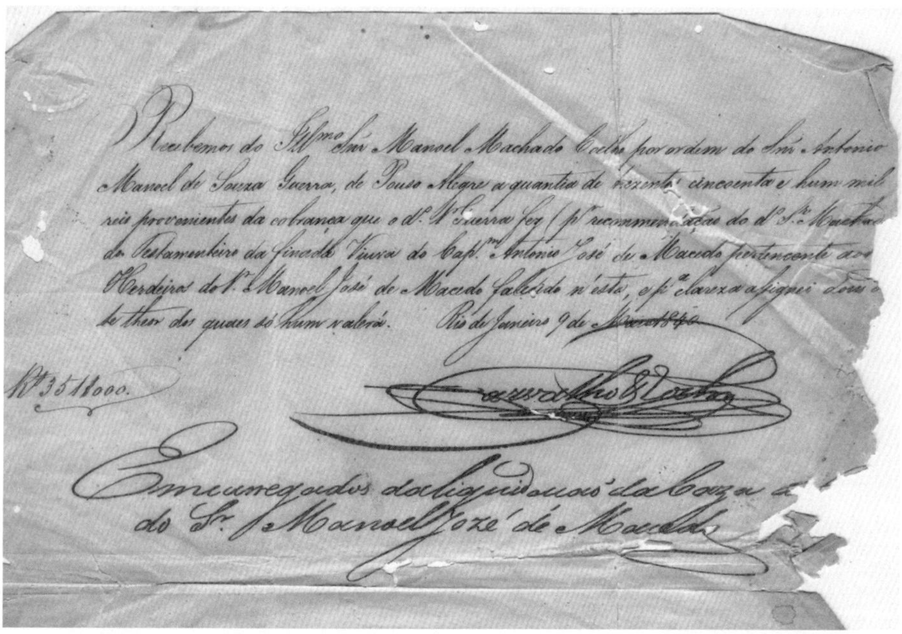

Recebemos do Illmo Snr Manoel Machado Coelho por ordem do Snr Antonio Manoel de Souza Guerra, de Pouso Alegre a quantia de trezentos cincoenta e hum mil reis provenientes da cobrança que o dr. Nr Guerra fez (p recommendação do dr Sr Machado) do Testamenteiro da finada Viuva do Capm Antonio José de Macedo pertencente aos Herdeiros do Sr Manoel José de Macedo falecido n'esta, e p clareza assignei dous de theor dos quaes só hum valerá. Rio de Janeiro 9 de Março 1840

Rs 351$000.

Encarregados da liquidação da Casa do Sr. Manoel José de Macedo

Recibo de 351$000 de liquidação de testamento de MANOEL JOSÉ DE MACEDO.

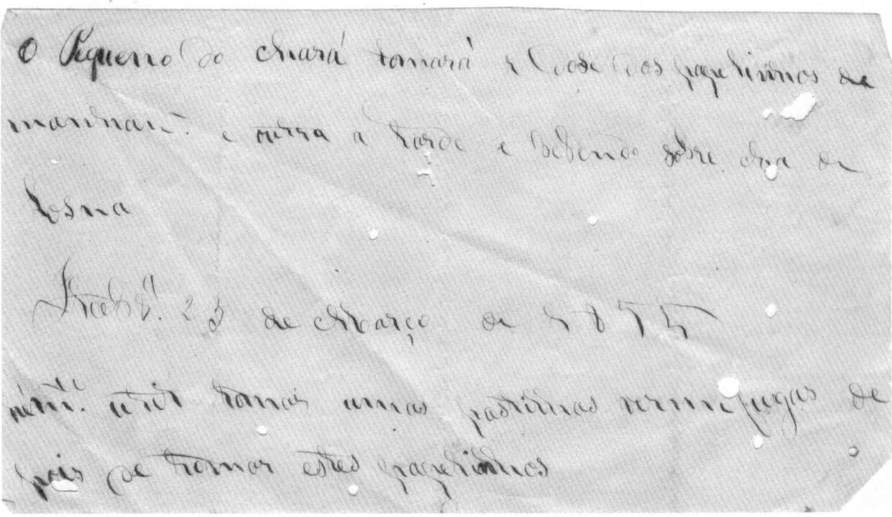

O Pequeno do Chará tomará 1 dose dos papelinhos de manhaã e outra a tarde e bebendo sobre elle chá de losna

Itab.ª 23 de Março de 1855

Ment.º vai tomar umas pastilhas vermifugas depois de tomar estes papelinhos

Prescrição Médica – Sem assinatura (23/03/1855).

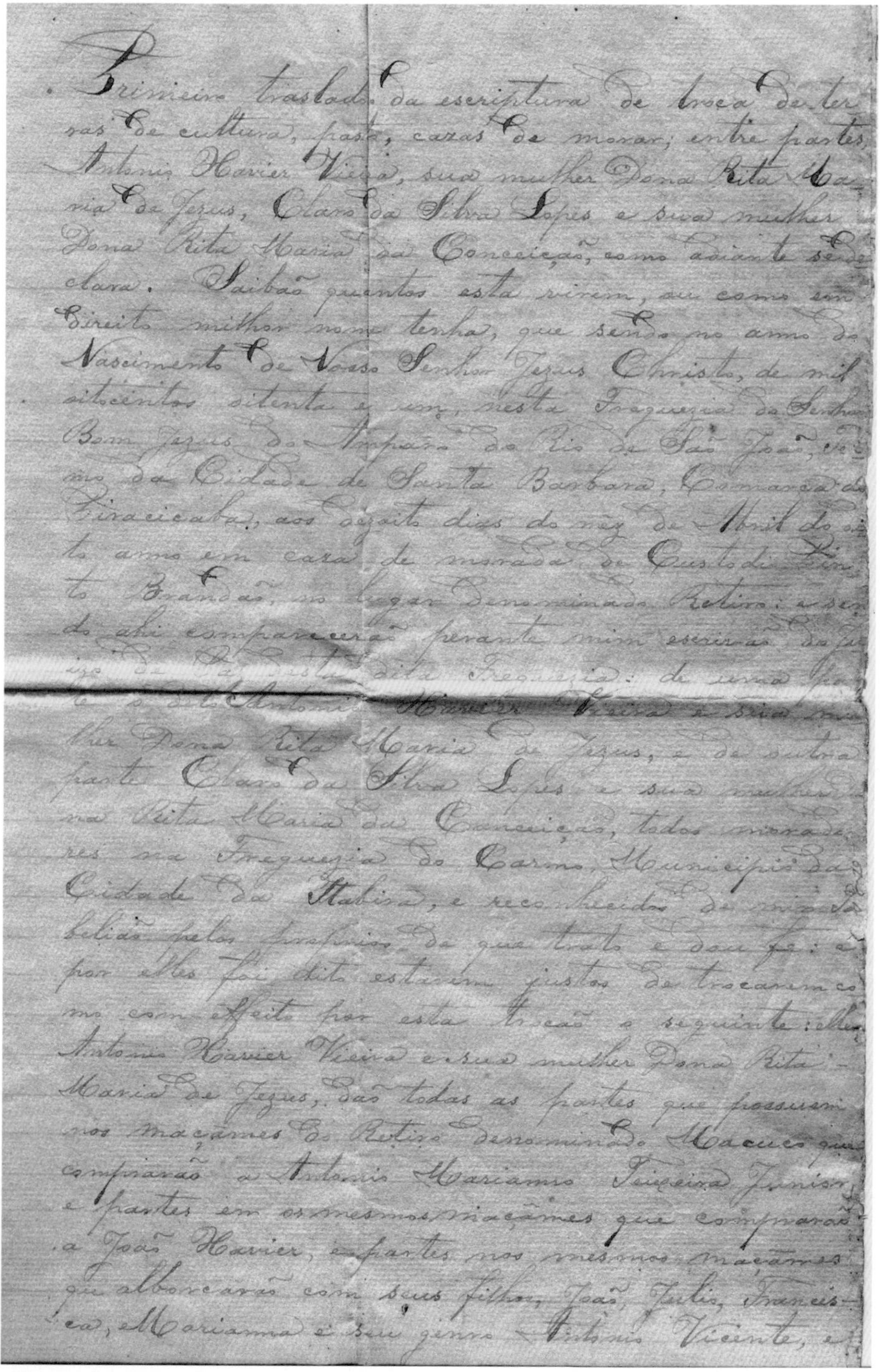

Primeiro translado da escriptura de troca de terras de cultura, pasto, cazas de morar, entre partes Antonio Xavier Vieira, sua mulher Dona Rita Maria de Jezus, Claro da Silva Lopes e sua mulher Dona Rita Maria da Conceição, como adiante se declara. Saibão quantos esta virem, que como em direito milhor nome tenha, que sendo no anno do Nascimento de Nosso Senhor Jezus Christo, de mil oitocentos oitenta e um, nesta Freguezia do Senhor Bom Jezus do Amparo do Rio de São João, termo da Cidade de Santa Barbara, Comarca de Piracicaba, aos dezoito dias do mez de Abril do dito anno em caza de morada de Custodio Pinto Brandão, no lugar denominado Retiro: e sendo ahi compareceram perante mim escrivão de paz desta dita Freguezia: de uma parte o dito Antonio Xavier Vieira e sua mulher Dona Rita Maria de Jezus, e da outra parte Claro da Silva Lopes e sua mulher Dona Rita Maria da Conceição, todos moradores na Freguezia do Carmo, Municipio da Cidade de Itabira, e reconhecidos de mim escrivão pelos proprios de que trato e dou fé: e por elles foi dito estarem justos de trocarem como com effeito por esta trocão o seguinte: elles Antonio Xavier Vieira e sua mulher Dona Rita Maria de Jezus, dão todas as partes que possuem nos maçames do Retiro denominado Macacos que compraram a Antonio Marianno Teixeira Junior, e partes em os mesmos maçames que compraram a João Xavier, e partes nos mesmos maçames que alborcaram com seus filhos, João, Felis, Francisca, Mariana e seu genro Antonio Vicente, e

Primeiro translado de escritura de terra.

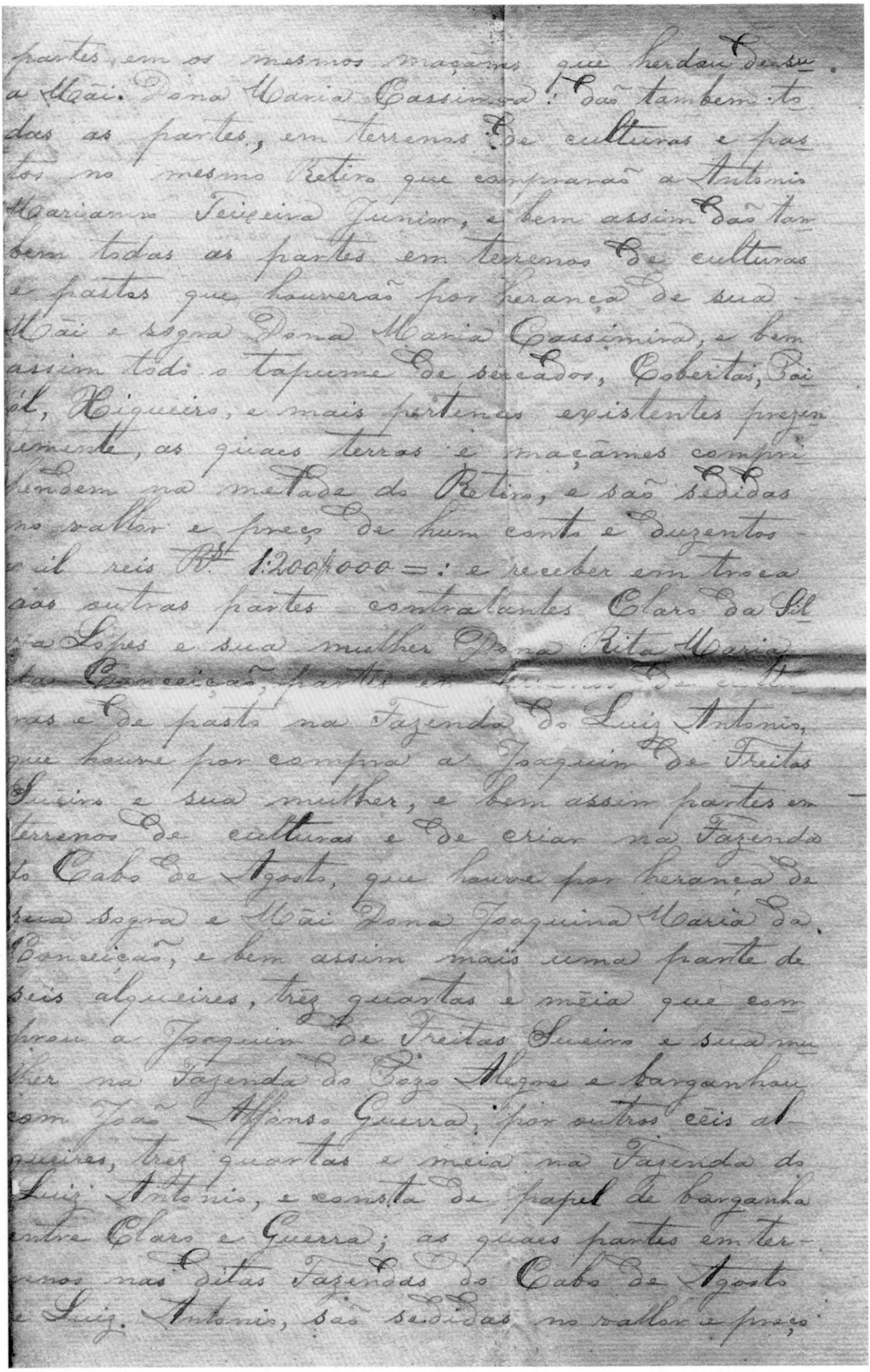
partes, em os mesmos maçames que herdou de sua
a Mãi Dona Maria Cassimira! dão tambem todas as partes, em terrenos de culturas e pastos no mesmo Retiro que compraraõ a Antonio
Mariano Teixeira Junior, e bem assim dão tambem todas as partes em terrenos de culturas
e pastos que houveraõ por herança de sua
Mãi e sogra Dona Maria Cassimira, e bem
assim todo o tapume de cercados, Cobertas, Paiol, Higueiro, e mais pertences existentes prezen-
temente, as quaes terras e maçames compre-
hendem na metade do Retiro, e saõ cedidas
no valor e preço de hum conto e duzentos
mil reis Rs 1:200$000 =: e receber em troca
das outras partes contratantes Claro da Silva Lopes e sua mulher Dona Rita Maria
da Conceição, partes em terrenos de culturas e de pasto na Fazenda do Luiz Antonio,
que houve por compra a Joaquim de Freitas
Sueiro e sua mulher, e bem assim partes em
terrenos de culturas e de criar na Fazenda
do Cabo de Agosto, que houve por herança de
sua sogra e Mãi Dona Joaquina Maria da
Conceição, e bem assim mais uma parte de
seis alqueires, trez quartas e meia que comprou a Joaquim de Freitas Sueiro e sua mulher na Fazenda do Pozo Alegre e barganhou
com João Affonso Guerra, por outros ceis alqueires, trez quartas e meia na Fazenda do
Luiz Antonio, e consta de papel de barganha
entre Claro e Guerra; as quaes partes em terrenos nas ditas Fazendas do Cabo de Agosto
e Luiz Antonio, saõ cedidas no valor e preço

de hum conto e quatro centos mil reis Rs 1:400$000
pelo que tiverão os mesmos contratantes, Antonio
Xavier Vieira e sua mulher de pagarem
a diferença de duzentos mil reis Rs 200$000,
e forão entregues e recebidos no acto da escriptura presente. E assim estipulado disserão, que
reciprocamente transferem uns, aos outros o do-
minio, direito, acção e posse das propriedades tro-
cadas, e que estas poderão tomar judicial ou extraju-
dicialmente como quizerem, e enquanto a não tomarem se constituem cada uns possuidores em
nome dos outros: assim tambem se obrigão por
suas pessoas e bens a fazerem esta troca boa
e de paz, e especialmente obrigão e hypothecão as
propriedades que receberem a segurança e deffeza
das que cederem. E logo por uns e outros me forão apresentados os talões e certidões de pag-
direitos nacionaes e provinciaes do theor seguinte:
Numero quinze; Provincia de Minas Geraes: receita geral; exercicio de mil oitocentos e setenta a mil
oitocentos setenta e um: transmissão de propriedades. Lei numero dois mil trezentos e quarenta e oito, de vinte e cinco de Agosto de mil oitocentos setenta e trez: artigo onze: paragrapho o-
nze e regulamento numero cinco mil quinhentos setenta e um de trinta e um de Março de
mil oitocentos setenta e quatro: a folhas do caderno de receita fica debitada ao Collector no
valor de doze mil reis Rs 12$000 recebidos de
Antonio Xavier Vieira, provinientes de troca
que faz com Claro da Silva Lopes e sua mulher: trocão partes no Retiro denominado Macuco e partes na Fazenda do Cabo de Agosto e Luiz

Talão

Antonio, cujo excedente de terras é no valor de
duzentos mil reis = conforme a guia. Para cla
reza se lhe dá o prezente conhecimento. Collec
toria Municipal de Santa Barbara em dezoito
de Abril de mil oito-centos, oitenta e um. O
Collector = Coelho da Cunha = O escrivão Alves
de Araujo Machado. Numero sessenta e três = Ren
da Provincial = Minas Geraes = exercicio de mil oi
tocentos e oitenta a mil oitocentos oitenta e
um, a folhas do caderno da receita fica de
bitada ao Collector Carlos Augusto Pinto Coe
lho da Cunha a importancia de trez mil reis
Rs. 3$000 recebida de Antonio Xavier Vieira, pro
venientes de terras e massames e mais benfeitorias,
tudo imposto de Novos e Velhos direitos, pela tro
ca de bens de raiz que, sendo o excedente de [illegible]
[illegible] reis [illegible] Collectoria Munici
pal de Santa Barbara dezoito de Abril de mil
oitocentos oitenta e um. O Collector Coelho da
Cunha = O escrivão Alves de Souza. Depois de
scripta esta eu escrivão a li perante as partes
contratantes que mutuamente a aceitarão e ou
torgarão, e eu tambem o fiz quanto a meu offi
cio pertence. Testemunhas presentes = Custodio
Pinto Brandão e Francisco José Dias, moradores
nesta Freguezia. Assignando a rogo dos vendedores
por estes não saberem ler e nem escrever, Joaquim
Custodio Pinto Brandão; assignando todos peran
te mim Francisco da Cunha Rodrigues que esta
escrevi e assigno em publico e raso.
Em [illegible] de verdade
Francisco da Cunha Rodrigues
Declaro em tempo que assignou a rogo de Ri

Eu Manoel Moreira Teixeira Penna declaro que concedo au-
torização aos Snrs João Evangelista Xavier e Julio Xavier Vieira, para ficarem em minha fazenda denominada Venda de Cima e della gosarem mediante as
condições seguintes. Conservarem as bemfeitorias e da-
rem-me de arrendamento cento e trinta e um mil e quinhentos reis (131$500) em dinheiro, ou em generos de
valor equivalente. Os arrendamentos serão pagos an-
nualmente, e na falta de pagamento dentro do anno os
arrendatarios deixarão a fazenda com todas as plantações
no estado em que se acharem, sem direito a indenização
alguma. Os arrendatarios terão preferencia para ficarem
com a fazenda pelo preço de dois contos de reis em quanto
forem pagando pontualmente os arrendamentos durante
tres annos que começa a vigorar desta data; findos os quais
poderei entrar no gozo da mesma, ou vendella a quem quizer
sem terem preferencia, bem como no caso de deixarem de pagar os arrendamentos em que perdem todos os direitos supra
mencionados.
Tendo ja recebido por pagamento da fazenda
de reis cento e oitenta e

Declaração do Sr. MANOEL MOREIRA TEIXEIRA PENNA sobre arredamento da FAZENDA VENDA DE CIMA aos senhores JOÃO EVAGELISTA XAVIER e JÚLIO XAVIER VIEIRA. Contém condições e custos (23/05/1888).

Fazenda; pois já fica deduzida os juros correspondentes
de seis centos e oitenta e cinco mil reis entrada pelos mes
mos. Assim como aceitarei toda e qualquer quantia
que quizerem ir entrando para pagamento da fazenda,
alem do arrendamento; das quaes darei recibo, e irei di
minuindo dez por cento no arrendamento a proporção
das entradas, te que completem o pagamento para dar-
lhes escriptura.
Em caso dos mesmos Senhores não poderem efectuar
a compra, por falta de cumprimento do presente contra
cto ou outro qualquer, receberão só as quantias entradas
por conta da compra em vista dos recibos sem direito a
juros ou reclamação alguma.
Para constar lavrei dois contractos de igual theor
um dos quaes ficará em poder dos arrendatarios.
Fazenda de Santa Roza 23 de Maio de 188[illegible].
Manoel Moniz Teixeira Penna.
Aceitamos
João Evangelista Xavier
[illegible]

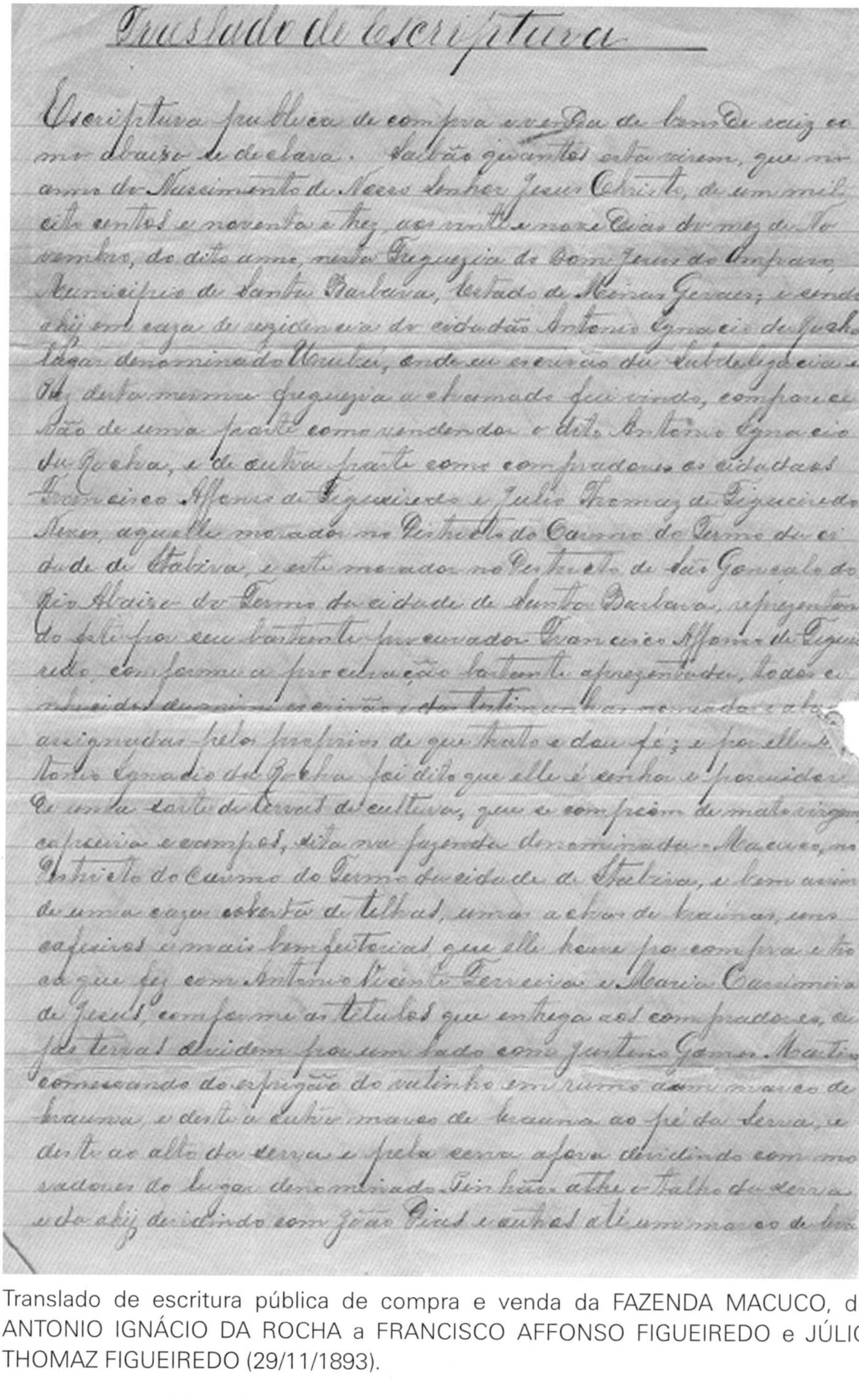

Translado de escriptura

Escriptura publica de compra e venda de terras como abaixo se declara. Saibão quantos este virem, que no anno do Nascimento de Nosso Senhor Jesus Christo, de um mil oito centos e noventa e trez, aos vinte e nove dias do mez de Novembro, do dito anno, nesta Freguezia de Bom Jesus do Amparo, Municipio de Santa Barbara, Estado de Minas Geraes; e sendo ahi em caza de rezidencia do cidadão Antonio Ignacio da Rocha, lugar denominado Cruzes, onde eu escrivão da Subdelegacia desta dita mesma freguezia a chamado fui vindo, compareceu de uma parte como vendedor o dito Antonio Ignacio da Rocha, e de outra parte como compradores os cidadãos Francisco Affonso de Figueiredo e Julio Thomaz de Figueiredo Neves, aquelle morador no Districto do Carmo do Termo da cidade de Itabira, e este morador no Districto de São Gonçalo do Rio Abaixo do Termo da cidade de Santa Barbara, representado pelo seu bastante procurador Francisco Affonso de Figueiredo, conforme a procuração bastante apresentada, todos os reconhecidos de mim escrivão [illegible] testemunhas ao diante nomeadas e ao final assignadas pelos proprios de que trato e dou fé; e pelo dito Antonio Ignacio da Rocha foi dito que elle é senhor e possuidor de uma sorte de terras de cultura, que se compoem de matto virgem, capoeiras e campos, dita na fazenda denominada Macuco, no Districto do Carmo do Termo da cidade de Itabira, e bem assim de uma caza coberta de telhas, um rancho de braúnas, uns cafeeiros e mais bemfeitorias que elle houve por compra e troca que fez com Antonio Vicente Ferreira e Maria Casimira de Jesus, conforme os titulos que entrega aos compradores, e as terras dividem por um lado com Justino Gomes Martins começando do espigão do valinho em rumo a um marco de brauna, e deste a outro marco de brauna ao pé da serra, e deste ao alto da serra e pela serra afora dividindo com moradores do lugar denominado Tinhão athe o talho da serra e da ahi dividindo com João Pires e outros até um marco de bra

Translado de escritura pública de compra e venda da FAZENDA MACUCO, de ANTONIO IGNÁCIO DA ROCHA a FRANCISCO AFFONSO FIGUEIREDO e JÚLIO THOMAZ FIGUEIREDO (29/11/1893).

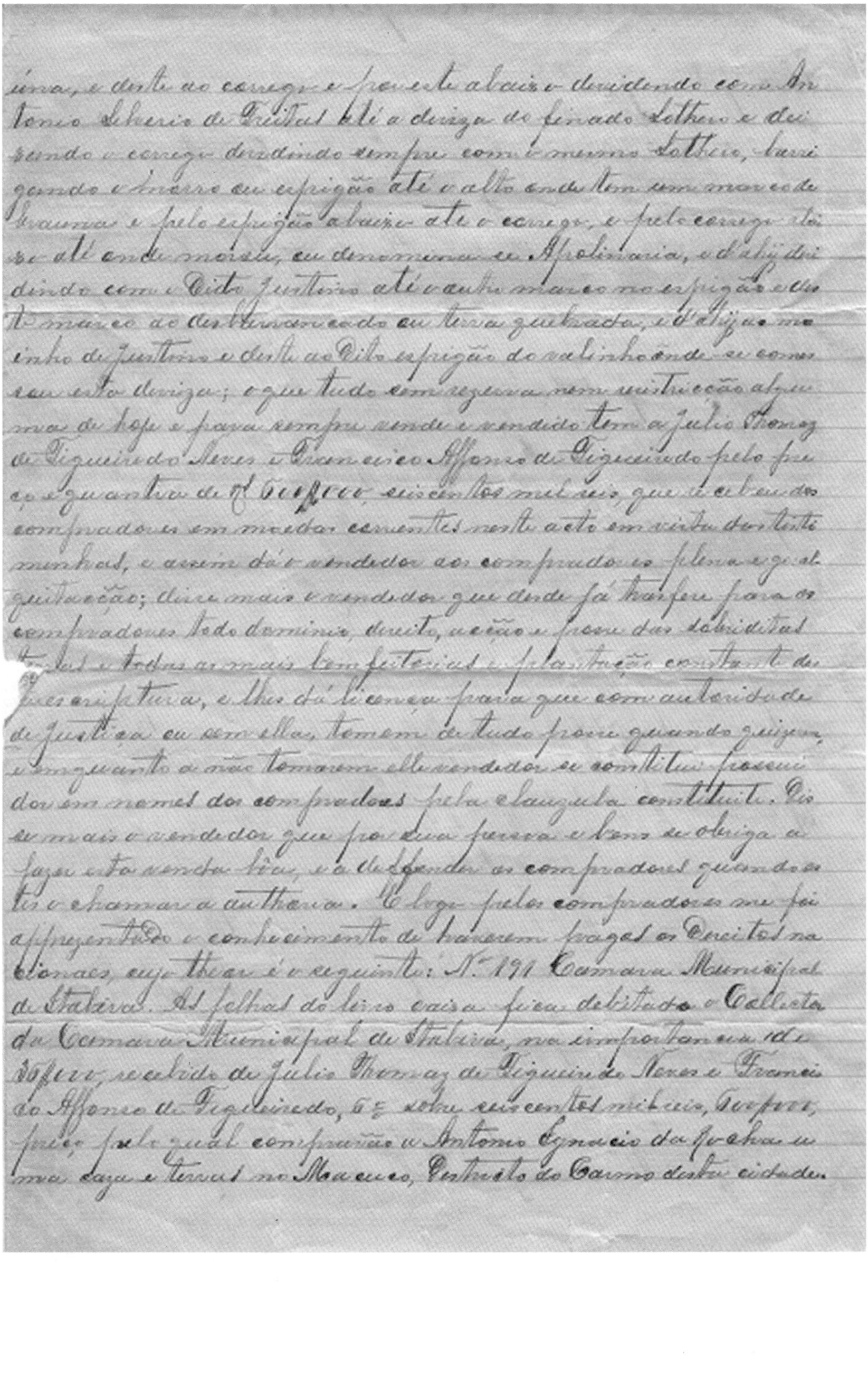

ima, e deste ao corrego e presente abaixo dividindo com Antonio Siberio de Freitas até a diviza do finado Lothero e dividindo o corrego dividindo sempre com o mesmo Lothero, barrigando o marco ou espigão até o alto onde tem um marco de braúna e pelo espigão abaixo até o corrego, e pelo corrego abaixo até onde morreu, ou denominava-se Apolinaria, e d'ahy dividindo com o Dito Justino até o outro marco no espigão e deste marco ao desbarrancado ou terra quebrada, e d'ahy ao moinho de Justino e deste ao Dito espigão do valinho onde se comessou esta diviza; o que tudo sem rezerva nem restricção alguma de hoje e para sempre vende e vendido tem a Julio Thomaz de Figueiredo Neves e Francisco Affonso de Figueiredo pelo preço e quantia de Rs 600$000, seiscentos mil reis, que recebeu dos compradores em moedas correntes neste acto em vista das testemunhas, e assim dá o vendedor aos compradores plena e geral quitação; disse mais o vendedor que desde já transfere para os compradores todo dominio, direito, acção e posse das sobreditas terras e todas as mais bemfeitorias e plantações constantes da prescriptura, e lhes dá licença para que com autoridade de Justiça ou sem ella, tomem de tudo posse quando quizerem, e enquanto a não tomarem elle vendedor se constitue possuidor em nome dos compradores pela clausula constituti. Disse mais o vendedor que por sua pessoa e bens se obriga a fazer esta venda bôa, e a deffender os compradores quando os tiver chamar a authoria. E logo pelos compradores me foi apprezentado o conhecimento de haverem pagas os Direitos nacionaes, cujo theor é o seguinte: Nº 191 Camara Municipal de Itabira. As folhas do livro caixa fica debitado o Collector da Camara Municipal de Itabira, na importancia de 30$000, recebido de Julio Thomaz de Figueiredo Neves e Francisco Affonso de Figueiredo, 5% sobre seiscentos mil reis, 600$000, preço pelo qual compraram a Antonio Ignacio da Rocha uma caza e terras no Macuco, Districto do Carmo desta cidade.

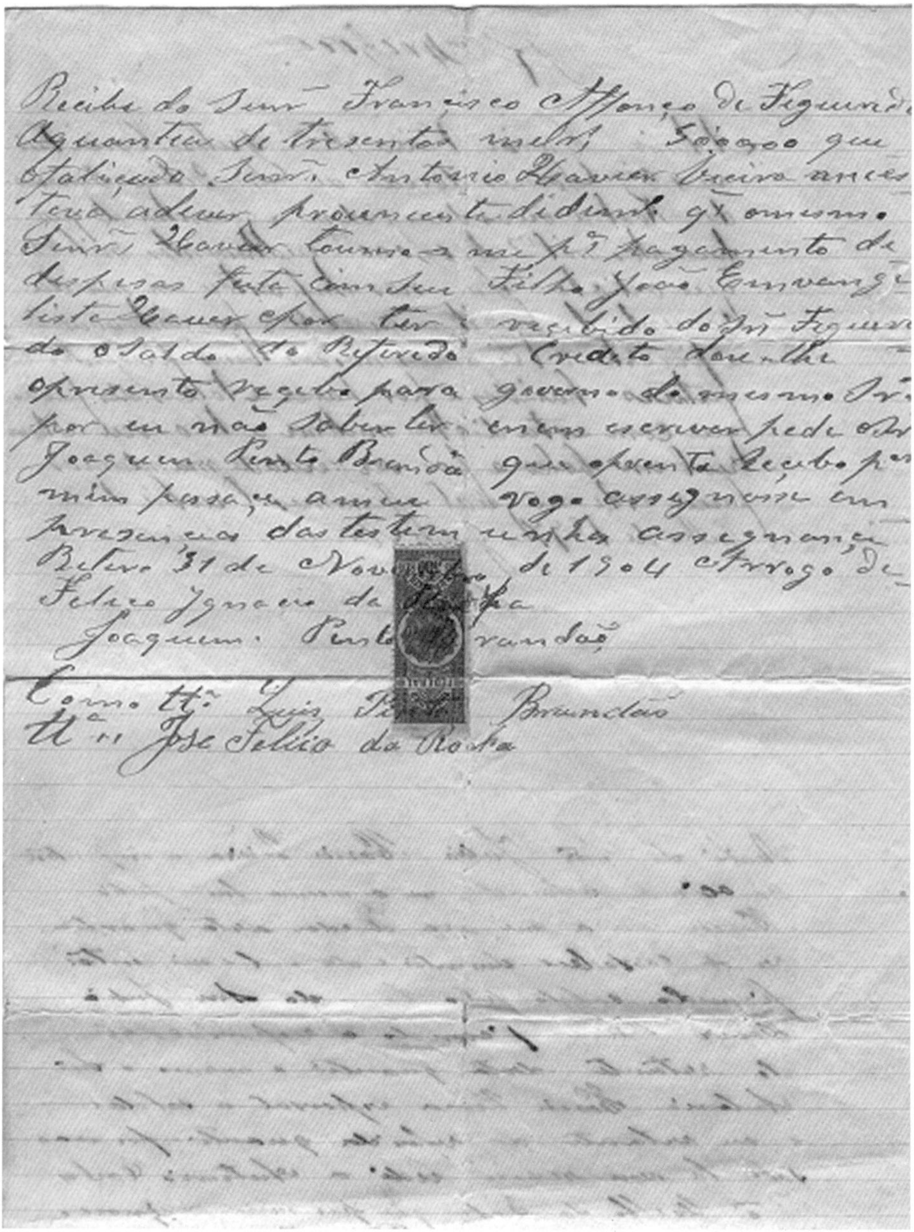
Recibi do Senr Francisco Affonço de Figueiredo
a quantia de tresentos mil reis 300$000 que
o falecido Senr Antonio Xavier Vieira antes
tenha a dever proveniente di divida q o mesmo
Senr Xavier tomou a mim p.ª pagamento de
despesas feita com seu filho João Evangelista Xavier e por ter recebido do Snr Figueiredo
o saldo do referido credito dou-lhe
o presente recibo para governo do mesmo Sr.
por eu não saber ler nem escrever pedi ao Sr
Joaquim Pinto Brandão que o presente recibo por
mim passasse a meu rogo assignasse em
presença das testemunhas assignadas
Retiro 31 de Novembro de 1904 A rogo de
Felicio Ignacio da Rocha
Joaquim Pinto Brandão
Como test.ª Luis Pinto Brandão
Test.ª José Felicio da Rocha

Promissória e recibo de quitação de empréstimo de 400$000 reis de FELÍCIO IGNÁCIO DA ROCHA a ANTONIO XAVIER VIEIRA e JÚLIO XAVIER VIEIRA (10/07/1897). Recibos assinados por FELÍCIO IGNÁCIO DA ROCHA em 10/07/1898 de 32$000 Reis e por ANTONIO CARLOS PINTO COELHO DA CUNHA em março de 1899.

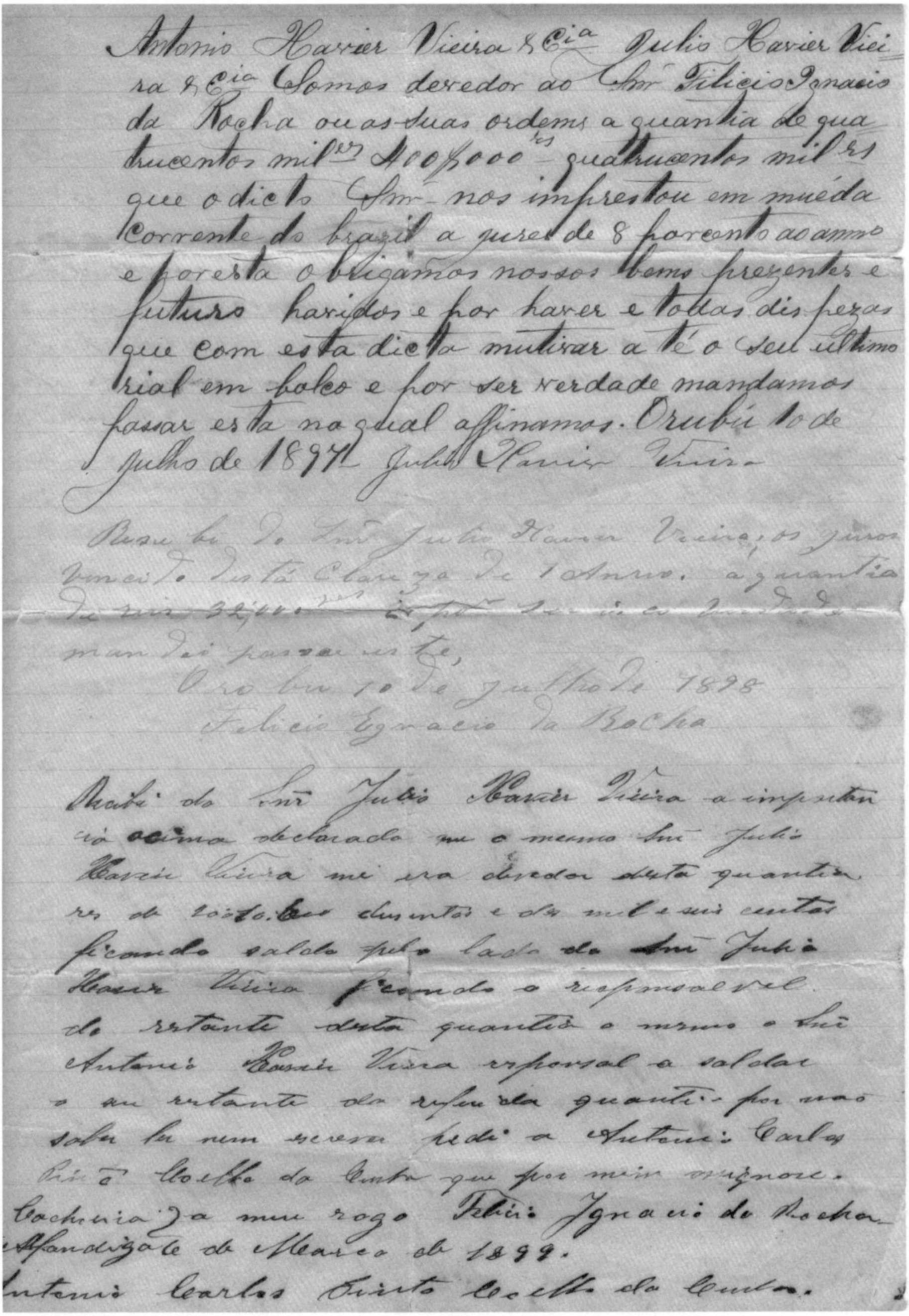
Antonio Xavier Vieira & Cia Julio Xavier Vieira & Cia Somos devedor ao Snr Felicio Ignacio da Rocha ou as suas ordems a quantia de quatrucentos mil rs 400$000 quatrucentos mil rs que o dicto Snr nos imprestou em mueda corrente do brazil a jures de 8 porcento ao anno e por esta obrigamos nossos bems prezentes e futuros havidos e por haver e todas dispezas que com esta dicta mutirar até o seu ultimo rial em bolco e por ser verdade mandamos passar esta na qual affinamos. Orubú 10 de julho de 1897 Julio Xavier Vieira

Recebi do Snr Julio Xavier Vieira os juros vencido desta clareza de 1 Annos a quantia de reis 32$000 [illegible] e por ser verdade mandei passar este,
Orobu 10 de julho de 1898
Felicio Ignacio da Rocha

Recebi do Snr Julio Xavier Vieira a importancia acima declarado [illegible] o mesmo Snr Julio Xavier Vieira me era devedor desta quantia de 200$000 duzentos e dez mil e seis centos ficando saldo pelo lado do Snr Julio Xavier Vieira ficando o responsavel do restante desta quantia o mesmo o Snr Antonio Xavier Vieira responsal a saldar o seu restante da referida quantia por não saber ler nem escrever pedi a Antonio Carlos Pinto Coelho da Cunha que por mim assignasse. Cachoeira a meu rogo Felicio Ignacio da Rocha [illegible] 4 de Março de 1899.
Antonio Carlos Pinto Coelho da Cunha.

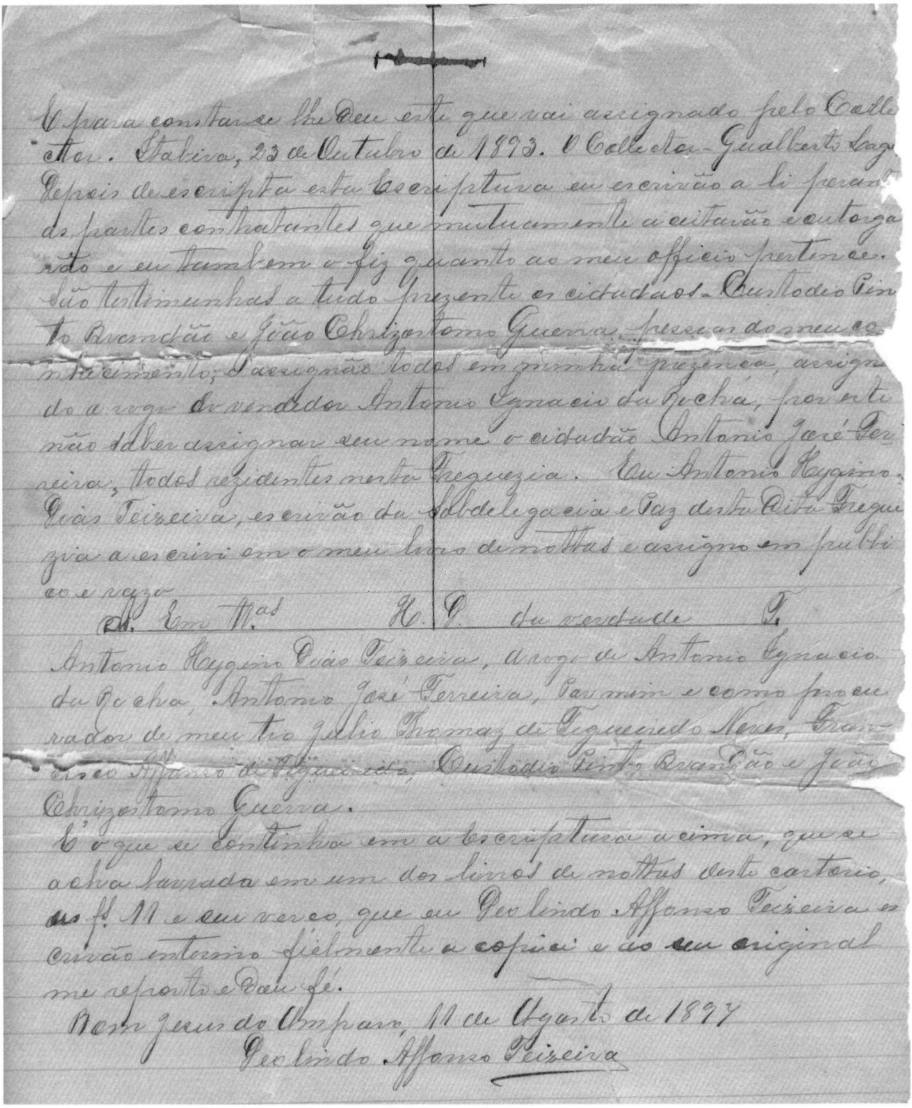

E para constar se lhe deu esta que vai assignado pelo Collector. Itabira, 23 de Outubro de 1893. O Collector Gualberto Lage

Depois de escripta esta escriptura eu escrivão a li perante as partes contractantes que mutuamente a aceitarão e outorgarão e eu tambem a fiz quanto ao meu officio pertence. São testemunhas a tudo prezentes os cidadãos Custodio Pinto Brandão e João Chrizostomo Guerra, pessoas do meu conhecimento; e assignão todos em minha prezença, assignando a rogo do vendedor Antonio Ignacio da Rocha, por este não saber assignar seu nome o cidadão Antonio José Ferreira, todos rezidentes nesta Freguezia. Eu Antonio Hygino Dias Teixeira, escrivão da Subdelegacia e Paz desta Dita Freguezia a escrevi em o meu livro de nottas e assigno em publico e razo.

S. Em Tes. H. D. da verdade D.

Antonio Hygino Dias Teixeira, a rogo de Antonio Ignacio da Rocha, Antonio José Ferreira, Por mim e como procurador de meu tio Julio Thomaz de Figueiredo Neves, Francisco Affonso de Figueiredo, Custodio Pinto Brandão e João Chrizostomo Guerra.

É o que se continha em a escriptura acima, que se acha lavrada em um dos livros de nottas deste cartorio, as fl. 11 e seu verso, que eu Deolindo Affonso Teixeira escrivão interino fielmente a copiei e ao seu original me reporto e dou fé.

Bom Jesus do Amparo, 11 de Agosto de 1897

Deolindo Affonso Teixeira

Trecho final de escritura de 11/08/1897 assinada por DEOLINDO AFFONSO TEIXEIRA.

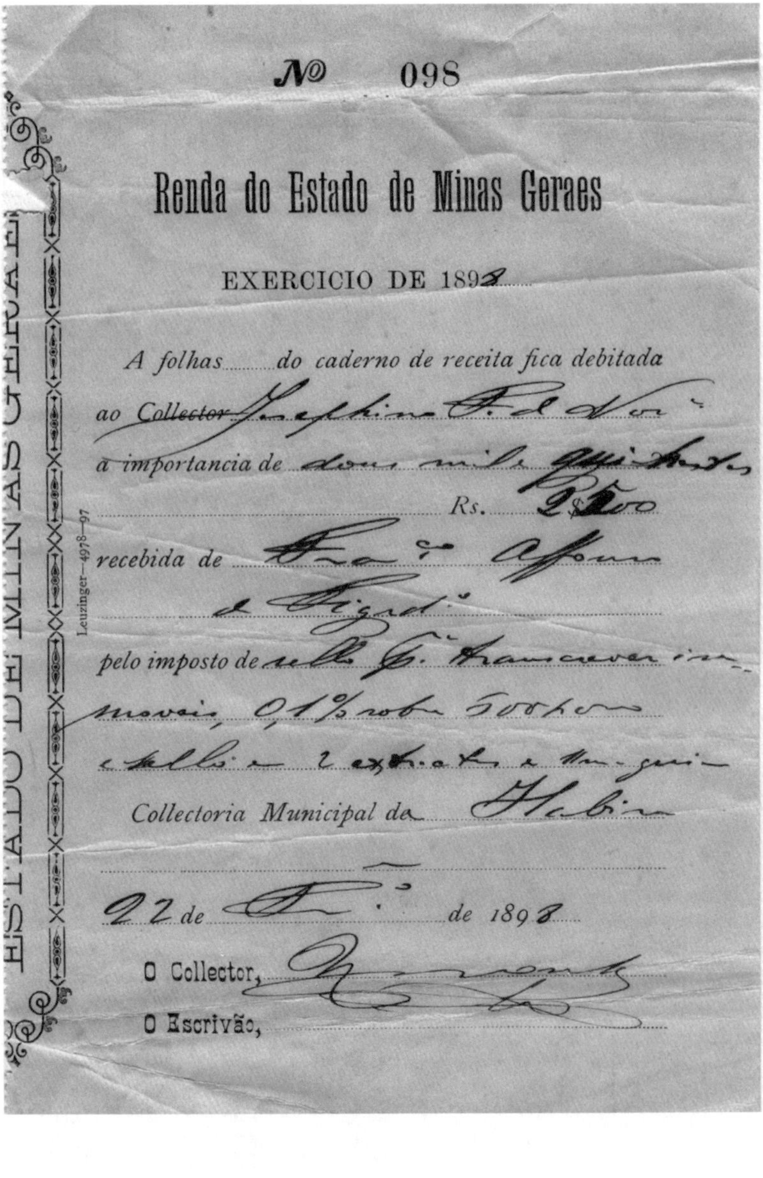
ESTADO DE MINAS GERAES

№ 098

Renda do Estado de Minas Geraes

EXERCICIO DE 1898

*A folhas ...... do caderno de receita fica debitada*

*ao Collector* ......

*a importancia de* dous mil e quinhentos

*Rs.* 2$500

*recebida de* ......

*pelo imposto de* ......

*Collectoria Municipal da* ......

22 *de* ...... *de* 1898

O Collector, ......

O Escrivão, ......

Leuzinger—4978—97

Recibo nº. 098 de Imposto de Renda Estadual do Sr. FRANCISCO AFFONSO DE FIGUEIREDO 2$500.

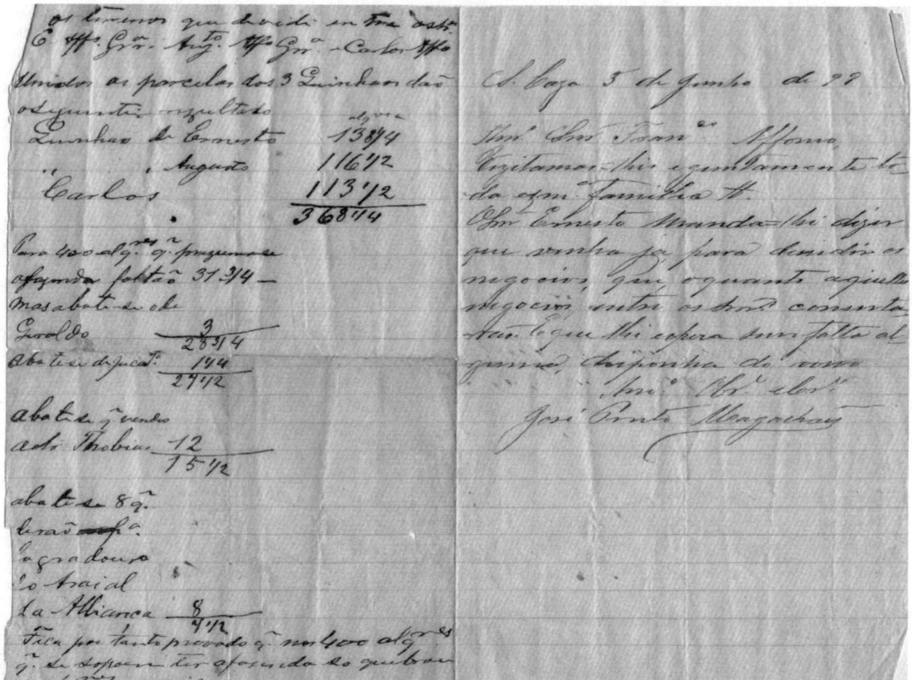

Bilhete do Sr. JOSÉ PINTO DE MAGALHÃES ao Sr. FRANCISCO AFFONSO – 05/06/1898.

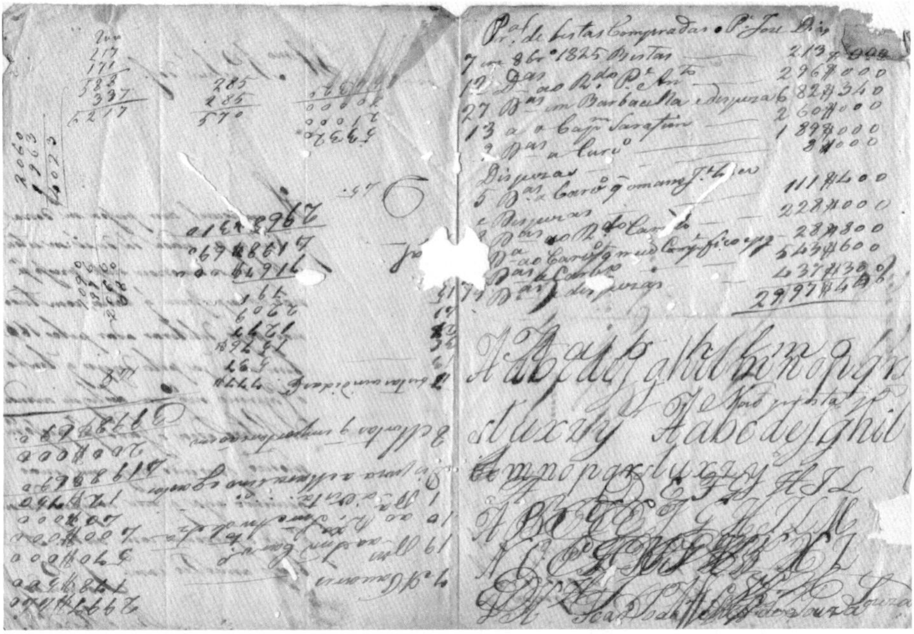

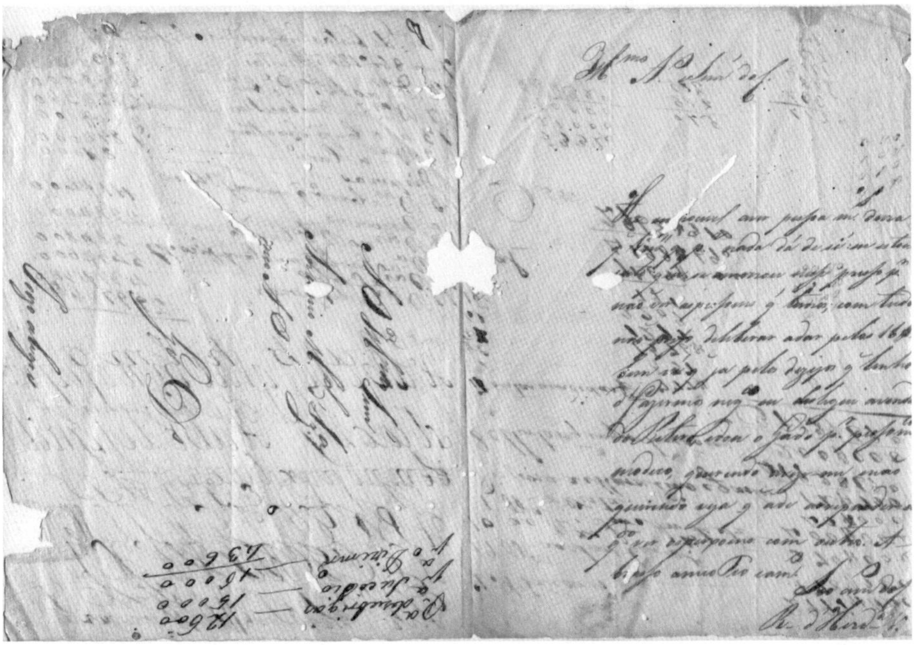

Lista de compras, despesas e pagamento do Padre José Dias, endereçada ao Sr. ANTONIO MANUEL DE SOUZA – Sem data

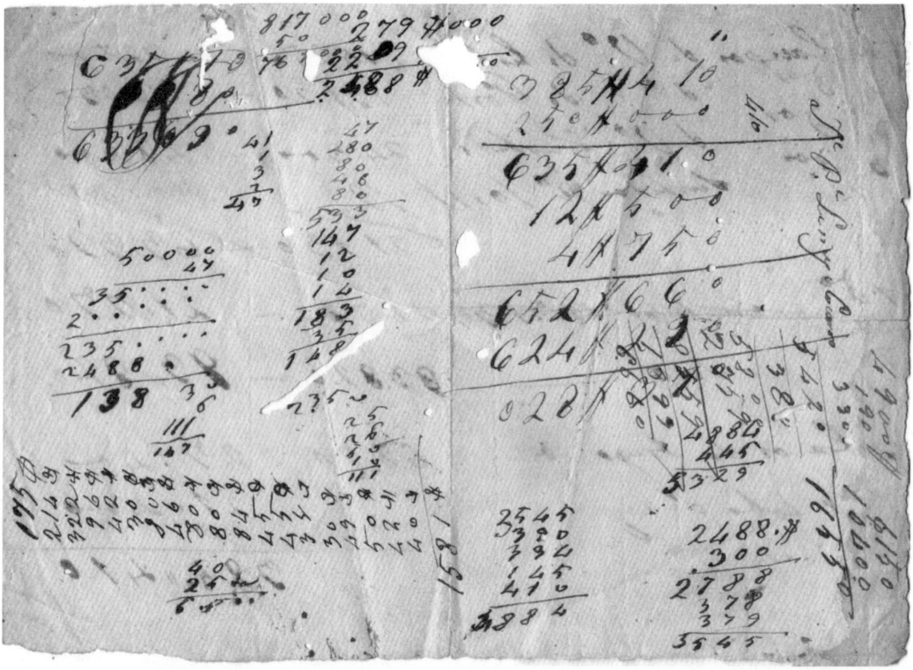

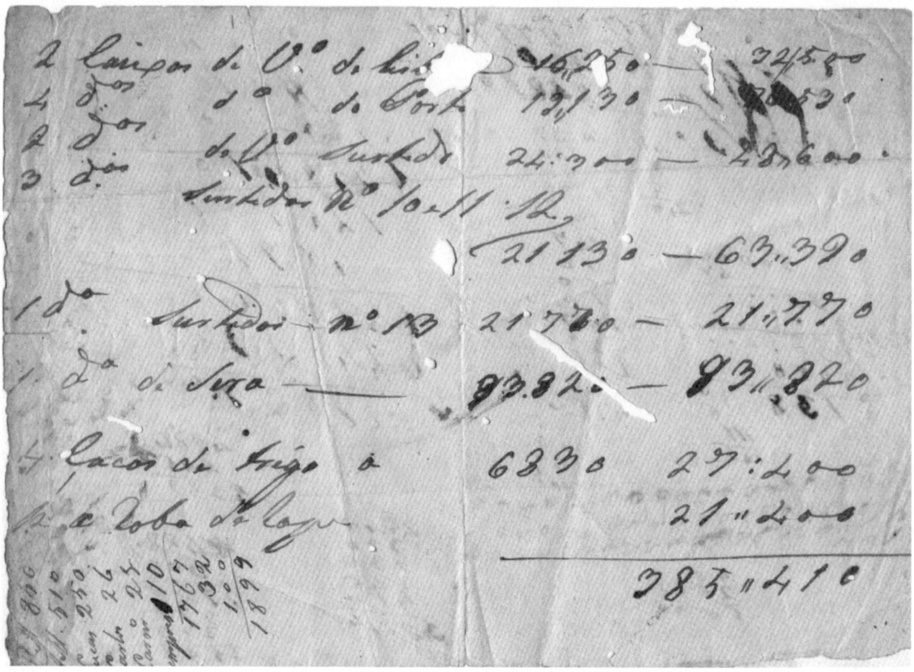

Lista de compra e débito de Padre Liney – Sem data

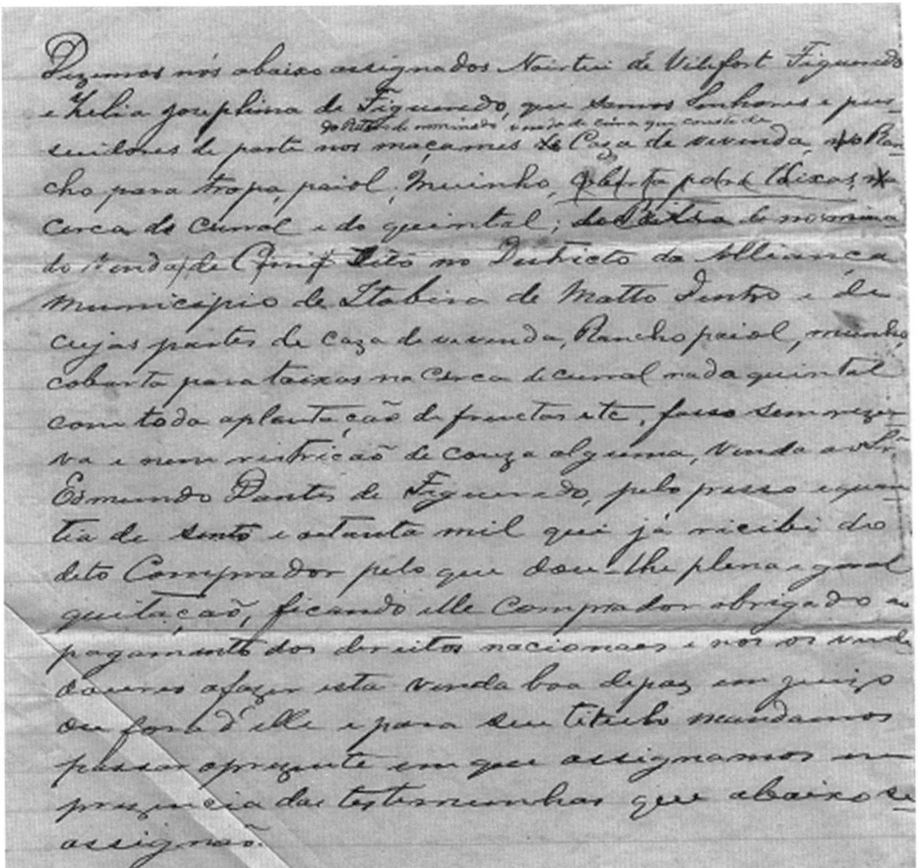

Dizemos nós abaixo assignados Noirtier de Villefort Figueiredo
e Zelia Josephina de Figueiredo, que somos Senhores e pos-
do Rancho nominado e metade da Caza que consta de
suidores de parte nos maçames da Caza de vivenda, do Rancho para tropa, paiol, moinho, [illegible] [illegible] [illegible]
Cerca do Curral e do quintal; [illegible] nominado
do [illegible] Sito no Districto da Alliança
Municipio de Itabira de Matto Dentro e de
cujas partes de Caza de vivenda, Rancho paiol, moinho
coberto para taixas na Cerca de Curral e da quintal
com toda a plantação de fructas etc, faço sem reser-
va e nem restricção de couza alguma, venda ao Sr
Edmundo Dantes de Figueiredo, pelo preço e quantia de cento e oitenta mil que já recebi do
dito Comprador pelo que dou-lhe plena e geral
quitação, ficando elle Comprador obrigado ao
pagamento dos direitos nacionaes e nós os vendedores a fazer esta venda boa de paz em juizo
ou fora d'elle e para seu titulo mandamos
passar o presente em que assignamos na
presença das testemunhas que abaixo se
assignão.

Recibo de venda de terras – Sem data

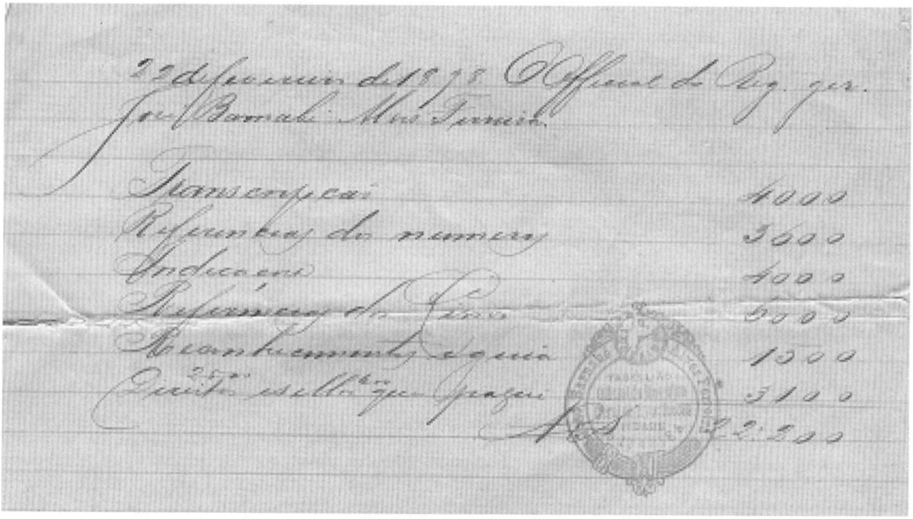
22 de fevereiro de 18[illegible]8 Official do Reg. ger.
José Barnabé Alves Ferreira

| | |
|---|---|
| Transcripção | 4000 |
| Referencias do numero | 3600 |
| Indicação | 400 |
| Referencias do [illegible] | 3000 |
| Reconhecimento e guia | 1500 |
| Quita e sello que pagou | 5100 |
| [illegible] | [illegible]2:200 |

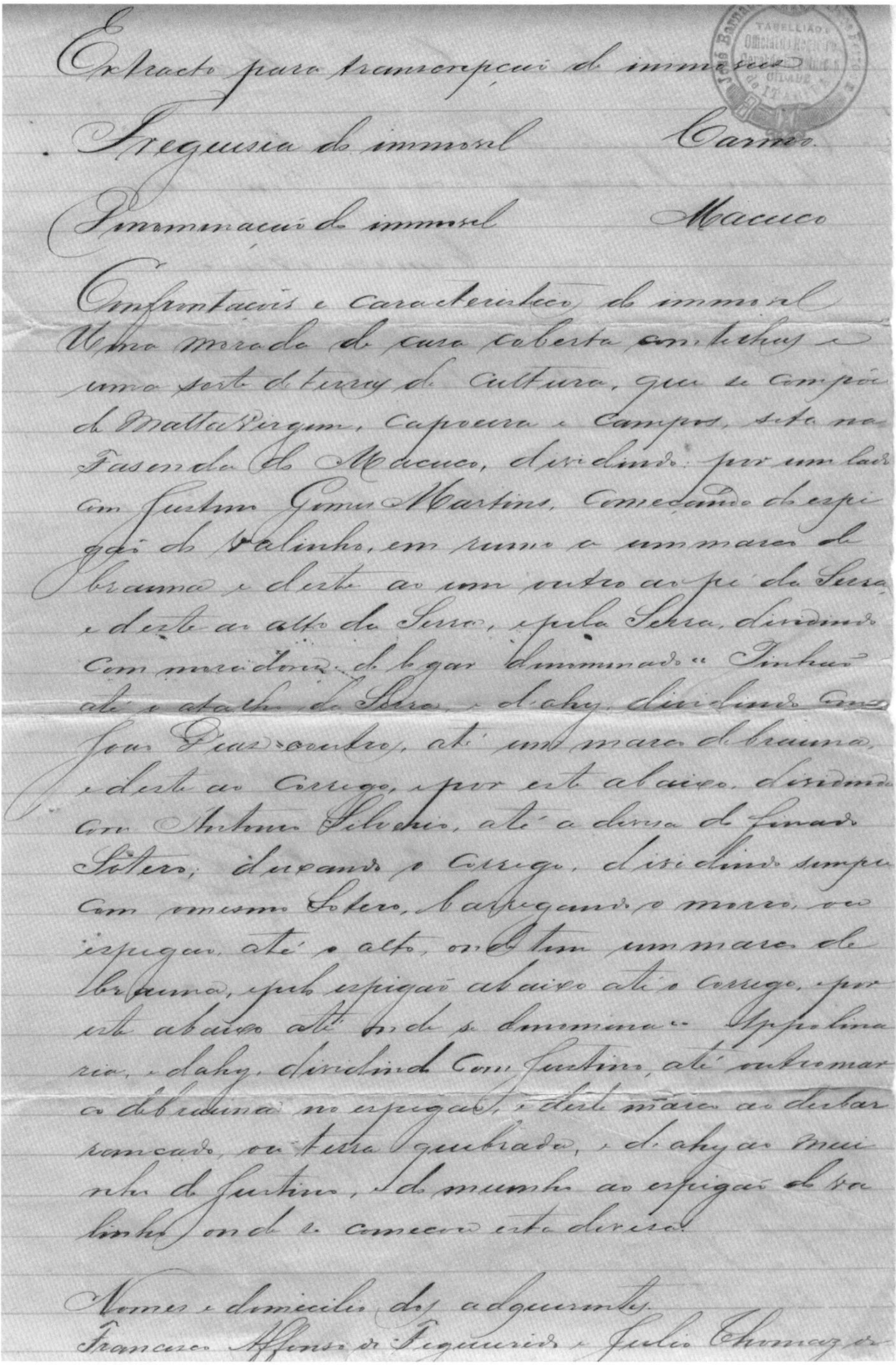

Extracto para transcripção de immoveis

Freguezia do immovel Carmo.

Denominação do immovel Macuco

Confrontações e caracteristicos do immovel

Uma morada de casa coberta com telhas e uma sorte de terras de cultura, que se compõe de Matta Virgem, Capoeira e Campos, sita na Fasenda do Macuco, dividindo por um lado com Justino Gomes Martins, começando do espigão do Valinho, em rumo a um marco de braúna e deste ao um outro ao pé da Serra e deste ao alto da Serra, e pela Serra, dividindo com herdeiros do lugar denominado "Pinheiro" até o atalho da Serra, e d'ahy dividindo com João Dias Coutinho, até um marco de braúna, e deste ao Corrego, e por este abaixo, dividindo com Antonio Silvestre, até a divisa do finado Sotero, descendo o Corrego, dividindo sempre com o mesmo Sotero, atravessando o morro ou espigão, até o alto, onde tem um marco de braúna, e pelo espigão abaixo até o Corrego, e por este abaixo até onde se denomina "Appolinario", e d'ahy dividindo com Justino, até outro marco de braúna no espigão, e deste marco ao [illegible] roncado, ou terra quebrada, e d'ahy ao moinho de Justino, e do moinho ao espigão do Valinho onde se começou esta divisa.

Nomes e domicilios dos adquirentes.

Francisco Affonso de Figueiredo e Julio Thomaz de

Extrato para... de imóveis – Macuco/Carmo – 29/11/1893

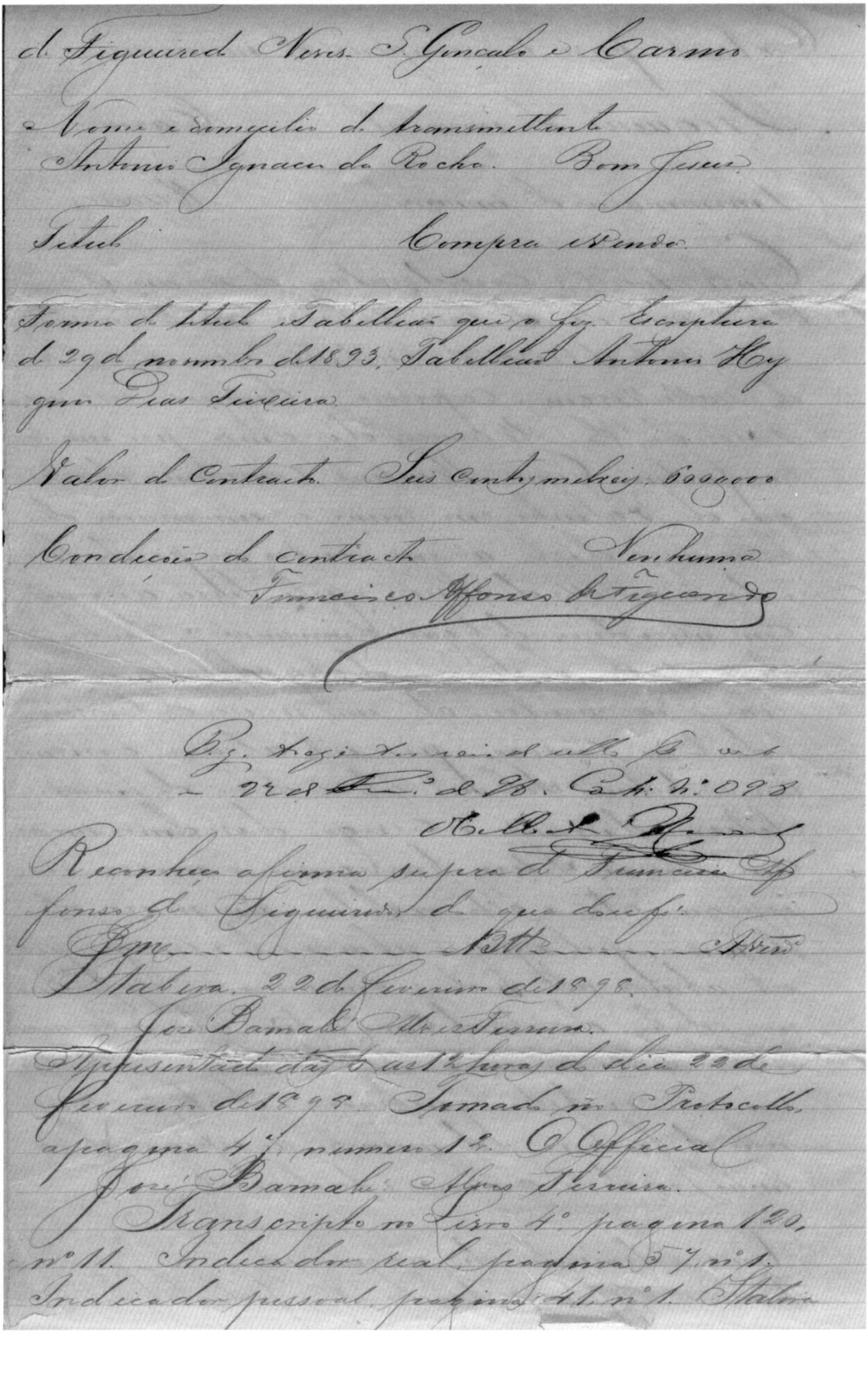
de Figueiredo Neves S. Gonçalo e Carmo

Nome e domicilio do transmittente
Antonio Ignacio da Rocha. Bom Jesus.

Titulo Compra e venda.

Forma do titulo Tabellião que o fez. Escriptura de 29 de novembro de 1893, Tabellião Antonio Hygino Dias Teixeira.

Valor do contracto Seis contos de reis 6:000$000

Condições do contracto Nenhuma.

Francisco Affonso de Figueiredo

Pg. ... 22 de ... de 98. ... 098

Reconheço a firma supra de Francisco Affonso de Figueiredo do que dou fé.

Em ... Itabira, 22 de Fevereiro de 1898.

José Bamalé Alves Ferreira.

Apresentado das 6 as 12 horas do dia 22 de Fevereiro de 1898. Tomado no Protocollo a pagina 47, numero 12. O Official José Bamalé Alves Ferreira.

Transcripto no Livro 4º pagina 120, nº 11. Indicador real pagina 57 nº 1. Indicador pessoal pagina 41 nº 1. Itabira

A presente edição foi composta em caracteres Zurich 10/16, e impressa em papel offset 90g (miolo) e cartão supremo 250g (capa), pela Gráfica e Editora O Lutador. Belo Horizonte, setembro de 2008.